Brad Meltzer
Shadow

P9-BXZ-878

BRAD MELTZER, Jahrgang 1970, hat Jura studiert und lebt mit seiner Familie in Florida. Seine Romane wurden bisher in 25 Sprachen übersetzt. In den USA gehört er zu den erfolgreichsten Thrillerautoren der letzten Jahre.

Als Aufbau Taschenbuch sind von ihm lieferbar: »Die Bank«, »Das Spiel« sowie »Der Code«.

Michael Garrick geht als Mitglied des Beraterstabes im Weißen Haus ein und aus. Niemand darf allerdings wissen, dass er auch Nora, die Tochter des Präsidenten, trifft – und heimlich liebt. Nora genießt es, mit ihm nachts durch Kneipen und Bars zu ziehen. Eines Abends entdecken sie in einer zwielichtigen Bar Michaels Chef. Aus einer Laune heraus schlägt Nora vor, ihm zu folgen – und damit geraten sie mitten hinein in dunkle Machenschaften, wie sie selbst Washington noch nicht erlebt hat.

Brad Meltzer

Shadow

Thriller

Aus dem Amerikanischen
von Edith Walter

aufbau taschenbuch
AUFBAU VERLAGSGRUPPE

Titel der Originalausgabe
The First Counsel

ISBN 978-3-7466-2420-4

Aufbau Taschenbuch ist eine Marke
der Aufbau Verlagsgruppe GmbH

1. Auflage 2008
© Aufbau Verlagsgruppe GmbH, Berlin 2008
THE FIRST COUNSEL © 2001 by Forty-Four Steps, Inc.
published in agreement with the anthor,
c/o BAROR INTERNATIONAL, INC.,
Atmonk, New York, U. S. A.
Der Band erschien 2001 unter dem Titel »Der Berater«
beim Wilhelm Heyne Verlag GmbH & Co. KG, München
Copyright der deutschen Übersetzung by Wilhelm Heyne Verlag
Umschlaggestaltung Dagmar & Torsten Lemme, Berlin
unter Verwendung einer Illustration von Torsten Lemme
Druck und Binden GGP Media GmbH, Pößneck
Printed in Germany

www.aufbau-taschenbuch.de

Für Cori,
meine erste Beraterin, meine First Lady,
meine erste Liebe.

Und für meine Schwester Bari,
weil sie mich nie verpetzt hat, als wir klein waren,
und immer meine Gedanken lesen konnte,
als wir heranwuchsen.

Ich habe mich über vieles im Weißen Haus geärgert. Dann wurde mir klar, ich konnte mich anpassen oder ich konnte mich anpassen.

Luci Johnson,
Tochter von Lyndon Baines Johnson

Man lebt nicht im Weißen Haus, man ist nur Ausstellungsstück A für das Land.

Präsident Theodore Roosevelt

Ich erinnere mich an grässliche Nächte voller Alpträume.

Susan Ford,
Tochter von Gerald Ford,
über ihre Zeit als First Daughter

ERSTES KAPITEL

Ich fürchte mich vor Höhen, Schlangen, Normalität, Mittelmäßigkeit, Hollywood, der anfänglichen Stille eines leeren Hauses; vor der unveränderlichen Dunkelheit einer schlecht erleuchteten Straße, bösen Clowns, beruflichem Versagen, der Wirkung von Barbiepuppen auf den Intellekt, fürchte mich, meinen Vater zu enttäuschen und davor, gelähmt zu sein; fürchte mich vor Krankenhäusern, Ärzten, dem Krebs, der meine Mutter umgebracht hat; außerdem fürchte ich mich davor, aus irgendeinem idiotischen Grund unerwartet zu sterben, qualvoll zu sterben und, dem Allerschlimmsten, allein zu sterben. Aber ich fürchte mich nicht vor der Macht – deshalb arbeite ich im Weißen Haus.

Auf dem Beifahrersitz meines verbeulten, verrosteten blauen Jeeps sitzend, muss ich – ich kann nicht anders – die schöne junge Frau, die meinen Wagen fährt, ununterbrochen ansehen. Ihre langen schmalen Finger halten das Steuer mit gebieterischem Griff, der uns beiden unmissverständlich zu verstehen gibt, wer hier das Sagen hat. Aber nichts könnte mir gleichgültiger sein. Während der Wagen durch die Connecticut Avenue rast, bin ich es zufrieden zu studieren, wie ihr kurzes, schwarzes Haar bis tief in den Nacken wächst. Aus Sicherheitsgründen halten wir die Fenster geschlossen, was sie aber nicht daran hindert, das Schiebedach zu öffnen. Die warme Luft des Septemberanfangs fährt ihr durchs Haar, sie lehnt sich zurück und genießt ihre Freiheit. Dann gibt sie dem Wagen ihren endgültigen persönlichen Touch: Sie schaltet das Radio ein, tippt auf die Tasten der einprogrammierten Stationen und schüttelt den Kopf.

»So was hörst du?«, fragt Nora. »Nachrichtensender?«

»Aus beruflichen Gründen.« Ich zeige auf das Armaturenbrett und füge hinzu, ganz cool, wie ich hoffe: »Auf dem letzten Knopf gibt's Musik.«

Sie lässt es darauf ankommen und drückt ihn. Wieder ein Nachrichtensender. »Kommt man dir immer so leicht auf die Schliche?«, fragt sie.

»Nur wenn ich …« Bevor ich zu Ende gesprochen habe, bohrt sich mir das Kreischen einer elektrischen Gitarre ins Trommelfell. Sie hat ihren Sender gefunden.

Mit den Daumen schlägt Nora auf dem Lenkrad den Takt, wippt im Rhythmus der Musik mit dem Kopf und sieht unglaublich lebendig aus.

»Und das hörst du gern?«, rufe ich ihr über den Lärm hinweg zu. »Diesen Mist?«

»Die einzige Möglichkeit, jung zu bleiben«, sagt sie grinsend. Sie tritt mir gegen das Schienbein, und es macht ihr Spaß. Mit ihren zweiundzwanzig Jahren ist Nora Hartson sehr clever. Und viel zu selbstbewusst. Sie weiß, dass ich wegen des Altersunterschieds zwischen uns befangen bin – hat es von dem Moment an gewusst, als ich ihr sagte, ich sei neunundzwanzig. Aber es war ihr egal.

»Denkst du, das schreckt mich ab?«, hat sie gefragt.

»Wenn es dich abschreckt, ist es dein Fehler.«

Und da hatte ich sie. Sie brauchte eine Herausforderung. Besonders eine sexuelle. Viel zu lange war alles für sie zu einfach gewesen. Und es macht keinen Spaß, immer zu bekommen, was man will, dessen war sich Nora nur allzu genau bewusst. Das Problem ist, dass dies wahrscheinlich ein Leben lang ihr Los sein wird. In guten und in schlechten Zeiten, daher rührt ihre Kraft. Nora ist attraktiv, bezaubernd und ganz einfach hinreißend. Außerdem ist sie die Tochter des Präsidenten der Vereinigten Staaten.

Wie ich schon sagte, ich habe keine Angst vor der Macht.

Der Wagen fährt in Richtung Dupont Circle, und ich werfe einen Blick auf meine Uhr, frage mich, wann unsere erste Verabredung zu Ende sein wird. Es ist Viertel nach elf, doch Nora scheint erst jetzt richtig aufzuwachen. Als wir vor einem Lokal namens Tequila Mockingbird halten, verdrehe ich die Augen. »Noch eine Bar?«

»Du musst doch wenigstens ein kleines Vorspiel haben«, neckt sie mich. Ich sehe sie an, als bekäme ich das dauernd zu hören. Sie fällt keine Sekunde darauf herein. Gott, ich liebe Amerika. »Außerdem«, fügt sie hinzu, »ist es ein gutes Lokal. Kein Mensch kennt es.«

»Wir werden also tatsächlich ein bisschen für uns sein können?« Instinktiv werfe ich einen Blick in den Rückspiegel. Der schwarze Chevy Suburban, der uns durch das Tor des Weißen Hauses gefolgt und bei jedem Stopp, den wir einlegten, hinter uns geblieben ist, fährt uns noch immer hinterher. Der Secret Service lässt nie los.

»Zerbrich dir ihretwegen nicht den Kopf«, sagt sie. »Sie haben keine Ahnung, was kommt.«

Bevor ich sie bitten kann, mir zu erklären, was sie meint, sehe ich am Seiteneingang des Tequila Mockingbird einen Mann in Khaki. Er zeigt auf einen reservierten Stellplatz und winkt uns näher. Noch ehe er auf den Knopf des Geräts gedrückt hat, den er in der Hand hält, und etwas in den Kragen seines Polohemdes flüstern kann, das sich mächtig anstrengt, ganz lässig auszusehen, weiß ich, wer er ist. Secret Service. Was bedeutet, dass wir nicht in der langen Schlange vor dem Lokal warten müssen – er wird uns hineinlotsen. Keine üble Art, von einer Bar zur anderen zu ziehen, wenn man mich fragt. Nora sieht das natürlich nicht so.

»Bereit, ihm eins auszuwischen?«, fragte sie.

Ich nicke, obwohl mir nicht klar ist, was sie vorhat, kann aber ein Lächeln kaum unterdrücken. Die Tochter des Präsidenten, und ich meine *die* Tochter des Präsidenten der Vereinigten Staaten, sitzt neben mir in meinem beschissenen Auto und bittet mich, ihr unter die Limbostange zu folgen. Schon habe ich einen Vorgeschmack vom Salsa.

Gerade als wir Augenkontakt mit dem Agenten vor dem Mockingbird aufgenommen haben, rollt Nora an der Bar vorbei und steuert einen etwa einen halben Block entfernten Tanz-Club an. Ich drehe mich um, will sehen, was der Agent für ein Gesicht macht. Nach Belustigung sieht es nicht aus. Ich kann ihm von hier von den Lippen ablesen.

»›Shadow‹ bewegt sich«, sagt er grollend in seinen Kragen.

»Warte einen Moment – hast du ihnen nicht gesagt, wir gehen ins Mockingbird?«

»Eine Frage: Glaubst du, es ist lustig, wenn du ausgehst und der Secret Service ist schon vor dir da und überprüft das Lokal?«

Ich antworte nicht sofort, muss darüber nachdenken. »Na ja, mir kommt das ziemlich cool vor.«

Sie lacht. »Also ich hasse es. In dem Moment, in dem sie auftauchen, laufen die wirklich interessanten Leute zu den Ausgängen.« Sie zeigt auf den Suburban, der noch immer hinter uns ist, und fügt hinzu: »Mit denen, die mir folgen, werde ich fertig. Die Typen von der Vorhut sind die Spaßverderber. Übrigens hält sie das alle auf Trab.«

Als wir beim Parkwächter vorfahren, versuche ich, mir etwas Witziges einfallen zu lassen. Und dann sehe ich ihn. Am Vordereingang unseres neuesten Ziels steht ein anderer Mann, der in seinen Hemdkragen flüstert. Wie der Agent vor dem Mockingbird trägt er die Standard-Freizeitkluft des Secret Service: Khakihose und kurzärmeliges Polohemd. Um möglichst wenig Aufmerksamkeit auf Nora zu lenken, versuchen die Agenten ihr Bestes, um unsichtbar zu bleiben – ihre Kleidung ist auf die ihres Schützlings abgestimmt. Natürlich denken sie das – allerdings tragen die meisten Leute in Khakihosen keine Waffen und reden nicht in ihren Hemdkragen, wie ich feststellen konnte, als ich das letzte Mal genauer hinschaute. Aber so oder so, ich bin beeindruckt. Sie kennen Nora besser, als ich dachte.

»Also, gehen wir rein oder was?«, frage ich und zeige auf den Parkwächter, der darauf wartet, dass Nora die Wagentür öffnet.

Nora antwortet nicht. Ihre grünen, durchdringenden Augen – eindringlich genug, um mich zu überreden, sie fahren zu lassen – starren jetzt mit leerem Blick durchs Fenster.

Ich tippe ihr spielerisch auf die Schulter. »Sie haben also gewusst, dass du kommst. Na, wenn schon – das ist ihr Job.« »Darum geht's nicht.«

»Nora, wir alle sind Gewohnheitstiere. Nur weil sie deine Gewohnheiten kennen …«

»Das ist das Problem!«, schreit sie. »Es war ein spontaner Einfall!«

Hinter diesem Ausbruch wird ein Schmerz in ihrer Stimme kenntlich, der mich überrascht. Nach all den Jahren, die ich sie im Fernsehen sah, ist dies das erste Mal, dass ihre verletzliche Seite zum Vorschein kommt, und auch wenn es mit einem Aufschrei geschieht, reagiere ich sofort. Mein spielerisches Auf-die-Schulterklopfen wird zu einem beschwichtigenden Streicheln. »Vergiss dieses Lokal. Wir finden etwas anderes.«

Finster starrt sie den Agenten in der Nähe des Eingangs an. Er grinst zurück. Sie haben dieses Spiel schon öfter gespielt. »Wir verschwinden von hier.« Rasch steigt sie aufs Gas, unsere Reifen quietschen, und wir sind zu unserem nächsten Stopp unterwegs. Als wir losfahren, werfe ich wieder einen Blick in den Rückspiegel. Der Suburban ist direkt hinter uns, wie immer.

»Geben sie jemals auf?«, frage ich.

»Das hängt von dem Gebiet ab, in dem ich grade bin«, sagt sie, und es klingt, als hätte sie einen Tritt in den Bauch bekommen.

Ich hoffe, sie aufzuheitern und sage: »Vergiss diese Affen. Wen kümmert's, dass sie wissen, wo du …«

»Verbring erst mal zwei Wochen damit. Dann wirst du einen anderen Ton anschlagen.«

»Ganz bestimmt nicht. Mein Ton bleibt immer gleich: *Ich liebe die Jungs mit Schusswaffen. Ich liebe die Jungs mit Schusswaffen. Ich liebe die Jungs mit Schusswaffen.* Wir beten hier ein Mantra herunter.«

Der Witz ist nicht originell, aber er wirkt. Sie unterdrückt das winzigste aller Lächeln. »Ich muss diese Schusswaffen lieben.« Sie holt tief Atem, fährt sich mit der Hand über den Nacken und durch die schwarzen Haarspitzen. Ich denke, sie fängt endlich an sich zu entspannen. »Noch einmal danke, dass du mich fahren lässt – hab das langsam vermisst.«

»Wenn du dich besser fühlst – du bist eine ausgezeichnete Fahrerin.«

»Und du ein großartiger Lügner.«

»Nimm mich nicht beim Wort – guck dir mal die Lemminge hinter uns an; sie lächeln, seit du vom Club losgeprescht bist.«

Nora schaut selbst in den Rückspiegel und winkt zwei anderen von der Khaki-Polo-Patrouille zu. Keiner lächelt, aber der auf dem Beifahrersitz winkt tatsächlich zurück. »Das sind meine Jungs – sind seit drei Jahren bei mir«, erklärt sie. »Übrigens sind Harry und Darren nicht so übel. Nur unglücklich, denn sie sind als einzige wirklich für mich verantwortlich.«

»Klingt wie ein Traumjob.«

»Eher wie ein Alptraum – jedes Mal wenn ich das Haus verlasse, sind sie hinter mir und beobachten mein Hinterteil.«

»Wie ich schon sagte – Traumjob.«

Sie wendet sich ab, tut so, als freue sie sich nicht über das Kompliment. »Du flirtest gern, nicht wahr?«

»Die sicherste Form einer intensiven gesellschaftlichen Interaktion.«

»Sicherste Form? Pah? Geht es dir dabei nur darum?«

»Sagte die junge Lady mit den bewaffneten Bodyguards.«

»Was soll ich sonst sagen?«, fragt sie mit einem Auflachen. »Manchmal muss man vorsichtig sein.«

»Und manchmal muss man das Dorf niederbrennen, um es zu retten.«

Das gefällt ihr – wie alles, was ein wenig neue Aufregung verspricht, eine neue Herausforderung ist. Für sie wird alles andere geplant. »Jetzt spielst du also Dschingis Khan?«, fragt sie.

»Ich war dafür bekannt, dass ich ein paar hilflose Dörfer geplündert habe.«

»O bitte, Anwaltchen, du fängst an, dich selber verlegen zu machen. Wohin möchtest du jetzt?«

Ihre Energie turnt mich an. Ich versuche ganz gelassen zu tun. »Ist mir egal. Aber müssen uns diese Affen folgen?«

»Hängt davon ab«, sagt sie lächelnd. »Denkst du, du wirst mit ihnen fertig?«

»O ja. Es ist bekannt, dass Anwälte die Fähigkeit haben, große, kugelfeste Militärtypen zusammenzuschlagen. Wir werden ja auch gründlich im Faustkampf ausgebildet, bevor man uns zum Examen zulässt …«

»Okay, wenn nicht mit Kampf, dann mit Krampf – wir müssen unser Heil in der Flucht versuchen.« Sie tritt das Gaspedal durch, und mein Kopf fliegt gegen die Kopfstütze. Wieder preschen wir die Connecticut Avenue entlang.

»Was machst du jetzt?«

Sie wirft mir einen Blick zu, den ich in der Hose spüre. »Du wolltest Zurückgezogenheit.«

»Eigentlich wollte ich ein Vorspiel.«

»Dein Wunsch wird erfüllt, du bekommst beides.«

Jetzt schießt mir Adrenalin durch die Adern. »Du glaubst wirklich, du kannst sie abhängen?«

»Hab's bisher erst einmal versucht.«

»Was ist passiert?«

Sie wirft mir noch einen dieser besonderen Blicke zu. »Das willst du doch nicht wirklich wissen.«

Der Tacho springt im Handumdrehen auf die Sechzig, und auf D. C.s schlecht gepflasterten Straßen spüren wir jedes Schlagloch. Ich packe den Haltegriff an der Tür und richte mich auf. In diesem Augenblick sehe ich Nora als die Zweiundzwanzigjährige, die sie wirklich ist – furchtlos, selbstbewusst und noch immer von der Drehzahl eines Motors beeindruckt. Obwohl ich nur ein paar Jahre älter bin, ist es lange her, dass mein

13

Herz so raste. Nach drei Jahren an der juristischen Fakultät von Michigan, zwei Referendarjahren, zwei Jahren bei einer Anwaltsfirma und den letzten beiden Jahren im Büro des First Counsel* des Weißen Hauses waren alle meine Leidenschaften rein beruflicher Art. Jetzt weckt Nora Hartson mich mit einem Urknall, und ein Blitzgewitter fährt mir in die Lenden. Woher, zum Teufel, hätte ich wissen sollen, was mir fehlte?

Dennoch, ich werfe einen Blick zurück auf den Suburban und lache nervös auf. »Wenn ich dadurch in Schwierigkeiten gerate ...«

»Macht dir das Sorgen?«

Ich beiße mir auf die Lippen. Das war ein großer Rückschritt. »Nein ... Es ist nur, dass ... du weißt, was ich meine.«

Sie ignoriert mein Gestottere und beschleunigt noch mehr.

In die Stille unseres Gesprächs verstrickt, höre ich nur, wie laut der Motor dröhnt. Vor uns sehe ich den Eingang der Unterführung, die sich unter dem Dupont Circle hinzieht. Der kleine Tunnel hat am Anfang ein steiles Gefälle, so dass man nicht sieht, wie viele Wagen vor einem sind. Nora scheint das egal zu sein. Ohne Tempo wegzunehmen, stürzen wir uns in den Tunnel, und mein Magen macht einen Satz nach unten. Zum Glück ist kein Wagen vor uns.

Als wir den Tunnel verlassen, ist das grüne Licht am Ende des nächsten Häuserblocks alles, was ich sehe. Dann wird es gelb. Wir sind bei weitem nicht nah genug, um es zu schaffen. Nora beachtet es nicht. »Die Ampel ...!«

Sie springt auf Rot, und Nora reißt das Steuer scharf rechts herum. Die Reifen kreischen und meine Rippen werden gegen die Armlehne zwischen uns gepresst. Zum ersten Mal denke ich, dass wir wirklich in Gefahr sind. Ich schaue in den Rückspiegel. Der Suburban ist noch da. Sie lassen nicht los.

---

* First Counsel – Der erste Berater des Präsidenten in allen juristischen, ethnischen und gesellschaftlichen Fragen.

Wir rasen durch eine enge, kurze Straße. Vor uns ein Stopp-schild. Trotz der späten Stunde herrscht auf der Vorfahrtstraße noch lebhafter Verkehr. Ich erwarte, dass Nora langsamer wird. Stattdessen gibt sie Gas.

»Tu das nicht!«, warne ich sie.

Sie merkt, dass ich schreie, antwortet aber nicht. Ich recke den Hals, um zu sehen, wie viele Wagen vor uns vorbeifahren. Ich entdecke ein paar, habe aber keine Ahnung, ob sie uns beachten. Wir flitzen an dem Stoppschild vorbei, und ich schlie-ße die Augen. Ich höre, wie Wagen aus beiden Richtungen krei-schend anhalten und gleichzeitig ohrenbetäubend hupen. Wir kommen durch. Ich drehe mich um und sehe den Secret Ser-vice, der unseren Spuren folgt. »Was bist du, eine Psychopa-thin?«

»Nur wenn ich uns umbringe. Wenn wir am Leben bleiben, bin ich eine Draufgängerin.«

Sie weigert sich, aufzugeben, schlängelt sich durch die von Sandsteinhäusern gesäumten Straßen des Dupont Circle. Bei jedem Stoppschild, das wir überfahren, lassen wir einen Chor blökender Hupen und stocksaurer Fahrer zurück. Schließlich rasen wir durch eine Einbahnstraße, die uns auf die Haupt-durchgangsstraße, die Connecticut Avenue, zurückbringt. Das einzige zwischen uns und den sechs Fahrbahnen ist ein weite-res Stoppschild. Etwa dreißig Meter davor tritt sie heftig auf die Bremse. Gott sei Dank. Sie ist wieder vernünftig.

»Warum lassen wir's für heute Abend nicht einfach gut sein?«, frage ich.

»Keine Chance.« Finster schaut sie in den Rückspiegel, will ihre Lieblingsagenten so lange anstarren, bis sie den Blick abwenden. Es scheint, als wollten sie aus dem Suburban ausstei-gen, doch sie wissen, dass sie in dem Moment losrasen wird, in dem sie es tun.

Der Agent auf dem Beifahrersitz kurbelt die Scheibe herun-ter. Er ist jung, jünger als ich vielleicht. »Kommen Sie schon,

Shadow!«, ruft er und reibt ihr damit ihren Secret-Service-Codenamen unter die Nase. »Sie wissen, was er beim letzten Mal gesagt hat. Zwingen Sie uns nicht, es wieder zu melden.«

Die Drohung gefällt ihr gar nicht. »Anmaßendes schottisches Arschloch«, sagt sie leise. Dann tritt sie heftig aufs Gas. Die Räder drehen ein paar Mal durch, bevor sie greifen.

Ich darf das nicht zulassen. »Nora, nicht …«

»Halt den Mund.«

»Sag mir ja nicht …«

»Ich hab' gesagt, halt den Mund.« Ein wohlüberlegtes leises Knurren folgt. Es klingt nicht nach ihr. Wir holpern auf das Stoppschild zu, und ich zähle sieben Wagen, die vor uns die Straße queren. Acht. Neun. Hier ist es nicht wie in den Seitenstraßen. Diese Wagen fliegen vorbei. Eine winzige Schweißperle läuft Nora seitlich über die Stirn. Sie umklammert das Steuer so fest sie kann. Diesmal schaffen wir es nicht.

Als wir an der Bordkante entlangschlittern, tue ich das Einzige, das mir einfällt. Ich lehne mich hinüber, drücke auf die Hupe und halte sie fest. Wir schießen aus der Seitenstraße wie eine 80 km/h schnelle Todesfee. Zwei Wagen schleudern. Einer macht eine Vollbremsung. Ein vierter Fahrer in einem schwarzen Acura versucht die Geschwindigkeit zu drosseln, doch die Zeit reicht nicht. Seine Reifen quietschen auf dem Fahrbahnbelag, aber er steht nicht, rollt weiter. Obwohl Nora ihr Bestes tut, ihm mit einem Schlenker auszuweichen, prallt er gegen unsere hintere Stoßstange. Wir verlieren die Kontrolle über den Wagen. Und der Acura gerät direkt vor den Suburban des Secret Service. Der Suburban schwenkt scharf nach rechts und bleibt auf der Stelle stehen. Wir fahren weiter.

»Alles in Ordnung!«, schreit Nora, während sie mit dem Steuer kämpft. »Alles okay!« Und nach zwei Sekunden stelle ich fest, dass es stimmt. Keinem ist was passiert, und wir haben freie Fahrt. Lächelnd schaltet Nora die Scheinwerfer ein. Als wir den Block entlangfahren, stockt mir noch manchmal der Atem.

Ihre Brust hebt und senkt sich, auch sie kämpft darum, zu Atem zu kommen. »Nicht übel, wie?«, fragt sie endlich.

»Nicht übel?«, entgegne ich und wische mir über die Stirn. »Du hättest uns umbringen können – von den anderen Fahrern ganz zu schweigen, und den ...«

»Aber es hat dir Spaß gemacht?«

»Das ist keine Frage von Spaß oder nicht Spaß. Es war einer der idiotischsten Stunts, die ich je ...«

»Aber hat es dir Spaß gemacht?« Als sie die Frage wiederholt, klingt ihre Stimme warm. Im Mondlicht glänzen ihre wilden Augen. Nachdem ich so viele zweidimensionale Fotos von ihr in der Presse angeschaut habe, die bei öffentlichen Veranstaltungen aufgenommen wurden, ist es seltsam, sie einfach da sitzen zu sehen. Ich habe gedacht, dass ich weiß, wie sie lächelt, wie sie sich bewegt. Meine Vorstellung war nicht einmal annähernd richtig. Sieht man sie leibhaftig vor sich, verändert sich ihr ganzes Gesicht, wie ihre Wangen sich verziehen und leicht rot werden, wenn sie erregt ist; unmöglich, es zu beschreiben. Ich bin nicht verblendet, es ist nur ... Ich weiß nicht, wie ich es anders ausdrücken soll ... Sie sieht mich an. Nur mich. Sie schlägt mir auf den Oberschenkel. »Niemand wurde verletzt, der Acura hat uns nur leicht gestreift. Schlimmstenfalls sind seine und unsere Stoßstange zerkratzt. Ich meine, an wie vielen Abenden entkommst du dem Secret Service und bleibst am Leben, um davon erzählen zu können?«

»Ach, das mach ich jeden zweiten Donnerstag. Ist doch nicht viel dabei.«

»Lach soviel du willst, aber du musst zugeben, es war aufregend.«

Ich blicke über die Schulter zurück. Wir sind ganz allein. Und ich muss zugeben, sie hat recht.

Es dauert ungefähr zehn Minuten, bis mir klar wird, dass wir uns verfahren haben. Innerhalb einiger weniger Blocks haben heruntergekommene Mietshäuser der Randbezirke von Adams

Morgan die makellosen Sandsteinhäuser des Dupont Circle abgelöst. »Wir hätten auf der 16th umkehren sollen«, sage ich.

»Du weißt ja nicht, wovon du redest.«

»Du hast absolut recht. Ich habe hundert Prozent keine Ahnung. Und willst du wissen, warum ich das weiß?« Ich mache eine Pause, um der besseren Wirkung willen. »Weil ich dir vertraut habe und dich fahren ließ! Ich meine, was hab ich mir dabei gedacht, zum Teufel? Du kennst dich hier kaum aus; du fährst nie in einem Auto, und wenn, dann auf dem Rücksitz.«

»Was meinst du damit?«

In dem Moment, in dem sie die Frage stellt, wird mir klar, was ich gesagt habe. Vor drei Jahren, kurz nachdem ihr Vater gewählt wurde und als Nora im zweiten Studienjahr in Princeton war, erschien im *Rolling Stone* ein bissiger Artikel über ihr, wie sie es nannten, *Drogen- und Liebesleben*. Diesem Artikel zufolge behaupteten zwei Typen, Nora hätte ihnen auf dem Rücksitz ihrer Wagen einen geblasen. Eine andere Quelle besagte, sie schnupfe Koks; eine dritte meinte, es sei Heroin. Wie auch immer, irgendein geiler, kleiner Internet-Freak hatte sich auf diesen Artikel berufen und Noras vollen Namen – Eleanor – benutzt, um ein Haiku mit dem Titel *Die knie-wunde Eleanor* zu veröffentlichen. Ein paar Millionen verschickte E-Mails später bekam Nora ihren berüchtigsten Spitznamen – und ihr Vater sah seine Zahlen auf der Beliebtheitsskala sinken. Als die Story lief, rief Präsident Hartson den Herausgeber des *Rolling Stone* an und bat ihn, seine Tochter in Ruhe zu lassen. Das taten sie auch von da an. Hartsons Zahlen stiegen wieder an. Alles war gut. Aber der böse Scherz machte die Runde. Und nach Noras Gesichtsausdruck zu schließen, war der Schaden bereits angerichtet gewesen.

»Ich habe damit nichts gemeint«, sage ich eindringlich, vor der unbeabsichtigten Kränkung zurückschreckend, die ich ihr offenbar zugefügt habe. »Ich wollte nur sagen, dass deiner Familie immer eine Limousine zur Verfügung steht. Wagenkolonnen. Du weißt schon, andere Leute fahren dich.«

Plötzlich lacht Nora. Sie hat eine sexy, eine herzhafte Stimme, aber ihr Lachen ist noch immer das eines kleinen Mädchens.

»Was ist los?«

»Du bist verlegen«, antwortet sie belustigt. »Bist knallrot geworden.«

Ich wende mich ab. »Tut mir leid …«

»Nein, es ist okay. Es ist richtig süß von dir. Und noch süßer ist es, dass du rot geworden bist. Und dieses eine Mal weiß ich, dass es echt ist. Danke, Michael.«

Sie hat meinen Namen ausgesprochen. Zum ersten Mal heute Abend hat sie meinen Namen gesagt. Ich drehe mich wieder zur Seite, schaue sie an. »Gern geschehen. Und jetzt nichts wie weg von hier.«

Wir wenden auf der 14th Street, suchen noch immer nach dem schmalen Streifen Landes, bekannt als Adams Morgan, wo man Washingtons am meisten überschätzte Bars und die besten ausländischen Restaurants findet, und fahren in die Richtung zurück, aus der wir gekommen sind. Es geht nur an leerstehenden Häusern vorbei und durch dunkle Straßen, und ich fange an mich zu sorgen. Gleichgültig wie *tough* sie ist, die Tochter des Präsidenten der Vereinigten Staaten sollte sich in einer solchen Umgebung nicht aufhalten.

Als wir das Ende des Blocks erreichen, entdecken wir das erste Anzeichen zivilisierten Lebens: Um die Ecke kommen mehrere Leute aus dem einzigen Gebäude mit einer Schaufensterfront weit und breit. Es ist ein großes Ziegelgebäude, das aussieht, als sei es zu einer zweigeschossigen Bar umgebaut worden. Auf ein schmutziges weißes Schild hat man mit dicken schwarzen Lettern das Wort *Pendulum* gepinselt. Ein hipper mitternachtsblauer Lichtschein säumt die Ränder des Schildes. Nicht meine Art von Lokal.

Nora fährt auf einen nahen Stellplatz und schaltet den Motor aus.

»Hier?«, frage ich. »Das ist ein Rattenloch.«

»Ist es nicht. Die Leute sind gut angezogen.« Sie zeigt auf einen Mann in kamelhaarfarbenen Slacks und engem schwarzem T-Shirt. Bevor ich protestieren kann, fügt sie hinzu: »Gehen wir – zur Abwechslung sind wir einmal anonym.« Unter dem Schulterriemen ihrer Umhängetasche holt sie eine schwarze Baseballmütze hervor und zieht sich das Schild tief über die Augen. Es ist eine grässliche Verkleidung, aber sie sagt, sie funktioniere. So sei sie bisher noch nie erkannt worden.

Am Eingang knöpft man uns zehn Dollar ab, wir gehen hinein und sehen uns schnell um. Der Raum ist knallvoll, es drängelt sich hier die typische D. C.-Donnerstagnacht-Clique – die meisten noch im Anzug; einige schon in Calvin-Klein-Hemden mit V-Ausschnitt. In der Ecke spielen zwei Männer Poolbillard. An der Bar bestellen zwei Männer Getränke. Neben ihnen stehen zwei Männer, die Händchen halten. Da wird mir plötzlich klar, wo wir hineingeraten sind: Außer Nora ist keine einzige Frau da. Wir stehen mitten in einer Schwulenbar.

Jemand packt mich von hinten am Hintern. Ich schau mich nicht einmal um. »O Nora, ich wünschte, du wärst ein Mann.«

»Ich bin beeindruckt«, sagt sie und geht weiter. »Du siehst nicht mal so aus, als ob's dir peinlich wäre.«

»Warum sollte es mir peinlich sein?«

An dem Funkeln in ihren Augen erkenne ich, dass sie mich einem anderen Test unterziehen will. Sie muss wissen, ob ich es mit den *coolen kids* aushalte. »Es ist also okay, wenn wir bleiben?«

»Absolut«, sage ich grinsend. »Ich möchte es gar nicht anders.«

Sie starrt mich mit ihrem sexy Blick an, bis ich die Augen senke. Fürs Erste habe ich bestanden.

Wir quetschen uns zur Bar durch und bestellen Getränke. Ich nehme ein Bier, sie einen Jack und Ginger. Dann trotte ich hinter ihr her zum entgegengesetzten Ende der L-förmigen Bartheke, wo sie im rechten Winkel zur Wand verläuft. Mit der ausgeklügelt flinken Bewegung, die sie jahrelang geübt hat, seit sie von der Meute gejagt und angegafft wird, winkt Nora mich auf den letzten Sitz, sie selbst kehrt der Menge den Rücken zu. Sie tut es rein instinktiv. Da sie ihr Haar unter der Baseballmütze versteckt hat, wird niemand sie erkennen. Und so wie sie sich platziert hat, kann nur ich ihr ins Gesicht sehen. Noch einmal schaut sie sich im Raum um und widmet sich dann zufrieden ihrem Drink. »Du warst also immer ein ernsthafter Mensch?«

»Wie meinst du das? Ich bin nicht …«

»Entschuldige dich nicht dafür«, unterbricht sie mich.

»So bist du nun einmal. Mich interessiert nur, woran es liegt. Familienprobleme? Bittere Scheidung? Dein Dad hat dich im Stich gelassen, und deine Mum …?«

»Niemand hat mir irgendetwas getan«, sage ich. »Was du siehst, bin ich.« Hört sie aus meinem Tonfall ein Problem heraus? Sie hat recht, es gibt eins. Und es ist keines, das sie bei der ersten Verabredung erfahren wird. Nach einem glatten Übergang suchend, bemühe ich mich, wieder sicherere Themen anzusteuern. »Erzähl mir, wie es dir in Princeton gefallen hat. Daumen hoch oder Daumen nach unten?«

»Ich hab' nicht gewusst, dass du ein Interview von mir wolltest.«

»Komm, lass das bitte. Das College verrät über jeden Menschen eine Menge.«

»Das College verrät dir gar nichts – es ist eine vernunftbedingte Entscheidung, die auf einem nichtssagenden Besuch auf dem Campus und einer vorher angekündigten Reihe von SATs (Scolastic Aptitude Tests) beruht. Außerdem bist du fast dreißig«, sagt sie mit einem hinterhältig durchtrieben Grinsen, »und das ist Urgeschichte für dich. Was hast du in der Zwischenzeit gemacht?«

»Nach dem Jurastudium? Schnelle Referendarzeit und dann ab in eine Anwaltsfirma. Doch um ehrlich zu sein, ich wollte nur die Zeit zwischen den Kampagnen ausfüllen. Barth im

Senat, ein paar einheimische Stadträte – dann drei Monate als Get-Out-the-Vote-Chairman von Hartsons Kampagne im Staat Michigan.« Sie antwortet nicht, und ich habe das Gefühl, dass sie mich abschätzt. Hastig füge ich hinzu: »Du weißt, die nationale Ebene ist der reinste Zoo, wenn ich eine echte Verantwortung übernehmen wollte, wär es für mich besser, im Staat zu bleiben.«

»Besser für dich oder besser für dein Ego?«

»Für beides. Das Hauptquartier war nur zwanzig Minuten von meinem Haus entfernt.«

Sie spürt etwas in meiner Antwort. »Du wolltest also in Michigan sein?«

»Ja. Warum?«

»Ach, ich weiß nicht … ein smarter Typ wie du, der im Büro des First Counsel arbeitet. Sonst laufen Kerle wie du aus ihren Heimatstädten weg.«

»Es war eine finanzielle Entscheidung. Nicht mehr.«

»Und was war mit dem College und der juristischen Fakultät? Beides in Michigan, richtig?«

Es ist wirklich unglaublich – wenn es um Schwächen geht, weiß sie sofort, wo sie suchen muss. »Die Schule war eine andere Geschichte.«

»Eine, die mit deinen Eltern zu tun hatte?«

Wieder einmal sind wir an meiner Grenze angekommen. »Etwas Persönliches. Aber es war nicht ihre Schuld.«

»Bist du immer so nachsichtig?«

»Bist du immer so direkt?«

Sie stützt den Ellenbogen auf der Bar auf, beugt sich weit vor und zwingt mich an die Wand. »Was du siehst, bin ich«, sagt sie mit einem dunklen Lächeln.

»Genau«, gebe ich spöttisch zurück. »Das bringt es auch bei mir auf den Punkt.« Ich rutsche vom Hocker und gehe auf sie zu. Die erste Regel, die man im Büro des First Counsel lernt, lautet: Lass dich nie von ihnen zu Boden zwingen.

»Wohin gehst du?«, fragt sie und stellt sich mir in den Weg.

»Nur auf die Toilette.« Ich dränge mich an ihr vorbei und streife sie mit allem, was zwischen meiner Brust und meinen Oberschenkeln ist. Sie grinst. Und weicht keinen Zoll.

»Bleib nicht zu lange«, schnurrt sie. »Schau ich so doof aus?«

Ich komme eben rechtzeitig aus der Toilette zurück, um zu sehen, dass Nora aus meinem Bierglas trinkt. Ich lege ihr die Hand auf die Schulter. »Du kannst dir selbst eins bestellen – sie haben genug für alle.«

»Ich musste nur ein paar Aspirin nehmen«, erklärt sie und steckt ein kleines braunes Apothekerfläschchen in ihre Handtasche.

»Alles okay?«

»Nur ein bisschen Kopfweh.« Sie zeigt auf das Fläschchen und fügt hinzu: »Willst du auch?« Ich schüttle den Kopf.

»Ganz wie du meinst«, sagt sie grinsend. »Aber wenn du das siehst, wirst du's brauchen, denke ich.« »Was soll das heißen?«

Ich nehme meinen Platz an der Wand ein, und Nora beugt sich zu mir herüber. »Hast du, als du zur Toilette unterwegs warst, zufällig ein paar bekannte Gesichter hereinkommen sehen?«

Ich schaue ihr über die Schulter und suche die Bar ab. »Ich glaube nicht. Warum?«

Ihr Grinsen wird breiter. Was da auch vorgehen mag, sie amüsiert sich köstlich. »Da ganz hinten, in der linken Ecke. Neben dem Videoschirm. Weißes Hemd mit durchgeknöpftem Kragen. Ausgebeulte Khakihose.«

Meine Augen folgen ihren Hinweisen. Dort ist der Videoschirm. Dort ist… Ich glaube es nicht. Auf der gegenüberliegenden Seite des Raums sitzt Edgar Simon, streicht sich mit der Hand über das graumelierte Haar und bemüht sich, so unauffällig wie möglich auszusehen. Edgar Simon. First Counsel im Weißen Haus. Persönlicher Anwalt des Präsidenten. Mein Boss.

»Rate mal, wer jetzt den besten Büroklatsch auf Lager hat?«, jubelt Nora.

»Das ist nicht komisch.«

»Was ist schon dabei? Er ist schwul, na und?«

»Das ist nicht der Punkt, Nora. Er ist verheiratet. Mit einer Frau. In seiner Stellung … wenn das durchsickert, wird die Presse …«

Nora vergeht das Lächeln. »Er ist verheiratet? Bist du sicher?«

»Seit ungefähr dreißig Jahren«, antworte ich nervös. »Er ist dabei, sein ältestes Kind aufs College zu schicken.« Ich ziehe den Kopf ein, damit er mich nicht sieht. »Vor kurzem habe ich seine Frau bei dem Empfang für das AmeriCorps kennengelernt. Sie heißt Ellen. Oder Elena. Irgendwas mit E.«

»Idiot, dort haben wir uns getroffen.«

»Bevor du da warst. Ganz am Anfang. Simon hat mich ihr vorgestellt. Sie schienen wirklich glücklich zu sein.«

»Und jetzt hofft er auf ein paar Extras nebenher. Mann, wenn es um Ehebrecher geht, hat mein Dad die freie Auswahl.«

Wir kennen uns jetzt zwei Wochen, und es ist das vierte Mal, dass Nora ihren Vater erwähnt. Der nicht nur *ihr* Vater ist. Sondern *unser aller* Vater. Der Vater des amerikanischen Volkes. Der Präsident der Vereinigten Staaten. Ich muss zugeben – egal, wie oft sie es sagt, ich glaube nicht, dass ich mich je daran gewöhnen werde.

Vorgebeugt, mit schweißnasser Hand die Kante der Bartheke umklammernd, bin ich wie erstarrt. Nora, die mir gegenübersitzt, kehrt Simon den Rücken. »Was macht er jetzt?«, fragt sie.

Ihren Kopf als eine Art Abschirmung benutzend, weigere ich mich, hinzuschauen. Wenn ich Simon nicht sehe, sieht er mich auch nicht.

»Sag mir, was er macht«, bleibt sie hartnäckig.

»Kommt nicht in Frage. Wenn er mich entdeckt, bin ich geliefert. Ich kriege nie wieder einen Auftrag, bevor ich neunzig bin.«

»Wie du dich aufführst, kann es bis dahin nicht mehr weit sein.« Bevor ich reagieren kann, packt Nora mich am Kragen und duckt sich. Da sie mich zwingt, aufrecht zu sitzen, sehe ich Simon sehr deutlich.

»Er redet mit jemand«, platze ich heraus.

»Mit jemand, den wir kennen?«

Der Fremde hat lockige schwarze Haare und trägt ein Jeanshemd. Ich schüttle den Kopf. Hab ihn nie vorher gesehen.

Nora kann nicht anders. Sie wirft einen raschen Blick hinüber und dreht sich wieder um, gerade als der Fremde Simon ein kleines Papier zusteckt. »Was war das?«, fragt sie. »Tauschen sie Telefonnummern aus?«

»Woher soll ich das wissen? Sie sind …« In diesem Moment schaut Simon in meine Richtung, schaut mich direkt an. Oh, Scheiße. Ich senke den Kopf, bevor es zum Blickkontakt kommt. War ich schnell genug? Noras und meine Stirn berühren sich, und wir sehen so aus, als suchten wir unter der Theke nach verlorenem Kleingeld.

Plötzlich sagt eine Männerstimme: »Kann ich Ihnen helfen?«

Mein Herz wird zu Stein. Ich blicke auf. Es ist nur der Barkeeper. »Nein, nein«, stottere ich. »Sie hat nur einen Ohrring verloren.«

Als der Barkeeper verschwindet, drehe ich mich wieder zu Nora um. Sie sieht fast übermütig aus. »Du bist aber fix, Machomann.«

»Was meinst du …«

Bevor ich zu Ende sprechen kann, sagt sie: »Wo ist er jetzt?«

Ich hebe den Kopf und schaue in seine Richtung. Das Problem ist, es ist niemand mehr da. »Ich glaube, er ist gegangen.«

»Gegangen?« Nora hebt den Kopf. Wir suchen beide mit den Blicken die Bar ab. »Dort«, sagt sie. »Bei der Tür.«

Ich wende mich gerade noch rechtzeitig zur Tür und sehe Simon hinausgehen. Dann schaue ich mich noch einmal im ganzen Raum um. Pooltisch. Videoschirm. Die Wand bei den

Ruheräumen. Der Typ im Jeanshemd scheint auch gegangen zu sein.

Nora reagiert blitzschnell. Sie packt meine Hand und fängt an, mich zu ziehen. »Gehen wir.«

»Wohin?«

»Ihm hinterher.«

»Was? Spinnst du?«

Sie zerrt mich noch immer. »Komm schon, das wird lustig.«

»Lustig? Hinter meinem Boss herspionieren ist lustig? Ertappt werden ist lustig? Gefeuert werden ist l…«

»Es wird lustig, und du weißt es. Bist du nicht schrecklich neugierig, wohin er geht? Und was auf diesem Papier stand, das der andere ihm zugesteckt hat?«

»Ich schätze, da hat die Adresse eines nahen Motels draufgestanden, wo Simon und der Jeans-Mann nach Herzenslust Blasmir-einen-ich-zahle-gut spielen können.«

Nora lacht. »Blas-mir-einen-ich-zahle-gut?«

»Ich stelle nur ein paar Vermutungen an – du weißt, was ich meine.«

»Natürlich weiß ich, was du meinst.«

»Gut. Dann weißt du auch, dass ein bisschen Klatsch dir nichts bringt.«

»Ist es das, was du denkst? Dass ich auf ein bisschen Klatsch aus bin? Michael, denk doch eine Sekunde darüber nach. Edgar Simon ist *der* juristische Berater im Weißen Haus. Anwalt meines Vaters. Wenn man ihn dabei erwischt, wie er seine Eier auslüftet, was glaubst du, wer wird dafür öffentlich gebrandmarkt werden? Wer, glaubst du, außer Simon, wird eins aufs Auge kriegen?«

Hinweis Nummer fünf trifft mich da, wo's wehtut. Die Wiederwahl steht in zwei Monaten bevor, und Hartson hat es schon jetzt schwer genug. Noch ein blaues Auge und hinter den Kulissen wird das Gerangel losgehen.

»Was, wenn Simon nicht wegen Sex hier ist?«, frage ich. »Was, wenn er sich aus einem anderen Grund hier mit jemand getroffen hat?«

Nora starrt mich so lange an, bis ich die Augen abwende. Ihre Lass-uns-bitte-fahren-Augen fangen an Überstunden zu machen. »Das ist der beste Grund von allen, zu gehen.«

Ich schüttle den Kopf. Dazu überredet sie mich nicht.

»Komm schon, Michael! Was willste denn machen? Hier rumsitzen und für den Rest deines Lebens *was-wenn* spielen?«

»Weißt du, nach allem, was heute Abend schon los war, ist es für mich mehr als genug, hier zu sitzen.«

»Und das ist alles, was du willst? Das ist dein großes Lebensziel? *Genug* zu haben?«

Sie lässt die Logik in mich einsickern, bevor sie mir den Fangschuss gibt. »Wenn du nicht hinterherwillst, versteh ich es. Aber ich muss es tun. Also gib mir deinen Schlüssel und ich bin dir nicht mehr im Weg.«

Keine Frage. Sie wird weg sein. Und ich bleibe hier sitzen.

Ich nehme den Schlüssel aus der Tasche. Sie öffnet die Hand.

Wieder schüttle ich den Kopf und rede mir ein, dass ich es nicht bereuen werde. »Du glaubst wirklich, dass ich dich allein gehen lasse?«

Sie wirft mir ein Lächeln zu und flitzt zur Tür. Ich bin sofort hinter ihr her. Als wir hinauskommen, sehe ich Simons schwarzen Volvo ein Stück weiter oben von einem Stellplatz auf die Fahrbahn ausscheren. »Dort ist er«, sage ich.

Wir rennen zu meinem Jeep. »Wirf mir den Schlüssel rüber«, sagt sie.

»Keine Chance«, antworte ich. »Diesmal fahre ich.«

ZWEITES KAPITEL

Mit Höchstgeschwindigkeit jagen wir ein paar Blocks entlang, dann haben wir Simons Wagen und sein *Friend of the Chesapeake*-Nummernschild aus Virginia wieder vor uns. »Bist du sicher, dass er das ist?«, fragt Nora.

»Na klar ist er es.« Ich falle zurück und halte ungefähr einen Block Abstand. »Ich erkenne das Nummernschild aus West Exec.«

Innerhalb einiger weniger Minuten hat Simon sich durch Adams Morgan geschlängelt und fährt durch die 16th Street. Noch immer einen Block hinter ihm, kommen wir auf die Religion Row und passieren Dutzende von Tempeln, Moscheen und Kirchen, die in der Landschaft verstreut sind.

»Sollten wir nicht näher ran?«, fragt Nora

»Nicht, wenn wir nicht auffallen wollen.«

Meine Antwort scheint sie zu belustigen. »Jetzt weiß ich, wie Harry und Darren sich fühlen«, sagte sie und meint ihre Secret-Service-Agenten.

»Da du sie erwähnst … Glaubst du, sie lassen nach dir fahnden? Ich meine, geben sie dich etwa automatisch in die Fahndung?«

»Sie werden den Nacht-Supervisor und den für das Haus zuständigen Agenten verständigen, doch ich glaube, wir haben zwei Stunden, bevor sie's öffentlich machen.«

»So lange?«, frage ich mit einem Blick auf meine Uhr.

»Hängt vom Zwischenfall ab. Wärst du gefahren, als wir abgehauen sind, würden sie das vermutlich als Kidnapping einstufen, die größte Bedrohung für ein Mitglied der Präsidentenfamilie. Darüber hinaus hängt es von der Person ab. Chelsea Clinton hatte eine halbe Stunde, höchstens. Patty Davis ein paar Tage. Ich kriege etwa zwei Stunden. Dann spielen sie verrückt.«

Was ich da zu hören bekomme, gefällt mir gar nicht. »Was meinst du mit ›sie spielen verrückt‹? Schicken sie die schwarzen Hubschrauber, um uns aufzustöbern?«

»Das versuchen sie jetzt schon. In zwei Stunden werden sie uns bei der Polizei einscannen. Wenn das geschieht, machen wir Schlagzeilen in den Frühnachrichten. Und jeder Klatschkolumnist im Land wird wissen wollen, welche Absichten wir verfolgen.«

»Nein – nein, verdammt.« Seit wir uns kennen, haben sich meine Begegnungen mit Nora auf einen Empfang, die feierliche Unterschriftszeremonie einer Gesetzesvorlage und die Geburtstagsparty des Deputy Counsels beschränkt – alles Veranstaltungen ausschließlich für Mitarbeiter des Weißen Hauses. Bei der ersten wurden wir uns vorgestellt; bei der zweiten haben wir miteinander gesprochen; bei der dritten hat sie mich gefragt, ob ich mit ihr ausgehen möchte. Ich glaube, dass es auf diesem Planeten höchstens zehn Leute gibt, die dieses Angebot ausgeschlagen hätten. Ich gehöre nicht dazu. Das bedeutet aber nicht, dass ich bereit bin, mich unters Mikroskop zu legen. Ich habe es schon so oft mit angesehen – der Moment, in dem du dich dem grellen Licht der Publicity auslieferst, ist genau der, in dem sie dir den Arsch verbrennen.

Ich werfe wieder einen Blick auf meine Uhr. Es ist fast Viertel vor zwölf. »Das heißt also, dass du noch anderthalb Stunden hast, bevor du zum Großwild wirst.«

»Tatsächlich wirst du das Großwild sein.«

Damit hat sie recht. Sie werden mich bei lebendigem Leib fressen.

»Noch immer Sorgen um deinen Job?«, fragt sie.

»Nein«, sage ich, den Blick fest auf Simons Wagen gerichtet. »Nur um meinen Boss.«

Simon blinkt links, biegt links ab und fährt auf dem Rock Creek Parkway weiter, der mit seinen baumbestandenen Böschungen und den schattigen Pfaden zu den absoluten Lieblingsstrecken von Joggern und Radfahrern gehört. Zur Hauptverkehrszeit wimmelt es auf dem Rock Creek Parkway von Pendlern, die in die Vorstädte zurückrasen. Jetzt ist er leer und tot – was bedeutet, dass Simon uns leicht entdecken kann.

»Mach die Schweinwerfer aus«, sagt Nora. Ich befolge ihren Vorschlag und beuge mich vor, bemühe mich, die jetzt kaum sichtbare Straße zu erkennen. Sofort bohrt sich mir die Dunkelheit wie ein unheimliches Loch in den Magen.

»Ich würde sagen, vergessen wir's einfach und …«

»Bist du tatsächlich ein so großer Feigling?«, fragt Nora.

»Das hat nichts mit Feigheit zu tun. Es hat nur keinen Sinn, Privatdetektiv zu spielen.«

»Michael, ich hab dir schon einmal gesagt, das ist kein Spiel für mich – wir spielen um nichts.«

»Tun wir doch. Wir sind …«

»Halt an!«, schreit sie. Vor uns leuchten Simons Bremslichter auf. »Halt an! Er wird langsamer.«

Tatsächlich fährt Simon rechts ran und hält. Wir sind etwa dreißig Meter hinter ihm, aber er kann uns direkt hinter der Abbiegung nicht sehen. Wenn er in den Rückspiegel schaut, sieht er nur die leere Allee.

»Stell den Motor ab! Wenn er uns hört …« Ich drehe den Zündschlüssel und bin überrascht über die vollkommene Stille um uns herum. Es ist einer jener Momente, die sich anhören, als sei man unter Wasser. Simons Wagen anstarrend, haben wir irgendwie das Gefühl, hilflos zu schweben, warten wir darauf, dass etwas geschieht. Ein Wagen braust in entgegengesetzter Richtung vorbei und wirft uns zurück ans Ufer.

»Vielleicht hat er einen Platten oder …«

»Pssst!«

Mit zusammengekniffenen Augen bemühen wir uns zu erkennen, was vorgeht. Er steht in der Nähe eines Laternenpfahls, aber trotzdem dauert es ein paar Minuten, bis unsere Augen sich auf die Dunkelheit eingestellt haben.

»War jemand bei ihm im Wagen?«, frage ich.

»Für mich hat's so ausgesehen, als sei er allein, aber wenn der Typ quer auf dem Sitz gelegen hat …«

Noras Hypothese wird unterbrochen, als Simon die Beifahrertür öffnet. Unwillkürlich halte ich den Atem an. Wieder sind wir unter Wasser. Meine Augen haben sich an dem kleinen weißen Licht der Innenbeleuchtung festgesaugt, das ich durch die Heckscheibe seines Wagens sehe. Mir seitlich zugewandt, fummelt er hastig auf dem Beifahrersitz herum. Dann richtet er sich wieder auf.

Wenn man Edgar Simon gegenübersteht, kann man nicht übersehen, wie gewaltig er ist – nicht der Größe nach, sondern als Persönlichkeit. Wie bei vielen der Höhergestellten im Weißen Haus, spricht aus seiner Stimme das Selbstbewusstsein des Erfolgreichen, doch anders als seine Kollegen, die sich ständig über die letzte Krise aufregen, strahlt Simon eine Ruhe aus, die in den Jahren, in denen er einen Präsidenten beraten hat, einen Feinschliff bekam. Dieser unerschütterliche Gleichmut reicht von seinen bügelbrettbreiten Schultern zu den nie abgebissenen Fingernägeln und dem perfekt gezogenen Scheitel im perfekt getönten graumelierten Haar. Aber rund dreißig Meter vor uns verliert sich all das in einer Silhouette.

Neben seinem Wagen stehend, hält er ein Päckchen in der Hand, das wie ein Briefumschlag aus braunem Manilapapier aussieht. Er betrachtet den Umschlag und wirft dann die Autotür zu. Als sie zufällt, wird es noch dunkler und man sieht noch weniger. Simon wendet sich dem begrünten Streifen am Straßenrand zu, steigt über die metallene Leitplanke und eilt die Böschung hinauf.

»Ob er mal muss?«, frage ich.

»Mit einem *Päckchen* in der Hand? Denkst du, er nimmt sich etwas zu lesen mit?«

Ich antworte nicht.

Nora wird unruhig. Sie öffnet den Sicherheitsgurt. »Vielleicht sollten wir nachschauen gehen …«

Ich packe sie am Arm. »Wir bleiben hier.«

Sie will sich wehren, aber bevor sie es kann, sehe ich einen Schatten die Böschung herunterkommen. Dann steigt wieder eine Gestalt über die Leitplanke und tritt ins Licht.

»Rate mal, wer wieder da ist«, sage ich.

Nora dreht sich sofort um. »Er hat den Umschlag nicht mehr!«, platzt sie heraus.

»Sprich lei…« Ich verstumme, als Simon in unsere Richtung schaut. Nora und ich erstarren. Es ist nur ein kurzer Blick, dann wendet er sich schnell zu seinem Wagen zurück.

»Hat er uns gesehen?«, flüstert Nora. In ihrer Stimme liegt eine Nervosität, die mir den Magen umdreht.

»Wenn ja, hat er nicht reagiert«, flüstere ich zurück.

Simon öffnet die Tür und steigt in den Wagen. Dreißig Sekunden später gibt er Gas und fährt los, eine Staubwolke zurücklassend, die sich uns entgegenwälzt. Er schaltet das Licht erst ein, als er die halbe Straße hinter sich hat.

»Sollen wir hinter ihm her?«, frage ich.

»Ich würde sagen, wir bleiben bei dem Umschlag.«

»Was da wohl drin war … Was glaubst du? Dokumente? Bilder?«

»Bargeld?«

»Du denkst, er ist ein Spion?«, frage ich skeptisch. »Keine Ahnung. Vielleicht spielt er der Presse Informationen zu.«

»Nun, das wäre nicht so schlimm. Möglicherweise ist das sein toter Briefkasten.«

»Es ist auf jeden Fall ein toter Briefkasten«, sagt Nora. Mit einem Blick über die Schulter prüft sie nach, ob wir allein sind. »Ich möchte wissen, was abgeholt wird.« Bevor ich sie zurückhalten kann, ist sie zur Tür hinaus.

Ich greife nach ihr, um sie zu packen, doch es ist zu spät. Sie ist weg – läuft die Straße hinauf, auf die Böschung zu. »Nora, komm zurück!« Es interessiert sie nicht.

Ich starte den Wagen, fahre hinter ihr her und bleibe an ihrer Seite. Ihr Schritt ist energisch. Entschlossen.

Sie wird mich dafür verabscheuen, aber ich habe keine Wahl. »Steig ein, Nora. Wir fahren.«

»Na, dann fahr doch.«

Ich beiße die Zähne zusammen, und dann wird mir das Offensichtliche klar: Sie braucht mich nicht. Trotzdem versuche ich es noch einmal. »Um deinetwillen, steig ein.«

Keine Antwort. »Bitte, Nora, das ist kein Spaß – der, für den der Umschlag bestimmt war, beobachtet uns jetzt wahrscheinlich.« Nichts. »Komm schon, es gibt keinen Grund für …«

Sie bleibt stehen, und ich trete auf die Bremse. Sich zu mir umdrehend, stützt sie die Hände in die Hüften. »Wenn du abhauen willst, dann tu's. Ich muss wissen, was in dem Umschlag ist.« Damit klettert sie über die Leitplanke und steigt die Böschung hinauf.

Ich sehe sie verschwinden. »Also bis später!«, rufe ich.

Sie antwortet nicht.

Ich gebe ihr ein paar Sekunden, damit sie es sich anders überlegen kann. Sie überlegt es sich nicht. Gut, sage ich schließlich zu mir. Das wird ihr eine Lehre sein. Nur weil sie die Tochter des Präsidenten ist, denkt sie, sie kann … Da ist er wieder. Dieser Status, der mir so auf die Eier geht. Aber sie ist nun einmal die Präsidententochter. Nein, beschließe ich. Lass den Scheiß. Vergiss den Titel und konzentrier dich auf die Person. Das Problem jedoch ist, man kann die beiden nicht trennen. In guten und in schlechten Zeiten, Nora Hartson ist die Tochter des Präsidenten. Sie ist auch einer der faszinierendsten Menschen, die ich seit langem kennengelernt habe. Und sosehr es mir widerstrebt, es zuzugeben, ich habe sie wirklich gern.

»Verdammt!«, schreie ich und hämmere mit der Faust aufs Steuer. »Wo, zum Teufel, ist mein Rückgrat?«

Ich reiße das Handschuhfach auf, hole eine Taschenlampe heraus und stürme aus dem Wagen. Nachdem ich die Böschung hinaufgeklettert bin, finde ich Nora, die im Dunkeln herumwandert. Ich leuchte ihr mit der Taschenlampe ins Gesicht, und das Erste, das ich sehe, ist dieses Grinsen. »Du hast dir Sorgen um mich gemacht, nicht wahr?«

»Wenn ich dich im Stich ließe, würden deine Gorillas mich umbringen.«

Sie kommt auf mich zu und nimmt mir die Taschenlampe aus der Hand. »Die Nacht ist noch jung, Baby.«

Ich werfe einen Blick auf meine Uhr. »Genau deshalb sorge ich mich ja.«

Oben auf dem Hügel bewegt sich etwas durchs Unterholz, und mir kommt sofort der Gedanke, dass Simon sich dort mit jemand getroffen haben könnte. Mit jemand, der noch da ist. Und uns beobachtet. »Denkst du …«

»Suchen wir ganz einfach nur den Umschlag«, sagt Nora, mein Einverständnis voraussetzend.

Vorsichtig gehen wir weiter, im Zickzack die Böschung mit jetzt üppigem Baumbewuchs hinauf. Ich schaue nach oben und sehe nichts außer Dunkelheit – die Wipfel verbergen alles, vom Himmel bis zu den Straßenlaternen der Allee. Ich kann mir nur einreden, dass wir allein sind, mehr kann ich nicht tun. Doch ich glaube es nicht.

»Leuchte mal hier rüber«, sage ich zu Nora, die mit der Taschenlampe in alle Richtungen wedelt. Als das Licht die Nacht durchdringt, wird mir klar, dass wir systematischer vorgehen müssen. »Fang ganz unten am Stamm eines jeden Baumes an und arbeite dich nach oben«, schlage ich vor.

»Und wenn er ihn hoch oben in einem Baum versteckt hat?«

»Du denkst, dass Simon der Typ ist, der auf Bäume klettert?« Diesmal muss sie mir zustimmen, ausnahmsweise. »Und versuchen wir, uns zu beeilen«, setze ich hinzu. »Für wen der Umschlag auch bestimmt ist – selbst wenn die Adressaten jetzt nicht hier sind, werden sie jeden Moment kommen.« Nora leuchtet mit der Taschenlampe den zunächst stehenden Baumstamm über der Wurzel an, und wieder sind wir in die Stille unter Wasser eingeschlossen. Je höher wir steigen, umso schwerer geht mein Atem. Ich versuche nach dem Umschlag Ausschau zu halten, kann aber nicht aufhören, prüfend über die Schulter zurückzublicken. Obwohl ich an mentale Telepathie oder andere paranormale Phänomene nicht glaube, glaube ich an die unheimliche und unerklärliche Fähigkeit des Tieres Mensch, zu spüren und zu wissen, wann es beobachtet wird. Während wir schnell die Böschung ganz hinaufsteigen, kann ich das Gefühl nicht abschütteln. Wir sind nicht allein.

»Was ist los mit dir?«, fragt Nora.

»Ich will nur hier weg. Wir können morgen mit den richtigen …« Plötzlich sehe ich ihn. Etwa drei Meter vor uns, dicht über der Wurzel eines Baumstamms, in den ein Z eingeschnitzt ist, liegt ein einzelner brauner Manilaumschlag.

»Scheißkerl«, sagt sie und stürzt vorwärts. Sie reagiert blitzschnell. Hebt ihn auf und reißt ihn auf.

»Nicht!«, schreie ich. »Nicht anfassen…« Es ist zu spät. Er ist schon offen.

Nora leuchtet mit der Taschenlampe in den Umschlag hinein. »Ich glaub's nicht«, sagt sie.

»Was? Was ist drin?«

Sie dreht den Umschlag um und der Inhalt fällt auf den Boden. Eins … Zwei … Drei … Vier Bündel Bargeld. Hundertdollarnoten.

»Geld?«

»Unmengen.«

Ich hebe ein Bündel auf, entferne die First-of-America-Banderole und fange an zu zählen. Nora ebenfalls. »Wie viel?«, frage ich, als sie fertig ist.

»Zehntausend.«

»Bei mir auch«, sage ich. »Noch zwei Bündel macht vierzigtausend.« Ich merke, dass sich die Scheine druckfrisch anfühlen und blättere das Bündel noch einmal durch. »Alle Scheine fortlaufend nummeriert.«

Nervös sehen wir uns an. Haben denselben Gedanken.

»Was machen wir?«, fragt sie endlich. »Sollen wir sie mitnehmen?«

Ich will eben antworten, als ich sehe, dass sich in dem großen Strauch zu meiner Rechten etwas bewegt. Nora richtet den

Lichtstrahl dorthin. Es ist niemand da. Aber ich kann das Gefühl nicht abschütteln, dass wir beobachtet werden.

Ich nehme Nora den Umschlag aus der Hand und stopfe die vier Geldbündel wieder hinein.

»Was machst du?«

»Wirf mir die Taschenlampe her.«

»Sag mir, warum …«

»Los!«, schreie ich. Sie gibt nach, reicht sie mir mit einer heftigen Bewegung. Ich richte den Lichtstrahl auf den Umschlag, um zu sehen, ob ich eine Schrift entdecke. Nichts. In meinem Nacken pocht es schmerzhaft. Meine Stirn ist schweißnass. Ich habe das Gefühl, im nächsten Moment ohnmächtig zu werden. Rasch bringe ich den Umschlag zu dem Baum zurück. Die letzte Sommerhitze ist nicht das Einzige, das mich zum Schwitzen gebracht hat.

»Bist du okay?«, fragt Nora, die mein Gesicht sieht.

Ich antworte nicht. Stattdessen reiße ich ein paar Blätter von einem Ast und wische die Ränder des Umschlags gründlich damit ab.

»Michael, damit kriegst du Fingerabdrücke nicht weg, so funktioniert das nicht.«

Ich ignoriere sie, reibe und wische weiter.

Sie kniet neben mir nieder und legt mir die Hand auf die Schulter. Ihre Berührung ist kräftig, und selbst inmitten dieser Turbulenzen muss ich zugeben, dass sie sich großartig anfühlt. »Du vergeudest nur deine Zeit«, fügt sie hinzu.

Natürlich hat sie recht. Ich werfe den Umschlag zurück zum Baum. Hinter uns knackt ein Zweig, und wir fahren beide herum. Ich sehe niemand, fühle aber die Blicke eines Fremden auf mir.

»Verschwinden wir hier«, sage ich.

»Aber die Leute, für die das Päckchen bestimmt ist …«

Ich sehe mich noch einmal in der Dunkelheit um. »Ehrlich gesagt, Nora, ich glaube, sie sind schon da.«

Nora schaut sich um, sie weiß, dass etwas nicht stimmt. Es ist zu still. Die Härchen auf den Armen stehen mir zu Berge. Sie könnten sich hinter einem Baum verstecken. Links von uns knackt wieder ein Zweig. Ich nehme Nora bei der Hand, und wir gehen die Böschung hinunter. Nach ungefähr zehn Schritten fangen wir an zu laufen. Als ich fast über einen großen Stein stolpere, der mitten im Weg liegt, bitte ich Nora, die Taschenlampe einzuschalten.

»Ich hab gedacht, du hast sie«, sagt sie.

Zugleich schauen wir zurück. Hinter uns, oben auf der Böschung, sehe ich einen schwachen Lichtschein. Genau da, wo ich die Lampe liegen ließ.

»Du startest den Wagen, ich hole die Lampe«, sagt Nora.

»Nein, die hole ich …«

Aber wieder einmal ist sie zu schnell. Bevor ich sie aufhalten kann, rennt sie die Böschung hinauf. Ich will ihr etwas nachrufen, fürchte aber, dass wir nicht allein sind. Ich sehe ihr nach, wie sie den Abhang hinaufläuft und behalte ihre langen, geschmeidigen Arme im Auge. Sie hat gesagt, ich soll den Wagen starten, aber das ist nicht drin, ich lasse sie nicht allein. Vorsichtig folge ich ihr die Böschung hinauf, gehe nur so schnell, dass ich sie nicht aus den Augen verliere. Als sie sich weiter entfernt, werde ich schneller. Und dann renne ich wieder. Solange ich sie sehen kann, ist alles in Ordnung.

Im nächsten Moment spüre ich einen heftigen Schlag gegen die Stirn. Ich falle rücklings zu Boden und pralle mit einem dumpfen Ton auf die Erde. Die Feuchtigkeit des Grases dringt mir in den Hosenboden. Ich sehe mich nach meinem Angreifer um. Als ich mich auf die Ellbogen stütze, fühle ich glitschige Nässe auf meiner Stirn. Ich blute. Dann sehe ich mich um und entdecke, was mich niedergeschlagen hat: der dicke Ast einer Eiche. Ich möchte lachen über den grotesk-komischen Verursacher meiner Verletzung, doch sehr schnell fällt mir ein, warum ich nicht darauf geachtet habe, wohin ich gehe. Die

Augen zusammenkneifend, suche ich den oberen Teil der Böschung ab, rapple mich hoch und suche Nora.

Ich sehe sie nicht. Der schwache Schein der Taschenlampe kommt von derselben Stelle, aber niemand bewegt sich darauf zu. Ich halte nach Schatten Ausschau, nach Silhouetten, und horche auf das leise Knacken abgebrochener Zweige und das Rascheln seit langem toter Blätter. Niemand dort. Sie ist verschwunden. Ich habe die Tochter des Präsidenten verloren.

Meine Knie werden weich, als ich versuche, mir die Konsequenzen auszumalen. Dann bewegt das Licht sich plötzlich. Dort oben ist jemand. Und wie ein Ritter mit einer leuchtenden Lanze dreht die Person sich um und kommt schnurstracks auf mich zu. Als die Gestalt sich nähert, blendet mich das durchdringend grelle Licht. Ich mache kehrt und stolpere, mit ausgestreckten Armen nach Bäumen tastend, durch den schwarzen Wald. Mein Verfolger hinter mir springt durch die Büsche, langsam holt er mich ein. Ich lasse mich zu Boden fallen, vielleicht kann ich ihn so zum Stolpern bringen – und knalle gegen ein Dickicht, so fest wie eine Mauer. Hastig wende ich mich meinem Feind zu, und das grelle Licht trifft mich in die Augen.

»Was, zum Teufel, ist mit deiner Stirn passiert?«, fragt Nora.

Alles, was ich zustande bringe, ist ein nervöses Lachen. Wir sind noch immer von Bäumen umzingelt. »Es geht mir gut«, behaupte ich, nicke ihr beruhigend zu, und wir gehen zum Wagen.

»Vielleicht sollten wir hierbleiben und warten, um zu sehen, wer den Umschlag abholt.«

»Nein«, sage ich, sie fest an der Hand haltend. »Wir fahren.«

So schnell wir können, rennen wir durch den Wald. Als wir ihn hinter uns haben, überspringe ich die Leitplanke und rase wie verrückt zum Jeep, der ein Stück weiter oben an der Straße steht. Wenn ich allein wäre, hätte ich ihn wahrscheinlich schon erreicht, aber ich will Nora nicht loslassen. Ich laufe langsamer, um sie vor mir zu sehen und mich davon zu überzeugen, dass sie in Sicherheit ist.

Sie ist die Erste beim Wagen, springt hinein und knallt die Tür zu. Ein paar Sekunden später bin ich auch da. Zugleich drücken wir auf die Knöpfe, die die Türen verriegeln. Als ich das Klicken höre, erlaube ich mir endlich den längst überfälligen tiefen Atemzug.

»Los, los, fahren wir«, sagt sie, als ich den Wagen starte. Es klingt verängstigt, aber ihre Augen funkeln, als sei es eine Abenteuerfahrt.

Ich trete das Gaspedal durch, und wir preschen los. Eine scharfe U-Kehre lässt die Reifen quietschen und bringt uns zurück zur Ausfahrt Carter Barron/16th Street. Während ich vorwärts rase, kleben meine Augen am Rückspiegel. Nora schaut in den rechten Außenspiegel.

»Keiner da«, sagt sie, und es klingt mehr nach Wunschdenken als nach Überzeugung. »Alles okay.«

Ich starre in den Spiegel und bete darum, dass sie recht hat. In der Hoffnung, das Schicksal günstig zu stimmen, gebe ich noch mehr Gas. Als wir in die 16th Street einbiegen, fliegen wir. Und wieder schütteln uns die schlechten Straßen von D. C. tüchtig durch. Diesmal macht es uns jedoch nichts aus. Wir sind endlich in Sicherheit.

»Wie mache ich mich?«, frage ich Nora, die sich auf ihrem Sitz umgedreht hat und durch die Heckscheibe schaut.

»Nicht übel«, gibt sie zu. »Harry und Darren wären stolz.«

Ich lache vor mich hin und höre im selben Moment dicht hinter uns Reifen quietschen. Ich drehe mich zu Nora um, die noch immer durch die Heckscheibe schaut. Ihr Gesicht ist in das grelle Licht der Scheinwerfer des Wagens getaucht, der sich uns schnell nähert. »Sieh zu, dass wir hier wegkommen!«, schreit sie.

Hastig versuche ich mich zu orientieren. Wir sind in dem heruntergekommenen Teil der 16th Street, unweit der Religion

Row. Viele Straßen zweigen hier ab, doch mir gefällt die Umgebung nicht. Zu viele dunkle Ecken und ausgebrannte Straßenlaternen. Die Seitenstraßen sind dreckig. Und, das ist das Schlimmste, einsam.

Ich jage den Motor hoch und schere auf die linke Fahrspur aus, nur um zu sehen, ob der Wagen uns folgt. Als er es tut, vergeht mir der Mut. Sie sind einen halben Block hinter uns und kommen rasch näher. »Vielleicht ist es der Secret Service?«

»Nicht mit diesen Scheinwerfern. Meine Jungs fahren alle Suburbans.«

Ich sehe mir die Scheinwerfer im Rückspiegel an. Sie haben die Fernbeleuchtung eingeschaltet und sind schlecht auszumachen, aber Form und Höhe der Scheinwerfer sagen mir, dass es auf keinen Fall ein Suburban ist. »Duck dich«, sage ich zu Nora. Wer immer sie sind, ich will nichts riskieren.

»Das ist nicht Simons Wagen, oder?«, fragt sie.

Wir bekommen die Antwort in Form roter und blauer rotierender Lichter, die unsere Heckscheibe erfassen.

»Fahren Sie rechts ran!«, blökt eine tiefe Stimme aus einem auf dem Dach montierten Megaphon.

Ich glaub's nicht. Cops. Lächelnd klopfe ich Nora auf die Schulter. »Es ist okay. Es sind Cops.«

Als ich rechts heranfahre, merkte ich, dass Nora nicht annähernd so erleichtert ist. Unfähig still zu sitzen und schrecklich nervös schaut sie in den Außenspiegel, dann über die Schulter und wieder in den Spiegel. Ihre Augen flitzen in alle Richtungen, während sie sich ängstlich aus dem Sicherheitsgurt befreit.

»Was ist los?«, frage ich, als wir anhalten.

Sie antwortet nicht, greift stattdessen nach ihrer unförmigen schwarzen Handtasche, die vor ihr auf dem Boden liegt. Als sie anfängt darin zu wühlen, läuft es mir kalt den Rücken hinunter. Das ist nicht der Augenblick, zurückhaltend zu sein. »Hast du Drogen dabei?«, frage ich.

»Nein!«, erklärt sie mit Nachdruck. In meinem Rückspiegel

sehe ich einen uniformierten Polizisten auf meiner Seite des Jeeps näher kommen.

»Nora, lüg mich nicht an. Das ist ...« Der Polizist klopft an mein Fenster. Gerade als ich mich umdrehe, höre ich, wie mein Handschuhfach zugeknallt wird.

Mit einem gezwungenen Lächeln kurble ich die Scheibe herunter. »Guten Abend, Officer. Hab ich etwas falsch gemacht?« Er hält eine Taschenlampe hoch und richtet sie direkt auf Nora. Sie trägt noch immer die Baseballmütze und tut ihr Bestes, um nicht erkannt zu werden. Sie schaut dem Cop nicht ins Gesicht.

»Ist alles okay?«, frage ich und hoffe, ihn damit abzulenken.

Der Polizist ist ein dicker Schwarzer mit einer krummen Nase; er sieht aus wie ein ehemaliger Mittelgewichtsboxer. Als er sich durchs Fenster lehnt, sehe ich nur seine riesigen, unbehaarten Unterarme. Mit dem Kinn zeigt er zum Handschuhfach. »Was haben Sie dort versteckt?«, fragt er Nora.

Verdammt, er hat es gesehen.

»Nichts«, flüstert Nora.

Der Cop denkt über ihre Antwort nach. »Bitte steigen Sie aus«, sagt er.

Ich mische mich ein. »Können Sie mir sagen, was ...«

»Steigen Sie aus. Beide.«

Ich sehe Nora an und weiß, wir sind in Schwierigkeiten. Im Wald war sie nervös. Aber jetzt – noch nie habe ich Nora so gesehen. Ihre Augen sind übergroß, die Lippen leicht geöffnet. Sie versucht eine Haarsträhne, die über ihrem Ohr herausschaut, unter den Rand der Baseballmütze zu stopfen, aber ihre Hände zittern. Meine Welt bleibt plötzlich stehen.

»Los, los!«, brüllt der Polizist. »Raus aus dem Wagen.«

Langsam folgt Nora seinem Befehl. Als sie auf die Fahrerseite herumgeht, kommt der Partner des Polizisten auf uns zu. Es ist ein kleiner Schwarzer mit dem typisch arroganten Gang vieler Polizisten. »Alles in Ordnung?«, fragt er.

»Weiß noch nich'.« Der erste Cop wendet sich an mich. »Beine auseinander.«

»Beine auseinander? Was habe ich getan?«

Er packt mich beim Nacken und stößt mich gegen die Flanke des Jeeps. »Los jetzt!«

Ich tue, was er sagt, aber nicht ohne zu protestieren. »Sie haben keinen vernünftigen Grund zu …«

»Sind Sie Anwalt?«, fragt er.

Ich hätte mich auf diese Auseinandersetzung nicht einlassen dürfen. »Ja«, sage ich zögernd.

»Dann verklagen Sie mich.« Er tastet mich von oben bis unten ab und bohrt mir zugleich schmerzhaft den Daumen in die Rippen. »Sie hätten sie beruhigen sollen«, sagt er. »Jetzt wird sie leider morgen nicht zur Arbeit gehen können.«

Ich glaub's einfach nicht. Er erkennt sie nicht. Den Kopf so tief wie möglich haltend, steht Nora neben mir und breitet die Arme auf dem Jeep aus. Der zweite Polizist tastet Nora ab, doch sie achtet nicht darauf. Wie ich beobachtet sie den ersten Polizisten, der zum Handschuhfach geht.

Von da, wo ich stehe, sehe ich, wie er die Beifahrertür öffnet. Als er einsteigt, höre ich Handschellen und Schlüssel klirren. Dann ein leises Klicken neben dem Armaturenbrett. Mein Mund wird trocken, und das Atmen fällt mir schwerer. Ich schaue zu Nora hinüber, doch sie hat beschlossen, wegzusehen. Sie starrt zu Boden. Es wird nicht mehr sehr lange dauern.

»O Baby«, verkündet der Polizist. Seine Stimme klingt frohlockend. Er knallt die Tür zu und kommt auf unsere Seite herüber. Eine Hand hält er auf dem Rücken.

»Was ist das?«, fragt der zweite Polizist.

»Schau selbst.«

Ich blicke auf und erwarte Noras braunes Medikamentenfläschchen zu sehen. Vielleicht sogar einen Kokainvorrat. Stattdessen hält der Cop ein Bündel Hundertdollarnoten in der Hand.

Verflucht! Sie hat das Geld genommen.

»Nun, will einer von euch mir nicht erzählen, wieso ihr mit einem solchen Häufen Geld durch die Gegend fahrt?«

Wir sagen beide kein Wort.

Ich sehe Nora an, und sie ist kalkweiß. Fort ist die anmaßende und wilde Vitalität, mit der sie Stoppschilder überfahren, uns aus der Bar hinaus und die Böschung hinauf getrieben hat. An ihre Stelle ist der Ausdruck getreten, der ihr Gesicht zeichnet, seit man uns aus dem Wagen holte. Furcht. Ihr ganzes Gesicht ist von Furcht gezeichnet, und ihre Hände zittern noch immer. Sie darf mit diesem Geld einfach nicht erwischt werden. Selbst wenn es nicht ungesetzlich ist, es bei sich zu haben, selbst wenn sie sie nicht festnehmen können, das ist nichts, was sich leicht erklären ließe. In dieser Umgebung. Mit diesen Unsummen Bargeld. Man wird die Drogengeschichten wieder aufwärmen, ihr Ruf könnte endgültig dahin sein. *Rolling Stone* wäre dabei noch das geringste Problem.

Sie wendet sich mir zu, und wieder kommt ihre weiche Seite zum Vorschein. Ihre sonst so kühnen Augen sind voller Tränen. Sie bittet um Hilfe. Und ob es mir nun gefällt oder nicht, ich bin der Einzige, der sie retten kann. Mit ein paar einfachen Worten kann ich ihr Schmerz und Peinlichkeiten ersparen. Dann können sie und der Präsident … Ich reiße mich zusammen. Nein. Nein, es geht nicht darum. Es ist, wie ich schon sagte. Ich tu's nicht für ihren Vater. Oder wegen ihres Status. Ich tu's für sie. Für Nora. Nora braucht mich.

»Ich habe euch etwas gefragt«, sagt der Polizist und wedelt mit den Scheinen herum. »Wem gehört das?«

Ich sehe Nora mit einem letzten Blick an. Mehr brauche ich nicht. Mit neuer Zuversicht in der Stimme wende ich mich dem Polizisten zu und sage drei Wörter: »Es gehört mir.«

DRITTES KAPITEL

Wie ein Richter mit dem Hammer schlägt der Polizist langsam mit dem Geldbündel in seiner rechten Hand auf den Handteller der linken.

»Wo haben Sie es her?«, fragt er verärgert.

»Verzeihung?«, erwidere ich. Um Zeit zu schinden.

»Verarsch mich nicht, Junge. Woher sollte einer wie du zehn Tausender in bar haben?«

»Jemand wie ich? Was soll denn das heißen?«

Er versetzt der rostigen Stoßstange meines Jeeps einen Tritt. »Nichts für ungut, aber du fährst nicht gerade vornehm.«

Ich schüttle den Kopf. »Sie wissen gar nichts von mir.«

Er grinst über meine Antwort und weiß, er hat mich an einer wunden Stelle getroffen. »Du kannst nicht verbergen, wer du bist – es steht dir ins Gesicht geschrieben. Und auf die Stirn.«

Unsicher berühre ich den Riss auf der Stirn. Das Blut beginnt zu trocknen. Am liebsten würde ich zurückschlagen – verbal natürlich nur –, lasse es dann aber. »Warum geben Sie mir nicht einfach einen Strafzettel wegen Geschwindigkeitsüberschreitung, dann sind Sie mich los.«

»Hör zu, Klugscheißer, ich brauch mir dein Gesülze nicht anzuhören.«

»Und ich mir nicht Ihre Beleidigungen. Wenn Sie also keinen nachweislichen Verdacht gegen mich haben, steht Ihnen nicht das Recht zu, mich zu schikanieren.«

»Sie haben keine Ahnung, was Sie …«

»Tatsächlich habe ich sehr wohl eine Ahnung. Eine viel größere als Sie mir zutrauen. Und da kein Gesetz es verbietet, Geld bei sich zu haben, wäre ich Ihnen sehr verbunden, wenn Sie mir das Zeug zurückgeben und mir einen Strafzettel schreiben würden. Sonst riskieren Sie nämlich ein Verfahren wegen Belästigung und außerdem bekommt Ihr Sergeant einen Brief, der Ihrer Beförderung verdammt hinderlich sein wird.«

Aus dem Augenwinkel sehe ich Nora lächeln. Der Cop steht einfach da. An der Art, wie er sich die Wange kratzt, erkenne ich, dass er stocksauer ist und langsam die Schnauze voll hat. »Vate, tust du mir einen Gefallen?«, sagt er nach einer Weile zu seinem Partner. »Sie machen heute auf der 14th und M. eine Razzia. Schau nach, ob schon ein paar Fahndungsersuchen herausgegangen sind. Vielleicht haben wir Glück.«

»Ganz bestimmt nicht«, erkläre ich ihm.

Er sieht mich skeptisch an. »Lass dir mal was sagen, Klugscheißer – *pretty-boy*; weiße Jungs wie du kommen nur aus zwei Gründen in diese Gegend: Drogen und Huren. Jetzt lass mal deine Fahrerlaubnis und den Fahrzeugschein sehen.« Ich reiche ihm die Papiere und er dreht sich zu seinem Partner um. »Schon was gehört, Vate?«

»Nichts.«

Der Cop geht zu seinem Wagen zurück. Fünf Minuten vergehen, und ich setze mich auf den Fahrersitz meines Jeeps. Nora ist dicht bei mir, aber sie schweigt eisern. Dann sieht sie mich an und lächelt ein wenig. Ich versuche zurückzulächeln, doch sie wendet sich ab. Umbringen könnte ich sie, weil sie das Geld genommen hat. Warum, zum Teufel, war sie so dämlich? Ich meine, wozu könnte sie es denn verwenden? Meine Gedanken springen zurück zu ihrem sogenannten Aspirin, aber ich bin nicht bereit, das Schlimmste zu glauben. Noch nicht.

Das Kinn auf die Handfläche aufgestützt, starrt sie mit leerem Blick aus dem Fenster. Sie lässt die Schultern hängen, und ich begreife, dass die Augen der Welt immer auf sie gerichtet sind. Sie kann ihnen nie entgehen. Nach einiger Zeit kommt der Cop mit einem rosa Zettel zurück, auf dem ›Empfangsbestätigung‹ steht.

»Wo ist mein Geld?«, frage ich.

»Wenn es sauber ist, bekommst du jeden Cent zurück.«

Als er meine Verwirrung bemerkt, fügt er hinzu: »Wenn unsere Jungs auf der Straße keine Identifizierung vornehmen können, erlaubt uns das Gesetz, dein Bargeld als möglichen Erlös aus einer kriminellen Handlung zu beschlagnahmen.« Er lächelt nicht, doch ich spüre, dass er jede Minute genießt. »Nun, genügt dir das, Mr. Attorney-at-Large, oder willst du selbst mit meinem Sergeant sprechen?«

Ich schüttle den Kopf, überlege mir die Konsequenzen. »Wann bekomme ich es zurück?«

»Ruf uns nächste Woche an.« Er weiß, dass wir keine Drogen verkaufen, er will mir nur noch eins auswischen. Sich aus dem Fenster lehnend setzt er hinzu: »Und nur damit eins klar ist …« Er macht eine Geste zu Nora hinüber, die noch immer neben mir sitzt. »Ich bin nicht blind, Junge. Ich kann nur gut auf die Kopfschmerzen verzichten, die damit auf mich zukommen würden.«

Entnervt von der Sicherheit in seiner Stimme, schrumpfe ich auf meinem Sitz zusammen. Er hat die ganze Zeit gewusst, wer sie ist.

»Und noch ein Letztes …« Er greift durchs Fenster und klatscht mir ein Stück Papier auf die Brust. »Hier haben Sie Ihren Strafzettel.«

Zehn Minuten später sind Nora und ich wieder in Downtown D. C. und fahren direkt zum Weißen Haus. Das Adrenalinbad ist endlich vorbei. Der Riss auf meiner Stirn tut weh, und mein Magen spielt verrückt, aber ich fühle mich nur wie betäubt. Betäubt und außer Kontrolle. Meine Augen kleben förmlich auf der Straße, und meine Daumen zittern, während sie auf das Lenkrad klopfen. Die ständige Wiederholung ist ein vergeblicher Versuch, gegen die Furcht anzukämpfen, aber sie täuscht keinen. Mich eingeschlossen. Da ich mit dem Bargeld erwischt wurde, bin ich nicht nur den Cops bekannt – ich bin offiziell, Schwarz auf Weiß, an dieses Geld und an das gebunden, wofür es bezahlt wurde.

Beide haben wir noch kein Wort gesagt, seit die Cops abgefahren sind. Nora, die mich beobachtet, sieht auch, dass der Trommelwirbel meiner Daumen sich schnell steigert.

Endlich bricht sie das Schweigen. »Bist du okay?«, fragt sie. Ich nicke nur.

»Ich weiß zu schätzen, was du für mich getan hast«, sagt sie. Meine Augen kleben auf der Straße. »Ist schon in Ordnung«, sage ich kalt. »Ich meine es ernst.«

»Ich hab dir gesagt, es ist okay. Es war keine so große …«

»Es ist eine große Sache. Ist es wirklich – so etwas passiert mir nicht jeden Tag.«

»Das will ich doch hoffen«, stoße ich zornig hervor.

Sie wartet eine Weile, spürt, dass ich kurz davor bin zu kochen. »Du weißt, was ich meine, Michael. Wie du dich verhalten hast – das hast du nicht nur für dich, du hast es für …« Sie hält wieder inne, es kommt ihr nicht leicht und ungezwungen über die Lippen. »Danke, Michael. Es hat mir sehr viel bedeutet.«

Noch vor einer Stunde hätte ich alles getan, um diese Worte zu hören. Im Augenblick ist es mir verdammt egal.

»Sag mir, was du denkst«, sagt sie.

Ich bremse scharf an einer roten Ampel, drehe mich nach rechts und sehe sie lange und scharf an. »Was glaubst du denn, das ich denke? Warum, zum Teufel, hast du das Geld genommen?«

Sie kreuzt die Arme und stößt ihr Kleinmädchenlachen aus.

»Du hältst das für einen Scherz?«, schreie ich.

»Aber durchaus nicht«, sagt sie, plötzlich ernst. »Nicht nach dem, was du getan hast.«

Ich bin nicht in der Stimmung für Komplimente. »Sag mir nur, warum du es genommen hast.«

»Ehrlich – ich weiß es nicht. Ich bin hinaufgerannt, hab' die Taschenlampe gepackt und den Umschlag gesehen. Irgendetwas in mir war der Meinung, wir sollten ihn als Beweis mitnehmen, also hab ich ihn geholt. Ich dachte, wir könnten damit leicht beweisen, dass Simon dort war – aber nachdem ich Zehntausend rausgenommen hatte, hab ich Angst bekommen und bin gerannt.«

Keine schlechte Erklärung, aber sie kam zu schnell. War zu vernünftig für Nora. »Du wolltest also nur einen Beweis?«

»Sag ich dir doch – genau das.« Ich sehe sie unverwandt an. »Was? Du glaubst mir nicht?«

»Machst du Witze? Sag mir einen guten Grund, warum ich …«

»Michael, ich schwöre dir, wenn ich es zurückbringen könnte, ich würde es tun. Einfacher kann ich es nicht ausdrücken.« Die Stimme versagt ihr, und das trifft mich unvorbereitet. Das nagende Gefühl in meiner Brust wird schwächer. »Es tut mir leid!«, ruft sie und lehnt sich an mich. »Es tut mir so leid, dass ich dich in diese Lage gebracht habe. Ich habe nie … Ich hätte es einfach dort liegen lassen und gehen sollen.«

Im Hintergrund meines Bewusstseins geistert noch immer das Bild ihres braunen Aspirinfläschchens herum, aber vor mir – sehe ich nur Nora. Den Ausdruck ihres Gesichts … Die Art und Weise, wie ihre schmalen Brauen sich heben und zusammenziehen, als sie sich entschuldigt … Sie hat genauso viel Angst wie ich. Nicht nur um sich selbst. Auch um mich. Ich schaue hinunter, ihre Hand umklammert ganz fest die meine. Als ich das sehe, sage ich fast im selben Atemzug. »Es war ein Impuls. Du konntest ja nicht wissen …«

»Du hättest mich trotzdem nicht decken müssen«, erklärt sie. Ich nicke. Sie hat recht.

Als wir wieder in Richtung Pennsylvania Avenue fahren, habe ich einen perfekten Blick auf das Weiße Haus. Beim Linkseinbiegen in die H-Street verschwindet es. Eine schnelle Lenkbewegung, und weg ist es. Mehr ist nicht nötig. Für uns beide nicht.

»Vielleicht sollten wir …«

»Wir kümmern uns gleich morgen früh darum«, verspricht Nora, mir schon um zwei Schritte voraus. »Was er auch vorhat, wir kommen dahinter.« Trotz ihrer Zuversicht kann ich nicht aufhören an Simon zu denken. Aber Nora ist, sobald sie ihr großes weißes Herrenhaus sieht, wieder ganz sie selbst. Zwei Menschen. Ein Körper. Als ich scharf rechts abbiege, fügt sie hinzu: »Fahr jetzt rechts ran.«

Ich halte in der 15th Street, hinter der Ecke liegt das Southeast Gate. Um diese Stunde ist ganz Downtown tot. Niemand zu sehen.

»Soll ich dich nicht bis ans Tor fahren?«

»Nein, nein – hier. Ich muss hier aussteigen.«

»Bist du sicher?«

Zuerst nickt sie nur. »Es ist gleich um die Ecke. Und es bleibt dir erspart, mit dem Service zusammenzutreffen.« Sie schaut auf ihre Uhr. »Ich war nicht ganz zwei Stunden weg, was aber nicht heißt, dass man mir nicht den Kopf abreißen wird.«

»Deshalb lasse ich meine Leibwächter immer zu Hause«, sage ich und bemühe mich, wenigstens halb so cool zu wirken wie sie. Es ist alles, was ich tun kann, um mit ihr Schritt zu halten.

»Ja, deshalb hab ich mir ja dich ausgesucht.« Sie lacht. »Du weißt doch, wie es wirklich ist.« Sie will noch etwas sagen, hält jedoch inne.

»Alles okay?«

Sie rutscht näher und legt wieder die Hand auf meine Hand. »Die Menschen tun nie etwas für mich, Michael. Es sei denn, sie wollen etwas von mir. Heute Abend hast du mir bewiesen, dass ich unrecht habe.«

»Nora …«

»Du brauchst es nicht zu sagen. Versprich mir nur, dass du mir erlaubst, es wiedergutzumachen.«

»Das brauchst du nicht …«

Sie fährt mir mit ihren kurzen Fingernägeln über den Arm. »Doch, das muss ich.«

Ihre Augen haben wieder diesen besonderen Blick. Es ist der gleiche, mit dem sie mich in der Bar angesehen hat.

»Nora, nichts für ungut, aber dies ist nicht die Zeit und hier ist nicht der Ort, um zu …« Sie legt die Hand um meinen Nacken und zieht mich an sich. Bevor ich widersprechen kann, packt sie meine Haare mit der Faust, und ihre Zunge gleitet in meinen Mund. Es gibt wahrscheinlich zehn heterosexuelle Männer auf der Welt, die vor diesem Kuss zurückweichen würden. Wieder gehöre ich nicht dazu. Ihr Duft ... wie sie schmeckt ... Ich bin sofort überwältigt, hebe die Hand, um ihre Wange zu berühren – doch sie lässt mich los.

»Schmeckt nicht gerade nach Teufelskerl«, sagt sie. »Das kommt daher, dass ich nur noch fünf Minuten habe.«

Da sie sehr genau weiß, wie spät es ist, grinst sie leicht. »Du bist also bereit, das Vorspiel zu überspringen?«

Ich schaue durch die Windschutzscheibe und sehe dann wieder Nora an. »Hier?«, frage ich nervös.

Sie beugt sich vor und schiebt die Hand auf die Innenseite meines Oberschenkels. Schiebt die Hand immer höher, über den Reißverschluss meiner Hose. Stimmt es, was im *Rolling Stone* stand? Wird sie es hier tun? Doch kurz bevor unsere Lippen sich treffen, hält sie inne. »Glaub nicht alles, was du liest, mein Hübscher. Von dem Zeug verrottet dein Hirn.« Sie zieht die Hand weg und gibt mir zwei leichte Klapse auf die Wange. Mein Mund steht noch offen, als sie die Tür öffnet.

»Was bist du ...?«

Sie springt hinaus, dreht sich um und wirft mir eine Kusshand zu. »Später, Cookie Puss.«

Die Tür fällt zu. Durch die Windschutzscheibe sehe ich ihr nach, wie sie den Block entlangläuft. Ich schalte das Fernlicht ein. Die ganze Zeit kleben meine Augen förmlich auf ihrem Nacken. Sie biegt um die Ecke und verschwindet. Ich greife mir in die Hose und bringe mich wieder in Ordnung. Es wird eine lange Heimfahrt.

Am nächsten Morgen kreischt mein Wecker Viertel vor sechs durch das Schlafzimmer. Früher, im College, hatte ich mindestens sechsmal auf die Snooze-Taste geschlagen, bevor ich aus dem Bett stieg. Während des Studiums an der Uni halbierte sich die Anzahl der Schläge. In den beiden ersten Jahren, in denen ich für die Regierung arbeitete, konnte ich mir noch neun Minuten leisten, aber als ich ins Weiße Haus aufstieg, sind auch sie mir verlorengegangen. Jetzt bin ich beim ersten Summen wach und taumle in die Dusche. Ich bin erst gegen halb zwei nach Hause gekommen, und so wie es mir im Kopf hämmert, haben vier Stunden Schlaf offensichtlich nicht genügt, um mich Simon vergessen zu lassen.

Für Dusche, Rasur, Haarewaschen, Zähneputzen – die üblichen Morgenrituale eben – brauche ich nicht lange, und ich bin stolz, sagen zu können, dass ich jetzt siebenundzwanzig Tage ohne Haargel ausgekommen bin. Doch das stimmt nicht, wird mir bewusst, während ich mir noch immer den Schlaf aus den Augen blinzle. Gestern Abend, bevor ich mit Nora ausging, habe ich Gel benutzt. Verdammt. Also alles von vorn: Haargel-Boykott – Tag eins.

Vor der Tür meines Apartments warten vier Zeitungen auf mich: *Washington Post, Washington Herald, New York Times* und *Wall Street Journal*. Mit einem besorgten Blick stelle ich fest, dass es auf keiner Titelseite eine Story über Anwälte aus dem Weißen Haus und gefundenes Bargeld gibt. So weit, so gut. Ich trage die Zeitungen hinein und wähle Treys Arbeitsnummer.

In neunzig Minuten trifft sich der Stab des Präsidenten zur täglichen Sitzung um halb acht im Roosevelt Room des Weißen Hauses. Dort werden der Chef des Stabes und die engsten Berater des Präsidenten eine Reihe von Fragen diskutieren, die sich zwangsläufig zu ›heißen‹ Themen des Tages mausern können und zu Schlüsselfragen bei der Wiederwahl. Schuluniformen, Waffenkontrolle, was immer die Leute im Moment beschäftigt und Stimmen bringen wird. Während meiner zwei Jahre im Counsel's Office wurde ich noch nie aufgefordert, bei einer dieser frühen Sitzungen zu erscheinen. Was jedoch nicht heißt, dass ich nicht erfahren werde, worüber man sprechen wird.

»Wer braucht Liebe?«, meldet Trey sich am Telefon.

»Überschütte mich«, antworte ich und starre auf die Titelseite der *Washington Post*.

Er verschwendet keine Zeit. »A eins, die China-Geschichte; A zwei, Chicago-Wohlfahrt; A drei, Rassen-Demo in Tennessee; A vier, Hartson versus Bartlett; A fünf, Hartson-Bartlett; A sechs, Hartson-Bartlett; A fünfzehn, Weltgeschehen in Kürze: Belfast, Tel Aviv und Seoul; A siebzehn, Bundes-Seite. Leitartikel – schau dir Watkins und Lisa Brooks an. Der Brooks-Leitartikel über den Zensus ist der, auf den du achten musst. Wesley hat sie deshalb schon angerufen.«

Wesley Dodds ist der Chef des Präsidenten–Stabes. Mit *sie* meint Trey die First Lady Susan Hartson. Treys Boss. Und eine von Wesleys engsten Vertrauten. Wenn die beiden schon miteinander darüber gesprochen haben, steht es heute auf der Tagesordnung und kommt am Abend in die Nachrichten.

»Wie sieht's mit den Zahlen aus?«, frage ich.

»Dieselben wie gestern. Hartson ist auf ein Dutzend Punkte gestiegen, aber es ist kein festes Dutzend. Ich sage dir, Michael, ich spüre, dass es rutscht.«

»Ich verstehe nicht – wie ist es möglich, dass wir …«

»Schau dir die Titelseite der *Times* an.«

Ich ziehe sie aus dem Stapel heraus. Dort, in Farbe, prangt ein Bild von E. Thomas Bartlett, dem Präsidentschaftskandidaten der Gegenseite – er sitzt in der Mitte eines Halbkreises und spricht zu einer verzückt lauschenden Gruppe älterer Mitbürger. Sie sehen so glücklich aus, dass man denken könnte, er sei Franklin D. Roosevelt höchstselbst.

»Das ist doch ein Witz!«, stöhne ich.

»Glaub mir, ich habe das schon erwartet.« In einer Welt, in der die Anzahl der Leute, die ihre Zeitung tatsächlich lesen, immer geringer wird, ist das Foto auf der Titelseite der spannendste und aufregendste Hinweis auf den Artikel. Wenn du den hast, gehört der Tag dir. »Und weißt du, was das

Schlimmste daran ist?«, fragt Trey. »Er hasst alte Menschen. Ich selbst habe gehört, wie er das sagte. *Ich, Tom Bartlett, hasse alte Menschen.* Einfach so. Hat er gesagt.« Trey unterbricht sich. »Ich glaube, er hasst auch Babys. Unschuldige Babys.«

Trey verbringt die nächsten fünf Minuten damit, meine Morgenlektüre auszuwählen. Während er mir die einzelnen Seiten angibt, blättere ich die Zeitungen schnell durch und male einen großen roten Stern neben die entsprechende Schlagzeile. In fast jeder Story suche ich nach einem Hinweis auf Simon. Es gibt keinen – doch als wir fertig sind, sind vier ganze Zeitungen ›lesebereit‹. Es ist unser tägliches Ritual, das von einem ehemaligen Mitglied des Stabes angeregt wurde; er ließ sich von seinem Assistenten die heißesten Artikel über Mobiltelefon vorlesen, während er zur Arbeit fuhr. Alles, was ich brauche, ist ein guter Freund am richtigen Ort.

»Und wie ist gestern Abend dein Date gelaufen?«, fragt Trey.

»Wie kommst du auf die Idee, dass ich ein Date hatte?«, bluffe ich.

»Was glaubst du eigentlich, mit wem du es hier zu tun hast? Ich sehe, ich höre, ich rede, ich bewege mich, ich schüttle mich, ich …«

»… du nervst, klatschst und lauschst. Ich kenne deine Tricks.«

»Tricks?« Er lacht. »Wer blutet nicht, wenn man ihn sticht?«

»Wein nicht um mich, Argentinien. Versprichst du, es für dich zu behalten?«

»Deinetwegen? Was denkst du denn? Der einzige Grund, den ich kenne, ist vor allem der, dass Nora hier reinkam, um sich zu überzeugen, dass es okay war.«

»Und was hat die First Lady gesagt?«

»Weiß ich nicht. Da haben sie die Tür zugemacht. Es ist eine verdammt dicke Tür. Hab die ganze Zeit das Ohr drangepresst. Nichts gehört, nur Gemurmel.«

»Hat sonst jemand etwas mitbekommen?«, frage ich nervös, als ich eine Ecke vom Rand der Zeitung abreiße.

»Nein, es war schon spät und sie hat den Konferenzraum benutzt, daher war ich der Einzige hier. Also, wie war's?«

»Es war schön … Es war phantastisch. Sie ist wirklich großartig.«

Trey nach einer Pause: »Was verschweigst du mir?« Der Mann ist gut. Zu gut. »Lass mich raten«, fügt er hinzu. »Am frühen Abend hat sie sich aufgeplustert und aufgeführt wie ein Miststück und du, wie das restliche Amerika – mich eingeschlossen – wurdest ein bisschen angeturnt, warst wie elektrisiert von der sexuellen Vorherrschaft der First Family. Da bist du also … und sie schnauft und keucht und du hoffst, dass sie dein Haus in die Luft jagt – aber als du den magischen Moment erreichst, genau da, als du bereit bist, auf der schwach gestrichelten Zeile zu unterschreiben, spürst du einen Hauch des unschuldigen Mädchens in ihrem Innern – und reißt dich am Riemen und weichst zurück, um sie vor ihrer eigenen Wildheit zu bewahren.«

Ich schweige eine Sekunde zu lang. »Ich weiß nicht, was du …«

»Das isses!«, ruft Trey. »Immer bereit, den Beschützer zu spielen. Es ist das gleiche wie bei dem alten Pro-bono-Klienten, den du während der Kampagne hattest – je mehr er log und dich an der Nase herumführte, umso überzeugter warst du, dass er deine Hilfe brauchte. Du tust es jedes Mal, wenn du dieses Vogel-mit-gebrochenem-Flügel-Gesicht kriegst. Immer bereit, die Welt zu retten … abgesehen davon, dass du dich wie ein Rockstar fühlst, wenn du dich zu Noras Retter aufschwingst.«

»Wer sagt denn, dass ich ein Rockstar sein möchte?«

»Du arbeitest im Weißen Haus, Michael – jeder möchte ein Rockstar sein. Das ist der einzige Grund, warum wir uns mit dem niedrigen Gehalt und den gemeinen Dienststunden abfinden …«

»Jetzt wirst du mir wahrscheinlich gleich sagen, du würdest diesen Job für jeden tun? Dass Hartson und seine politischen Ziele Scheiße und wir nur aus Eigennutz hier sind?«

Es dauert lange, ehe Trey antwortet. Idealismus stirbt schwer – besonders wenn der Präsident im Spiel ist. Wie die Dinge liegen, verbringen wir jeden Tag damit, Leben zu verändern. Manchmal bekommen wir die Chance, sie zu verbessern. So schmalzig es klingen mag, wir wissen beide, dass es ein Traumjob ist. Nach einer Weile setzt Trey hinzu: »Ich will damit nur sagen, selbst wenn sie dir gefällt und du sie magst … Hättest du dich mit ihr verabredet, wenn dir dadurch nicht ein interner Zugang zu Daddy geöffnet würde.«

»Hältst du mich wirklich für so berechnend?«

»Hältst du mich wirklich für so naiv? Sie ist das Kind vom Boss. Eins führt automatisch zum anderen. Was du dir auch selbst eingeredet haben magst, der politische Fuchs in dir kann es nicht ignorieren. Aber glaub mir – nur weil du mit der Tochter des Präsidenten ausgehst, bist du noch lange nicht First Counsel.«

Mir gefällt nicht, wie er das sagt, aber ich kann nicht anders, ich muss daran denken, warum Nora und ich vor allem miteinander ausgegangen sind. Sie ist schön und aufregend wild. Es war nicht nur wegen der Karriere. Wenigstens hoffe ich, dass ich nicht so schäbig bin.

»Also wirst du mir erzählen, was pas…«

»Können wir bitte später darüber reden?«, unterbreche ich ihn und hoffe, dass es sich erübrigt. »Hast du noch andere Voraussagen für diesen Morgen?«

»Wegen des Zensus darfst du mich beim Wort nehmen. Das wird eine große Sache. Größer als bei den Auftritten von Sir Elton in Wembley, im Garden und sogar live in Australien.«

Ich verdrehe die Augen über ihn, den einzigen existierenden Schwarzen, der von Elton John besessen ist. »Sonst noch was, Levon?«

»Zensus. Nur darum wird sich heute alles drehen. Lern das Wort buchstabieren. Zen-sus.«

Ich lege auf und lese die Zensus-Story zuerst. Wenn es zur

Politik der Politik kommt, irrt Trey sich nie. Sogar unter politischen Tieren – mich eingeschlossen – ist keiner besser als er. Seit vier Jahren, sogar schon bevor ich bei der Kampagne seinen Arsch gerettet habe, ist er der Favorit der First Lady; daher gelangt, obwohl er dem Titel nach nur stellvertretender Pressesekretär ist, nichts in ihr Büro, ohne dass er es zuerst in den Fingern gehabt hätte. Und, glaubt mir, es ist großartig, diese Finger zu kennen.

Ich überfliege die *Post*, während ich rasch eine Schüssel Lucky Charms in mich hineinschaufle. Nach der vergangenen Nacht habe ich sie dringend nötig. Als die Frühstücksflocken vertilgt sind, bin ich bereit, aufzubrechen. Mit den noch übrigen drei Zeitungen unter dem Arm verlasse ich mein Einzimmer-Apartment, ohne das Bett zu machen. Mit dem Verzicht auf Snooze-Taste und Haargel gelange ich allmählich zu der Überzeugung, dass mich, mit neunundzwanzig, das Erwachsensein ereilt hat. Das zerwühlte Bett ist nur ein letzter Akt der Verweigerung. Und einer, den ich so bald nicht aufgeben werde.

Ich muss drei Stationen mit der Metro fahren, um vom Cleveland Park zur Farragut North zu gelangen, der dem Weißen Haus nächstgelegenen Station. Während der Fahrt durchforste ich zwei weitere Zeitungen. Gewöhnlich werde ich mit allen dreien fertig, aber Simons Eskapaden sorgen heute für Ablenkung. Wenn er uns gesehen hat, ist alles aus. Dann bin ich bis Mittag begraben. Hinunterschauend sehe ich da, wo meine Finger die Zeitung umklammern, verschmierte Druckerschwärze.

Der Zug fährt ein, und es ist fast sieben Uhr. Nachdem ich mit dem Rest des städtischen Anzug-und-Krawatte-Haufens von der Rolltreppe ins Freie gespült wurde, trifft mich eine Welle der D. C.-Hitze wie ein Schlag ins Gesicht. Die noch verbliebene Sommerluft schmeckt, als ob man an Schmierfett leckte, und die Sonne ist so heiß und grell, dass sie einen total verwirrt.

Doch das genügt nicht, um mich vergessen zu lassen, wo ich arbeite.

Am Eingang des Old Executive Office Building in der Pennsylvania Avenue zwinge ich mich, die steilen Granitstufen hinaufzusteigen, und hole meine I D aus der Anzugtasche. Es sieht hier anders aus als gestern Abend. Nicht so dunkel.

Die lange Reihe von Mitarbeitern in der Lobby, die darauf warten, die Kontrolle zu passieren, macht mir eines deutlich bewusst: Jeder, der sagt, er arbeite im Weißen Haus, ist ein Lügner. Und das ist die Wahrheit. In Wirklichkeit sind es nur hundertzwei Leute, die im westlichen Flügel, in dem das Oval Office liegt, tätig sind. Jeder Einzelne ein hohes Tier. Der Präsident und seine Top-Assistenten. Beste Ware, Qualität A.

Wir übrigen, also ungefähr alle, die behaupten, im Weißen Haus zu arbeiten, sitzen in Wirklichkeit im Old Executive Office Building, dem reich geschmückten siebenstöckigen Behemoth nebenan. Klar, das OEOB beherbergt den größten Teil der Leute, die für das Büro des Präsidenten arbeiten, und klar, es ist von den gleichen schwarzen Gitterstäben aus Stahl umzäunt wie das Weiße Haus. Aber irrt euch nicht – es ist nicht das Weiße Haus. Natürlich hält das keinen einzigen Menschen dort drin davon ab, seinen Freunden und seiner Familie zu erzählen, er arbeite im Weißen Haus. Mich auch nicht.

Als die Reihe kürzer wird, zwänge ich mich durch den Eingang. Drinnen, unter der zwei Stockwerke hohen Decke, sitzen zwei Beamte des Secret Service an einem erhöht stehenden Empfangstisch und fertigen Besucher ab. Ich bemühe mich, den Augenkontakt abzukürzen, sehe sie aber trotzdem lange genug an, bis sie wegschauen. Haben sie etwas über den vergangenen Abend gehört? Wortlos wendet sich mir der eine zu und nickt. Ich erstarre, entspanne mich aber schnell. Er macht das Gleiche mit dem Typen hinter mir. Es war nur ein freundliches Hallo, sage ich mir.

Alle, die IDs haben, steuern auf die Drehkreuze zu. Einmal da, stelle ich meinen Aktenkoffer auf das Röntgen-Förderband und presse meine ID gegen ein elektronisches Auge. Unter dem Auge ist ein Tastenfeld angebracht, das aussieht wie ein Tastenfeld auf einem Telefon, aber ohne Zahlen. Innerhalb von Sekunden ist meine ID überprüft, der Piepton kommt, und in den Feldern leuchten zehn rote Lichter auf. Jedes Mal wenn jemand eincheckt erscheinen die Zahlen in unterschiedlicher Reihenfolge, damit – falls ich beobachtet werde – niemand meinen PIN-Code entziffern kann. Es ist die erste Stufe des Sicherheitssystems, um ins OEOB zu kommen, und bestimmt die wirkungsvollste.

Nachdem ich meinen Code eingegeben habe, gehe ich durch die Röntgenkontrolle, die sich wie immer meldet. ›Gürtel‹, sage ich zu dem uniformierten Beamten des Secret Service.

Er fährt mit dem Metalldetektor, den er in der Hand hält, über meinen Gürtel und sieht meine Erklärung bestätigt. Wir tun das jeden Tag, und jeden Tag prüft er es nach. Gewöhnlich gönnt er mir keinen zweiten Blick, heute bleiben seine Augen ein paar Sekunden zu lange an mir haften. »Alles okay?«, frage ich.

»O ja, klar.«

Mir gefällt nicht, wie er das sagt. Weiß er etwas? Hat Noras Crew gequatscht?

Nein, nicht diese Typen. In ihren weißen, knopfverzierten Sicherheitsdienst-Uniformen unterscheiden sich die Secret-Service-Agenten am Eingang des OEOB von den Agenten in Zivil, die Nora und die Präsidentenfamilie schützen. In der Hierarchie der Agenten vermischen sich die beiden Welten nur selten. Das sage ich mir immer wieder vor, als ich meinen Aktenkoffer vom Förderband nehme und auf mein Büro zusteuere. Gerade als ich die Tür von Zimmer 170 öffne, kommt Pam direkt auf mich zugelaufen. »Mach kehrt – wir sind früher dran!«, ruft sie, und ihr dünnes blondes Haar flattert hinter ihr her.

»Wann haben sie …«

»Eben.« Sie packt mich am Arm und dreht mich herum. »Der Stab ist früher gegangen, also hat Simon uns zu sich zitiert. Er muss anscheinend weg, hat irgendeinen Termin.« Bevor ich ein Wort herausbekomme, fügt sie hinzu: »Was ist denn mit deiner Stirn passiert?«

»Nichts«, sage ich mit einem Blick auf meine Uhr. »Wann sollen wir da sein?«

»Vor drei Minuten«, antwortet sie.

Seite an Seite rennen wir den Flur entlang. Zum Glück liegen unsere Büros im ersten Stock – was bedeutet, dass wir den kürzesten Weg zum Westflügel haben. Und zum Oval. Einem Außenstehenden mag das nicht wie ein großer Vorteil vorkommen, aber für uns, die wir im OEOB arbeiten, ist es wichtig. Nähe ist alles.

Als die Absätze unserer Schuhe auf das schwarzweiße Schachbrettmuster des Marmorbodens trommeln, sehe ich den West-Exec-Ausgang direkt vor mir. Ich ziehe einen Flügel der Doppeltür auf, wir treten ins Freie und überqueren die der Öffentlichkeit nicht zugängliche Straße zwischen dem OEOB und dem Weißen Haus. Auf der anderen Seite der schmalen Straße steuern wir auf das Vordach zu, das in den Westflügel führt, und passieren zwei weitere Türen. Vor uns sitzt ein uniformierter Secret- Service-Mann mit krausen schwarzen Haaren an einem Tisch und überprüft die IDs, die wir um den Hals hängen haben. Hätten wir orangefarbene IDs, wüsste er, dass wir nur Zutritt zum OEOB haben und dass er uns nicht durchlassen darf. Eine blaue ID bedeutet, dass wir fast überallhin können, auch in den Westflügel.

»Hallo, Phil«, sage ich zu ihm und werde instinktiv langsamer. Das ist der finale Test; wenn es sich herumgesprochen hat, darf ich nicht hinein.

Phil wirft einen Blick auf meine blaue ID und lächelt. »Warum diese Eile?«

»Große Sitzung, große Sitzung«, antworte ich gelassen. Wenn er etwas wüsste, würde er nicht lachen.

»Jemand muss die Welt retten«, entgegnet er nickend. »Jetzt haben wir den richtigen Mann dafür.« Seine Arbeit ist getan. Sind wir einmal an ihm vorüber, muss er uns gehen lassen. Stattdessen macht er uns das größte Kompliment. Als wir uns zum Aufzug wenden, drückt er auf einen Knopf unter seinem Schreibtisch, und die linke Aufzugstür geht auf. Wir steigen ein, er drückt auf einen anderen Knopf, das Feld für die zweite Etage leuchtet auf. Das tut er nicht für jeden x-Beliebigen – nur für Leute, die er mag.

Was bedeutet, dass er endlich weiß, wer ich bin. »Danke!«, rufe ich, während die Tür sich schließt. Als ich mich gegen die Rückwand des Aufzugs fallen lasse, muss ich lächeln. Was Simon auch gesehen haben mag, es ist klar, dass er den Mund gehalten hat. Oder besser noch, er weiß nicht, dass wir ihn beobachtet haben.

Pam, die mir die Freude vom Gesicht abliest, sagt: »Es gefällt dir, wenn Phil das tut, nicht wahr?«

»Wem würde es nicht gefallen?«, gehe ich darauf ein.

»Nun, ich weiß nicht … Leuten mit gut geregelten Prioritäten vielleicht?«

»Du bist nur neidisch, weil er dir die Tür nicht öffnet.«

»Neidisch?« Pam lacht. »Er ist ein Portier mit einem Schießeisen – du denkst, sein Verhalten ist für dich irgendwie von Bedeutung?«

»Wenn ja, dann weiß ich, wohin ich gehe: Vorwärts und aufwärts, Schätzchen.« Ich werfe das ›Schätzchen‹ ein, um Pam auf die Palme zu bringen. Doch sie ist zu smart, um darauf hereinzufallen.

»Wenn wir schon über fruchtloses Strampeln nach ganz oben reden – wie ist gestern dein Date gelaufen?«

Das verbirgt sich wirklich hinter der Schönheit von Pam Guerrilla – Ehrlichkeit. Einen Blick auf die Videokamera in der Ecke werfend, antworte ich: »Das erzähl ich dir später.«

Sie blickt auf und verstummt. Eine Sekunde später öffnet sich die Aufzugstür.

In der zweiten Etage des Westflügels sind einige der besten, hochkarätigsten Büros untergebracht, eingeschlossen das Privatbüro der First Lady und das direkt zu meiner Rechten – das Büro von Edgar Simon, First Counsel des Präsidenten.

VIERTES KAPITEL

Durch die schon geöffnete Doppeltür und die Wartezone sausend, in der Simons Assistent sitzt, biegen Pam und ich scharf nach rechts zu Simons Büro ab. In der Hoffnung, dass wir uns unbemerkt hineinschleichen können, werfe ich einen Blick in den Raum ... Verdammt – die Bande wartet schon. Um einen Konferenztisch aus Nussbaum gedrängt, der eher wie ein antiker Speisezimmertisch aussieht, sitzen sechs Kollegen mit gezückten Füllern, die Schreibblocks vor sich auf dem Tisch. An einem Ende des Tischs, in seinem liebsten Ohrensessel, thront Lawrence Lamb, Simons Stellvertreter. Am anderen Ende ein leerer Sessel. In den sich keiner von uns setzt. Er gehört Simon.

Als Anwalt berät Simon den Präsidenten in allen rechtlichen Angelegenheiten, die im Weißen Haus vorkommen. Können wir Bluttests verlangen, um säumige Väter festzunageln, die ihre Vaterschaft nicht anerkennen wollen? Ist es okay, die Zigarettenfirmen zu zwingen, ihre Werbung in Jugendzeitschriften einzuschränken? Muss der Präsident für seinen Platz in der Air Force One bezahlen, wenn er sie benutzt, um Geld für die Partei aufzutreiben? Von der Prüfung neuer Gesetze bis zur Überprüfung neuer Kandidaten für juristische Ämter gehört alles zu unserem Aufgabenbereich; der Counsel und wir, seine siebzehn Mitarbeiter, Pam und mich selbst eingeschlossen, stellen die Anwaltsfirma des Präsidenten dar. Sicher, der größte Teil unserer Arbeit ist reaktiv: Im Westflügel entscheidet der Stab, *welche* Ideen der Präsident verfolgen soll, dann werden wir herbeizitiert, um das *Wie* und das *Falls* auszuarbeiten. Doch wie jeder Anwalt weiß, im *Wie* und im *Falls* steckt eine Menge Macht.

In der Ecke des mit dunklem Holz getäfelten Raums auf der mächtigen Couch hockend, flüstert der Counsel des Vizepräsidenten mit dem Counsel der Büro-Administration, und der Rechtsberater des Nationalen Sicherheitsrats flüstert mit dem stellvertretenden Legal Counsel des Büros für Organisation und Haushaltsführung. Hohe Tiere sprechen mit hohen Tieren. Im Weißen Haus ändern sich manche Dinge nie. Pam und ich drängen uns zum Hintergrund des Raums durch; wir bleiben bei den übrigen Kollegen stehen, die keinen Sitzplatz gefunden haben und darauf warten, dass Simon erscheint. Er kommt nach ein paar Minuten und nimmt seinen Platz am Kopfende des Tisches ein.

So schnell ich kann, senke ich den Blick zu Boden. »Was ist los?«, fragt Pam.

»Nichts.« Mein Kopf ist noch immer gesenkt, aber ich werfe einen raschen, verstohlenen Blick auf Simon. Ich möchte wissen, ob er uns gestern Abend gesehen hat. Eigentlich nehme ich an, dass es sich in seinem Gesicht zeigen würde. Zu meiner Überraschung zeigt sich nichts darin. Wenn er mit etwas hinter dem Berg hielte, würde man es ihm sowieso nicht ansehen. Sein graumeliertes Haar ist genauso perfekt gekämmt wie auf dem Rock Creek Parkway. Er sieht nicht müde aus; hält sich sehr aufrecht, lässt die breiten Schultern nicht hängen. Soweit ich das beurteilen kann, hat er mich nicht einmal angesehen.

»Bist du wirklich okay?«, fragt Pam hartnäckig.

»Aber ja.« Langsam hebe ich den Kopf. Und in dem Moment tut er etwas ganz Unglaubliches. Er sieht mich direkt an und lächelt.

»Alles in Ordnung, Michael?«, fragt er.

Der ganze Raum dreht sich um und ist gespannt auf meine Antwort. »J-ja«, stottere ich. »Ich warte nur darauf, dass wir anfangen.«

»Gut, dann fangen wir an.« Während Simon ein paar allgemeine Dinge bekanntgibt, versuche ich meine Verwirrung abzuschütteln, die man mir ansehen muss. Hätte ich ihm nicht direkt in die Augen geschaut, würde ich es nicht glauben. Er hat dem Schnitt auf meiner Stirn keinen zweiten Blick gegönnt. Was gestern Abend auch passiert sein mag, Simon weiß nicht, dass ich dort war.

»Eine letzte Bemerkung noch, dann können wir zur Tagesordnung übergehen«, erklärt Simon. »Ein Artikel im *Herald* von heute Morgen bezieht sich auf eine Geburtstagsparty, die wir für unseren Lieblingsassistenten des Präsidenten gegeben haben.« Alle Augen richten sich blitzartig auf Lawrence Lamb, der so tut, als gehe das Ganze ihn überhaupt nichts an. »In dem Artikel wird weiterhin erwähnt, dass der Vizepräsident nicht auf der Gästeliste stand und dass man sich aufgeregt fragte, warum er nicht da war. Nun, für den Fall, dass Sie es schon vergessen haben, außer dem Präsidenten und seiner Familie waren die einzigen Anwesenden in diesem Raum eine Handvoll Mitglieder des Stabes und ungefähr vierzehn Vertreter dieses Büros.« Er legt die Hände flach auf den Schreibtisch und wartet schweigend, bis wir seine Erklärung auch wirklich verinnerlicht haben.

Fraglos, er hat uns gepackt. Ich werde ihn vielleicht nie wieder so ansehen wie früher, aber wenn er es darauf anlegt, ist Edgar Simon ein unglaublich guter Anwalt. Ein Meister in der Kunst, etwas zu sagen, ohne es auszusprechen, mustert er schnell jeden Einzelnen im Raum. »Wer es auch war – es muss aufhören. Sie konstatieren so etwas nicht, um uns gut aussehen zu lassen, und das so kurz vor der Wiederwahl. Habe ich mich deutlich genug ausgedrückt?«

Ein leises zustimmendes Murmeln läuft durch den Raum. Niemand möchte dafür verantwortlich sein, dass Informationen durchsickern. Ich sehe Simon an und weiß, dass dies das geringste seiner Probleme ist.

»Wunderbar, dann lassen wir das und machen weiter. Wenden

wir uns unseren Geschäften zu. Der Reihe nach, und wir fangen mit Zane an.«

Julian Zane blickt von seinem Schreibblock auf und grinst breit. Zum dritten Mal in Folge wird er als Erster aufgerufen. Erbärmlich, dieser Gedanke. Als ob einer von uns überhaupt mitzählen würde.

»Ich bin noch immer mit der SEC-Reform beschäftigt«, sagt Julian in dem selbstgefälligen Ton, der auf uns alle wie eine Ohrfeige wirkt. »Ich treffe mich heute mit dem Anwalt des Speakers, um über ein paar Punkte zu diskutieren, er legt so großen Wert darauf, dass er sogar auf die Mittagspause verzichtet. Danach, glaube ich, werde ich das Memo präsentieren können, in dem ich darlege, zu welcher Entscheidung wir gekommen sind.«

Ich zucke zusammen, als Julian die letzten Silben hinausblökt. Das Entscheidungs-Memo ist die offizielle Empfehlung unsere Büros über die Vorgehensweise in einer bestimmten Sache. Während wir nur recherchieren und das Ergebnis schriftlich festhalten, wird das fertige Produkt gewöhnlich von Simon dem Präsidenten vorgelegt. Ab und zu dürfen wir die Präsentation aber auch selbst vornehmen. »*Mr. President, das haben wir herausgefunden …*« Es ist das absolut Größte, das man im Weißen Haus erreichen kann – etwas, worauf ich zwei Jahre gewartet habe.

Letzte Woche hat Simon mitgeteilt, dass Julian die Präsentation übernimmt. Es ist keine Neuigkeit. Dennoch, Julian kann nicht umhin, es zu erwähnen.

Die Augen beschattend, während er seinen Terminplan liest, stellt Simon sich mir in der gleichen Silhouette dar, wie ich ihn in seinem Wagen gesehen habe. Ich bemühe mich, das Bild zu verdrängen, doch es gelingt mir nicht. Alles, was ich sehe, sind diese vierzig Tausender – von denen zehn jetzt in einem direkten Zusammenhang mit mir stehen.

Simon wirft mir einen Blick zu, und wie ein Schluckauf

schießt mir Galle aus dem Magen in die Speiseröhre. Wenn er es weiß, spielt er mit mir. Und wenn nicht ... Es ist mir egal, wenn er's nicht weiß. Sobald wir hier draußen sind, werde ich etwas unternehmen.

Ein rasches Nicken von Simon gilt der Person rechts neben Julian. Daniel L. Serota. Der ganze Raum lächelt. Hier kommt Danny L.

Jeder, der vom Counsel's Office angeheuert wird, bringt seine persönliche Stärke ein. Einige von uns sind smart, andere haben politische Verbindungen, einige können besonders gut mit der Presse umgehen und einige mit dem Druck und der Belastung.

Danny L.? Er kennt sich gut mit wichtigen Dokumenten aus.

Er kratzt mit den Fingernägeln auf dem Glas seiner Brille herum, um einen Schmutzfleck zu entfernen. Wie immer ist sein dunkles Haar zerwühlt. »Die Israelis hatten recht. Ich bin jedes MEMCON durchgegangen, das wir bei den Akten haben«, erklärt er und bezieht sich damit auf Memoranden über Gespräche, die von Adjutanten angefertigt werden, wenn der Präsident mit einem Staatsoberhaupt spricht. »Der Präsident und der Premierminister haben nie auch nur darüber spekuliert, wie die Hardware dorthin gekommen ist. Und sie haben ganz gewiss nie von einer Einmischung der UN gesprochen.«

»Und Sie haben wirklich jedes MEMCON eingesehen, das wir im Archiv haben?«, fragt Simon.

»Ja, warum?«

»Das sind über fünfzehntausend Seiten.«

Danny L.s Herzschlag stockt auch nicht für den Bruchteil einer Sekunde. »Und?«

Simon schüttelt den Kopf, und Pam beugt sich hinüber und gibt Danny L. einen Klaps auf den Rücken. »Du bist mein Held«, sagt sie zu ihm. »Das bist du wirklich.«

Als das Gelächter verstummt, kämpfe ich weiterhin gegen meine Panik an. Simon amüsiert sich zu sehr. Das lässt im Hinblick auf das, was er im Wald getan hat, nichts Gutes ahnen. Anfangs wollte ich gern glauben, er sei ein Opfer. Jetzt bin ich mir nicht mehr so sicher.

Dann ist Pam an der Reihe, und mir wirbeln alle nur erdenklichen Möglichkeiten durch den Kopf. Als Kollegin, die mit der Überprüfung des Vorlebens aller künftigen Richter befasst ist, kennt Pam jeden Schmutz, den die zur Ernennung Anstehenden am Stecken haben. »Es sind drei, die Ende der Woche so weit sein könnten, dass ihre Ernennung bekanntgegeben werden kann«, erklärt sie. »Stone für den Ninth Circuit eingeschlossen.«

»Was ist mit Gimbel?«, fragt Simon.

»Für den D. C. Circuit? Er ist einer von den dreien. Ich warte auf ein paar noch ausstehende Papiere …«

»Er wurde also gründlich durchleuchtet? Keine Probleme?«, unterbricht Simon sie skeptisch.

»Soviel ich weiß, gibt es keine Probleme«, antwortet Pam zögernd. »Warum?«

»Weil mir bei der Sitzung des Stabes heute Morgen jemand zugetragen hat, dass es Gerüchte gibt, Gimbel habe ein uneheliches Kind mit einer seiner ehemaligen Sekretärinnen. Anscheinend schickt er ihr seit Jahren Schweigegeld.«

Die Konsequenzen sind sehr schnell klar. Im Raum wird es still, und alle sehen Pam an. Will Simon sie vernichtend schlagen? »Die nächste Wahl steht in zwei Monaten an«, beginnt er mit entnervender Gefasstheit, »und wir haben einen Präsidenten, der eben ein bedeutendes Gesetz gegen zahlungsunwillige Väter unterzeichnet hat. Was bieten wir dafür als Zugabe? Wir sagen der Welt, dass Hartsons Kandidat für ein hohes Richteramt mit diesem neuesten Gesetz seine eigenen Erfahrungen hat.« Mir gegenüber sehe ich Julian und ein paar andere lachen. »Wagen Sie es ja nicht, auch nur zu kichern«, warnt Simon. »Seit ich hier bin, habe ich, soweit ich mich erinnere, noch nie erlebt, dass die Regierung auf so peinliche Weise in Misskredit gebracht wird.«

»Es tut mir leid«, sagt Pam. »Er hat nie etwas davon erwähnt, dass …«

»Natürlich hat er es nicht erwähnt – deshalb nennt man es ja eine Hintergrundüberprüfung.« Simons Stimme bleibt gelassen, doch er verliert die Geduld. Er muss im Stab eine Menge eingesteckt haben, um sich so aufzuregen – und da Bartletts Kampagne allmählich zu Ende geht, sind alle hohen Tiere nervös. »Ist das nicht Ihr Job, Mrs. Cooper? Kommt es nicht genau darauf an?«

»Beruhigen Sie sich, Edgar«, mischt sich eine weibliche Stimme ein. Ich drehe mich nach rechts um und sehe, dass ihm Caroline Penzler, die auf der Couch sitzt, mit dem Finger droht. Obwohl es draußen warm ist, trägt die gewichtige Caroline einen billigen Wollblazer; sie ist, wenn es um die Nominierungen geht, Pams Fachbereichsleiterin. Und sie ist eine der wenigen im Raum, die Simon nicht fürchten. »Wenn Gimbel es verschwiegen hat und wenn es keine Hinweise gibt, denen man nachgehen kann, ist es für uns fast unmöglich, so etwas in Erfahrung zu bringen.«

Mit einem stummen Nicken bedankt Pam sich bei ihrer Mentorin, dass sie ihr beigesprungen ist.

Simon bleibt unbeeindruckt. »Sie hat nicht die richtigen Fragen gestellt«, faucht er Caroline an. »Nur deshalb war es ein Schuss in den Ofen.«

Caroline wirft Simon einen zornigen Blick zu. Die gemeinsame Geschichte der beiden ist lang. Als Hartson das erste Mal gewählt wurde, bewarben sich beide um die Stellung als Erster Berater. Caroline war mit der First Lady befreundet. Sie gab sich alle Mühe, aber Simon gewann. Und die weißen Jungs bestimmten die Regeln. »Vielleicht sind Sie sich über den Ablauf nicht im Klaren«, sagt Caroline. »Es ist ein Unterschied, ob man die harten Fragen oder jede Frage unter der Sonne stellt.«

»Im Wahljahr gibt es keinen Unterschied. Sie wissen, wie sich Meinungen bilden – die geringste Kleinigkeit wird aufgebauscht und übertrieben dargestellt. Was bedeutet, dass jede Frage eine wichtige Frage ist.«

»Ich weiß, wie ich meinen Job zu tun habe!«, explodiert Caroline.

»Darüber kann man sich offensichtlich streiten«, gibt Simon grollend zurück.

Pam, die nicht will, dass Caroline allein den Kopf hinhalten muss, meldet sich wieder zu Wort: »Sir, ich verstehe natürlich, was Sie meinen, aber ich versuche seit Tagen mit ihm zu telefonieren. Er sagt dauernd, er sei …«

»Das will ich nicht hören. Wenn Gimbel keine Zeit hat, wird er nicht nominiert, so einfach ist das. Außerdem ist er ein Freund des Präsidenten. Aus diesem Grund allein muss er sich den Fragen stellen.«

»Ich habe es versucht, aber er …«

»Er ist ein Freund des Präsidenten. Also muss er es kapieren.«

Ehe Pam antworten kann, sagt jemand: »Das ist nicht wahr.« Am anderen Ende des Tisches fährt Deputy Counsel Lawrence Lamb fort: »Er ist kein Freund des Präsidenten.« Lawrence Lamb, ein großer, dicker Mann mit kristallblauen Augen und einem langen Hals, den er nach Jahren in gebeugter Haltung – wie er sie einnimmt, um mit Leuten zu reden – leicht nach vorn und nach unten reckt, kennt Präsident Hartson seit ihrer Highschool-Zeit in Florida. Daher ist Lamb einer der besten Freunde und vertrautesten Berater Hartsons. Was bedeutet, dass er hat, was sich jeder von uns wünscht: das Ohr des Präsidenten. Und wenn man sein Ohr hat, hat man die Macht. Erklärt Lamb also, dass Gimbel kein Freund des Präsidenten sei, dann wissen wir, dass die Auseinandersetzung beendet ist.

»Ich habe gedacht, sie waren zusammen auf der juristischen Fakultät«, bleibt Simon beharrlich, der versucht, das Gesicht nicht zu verlieren.

»Das heißt noch lange nicht, dass er ein Freund von ihm ist«, sagt Lamb. »Verlassen Sie sich darauf, Edgar.«

Simon nickt. Es ist vorbei.

»Ich werde ihn nach den Gerüchten über das Kind fragen«, fügt Pam, das Schweigen brechend, schließlich hinzu. »Tut mir leid, dass ich's versäumt habe.«

Ich lasse meinen Block sinken, trete vor und sage mir, dass sich nichts geändert hat. Was ich auch gestern Nacht gesehen haben mag, jetzt bin ich dran. »Ich habe mich mit dem Antrag des Justizministeriums befasst, uneingeschränkte und willkürliche Lauschangriffe zu bewilligen. Zur Zeit ist es so, dass Justizministerium oder FBI, wenn sie jemand abhören wollen, nicht einfach sagen können: ›Jimmy *Die Faust* Machismo ist ein Krimineller, installieren wir eine Abhöreinrichtung bei ihm und schnappen ihn uns.‹ Stattdessen müssen sie genau die Orte auflisten, an denen die verdächtigen Aktivitäten stattfinden. Sollten diese Vorschriften geändert werden, könnten Abhöreinrichtungen eingesetzt werden, wo immer man will.«

Simon streicht sich den Bart und überlegt sorgfältig. »Das wäre ein schwerer Schlag für das kriminelle Potential.«

»Davon bin ich überzeugt«, antworte ich. »Aber es wirft bürgerliche Freiheiten zum Fenster hinaus.«

»Ach, komm schon«, mischt Julian sich ein, »leg das Tränentüchlein beiseite. Das sollte keine Kopfgeburt sein – vom Justizministerium unterstützt, vom FBI unterstützt, bei den Kriminellen verhasst –, schließlich ist das eine kugelsichere Sache.«

»Nichts ist kugelsicher«, entgegne ich. »Und wenn die *New York Times* es als Riesenaufmacher auf der Titelseite bringt und sagt, Hartson hat jetzt das Recht, dich in deinem eigenen Heim zu belauschen, auch ohne begründeten Verdacht, wird sich jeder die Haare raufen – von den liberalen Medien bis zu den konspirierenden Konservativen. Das ist genau das, was Bartlett braucht. Es ist kein Thema für ein Wahljahr und, was wichtiger ist, es ist nicht richtig.«

»Nicht richtig?« Julian lacht.

Aufgeblasenes politisches Arschloch. »Das ist meine Meinung. Hast du ein Problem damit?«

»Zurück in eure Ecken«, wirft Simon ein und winkt uns zu. »Wir reden später darüber, Michael. Noch etwas?«

»Nur noch eins. Am Dienstag habe ich vom OMB (Büro für Organisation und Haushaltsführung) das Memo des überarbeiteten Medicaid-Programms bekommen. (Hilfsprogramm, das die Arzt- und Behandlungskosten für besonders bedürftige Leute übernimmt.) Anscheinend will das HHS bei Langzeitbehandlungen die Beihilfe für Leute mit Vorstrafen streichen.«

»Ein weiterer Härteplan für Verbrecher im Wahljahr. Erstaunlich, wie kreativ wir sein können, wenn unsere Jobs auf dem Spiel stehen.« Simon nickt.

Ich suche seine Augen, frage mich, was er damit meint. Vorsichtig setze ich hinzu: »Das Problem ist, dass dies meiner Meinung nach dem Welfare to Work Program des Präsidenten und seiner Haltung zur Rehabilitation in der Crime Bill widerspricht. HHS mag eine großartige Möglichkeit sein, Bargeld zu sparen, aber man kann nicht beides haben.«

Simon braucht eine Sekunde, um darüber nachzudenken. Je länger er schweigt, umso mehr ist er damit einverstanden. »Schreiben Sie es auf«, sagt er schließlich. »Ich denke, Sie könnten da auf etwas gestoßen sein …«

»Habe ich schon gemacht«, unterbreche ich ihn und hole das bereits fertige zweiseitige Memo aus meinem Aktenkoffer. »Man ist drauf und dran, damit herauszukommen, also habe ich es zur Priorität gemacht.«

»Danke«, sagt er, als ich ihm das Memo reiche. Ich nicke, und Simon dreht sich lässig wieder zur Gruppe um. Er ist Übereifer gewohnt.

Wieder auf unseren Plätzen, wendet sich Simon neuen Themen zu. Ich beobachte ihn und bin ehrlich erstaunt, nach alledem wirkt er gelassener als zu Beginn. »Nicht viel zu berichten«, fängt er in seinem immer ruhigen Ton an. »Sie wollen, dass wir uns den Zensus noch einmal gründlich vornehmen …«

Meine Hand schießt als Erste in die Höhe.

»Gehört schon Ihnen, Michael. Die Regierung will etwas darüber erfahren, welche Unterschiede sich herausbilden, wenn man eine Nase nach der anderen zählt oder eine statistische Analyse anfertigt.«

»Damit hat sich ein Leitartikel in der …«

»Hab ich gesehen«, unterbricht er. »Deshalb will man Tatsachen. Nichts Kompliziertes oder Umfangreiches, aber ich möchte morgen eine Antwort parat haben.« Simon steht auf und vertagt die Sitzung.

Sofort stürmt die Hälfte der Kollegen zur Tür, unter ihnen Pam und ich. Die andere Hälfte bleibt und bildet eine Reihe, um mit Simon zu sprechen. Für sie ist das einfach der finale Akt im Ego-Spiel – ihre Projekte sind so streng geheim, dass sie unmöglich coram publico – das heißt vor uns anderen – erörtert werden können.

Im Hinausgehen sehe ich, dass Julian sich auch in die Warteschlange einreiht. »Was ist los?«, frage ich ihn. »Du machst dich doch sonst nicht gern mit dem Rest der Klasse gemein.«

»Es ist erstaunlich, Garrick, du weißt immer haargenau, was vorgeht. Deshalb teilt er dir so große sexy Sachen wie den Zensus zu. Ooooooh, Baby, das ist Gold für Einfaltspinsel. Hallo, hier komme ich.«

Ich tue so, als lachte ich mit ihm über seinen Witz. »Weißt du, ich hatte immer eine Theorie über dich, Julian. Im Sachunterricht in der vierten Klasse, wenn du von zu Hause etwas mitbringen und erklären solltest, hast du immer versucht, dich selbst einzubringen.«

»Du findest das witzig, Garrick?«

»O ja, sogar richtig witzig.«

»Ich auch«, sagt Pam. »Nicht hysterisch, aber witzig.«

Da ihm klar ist, dass er bei einer Auseinandersetzung mit uns beiden immer nur den Kürzeren ziehen kann, wird er wütend.

»Ach, leckt mich doch – beide!«

»Was für ein scharfes Comeback.«

»Gut gemacht.«

Er stürmt um uns herum, um sich wieder einzureihen, und Pam und ich steuern auf die Tür zu. Im Hinausgehen werfe ich einen Blick über die Schulter und ertappe Simon dabei, wie er sich hastig umdreht. Hat er uns nachgeschaut? Nein, lies nichts hinein. Wenn er es wüsste, würde ich es merken. Ich müsste es merken.

Um der Warteschlange am Lift auszuweichen, nehmen wir die Treppe und gehen ins OEOB zurück. Kaum sind wir allein, ändert sich Pams Stimmung. Starr vor sich hinblickend, sagt sie kein einziges Wort.

»Du brauchst dich wegen dieser Sache nicht selbst zu geißeln«, sage ich. »Gimbel hat eben den Mund gehalten, du konntest es nicht wissen.«

»Ganz egal, was er mir gesagt hat. Es ist meine Pflicht, so etwas zu wissen. Sonst habe ich nicht das Recht, hier zu sein. Ich meine, wie die Dinge liegen, weiß ich kaum noch, was ich überhaupt tun soll.«

Da haben wir's – das Yin zu ihrem eigenen Yang –, Härte gegen sich selbst. Anders als bei Nora, ist es Pams erste Reaktion, sich selbst zu zerfleischen, wenn sie auf Kritik stößt. Es ist der klassische Abwehrmechanismus erfolgreicher Menschen – und der für sie leichteste Weg, die Erwartungen herunterzuschrauben.

»Komm schon, Pam, du weißt, dass du hierhergehörst.«

»Simon ist da anderer Meinung.«

»Aber sogar Caroline hat gesagt …«

»Versuch nicht erst, eine rationale Erklärung zu finden. Das funktioniert nie. Ich möchte ein bisschen Zeit haben, wütend auf mich zu sein. Wenn du mich aufheitern willst, wechsle das Thema.«

»Okay, wie war's mit ein bisschen Büroklatsch? Wer, glaubst du, hat über die Geburtstagsparty gequatscht?«

»Niemand«, sagt sie, als wir in die sterilen Flure des OEOB zurückkehren. »Er hat es nur benutzt, um einen Punkt zu machen.«

»Aber der *Herald* …«

»Augen auf, Junge. Es war eine Party für Lawrence Lamb, den besten Freund. Sobald etwas darüber durchsickerte, wäre der ganze Komplex eingestürzt. Niemand versäumt einen gesellschaftlichen Empfang mit dem Präsidenten. Oder mit Nora.«

Ich bleibe vor Zimmer 170 stehen. Unser Büro. »Du denkst, ich war deshalb dort?«

»Willst du mir was anderes einreden?«

»Vielleicht.«

Pam lacht. »Nicht einmal lügen kannst du, oder? Sogar das ist zu viel.«

»Was redest du da?«

»Ich rede über deine unfehlbare Neigung, immer der Pfadfinder zu sein.«

»Oh, und du bist so *hyper-cool*.«

»Das Leben eines Stadtmädchens«, sagt sie und streift sich stolz eine unsichtbare Fussel von der Schulter. »Pam, du kommst aus Ohio.«

»Aber gelebt habe ich in …«

»Schweig mir von New York. Das war die juristische Fakultät – du hast die Hälfte deiner Zeit in deinem Zimmer und den Rest in der Bibliothek gesessen. Außerdem machen einen drei Jahre nicht *hyper-cool*.«

»Aber sie verhindern, dass man zum Pfadfinder wird.«

»Könntest du damit aufhören …?« Bevor ich zu Ende sprechen kann, meldet sich mein Piepser. Die Nummer, die auf dem Digitalschirm aufleuchtet, kenne ich nicht. Ich löse das Gerät vom Gürtel, wo es angeklemmt ist, und lese die Nachricht. »Ruf mich an, Nora.«

Meine Augen verraten nichts. Meine Stimme ist völlig gelassen. »Ich muss zurückrufen«, sage ich zu Pam.

»Was will sie?«

Ich antworte nicht.

Sie lacht. »Verkaufst du auch Kekse, oder ist das nur eine Sache unter Pfadfinderinnen?«

»Du kannst mich kreuzweise, Kumpel.«

»Nicht der beste Tag deines Lebens!«, ruft sie mir nach, als ich zur Tür gehe.

Ich ziehe die schwere Tür zu unserem Büro auf und betrete das Vorzimmer, das in drei weitere Büros führt. Drei Türen: eine rechts, eine in der Mitte, eine links. Ich habe dem Vorzimmer den Spitznamen ›Lady- oder Tiger-Raum‹ verpasst, aber keiner kapiert den Hinweis. Kaum groß genug für den kleinen Schreibtisch, das Kopiergerät und die Kaffeemaschine, die wir reingestopft haben, ist das Vorzimmer noch immer gut für einen Augenblick der Dekompression.

»Okay, fein«, sagt Pam und geht auf die rechte Tür zu. »Wenn du dich dann besser fühlst, kannst du mich für zwei Dosen dünne Pfefferminzplätzchen vormerken.«

Ich muss zugeben, dass Letzteres komisch ist, aber diese Befriedigung gönne ich ihr nicht. Ohne mich umzudrehen, stürme ich in den Raum zur Linken. Als ich die Tür hinter mir zuknalle, höre ich Pam rufen: »Sag ihr, ich lass sie herzlich grüßen!«

Nach OEOB-Maßstäben habe ich ein gutes Büro. Es ist nicht gerade riesig, aber es hat zwei Fenster. Und einen Kamin, von denen es im Gebäude ein paar hundert gibt.

Natürlich funktioniert der Kamin nicht, trotzdem ist er eine Kerbe im Prahlgürtel. Abgesehen davon ist das Büro typisch Weißes Haus: alter Schreibtisch, von dem man hofft, er habe einmal einem berühmten Mann gehört, Schreibtischlampe, die in der Amtszeit von Bush gekauft wurde, Sessel aus der Amtszeit von Clinton und ein Vinylsofa, das aussieht, als habe man es in der Truman-Ära erstanden. Der Rest des Büros macht es zu meinem: feuersichere Aktenschränke und ein Allerwelts-Safe, ein Entgegenkommen des Counsel's Office; über dem Kamin eine Zeichnung von mir, angefertigt von einem Gerichtssaalzeichner der juristischen Fakultät Michigan, bei der Abschlussdiskussion eines angenommenen Rechtsfalles, wie sie Studenten zur Übung vorgelegt werden; und an der Wand über meinem Schreibtisch das Standardbild des Weißen Hauses, das meinem Ego unglaublich schmeichelt: ein signiertes Foto von Präsident Hartson und mir, aufgenommen nach einer seiner Rundfunkansprachen, als er sich eben bei mir für meine Dienste bedankt.

Meinen Aktenkoffer auf das Sofa werfend, laufe ich zum Schreibtisch. Ein Digitalschirm, der mit meinem Telefon verbunden ist, sagt mir, dass ich zweiundzwanzig neue Anrufe habe. Ich lasse das Verzeichnis durchlaufen und registriere Namen und Telefonnummern der Leute, die angerufen haben. Nichts, das nicht warten könnte. Voller Ungeduld, weil ich Nora zurückrufen möchte, werfe ich rasch einen Blick auf den Toaster, ein kleines elektronisches Gerät, das eine unheimliche Ähnlichkeit mit seinem Namensvetter hat und vom vorigen Inhaber des Büros zurückgelassen wurde. Auf einem kleinen Schirm sieht man Folgendes in digitalgrünen Lettern:

POTUS: OVAL OFFICE
FLOTUS: OEOB
VPOTUS: WEST WING
NORA: WOHNUNG 2. ETAGE
CHRISTOPHER: MILTON ACADEMY

Das sind sie – die Großen Fünf. Der Präsident, der Vizepräsident, die Präsidentenfamilie. Die Chefs. Wie Big Brother überprüfe ich instinktiv ihre Standorte. Vom Secret Service jedes Mal aktualisiert, sobald einer der Chefs seinen Standort wechselt, ist der Toaster für Notfälle da. Noch nie hat sich jemand dazu bekannt, ihn zu benutzen, aber das heißt nicht, dass er nicht jedermanns Lieblingsspielzeug ist. Mich interessieren jedoch weder der Präsident noch die First Lady noch der Vizepräsident. Ich will Nora. Ich greife zum Telefon und wähle ihre Nummer.

Sie meldet sich nach dem ersten Klingeln. »Gestern Nacht gut geschlafen?«

Offensichtlich hat sie dieselbe Ruf-ID wie wir. »Einigermaßen. Warum?«

»Kein besonderer Grund – wollte mich nur überzeugen, dass du okay bist. Noch einmal, es tut mir wirklich leid, dass ich dich in diese Situation gebracht habe.«

So bedauerlich es ist, aber ich muss zugeben, dass die Sorge in ihrer Stimme mir sehr gut tut. »Das weiß ich zu schätzen.« Ich wende mich zum Toaster um und füge hinzu: »Wo habe ich dich eigentlich erreicht?«

»Sag du es mir – *du* guckst doch auf den Toaster.«

Ich lächle vor mich hin. »Nein, tu ich nicht.«

»Ich habe es dir schon gestern Nacht gesagt – du bist ein schlechter Lügner, Michael.«

»Rührt daher dein Eifer, mir den Mund auszuwaschen?«

»Wenn du damit meine Zunge in deinem Hals meinst, das war nur, damit du hinterher an etwas Aufregendes denken konntest.«

»Ist das deine Vorstellung von etwas Aufregendem?«

»Nein, aufregend wäre, wenn der kleine Apparat, auf den du jetzt starrst, dir haargenau zeigen würde, was ich jetzt mit meinen Händen mache.«

Die Frau ist gnadenlos. »So funktioniert das also?«

»Weiß ich nicht. Sie geben die Dinger nur dem Personal.«

»Ach, meinst du? Jetzt bin ich nur Personal?«

»Du weißt, was ich meine. Ich habe gewöhnlich … Wie es funktioniert … Ich meine, ich hatte nie Gelegenheit, es selbst zu sehen«, stottert sie.

Ich kann es nicht glauben – sie ist tatsächlich verlegen. »Es ist okay«, sage ich. »War ein Witz.«

»Nein, ich weiß … Ich habe nur … Ich will nicht, dass du denkst, ich sei ein verwöhnter Snob.«

Ich antworte nicht sofort, denn eine fast wissenschaftliche Neugier treibt mich, zu erfahren, was sie für wichtig hält. Schließlich sage ich: »Vergiss es. Wenn ich dächte, dass du ein Snob bist, wäre ich nicht mit dir ausgegangen.«

»Das stimmt nicht«, zieht sie mich auf. Sie hat recht. Aber das Spielerische in ihrer Stimme beweist mir, dass sie den Versuch bewundert. Da sie Nora ist, ist sie sofort wieder obenauf. »Also, wo, sagt dein Apparat, bin ich jetzt?«, fügt sie hinzu und sorgt dafür, dass ich meine Aufmerksamkeit wieder dem Toaster zuwende.

»In deiner Wohnung in der zweiten Etage.«

»Und was sagt dir das?«

»Keine Ahnung – ich war nie dort oben.«

»Du warst nie hier oben? Du solltest mal raufkommen.«

»Dann solltest du mich einladen.« Auf diesen Satz bin ich stolz. Die Einladung dürfte nicht mehr lange auf sich warten lassen.

»Mal sehen«, sagt sie.

»Oh, demnach habe ich diesen Test noch nicht bestanden? Was muss ich tun? Interesse zeigen? Dir beharrlich auf den Fersen bleiben? Zu irgendeinem Gruppendinner gehen und mich von deinen Freundinnen begutachten lassen?«

»Wie?«

»Mach nicht auf schüchtern – ich weiß, wie's bei euch Frauen zugeht –, heutzutage entscheidet nur die Gruppe.«

»Nicht bei mir.«

»Und du erwartest, dass ich das glaube?«, frage ich lachend. »Komm schon, Nora, du hast doch Freundinnen, oder?«

Zum ersten Mal antwortet sie nicht. Zwischen uns nur tote Luft. Mein Lächeln erstirbt langsam. »Ich – ich habe nicht gemeint …«

»N-natürlich hab ich Freundinnen«, stottert sie endlich. »Doch inzwischen … Hast du Simon schon gesehen?«

Ich möchte auf unser altes Thema zurückkommen, doch dies ist wichtiger. »Bei der Sitzung heute Morgen. Er kam rein, und die ganze Welt drehte sich in Zeitlupe. Das heißt, ich habe seine Reaktion beobachtet, und ich glaub nicht, dass er uns entdeckt hat. Ich hätte es an seinen Augen gemerkt.«

»Bist du plötzlich Sachverständiger in Sachen Wahrheit?«

»Lass dir gesagt sein, er hat nicht gewusst, dass wir dort waren.«

»Dann hast du also schon entschieden, was du tun wirst?«

»Was gibt es da zu entscheiden? Ich muss ihn melden.« Darüber denkt sie einen Moment nach. »Sei ja vorsichtig wegen …«

»Keine Sorge, ich werde niemand sagen, dass du dort warst.«

»Das ist es nicht, was mir Sorgen macht«, antwortet sie verärgert. »Ich wollte sagen, pass auf, zu wem du damit gehst. Wenn man die Zeit berücksichtigt und die Person, die in die Sache verwickelt ist, könnte dieses Ding wie die Hindenburg-Katastrophe enden.«

»Du denkst, ich sollte bis nach der Wahl warten?«

Lange Pause am anderen Ende der Leitung. Es geht immer um ihren Vater. Endlich sagt sie: »Darauf kann ich nicht antworten. Ich bin zu dicht dran.« Ich höre es an ihrer Stimme. Der Präsident hat nur zwölf Punkte Vorsprung. Sie weiß, was passieren könnte. »Gibt es eine Möglichkeit, es aus der Presse herauszuhalten?«, fragt sie.

»Glaub mir, auf keinen Fall geh ich damit zur Presse. Sie würden uns bei lebendigem Leib zum Lunch verzehren.«

»Zu wem willst du also gehen?«

»Ich weiß nicht so recht, doch ich denke, es sollte jemand von hier sein.«

»Wenn du willst, kannst du's meinem Dad sagen.«

Hier ist es wieder. Ihr Dad. Mit jedem Mal kommt es mir lächerlicher vor, wenn sie es sagt. »Zu groß«, sage ich. »Bevor er es erfährt, möchte ich, dass jemand noch ein bisschen recherchiert.«

»Um zu bestätigen, dass wir recht haben?«

»Das ist es, was mir Sorgen macht. In dem Augenblick, in dem es bekannt wird, vernichten wir Simons Karriere. Und das nehme ich nicht leicht. Wenn hier drin einmal mit dem Finger auf dich gezeigt wird, ist es aus mit dir.«

Nora weiß, dass ich recht habe. »Denkst du an jemand Bestimmten?«

»Caroline Penzler. Sie ist für die Ethik des Weißen Hauses verantwortlich.«

»Kannst du ihr trauen?«

Ich greife nach einem Bleistift, der in der Nähe liegt, und trommle mit dem Radiergummi auf die Schreibtischplatte. »Ich bin nicht sicher – aber ich weiß genau, wen ich deswegen fragen muss.«

FÜNFTES KAPITEL

Ich verlasse meinen Arbeitsplatz und steuere im Vorzimmer direkt auf Pams Büro zu. Die Tür steht zwar immer offen, doch aus Höflichkeit klopfe ich trotzdem an. »Jemand zu Hause?«

Als sie »Komm rein« sagt, stehe ich schon vor ihrem Schreibtisch. Ihr Büro ist ein Spiegelbild des meinen, bis hin zum nicht funktionierenden Kamin. Die Unterschiede findet man wie immer an den Wänden. Keine ihrem Ego schmeichelnden Bilder wie bei mir, sondern zwei persönliche Gegenstände: Eine vergrößerte Fotografie des Präsidenten bei seiner Rede in der Rock and Roll Hall of Fame in ihrer Heimatstadt Cleveland; und über ihrem Schreibtisch eine riesige amerikanische Flagge, die ihre Mutter ihr geschenkt hatte, als sie hier ihren Job antrat. Typisch Pam, denke ich. Im Grunde ihres Herzens Apfeltorte.

Pam sitzt mit dem Rücken zu mir vor ihrem Computer, der

im rechten Winkel zu ihrem Schreibtisch steht, und hämmert wütend auf die Tastatur ein. Wie immer, wenn sie arbeitet, hat sie das blonde Haar zu einem festen Knoten geschlungen, der von einer roten Spange gehalten wird. »Was gibt's?«, fragt sie, ohne sich umzudrehen.

»Ich möchte dich was fragen.«

Hastig blättert sie in einem Papierstapel, sucht etwas Bestimmtes. Als sie es gefunden hat, sagt sie: »Ich höre.«

»Traust du Caroline?«

Pam hört sofort auf zu tippen und dreht sich zu mir um. Eine Braue hochziehend, erkundigt sie sich: »Was ist los? Geht es um Nora?«

»Nein, nicht um Nora. Es hat nichts mit ihr zu tun. Ich habe nur eine Frage wegen der Sache, an der ich gerade arbeite.«

»Und du erwartest, dass ich dir das glaube?«

Ich bin zu schlau, um mit ihr zu streiten. »Erzähl mir nur etwas über Caroline.«

Sie nagt an der Innenseite ihrer Wange und mustert mich aufmerksam.

»Bitte«, setze ich hinzu, »es ist wichtig.«

Sie schüttelt den Kopf und ich weiß, ich bin drin. »Was willst du wissen?«

»Ist sie loyal?«

»Die First Lady denkt es.«

Eine ausreichende Empfehlung. Caroline ist eine langjährige Freundin der First Lady; sie hat Mrs. Hartson bei der National Parkinson's Foundation in Miami kennengelernt, wo Mrs. Hartson sie unter ihre Fittiche genommen und ermutigt hat, Abendvorlesungen an der juristischen Fakultät der Universität von Miami zu belegen. Von dort holte die First Lady sie zum Children's Legal Defense Fund, dann zur Kampagne und schließlich ins Weiße Haus. Lange gemeinsame Kämpfe schmieden die stärksten Bande. Ich will nur wissen, *wie stark* sie sind.

»Wenn ich ihr also etwas von entscheidender Bedeutung

anvertraue, kann ich mich darauf verlassen, dass sie es für sich behält?«

»Hilf mir und erklär mir, was du mit ›von entscheidender Bedeutung‹ meinst.«

Ich setze mich auf den Stuhl vor ihrem Schreibtisch. »Eine große Sache.«

»Groß genug für die Titelgeschichte der *Newsweek*?«

»Groß genug für die *Newsweek*.«

Pam zuckt nicht zusammen. »Caroline überprüft und durchleuchtet alle hohen Tiere: Kabinettsmitglieder, Botschafter, den Generalstabsarzt – sie öffnet ihre Schränke und sorgt dafür, dass wir mit ihren Skeletten leben können.«

»Du denkst also, dass sie loyal ist?«

»Sie kennt so ungefähr jeden Dreck, den die meisten hohen Tiere der Exekutive am Stecken haben. Deshalb hat die First Lady sie hergeholt. Wenn *sie* nicht loyal ist, sind wir tot.«

Ich verstumme, beuge mich vor und stütze die Ellbogen auf die Knie. Das stimmt. Bevor jemand nominiert wird, hat er mindestens eine Beichtstunde bei Caroline. Sie weiß von jedem das Schlimmste; weiß, wer trinkt, wer Drogen nimmt, wer eine Abtreibung hatte und wer seiner Frau eine Sommerwohnung verschweigt. Jeder hat Geheimnisse. Ich auch. Das bedeutet aber auch, wenn man erwartet, dass etwas vorangebracht wird, darf man nicht jeden disqualifizieren. »Also brauche ich mir keine Sorgen zu machen?«, frage ich.

Pam steht auf und kommt um ihren Schreibtisch herum, setzt sich neben mich und schaut mir eindringlich in die Augen. »Bist du in Schwierigkeiten?«

»Nein, überhaupt nicht.«

»Aber Nora ist es, nicht wahr? Was hat sie getan?«

»Nichts«, sage ich und schwäche ein wenig ab. »Ich werde schon damit fertig.«

»Davon bin ich überzeugt. Das wirst du immer. Doch wenn du irgendwie Hilfe brauchst …«

»Ich weiß – dann bist du da.«

»Mit Pauken und vielleicht sogar mit Trompeten, mein Freund.«

»Ehrlich, Pam, das bedeutet mir mehr als du ahnst.« Dann wird mir klar, je länger ich hier sitze, umso mehr wird sie aus mir herauskitzeln. Deshalb stehe ich auf und marschiere zur Tür. Ich weiß, ich sollte kein Wort mehr sagen, doch ich kann nicht anders: »Du denkst also, sie ist wirklich okay?«

»Sorg dich nicht wegen Caroline«, sagt Pam. »Sie wird sich um dich kümmern.«

Ich bin eben auf dem Sprung, zu Caroline zu gehen, als in meinem Büro das Telefon klingelt. Ich flitze hinein und werfe einen Blick auf den Digitalschirm, um zu sehen, wer es ist. Es ist dieselbe Nummer wie vorhin. Nora. »Hallo«, melde ich mich.

»Michael?« Ihre Stimme klingt anders. Fast atemlos.

»Bist du okay?«, frage ich.

»Hast du schon mit ihr gesprochen?«

»Mit Caroline? Nein, warum?«

»Du wirst ihr doch nicht sagen, dass ich dabei war, oder? Ich meine … ich denke, du solltest es nicht …«

»Nora, ich habe dir schon gesagt, dass ich's nicht tun würde …«

»Und das Geld – du wirst nicht sagen, dass ich das Geld genommen habe, nicht wahr?« Das klingt nach rasender Panik.

»Natürlich nicht.«

»Gut. Gut.« Schon beruhigt sie sich. »Mehr wollte ich nicht wissen.« Ich höre sie tief Atem holen. »Tut mir leid – ich wollte nicht so durchdrehen –, bin nur ein bisschen nervös geworden.«

»Ich richte mich ganz nach dir«, erkläre ich ihr, noch immer verblüfft über ihren Ausbruch. Ich hasse es, diesen Sprung in ihrer Stimme zu hören – das ganze Selbstbewusstsein dahin. Es ist, als sehe man seinen Vater weinen; man möchte alles tun, damit er aufhört. Und in diesem Fall kann ich es. »Keine Sorge«, füge ich hinzu. »Ich habe alles im Griff.«

Durch den Flur zu Carolines Büro zu gehen ist einfach. Auch an ihre Bürotür zu klopfen ist nicht schwierig. Einzutreten ist ganz leicht, und die Tür zu schließen macht auch keine Mühe. Aber als ich Caroline an ihrem Schreibtisch sitzen sehe, das pechschwarz gefärbte Haar über die Schultern ihres schwarzen Wollblazers gebreitet, fällt plötzlich alles, was ich zusammengeklammert habe – und zwar wirklich alles – auseinander. Meine Angst hat ein Gesicht. Und bevor ich noch hallo sagen kann, ist mein Nacken schweißnass.

»Setzen Sie sich, setzen Sie sich«, fordert sie mich auf, als ich vor ihrem Schreibtisch fast zusammenbreche. Ich komme ihrer Aufforderung nach und lasse mich in einem der beiden Sessel nieder. Wortlos sehe ich zu, wie sie vier Päckchen Zucker in einen leeren Trinkbecher schüttet. Ein Päckchen nach dem anderen reißt sie auf. In der linken Ecke des Raums ist der Kaffee schon fast durchgelaufen.

Jetzt weiß ich, woher sie ihre Energie hat. »Nun, und wie läuft es?«, fragt sie.

»Viel zu tun«, antworte ich. »Wirklich viel zu tun.« Hinter ihr sehe ich ihre Version der Ego-Wand: vierzig unterschiedliche Rahmen mit dankbaren Widmungen von einigen von Washingtons Mächtigsten. Außenminister, Verteidigungsminister. Botschafter im Vatikan. Generalstaatsanwalt. Sie alle sind da, und alle wurden von Caroline als unbedenklich eingestuft.

»Welcher ist Ihr Liebling?«, erkundige ich mich und hoffe, die Dinge ein wenig hinauszuzögern.

»Schwer zu sagen. Es ist, als ob man gefragt würde, welches der eigenen Kinder das liebste für einen ist.«

»Das Erste«, sage ich. »Es sei denn, sie ziehen alle weg und rufen nie an. Dann ist es das, das am nächsten wohnt.«

Zu Carolines Arbeit gehört es, dass sie tagtäglich unangenehme Gespräche führen muss. Daher hat sie es auch schon mit jeder Art von Nervosität zu tun gehabt, die man sich vorstellen kann. Und nach ihrer säuerlichen Miene zu schließen, stehen

Witze ungefähr am Ende ihrer Liste. »Kann ich Ihnen irgendwie helfen, Michael?«

Meine Augen saugen sich an ihrem Schreibtisch fest, der unter Papierstapeln, Aktenordnern und zwei Aschenbechern mit dem Präsidentensiegel fast zusammenbricht. In der Ecke des Raums steht ein tragbarer Luftfilter, trotzdem riecht es noch muffig nach abgestandenem Zigarettenrauch; Zigaretten sind, außer dem Sammeln von Danksagungen, Carolines offenkundigste Gewohnheit. Um mir zu helfen, nimmt sie die Brille ab und wirft mir einen lauwarmen Blick zu. Sie versucht Vertrauen zu wecken und will mir zu verstehen geben, dass ich ihr trauen kann. Doch als ich den Kopf hebe, kann ich nur daran denken, dass dies nach zwei Jahren das erste Mal ist, dass ich sie richtig ansehe. Ohne Brille wirken ihre mandelförmigen haselnussbraunen Augen weniger einschüchternd. Und obwohl ihre zerfurchte Stirn und ihre dünnen Lippen ihr ein streng sachliches Aussehen geben, scheint sie meinetwegen aufrichtig besorgt zu sein. Nicht besorgt wie Pam, aber für eine Frau Ende vierzig, die mir praktisch fremd ist, wirklich besorgt.

»Wollen Sie ein Glas Wasser?«, fragt sie.

Ich schüttle den Kopf. Kein Hinauszögern mehr.

»Handelt es sich um eine Frage, die das Counsel's Office betrifft, oder um eine ethische Angelegenheit?«

»Um beides«, sage ich. Das ist der schwierige Teil. Meine Gedanken rasen, ich suche nach den richtigen Worten. Doch egal, wie oft ich es auf dem Weg hierher im Geist geübt habe, jetzt gibt es nur noch eins: das Netz entfernen und handeln. Als ich schon dabei bin, mich aufs Seil zu wagen, überdenke ich die Story ein letztes Mal und hoffe, auf einen vernünftigen Grund zu stoßen, warum der Counsel des Weißen Hauses im Wald Geld versteckt haben könnte. Nichts, was mir einfällt, klingt gut. »Es geht um Simon«, sage ich endlich.

»Stoppen Sie auf der Stelle«, befiehlt sie. Sie greift in die oberste Schublade ihres Schreibtischs und holt einen Kassettenrecorder und ein leeres Band heraus. Sie hat den Ton sofort erkannt, als sie ihn hörte. Das ist ernst.

»Ich denke nicht, dass das nötig …«

»Seien Sie nicht nervös. Es ist nur zu Ihrem eigenen Schutz.« Sie nimmt einen Stift und schreibt meinen Namen auf die Kassette. Als sie im Recorder steckt, sehe ich die Worte ›Michael Garrick‹ durch die winzige Glasscheibe. Sie drückt auf ›Aufnahme‹, knallt das Gerät auf den Schreibtisch, direkt vor mich hin.

Sie weiß, was ich denke, aber sie tut es nicht zum ersten Mal. »Michael, wenn es etwas Wichtiges ist, brauchen Sie eine korrekte Dokumentation. Warum fangen Sie nicht ganz von vorn an?«

Ich schließe die Augen und tue so, als gebe es noch immer ein Netz. »Es ist gestern Nacht passiert«, beginne ich.

»Gestern Nacht, das war Donnerstag der Dritte«, wirft sie ein.

Ich nicke. Sie zeigt auf ihre Lippen. »Ich meine, das ist richtig«, sage ich rasch. »Jedenfalls fuhr ich die 16th Street entlang, als ich …«

»Bevor wir fortfahren: War jemand bei Ihnen?«

»Das ist nicht relevant…«

»Beantworten Sie einfach die Frage.«

Ich erwidere so schnell ich kann: »Nein, ich war allein.«

»Es war also niemand bei Ihnen?«

Mir gefällt nicht, wie sie das fragt. Irgendetwas ist nicht richtig. Wieder wird mein Nacken heiß und schweißnass. »Niemand war bei mir«, behaupte ich beharrlich.

Sie scheint nicht überzeugt.

Ich strecke die Hand aus und halte das Band an. »Gibt es ein Problem?«

»Keineswegs.« Sie will das Band wieder einschalten, doch ich halte die Hand über den Recorder.

»Ich spreche das nicht auf Band«, sage ich. »Noch nicht.«

»Beruhigen Sie sich, Michael.« Sie lehnt sich zurück und lässt mir meinen Willen. Der Recorder bleibt ausgeschaltet. »Ich weiß, es ist schwer. Erzählen Sie einfach Ihre Story.«

Sie hat recht. Ich habe keine Zeit zu verlieren. Zum zweiten Mal finde ich die nötige Ruhe in einem tiefen Atemzug und tröste mich mit der Tatsache, dass das Band nicht mehr mitläuft.

»Ich fahre also die 16th Street entlang, und da sehe ich plötzlich vor mir einen bekannten Wagen. Als ich genauer hinschaue, stelle ich fest, dass es Simons Wagen ist.«

»Wieder meinen Sie Edgar Simon – den Counsel des Präsidenten.«

»Korrekt. Nun ja, und aus irgendeinem Grund – vielleicht weil es schon so spät ist, vielleicht auch wegen der Gegend, in der wir uns befinden –, sobald ich ihn sehe, kommt mir etwas nicht koscher vor. Also bleibe ich zurück und fahre hinter ihm her.« Einzelheit um Einzelheit erzähle ich ihr den Rest der Geschichte. Wie Simon auf dem Rock Creek Parkway anhielt. Wie er, einen Manilaumschlag in der Hand, aus dem Wagen stieg. Wie er über die Leitplanke kletterte und die Böschung hinauf verschwand. Und am wichtigsten, was ich, nachdem er gegangen war, in dem Umschlag gefunden hatte. Ich lasse nur Nora aus. Und die Cops.

»Als ich das Geld sah, hab ich gedacht, ich krieg einen Herzanfall. Sie müssen sich das vorstellen: Es ist nach Mitternacht, es ist stockdunkel, und ich halte vierzigtausend Dollar Schmier- oder Bestechungsgeld meines Chefs in der Hand. Und zu alledem hätte ich schwören können, dass mich jemand beobachtete. Es war so, als stünden sie direkt hinter mir. Ich sage Ihnen, in meinem ganzen Leben habe ich mich noch nie so gefürchtet. Ich hab gedacht, ich müsste mit jemand reden, bevor ich gehe und die Sache auffliegen lasse. Deshalb bin ich zu Ihnen gekommen.«

Ich warte auf eine Reaktion, doch es kommt keine. Nach einiger Zeit fragt sie: »Sind Sie fertig?«

Ich nicke. »Ja.«

Sie beugt sich über den Schreibtisch und nimmt den Kassettenrecorder in die Hand. Mit dem Daumen drückt sie auf den Pausenknopf, lässt ihn los, drückt wieder drauf, lässt ihn los … Eine nervöse Gewohnheit.

»Also?«, frage ich. »Was denken Sie?«

Sie setzt die Brille auf und sieht alles andere als belustigt aus.
»Es ist eine interessante Geschichte, Michael. Das einzige Problem ist, dass vor einer Viertelstunde Edgar Simon in diesem Büro war und mir haargenau dieselbe Story über Sie erzählt hat. In seiner Version waren aber Sie derjenige mit dem Geld.« Sie kreuzt die Arme und lehnt sich im Sessel zurück. »Wollen Sie noch einmal von vorn anfangen?«

SECHSTES KAPITEL

»Warum sollte er so etwas sagen?«, frage ich in Panik.

»Michael, ich weiß nicht, in welchen Schwierigkeiten Sie stecken, aber es ist …«

»Ich bin nicht in Schwierigkeiten«, erkläre ich nachdrücklich. Mein Mund wird trocken, und Übelkeit steigt in mir auf. Ich spüre sie im Magen, bin kurz davor, zusammenzubrechen. »Ich – ich weiß nicht, wovon Sie reden. Ich schwöre … Es war er. Wir haben gesehen, wie er …«

»Wer ist ›wir‹?«

»Wie bitte?«

»Wir. Sie haben eben *wir* gesagt. Mit wem waren Sie zusammen, Michael?«

Ich sitze stocksteif im Sessel. »Mit niemandem. Ich schwöre es, ich war allein.«

Stille breitet sich im Raum aus, und ich fühle die Last ihres Urteils. »Sie haben vielleicht Chuzpe, wissen Sie das? Als Simon zu mir kam, hat er mir gesagt, ich sollte es Ihnen leicht machen. Er vermutet, dass Sie Probleme haben. Und was tun Sie? Lügen mir ins Gesicht und schieben die Schuld auf ihn.«

»Warten Sie einen Moment … Sie denken, ich hab mir das ausgedacht?«

»Diese Frage beantworte ich nicht.« Sie streicht mit der Hand über einen Stapel roter Ordner. »Die Antwort habe ich schon gesehen.«

In der Welt, in der man auf Herz und Nieren untersucht wird, in der Welt der Hintergrundüberprüfungen bedeutet ein roter Ordner eine FBI-Akte. Instinktiv lese ich den Namen auf dem Schildchen des obersten Ordners. Michael Garrick.

Ich balle die Fäuste. »Sie haben sich meine Akte kommen lassen?«

»Warum erzählen Sie mir nicht etwas über Ihre Arbeit an der neuen, überholten Fassung von Medicaid, für die Sie sich stark machen …? Damit auch die Kriminellen weiterhin in den Genuss von Medicaid kommen? Scheint für Sie ein richtiger Kreuzzug zu sein.«

Ihre Stimme hat einen Unterton, der mich wie ein Stich ins Auge trifft. »Ich weiß nicht, wovon Sie reden.«

»Beleidigen Sie mich nicht, Michael. Das hatten wir doch schon einmal. Ich weiß alles über ihn. Noch immer ein wirklich stolzer Papa, wie?«

Ich schieße aus dem Sessel in die Höhe, kaum imstande, mich zu beherrschen. Sie drückt auf die falschen Knöpfe. »Lassen Sie ihn in Ruhe«, knurre ich. »Er hat nichts damit zu tun.«

»Wirklich nicht? Sieht mir ganz nach einem klaren Interessenkonflikt aus.«

»Ich arbeite nur aus dem einzigen Grund daran, weil Simon mir das Memo auf den Tisch gelegt hat.«

»Sie haben also nie daran gedacht, dass Ihr Vater von dem Programm profitiert?«

»Er bekommt das Geld nicht, es geht direkt an seine Einrichtung.«

»Er profitiert davon, Michael. Sie können einwenden, was Sie wollen, aber Sie wissen, dass das stimmt. Er ist Ihr Vater, er ist ein Krimineller, und wenn das Programm geändert wird, verliert er seine Vergünstigungen.«

»Er ist kein Krimineller.«

»In dem Moment, in dem Sie diese Sache zur Bearbeitung bekommen haben, hätten Sie sofort wegen Befangenheit ablehnen müssen. Das fordern die Richtlinien über standesgemäßes Verhalten, und das haben Sie versäumt! Genauso wie beim letzten Mal!«

»Das war etwas anderes.«

»Nur eines war damals anders – ich habe im Zweifelsfall zu Ihren Gunsten entschieden. Jetzt weiß ich's besser.«

»Sie denken jetzt also, dass ich wegen Simon und wegen des Geldes lüge?«

»Sie kennen doch das Sprichwort: Wie der Vater, so der Sohn.«

»Wagen Sie ja nicht, das zu sagen! Sie wissen nichts über ihn!«

»War das Geld dafür gedacht? Eine Art von Schmiergeld, damit ihm nichts passiert?«

»Ich war nicht der mit dem Geld …«

»Ich glaube Ihnen nicht, Michael.«

»Simon war derjenige, der …«

»Ich habe schon gesagt, ich glaube Ihnen nicht.«

»Warum, zum Teufel, hören Sie mir nicht zu?«, brülle ich so laut, dass meine Stimme im Raum widerhallt.

Ihre Antwort lautet schlicht: »Weil ich weiß, dass Sie lügen.«

Es reicht. Ich brauche Hilfe. Ich mache kehrt und laufe zur Tür.

»Und wohin wollen Sie?«

Ich sage kein Wort.

»Gehen Sie ja nicht!«, schreit sie.

Ich bleibe stehen und drehe mich um. »Heißt das, Sie wollen sich meine Version der Geschichte anhören?«

Sie verschränkt die Hände und legt sie auf den Schreibtisch. »Ich glaube, ich habe schon alles Nötige gehört.«

Ich greife nach der Klinke und öffne die Tür. »Wenn Sie jetzt gehen, Michael, werden Sie es bereuen, das verspreche ich Ihnen.« Das hält mich nicht auf. »Kommen Sie zurück! Sofort!«

Ich betrete den Flur, und meine Welt wird rot. »Fall tot um«, sage ich, ohne mich umzudrehen.

Zehn Minuten später sitze ich in meinem Büro und starre auf den kleinen Fernseher, der auf dem Fenstersims steht. Jedes Büro im OEOB ist ans Kabel angeschlossen, aber ich beschränke mich auf Kanal fünfundzwanzig – wo die Speisekarte der Kantine des Weißen Hauses den ganzen Tag ununterbrochen abgespult wird.

Suppe am Freitag: Französische Zwiebelsuppe.

Joghurt des Tages: Oreo.

Sandwich-Auswahl: Truthahn, Roastbeef, Thunfischsalat.

Eines nach dem anderen läuft über den Bildschirm; langweilige weiße Buchstaben auf königsblauem Grund. Mit etwas anderem umzugehen, schaffe ich im Moment nicht.

Als der Joghurt des Tages zum dritten Mal erscheint, sind mir dreizehn stichhaltige Gründe dafür eingefallen, Caroline den Kopf abzureißen. Angefangen bei dem Versuch, mir die Schuld in die Schuhe zu schieben, bis zu den Attacken gegen meinen Dad. Was, zum Teufel, ist los mit ihr? Sie wusste von dem Moment an, in dem ich zu ihr reinkam, was sie tat. Langsam, aber sicher lässt der Adrenalinstoß nach, weicht gelassener Ruhe. Und mit dieser Ruhe kommt die Erkenntnis, dass Caroline, wenn wir nicht noch einmal miteinander reden, Simons Version akzeptieren und mich damit begraben wird.

Zum viertenmal in zehn Minuten sehe ich auf dem Toaster nach und wähle Noras Nummer. Der Apparat sagt mir, dass sie in ihrer Wohnung ist, doch niemand hebt ab. Ich lege auf und wähle zwei andere Nebenanschlüsse. Trey und Pam sind genauso wenig zu finden. Sofort als ich zurückkam habe ich beide angepiept, doch beide haben sich nicht gemeldet.

Ein letztes Mal überfliege ich das digitale Verzeichnis, um sicherzugehen, dass sie nicht zurückgerufen haben, während ich besetzt war. Nichts. Keiner da. Nur ich. Darauf läuft alles hinaus. Auf eine Welt, in der es nur einen gibt – mich.

Im Weißen Haus sorgen Wärme-, Ventilations- und Kühlsystem aus einem einfachen Grund für einen höheren Luftdruck als normal: Wenn jemand mit einer Biowaffe oder Nervengas angreift, wird die vergiftete Luft durch den Druck nach außen abgeleitet, fort vom Präsidenten.

Natürlich geht beim Personal der Witz um, dass per definitionem das Weiße Haus der Ort ist, an dem unter größtem Druck gearbeitet wird. Als ich jetzt in meinem Büro sitze, hat der Druck, unter dem ich stehe, nichts mit dem Lüftungssystem zu tun.

Mein Selbsterhaltungstrieb ist stärker als der Zorn. Ich stehe auf und gehe ins Vorzimmer. Als ich die Tür öffne, höre ich jemand an der Kaffeemaschine. Wenn ich Glück habe, ist es Pam. Stattdessen ist es Julian.

»Schmeckt, als hätte jemand reingepisst«, sagt er und hält mir seinen Kaffeebecher unter die Nase.

»Also ich war's nicht.«

»Ich beschuldige dich nicht, Garrick – ich stelle nur etwas fest. Unser Kaffee schmeckt scheußlich.«

Das ist nicht die richtige Zeit, um zu streiten. »Tut mir leid.«

»Was ist los mit dir? Du siehst aus wie Scheiße.«

»Nichts – liegt nur an einer Sache, an der ich arbeite.«

»Zum Beispiel? Schmeißt du dich an noch mehr Kriminelle ran? Heut Vormittag hat es zwei zu zwei gestanden.«

Ich gehe an ihm vorbei und öffne die Tür. Obwohl wir meist verschiedener Meinung sind, muss ich zugeben, dass der dritte in unserem Dreierbüro kein übler Kerl ist – er ist für das gemeine Volk nur ein bisschen zu eifrig. »Lass dir den Kaffee schmecken, Julian.«

Als ich zu Carolines Büro zurückgehe, kommt mir der wuchtige Korridor länger denn je vor. Damals, als ich anfing hier zu arbeiten, war ich ungeheuer beeindruckt, weil alles so groß schien. Mit der Zeit lernte man, damit umzugehen, wurde es sogar gemütlich. Der heutige Tag hat mich an den Anfang zurückgeworfen.

Vor Carolines Büro angekommen, umklammere ich die Klinke und trete ein, ohne anzuklopfen. »Caroline, bevor du verrückt wirst, lass mich erklä…«

Ich bleibe stehen wie vom Blitz getroffen.

Vor mir sitzt Caroline zusammengesunken in ihrem hochlehnigen Sessel. Ihr Kopf hängt nach vorn wie der einer Marionette und ein Arm baumelt über die Armlehne. Sie rührt sich nicht. »Caroline?«, frage ich und komme näher.

Keine Antwort. O Gott.

Auf dem Schoß hält sie in der anderen Hand einen Kaffeebecher mit der Aufschrift: *7 Got Your State of the Union Right Here.* Zur Seite gekippt und auf ihrem Oberschenkel aufliegend, ist der Becher leer. »Caroline, sind Sie okay?«, frage ich. Zugleich höre ich, dass irgendwo etwas langsam tropft. Ich bin verblüfft, denn es erinnert mich an den tropfenden Wasserhahn in meinem Apartment. Ich gehe dem Geräusch nach und stelle fest, dass die Flüssigkeit vom Sessel auf den Boden tropft. Caroline sitzt in einer Kaffeelache.

Instinktiv strecke ich die Hand aus und berühre ihre Schulter. Ihr Kopf fällt zurück und prallt mit einem unschönen Geräusch auf den Rand des Sessels. Die Leere in Carolines weit geöffneten haselnussbraunen Augen trifft mich wie ein Schlag. Ein Auge blickt geradeaus, das andere ist seitlich weggerollt.

Der Raum fängt an sich um mich zu drehen. Meine Kehle verkrampft sich, und ich kann plötzlich nicht mehr atmen. Zurücktaumelnd knalle ich gegen die Wand, und eine gerahmte Dankeswidmung fällt zu Boden. Ihr Lebenswerk zerbricht. Ich öffne den Mund, kann aber kaum selbst hören, was herauskommt. »Jemand …«, heule ich, nach Atem ringend. »Bitte … jemand muss helfen …«

SIEBENTES KAPITEL

Ein uniformierter Secret-Service-Beamter mit einem hässlichen, krummen Kinn hilft mir auf die Füße. »Sind Sie okay? Sind Sie okay? Können Sie mich hören?«, fragt er, schreit die Fragen, bis ich nicke: Ja. Das Telefon und die Schnüre sind um meine Knöchel gewickelt – seit ich die Konsole vom Schreibtisch heruntergezogen habe. Es war das Einzige, woran ich denken konnte, die einzige Möglichkeit, Hilfe zu bekommen. Er befördert das Telefon mit einem Tritt zur Seite und hilft mir zur Couch in der Ecke. Ich schaue zu Caroline zurück, deren Augen noch immer weit aufgerissen sind. Bis an mein Lebensende wird sie in dieser Haltung erstarrt bleiben.

Die nächste Viertelstunde versinkt im Nebel detektivischer Tüchtigkeit. Bevor mir klar wird, was geschieht, füllt sich der Raum mit einer Ansammlung von Untersuchungsbeamten und anderen Exekutiv-Organen: zwei weiteren uniformierten Beamten, zwei Secret-Service-Leuten in Zivil, einer aus fünf Personen bestehenden FBI Crime Scene Unit und einem Mitglied des Emergency-Response-Teams, das mit gezückter Uzi bei der Tür steht. Nach einem kurzen Gerangel um die Zuständigkeit lässt der Secret Service das FBI an die Arbeit gehen. Ein großer Mann in einem dunkelblauen FBI-Polohemd fotografiert das Büro und eine kurz geratene Asiatin und zwei andere Männer in hellblauen Hemden nehmen den Raum auseinander. Ein fünfter Mann mit einem Näseln, als komme er aus Virginia, hat das Kommando.

»Ihr, Jungs«, sagt er zu den uniformierten Secret-Service-Leuten, »wärt mir eine viel größere Hilfe, wenn ihr draußen warten würdet.« Bevor sie sich auch nur bewegt haben, fügt er hinzu: »Danke für eure Zeit.« Er wendet sich den beiden Secret-Service-Leuten in Zivil zu und nimmt sie rasch in Augenschein. »Sie können bleiben.« Dann kommt er zu mir rüber.

»Michael Garrick«, sagt er und liest meinen Namen von meiner ID ab. »Sind Sie okay, Michael? Können Sie sprechen?«

Ich nicke, starre auf den Teppich. Am anderen Ende des Raums fotografiert der Mann im dunkelblauen Polohemd Carolines Leichnam. Als der erste Blitz aufzuckt, scheint alles ganz normal – Fotografen gibt es im Weißen Haus bei fast jedem Ereignis. Aber als ich ihren Kopf sehe, der zur Seite hängt, und ihren hässlich klaffenden Mund, wird mir klar, dass das nicht mehr Caroline ist. Sie ist tot. Jetzt ist sie nur noch eine Leiche; eine langsam steif werdende Hülle, die für ein makabres Foto posiert.

Der Agent mit der näselnden Virginiastimme hebt mein Kinn, und seine Latexhandschuhe kratzen über die Reste meiner Morgenrasur. Bevor ich ein Wort sagen kann, schaut er mir in die Augen. »Sind Sie sicher, dass Sie okay sind? Wir können das auch noch später machen, aber …«

»Nein, ich verstehe – ich kann es jetzt tun.«

Er legt mir eine kräftige Hand auf die Schulter. »Ich bin Ihnen dankbar, dass Sie uns helfen, Michael.« Anders als das FBI-Polo-Team trägt er einen grauen Anzug; am rechten Revers hat er einen kleinen Fleck. Der Krawattenknoten ist fest angezogen, aber der oberste Knopf seines reinweißen Hemdes offen. Die Wirkung deutet auf eine ganz unauffällige Weise Zwanglosigkeit an, obwohl er sich sonst streng professionell verhält. »Was für ein Tag, nicht wahr, Michael?« Seit wir uns begegnet sind, ist es das dritte Mal, dass er mich mit meinem Namen anspricht, was mich, wie ich zugeben muss, hellhörig macht. Wie mein alter Strafrechts-Professor einmal erklärt hat: Wiederholung des Namens ist der erste Trick, den Verhörtechniker einsetzen, um eine gewisse Vertrautheit herzustellen. Der zweite Trick ist Körperkontakt. Ich schaue auf seine Hand hinunter, die noch immer auf meiner Schulter liegt.

Er nimmt sie weg, zieht die Handschuhe aus und reicht mir die Hand. »Michael, ich bin Randall Adenauer. Special Agent und Chef der Abteilung für Gewaltverbrechen des FBI.«

Sein Titel überrumpelt mich. »Sie denken, sie wurde ermordet?«

»Diese Annahme ist ein bisschen voreilig, finden Sie nicht?«, fragt er mit einem Lachen, das sehr gezwungen klingt. »Soweit wir es bis jetzt übersehen, scheint es ein einfacher Herzinfarkt zu sein – nach der Autopsie werden wir mehr wissen. Sie haben sie gefunden, nicht wahr?«

Ich nicke.

»Wie lange hat es gedauert, bevor Sie es gemeldet haben?«

»Hab ich sofort gemacht, als ich begriff, dass sie tot ist.«

»Und als Sie sie gefunden haben, hat sie genauso dagesessen? Sie haben nichts verändert?«

»Ihr Kopf hing herunter, als ich reinkam. Ich hab sie dann geschüttelt … Erst als ich ihre Augen sah … da bin ich gegen die Wand gekracht.«

»Also haben Sie das Bild runtergeworfen?«

»Ich glaube schon – bin ziemlich sicher. Ich hatte ja nicht erwartet, dass so etwas …«

»Ist doch kein Vorwurf, Michael.«

Er hat recht, sage ich mir. Ich habe keinen Grund, mich zu verteidigen.

»Und das Telefon auf dem Boden?«, fragt er.

»Der ganze Raum hat sich gedreht – ich habe mich hinge-setzt, um wieder Luft zu kriegen. In meiner Panik habe ich den Apparat vom Tisch gerissen, um Hilfe zu holen.«

Während ich erkläre, was passiert ist, fällt mir auf, dass er nicht mitschreibt. Er starrt nur irgendwie in meine Richtung, obwohl seine scharfen blauen Augen kaum auf mich gerichtet sind. Wie er mich beobachtet – wenn ich es nicht besser wüsste, könnte ich denken, er lese Sprechblasen dicht über meinem Kopf ab. Gleichgültig, wie sehr ich mich bemühe, seine Aufmerksamkeit zu erhaschen, unsere Blicke treffen sich nie. Schließlich zieht er eine Rolle Buttertoffees aus der Hosentasche und bietet mir eins an.

Ich schüttle den Kopf.

»Wie Sie wollen.« Er schiebt die Rolle in den Mund und beißt ein Bonbon ab. »Ich sage Ihnen, ich glaub, ich bin süchtig nach diesen Dingern. Brauche inzwischen ein Päckchen täglich.«

»Besser als Rauchen«, entgegne ich und zeige auf einen der vielen Aschenbecher in Carolines Büro.

Er nickt und blickt wieder zu den Sprechblasen hinauf. Unser kleines Gespräch ist zu Ende. »Als Sie sie gefunden haben – was wollten Sie da von ihr?«

Hinter ihm entdecke ich den kleinen Stapel roter Ordner, der noch immer auf Carolines Schreibtisch liegt. »Es hatte was mit meiner Arbeit zu tun.«

»Etwas Persönliches?«

»Nein, eigentlich nicht. Warum?«

Er betrachtet das Päckchen Buttertoffees in seiner Hand und tut gleichgültig. »Versuche nur rauszukriegen, warum sie Ihre Akte hier hatte.«

Adenauer ist kein Dummkopf. Darauf war er die ganze Zeit aus.

»Wollen Sie mir jetzt sagen, was wirklich los war?«, fragt er.

»Ich schwöre Ihnen, es war nichts. Es ging nur um einen Interessenkonflikt. Sie ist die Ethik-Beamtin; bestimmt hat sie sich meine Akte nur geholt, um etwas zu überprüfen.« Unsicher, ob er mir das abnimmt, zeige ich auf Carolines Schreibtisch. »Sehen Sie doch selbst – sie hatte noch andere Akten hier, nicht nur die meine.«

Bevor er antworten kann, kommt die asiatische Agentin in dem hellblauen Hemd auf uns zu. »Chef, haben die uniformierten Burschen die Kombination für den …«

»Hier haben Sie sie«, sagt Adenauer. Er greift in die Jackett-tasche und reicht ihr einen gelben Zettel.

Sie nimmt die Kombination und macht sich an dem Safe hinter Carolines Schreibtisch zu schaffen.

Als die Ablenkung vorbei ist, wendet Adenauer sich mir wieder zu und sieht mich so lange an, bis ich die Augen senke. Ich lehne mich auf der Couch zurück und bemühe mich, gleichgültig zu tun. Hinter dem Schreibtisch knackt es laut. Die Frau öffnet den Safe.

»Michael, ich verstehe, warum Sie so wenig wie möglich damit zu tun haben wollen – ich weiß, wie es hier zugeht. Und ich beschuldige Sie auch in keiner Weise. Ich versuche nur festzustellen, was geschehen ist.«

»Ich habe Ihnen schon alles gesagt, was ich weiß.«

»Chef, das sollten Sie sich einmal ansehen«, sagt die Asiatin.

Adenauer steht auf und geht zum Safe. Die Frau holt einen Manilaumschlag heraus. Sie dreht ihn um und der Inhalt fällt auf den Schreibtisch. Eins. Zwei. Drei Geldbündel. Hundertdollarnoten. Jedes Bündel in einer First-of-America-Banderole.

Ich tue alles in meiner Macht Stehende, überrascht auszusehen, und ich muss mich selbst loben – wahrscheinlich komme ich tatsächlich damit durch. Aber während ich die drei Bündel Bargeld anstarre, die Nora zurückgelassen hat, weiß ich im tiefsten Innern, dass dies erst der Anfang ist.

ACHTES KAPITEL

Nachdem man mich noch zwei Stunden lang befragt hat, gehe ich mit einer brutalen Migräne und einem hämmernden Schmerz im Nacken in mein Büro zurück. Ich kann noch immer nicht glauben, dass Caroline das Geld hatte. Warum sollte sie … Ich meine, wenn sie es hatte – bedeutet das, dass auch sie im Wald war? Oder hat sie es nur später abgeholt? Ist sie deshalb heute Morgen bei der Sitzung auf Simon losgegangen – weil es zehn Tausender zu wenig waren? Meine Gedanken taumeln durch Erklärungen, suchen die Eckstückchen des Puzzles. Ich finde kaum einen Rand.

Die Korridore um mich herum sind fast völlig leer, und hinter jeder Tür, an der ich vorbeikomme, höre ich die schwachen

Echos Dutzender Fernsehapparate. Gewöhnlich laufen die Fernseher im OEOB ohne Ton. Doch bei solchen Neuigkeiten hört natürlich jeder zu.

Die Reaktion ist typisch für das Weiße Haus. Wie mir ein ehemaliger Clinton-Berater vor Jahren erklärt hat, gleicht die Machtstruktur des Weißen Hauses der eines von Zehnjährigen bestrittenen Fußballspiels. Man stellt jeden auf eine bestimmte Position und kann verlangen, dass er bleibt, wo er sein soll, aber in dem Moment, in dem das Spiel beginnt, verlässt jeder auf dem Feld seinen Posten und rennt hinter dem Ball her.

Vorliegender Fall: die leeren Korridore des OEOB. Noch ehe ich mit Trey gesprochen habe, weiß ich, was vorgeht. Der Präsident verlangt Informationen, was bedeutet, dass der Chef des Stabes Informationen verlangt, was bedeutet, dass die obersten Berater Informationen verlangen, was bedeutet, dass die Presse Informationen verlangt. Von dem Moment an suchen alle anderen – rufen sich gegenseitig und Gott und die Welt an, jeden, der ihnen einfällt. Jeder möchte der Erste sein, der über die Antworten verfügt. In einer Hierarchie, in der die meisten von uns von der Regierung das fast gleiche Gehalt beziehen, besteht die Ersatzwährung im Zugang zu bestimmten Dingen und in Einfluss. Information ist der Schlüssel zu beiden.

Jede andere Krise wird auf die lange Bank geschoben, solange die Kids verzweifelt dem Ball nachjagen. Unter allen anderen Umständen wäre ich auch dabei. Als ich jedoch heute in mein Büro zurückgehe, habe ich nur einen Gedanken – der Ball bin ich.

Ich schließe die Tür hinter mir, schalte die Gegensprechanlage und dann sofort den Fernseher ein; jeder Sender mit einem Pressepass berichtet live aus dem Weißen Haus. Um mich zu vergewissern, schaue ich aus dem Fenster und sehe die Reporter in der Nordwestecke des Rasens herumstehen.

In Panik wähle ich Noras Nummer. Der Toaster sagt mir, dass sie noch immer in ihrer Wohnung ist, aber wieder meldet sie sich nicht. Ich muss wissen, was vorgeht. Ich brauche Trey.

»Michael, das ist keine sehr gute Zeit«, sagt er. Im Hintergrund höre ich Geräusche, die sich nach einem Raum voller Leute anhören, und die Telefone klingeln nonstop. Für einen Pressesekretär ist das ein schlimmer Tag.

»Sag mir nur, was passiert«, bitte ich. »Was weißt du?«

»Es heißt, es sei ein Herzinfarkt, obwohl das FBI sich bis zwei Uhr bedeckt halten will. Das meiste wissen wir von dem Mann, der dort das Sagen hat – er erklärt, es gebe keine äußerlichen Wunden und nichts Verdächtiges.« Während Trey weiterspricht, hört sein Telefon nicht auf zu klingeln. »Du solltest diesen Typen sehen – typisch uniformierte Abteilung –, bittet um Aufmerksamkeit und tut dann so, als wolle er nicht reden.«

»Dann bin ich also nicht der Ball?«

»Warum solltest du der Ball sein?«

»Weil ich sie gefunden habe.«

»Das steht also fest? Wir haben ein Gerücht gehört, aber ich hab mir gedacht, du würdest mich anrufen, wenn … Hör dir mal das an: Ich habe den …«

»*Trey, halt den Mund!*«, schreie ich so laut ich kann.

»… den besten Klatsch über Martin Van Buren, den achten Präsidenten der USA. Hast du gewusst, dass man sich über ihn lustig gemacht hat, weil er ein Korsett trug? Ist das nicht großartig? Ich kann von dem Typen nicht genug kriegen – ein Korsett tragender kleiner Demokrat. Ein süßer kleiner Knopf war das. Und lass dir eines sagen, die Panik von 1837 war ein reiner Medienschwindel – ich glaube kein Wort davon …«

»Ist sie jetzt weg?«, unterbreche ich ihn.

»Ja«, sagt er. »Jetzt erzähl – was ist passiert?«

»Es ist keine so große Sache.«

»Keine so große Sache? Weißt du, wie viele Anrufe ich, nur seit wir miteinander reden, deswegen bekommen habe?«

»Vierzehn«, sage ich kurz. »Ich habe mitgezählt.«

Pause am anderen Ende. Trey kennt mich zu gut. »Vielleicht sollten wir uns später unterhalten.«

»Ja. Ich denke, das wäre am besten.« Ich schaue aus dem Fenster auf die Reihe der Reporter auf dem Rasen. »Denkst du, du kannst mich aus der Sache raushalten?«

»Michael, ich kann dir Informationen geben, aber Wunder kann ich keine wirken. Alles hängt davon ab, womit das FBI rauskommt.«

»Aber wäre es dir nicht möglich …«

»Hör zu, so wie der uniformierte Typ redet, glauben die meisten Leute, er hat sie gefunden. Für alle anderen, die fragen, wurde dein Name offiziell abgeändert in ›ein Mitglied des Weißen-Haus-Personals‹. Das sollte dich vor mindestens tausend Wählerbriefen retten.«

»Danke, Trey.«

»Ich tue mein Bestes«, sagt er, als jemand die Tür meines Büros öffnet. Pam steckt den Kopf herein.

»Hör zu, ich mach jetzt lieber Schluss. Wir reden später.«

Ich lege auf, und Pam fragt zögernd: »Passt es dir jetzt, weil …«

»Keine Sorge – komm rein.«

Als sie eintritt, fällt mir auf, wie schleppend ihr Gang ist. Gewöhnlich lebhaft und unermüdlich ausschreitend, bewegt sie sich in Zeitlupe, mit hängenden Schultern. »Ist es zu glauben?«, fragt sie, in dem Sessel vor meinem Schreibtisch zusammensinkend. Ihre Augen sind müde. Und rot. Sie hat geweint.

»Bist du okay?«, frage ich.

Diese eine Frage führt zu einem Rückfall und Tränen schießen ihr wieder in die Augen. Die Zähne zuammenbeißend, kämpft sie dagegen an. Sie ist nicht der Typ, der in der Öffentlichkeit weint. Ich greife in den Schreibtisch und suche nach einem Papiertaschentuch, finde aber nur ein paar alte Servietten mit dem Präsidentenemblem. Ich reiche sie ihr hinüber, doch sie schüttelt den Kopf.

»Bist du auch ganz bestimmt okay?«

»Sie hat mich eingestellt, weißt du.« Sie räuspert sich und fügt hinzu: »Als ich zu den Vorstellungsgesprächen kam, war Caroline die Einzige, der ich gefiel. Simon, Lamb, alle anderen fanden, ich sei nicht hart genug. Simon hat das Wort ›Weichei‹ auf meinen Bewerbungsbogen geschrieben.«

»Das hat er nicht!«

»Und ob! Caroline hat ihn mir gezeigt«, sagt Pam auflachend. »Aber da ich für sie arbeiten sollte, konnte sie mich durchziehen. An meinem ersten Arbeitstag hat sie mir Simons Beurteilung gegeben und gesagt, ich soll sie mir aufheben. Meinte, eines Tages könnte ich ihm das Ding in den Rachen stopfen.«

»Und hast du das Papier aufgehoben?«

Pam hört nicht auf zu lachen.

»Was gibt's?«

Ein schalkhaftes Lächeln umspielt ihre Lippen. »Erinnerst du dich an die Siegesparty, die wir hatten, nachdem Simon vor dem Kongress seine Aussage über Alkoholwerbung gemacht hatte?«

Ich nicke.

»Und erinnerst du dich an den Siegeskuchen – den, von dem Caroline sagte, wir hätten die Zutaten praktisch zusammengekratzt?«

»O nein.«

»O doch«, fügt Pam mit einem noch breiteren Lächeln hinzu. »An meinem hundertzweiundfünfzigsten Tag hier hat Edgar Simon seine eigenen Worte gegessen.«

Ich lache mit ihr. »Willst du mir weismachen, du hättest deine alte Beurteilung in den Kuchen hineingemixt?«

»Ich gebe nichts zu.«

»Wie wäre das überhaupt möglich? Hätte er es nicht herausgeschmeckt?«

»Was meinst du mit *er*? Glaub mir, ich war dabei und habe zugesehen – du hast selbst ein hübsch großes Stück davon gegessen.«

»Und du hast mich nicht daran gehindert?«

»Damals mochte ich dich noch nicht so richtig.«

»Aber wie habt ihr …«

»Wir haben das Papier nass gemacht, in kleine Stücke zerrissen und in den Mixer getan. In null Komma nichts war das Zeug püriert. Das war die beste Kochlektion, die ich je bekommen habe. Caroline war ein verrücktes Genie. Und wenn es um Simon ging – sie hat den Kerl gehasst.«

»Bis vor ungefähr einer Stunde …« Ich unterbreche mich. »Tut mir leid – ich habe nicht gemeint …«

»Schon okay«, sagt sie. Die nächste Minute verbringen wir, ohne ein Wort zu sagen. Zwischen uns herrscht absolute Stille; ein Stegreifgedenken für eine von uns. Um ehrlich zu sein, erst in diesem Augenblick wird mir klar, was ich ausgelassen habe. In den zwei Stunden, in denen ich befragt wurde, mich gesorgt und gedreht und gewendet habe, um mich selbst zu schützen, habe ich das Entscheidende vergessen: Ich habe vergessen zu trauern. Meine Beine werden taub und mein Herz wird schwer. Caroline Penzler ist heute gestorben. Und was ich auch von ihr gehalten haben mag, das ist der erste Moment, in dem ich den Verlust wirklich begreife. Das kurze Schweigen macht sie nicht zu einer Heiligen, aber die Erkenntnis tut mir unendlich gut.

Als Pam aufblickt, sieht sie meinen veränderten Gesichtsausdruck. »Bist du okay?«

»Aber ja … Ich kann's einfach nur nicht glauben.«

Pam stimmt mir zu und wird in ihrem Sessel ganz klein. »Wie hat sie ausgesehen?«

»Wie meinst du das?«

»Die Leiche. Warst denn nicht du derjenige, der die Tote gefunden hat?«

Ich nicke, nicht imstande zu antworten. »Wer hat es dir gesagt?«

»Debi in Public Liaison hat es von ihrem Boss gehört, der einen guten Freund hat, dessen Büro gleich gegenüber von …«

»Hab's gerafft«, unterbreche ich sie. Das wird nicht leicht.

»Darf ich dich noch etwas fragen?«, fügt Pam hinzu. Am Ton ihrer Stimme erkenne ich, worauf sie hinauswill. »Gestern

Nacht ... in was du da auch hineingeraten sein magst – ist Caroline deshalb gestorben?«

»Keine Ahnung, wovon du redest.«

»Nicht mit mir, Michael. Du hast gesagt, es sei eine Riesen-Titelstory für *Newsweek*. Und deshalb bist du zu ihr gegangen, nicht wahr?«

Ich antworte nicht.

»Es ging um Nora, nicht wahr?«

Noch immer keine Antwort.

»Wenn Caroline umgebracht wurde, weil ...«

»Sie wurde nicht ermordet. Es war ein Herzinfarkt.«

Pat beobachtet mich genau. »Das glaubst du wirklich?«

»Ja, das glaube ich tatsächlich.«

Als mir das gleiche Büro zugewiesen wurde, beschrieb Pat sich als diejenige in der fünften Klasse, die zurückgeblieben wäre, als ihre Freundinnen sich in den Vordergrund spielen konnten. Sie tat bescheiden, um das Eis zwischen uns zu brechen, doch ich muss sagen, dass ich ihr schon damals nicht geglaubt habe. Dazu ist sie viel zu ausgebufft – aber wenn sie das nicht wäre, wäre sie nicht hier. Also, obwohl sie gern den Underdog spielt und sich selbst herabsetzt, bis zum heutigen Tag habe ich sie immer für einen Guru interpersoneller Dynamik gehalten.

»Das kleine Psychogirl bedeutet dir also wirklich so viel?«, fragt sie.

»Es mag dir schwerfallen, es zu glauben, aber Nora ist ein guter Mensch.«

»Wenn sie so gut ist, wo ist sie jetzt?«

Ich blicke zum Toaster hinüber. Nichts verändert. In grünen Digitalbuchstaben steht da: Wohnung 2. Etage.

Durch den Korridor des OEOB stürmend, ist mir klar, dass es nur einen Weg gibt zu erfahren, was vorgeht – ich muss sie sehen, ihr direkt gegenüberstehen. Einen leeren Hauspost-Umschlag umklammernd, rase ich durch den West-Exec-Ausgang, durch den Korridor zwischen den Gebäuden, und wende mich zum Westflügel des Weißen Hauses. Ich betrete das Gebäude durch die Tür unter dem grellweißen Vordach und winke Phil schnell einen Gruß zu.

»Wollen Sie hinauf?«, fragt er und ruft den Aufzug für mich. Ich schüttle den Kopf. »Verrückte Neuigkeit, wie?«

»Kann man wohl sagen«, antworte ich, als ich an ihm vorbeilaufe. Ich steige die kurze Treppe zu meiner Linken hinauf und gehe jetzt zwar langsamer, aber noch immer ziemlich schnell. So dicht beim Oval Office rennt man nicht, wenn man nicht festgehalten oder erschossen werden will. Ich werfe einen raschen Blick in das Büro von Hartsons Sekretär, um zu sehen, wie alles läuft. Wie immer ist das Oval Office und alles in der Nähe des Präsidenten brennend heiß. Mit einer Energie aufgeladen, die unbeschreiblich ist. Es ist nicht Panik – in der Nähe des Präsidenten gibt es keine Panik. Es ist ganz einfach eine Energiewelle, die unübersehbar präsent ist. Wie Nora.

Meinen Kurs einhaltend, gehe ich weiter. Vor mir sehe ich zwei weitere uniformierte Beamte und das untere Pressebüro, wo vier Originale von Norman Rockwell an der Wand hängen, die zur West Colonnade führen. Ich stoße die Tür auf, trete ins Freie, fliege an jeder der spektakulären weißen Säulen vorbei, die den Rosengarten säumen, und betrete von Neuem den Ground Floor Corridor des Weißen Hauses.

Geradeaus, hinter der breiten Fläche luxuriösen blassroten Teppichs, verstellen vier faltbare Trennwände aus Kirschbaumholz die hintere Hälfte des Korridors. Öffentliche Führungen finden auf der anderen Seite statt. Jedes Jahr werden Tausende Touristen durch den Ground Floor und den State Floor, die ersten beiden Stockwerke des Weißen Hauses, geführt. Sie bekommen den Vermeil Room, den China Room, den Blue Room, den Red Room, den Green Room und den Fill-in-the-Blank Room zu sehen. Doch wo der Präsident und seine Familie tatsächlich wohnen – wo sie schlafen, wo sie Gäste empfangen und wo sie ihre Zeit verbringen … die beiden obersten Stockwerke des Weißen Hauses sehen sie nicht. Den Wohnbereich.

Den Korridor entlang, durch die zweite Tür links, komme ich zum Aufzug und zu einer Treppe. Beide führen in den Wohnbereich. Das Einzige, was mir im Weg steht, ist der Secret Service: ein uniformierter Beamter in diesem Stockwerk; zwei im Stockwerk darüber. Nur die Ruhe, sage ich mir. Es ist hier wie immer und überall im Leben – ein zielstrebiger Schritt verschafft dir Eintritt. Entschlossen und selbstbewusst halte ich den Hauspost-Umschlag auffällig vor mich hin und gehe auf den ersten Beamten zu. Er lehnt an der Wand und scheint seine Schuhe zu betrachten. Ich bin nur noch drei Meter von der Tür entfernt. Anderthalb Meter … plötzlich blickt er auf. Ich bleibe nicht stehen und nicke ihm freundlich zu, während er meine ID studiert. Mit dem blauen Pass kann man fast überall hin. Und für den Präsidenten bestimmte Hauspost geht direkt hinauf zum Usher's Office. »Hab eine gute Nachricht«, füge ich um der Authentizität willen hinzu. Er betrachtet wieder seine Schuhe, ohne einen Ton von sich zu geben. Selbstsicherheit ist wieder einmal das Sesam-öffne-dich. Ich gehe weiter zur Treppe. Nur noch ein Stockwerk liegt vor mir.

Obwohl ich versucht bin, mir begeistert auf die Schulter zu klopfen, weiß ich, dass der Beamte im Ground Floor nur dazu da ist, Touristen vom Umherstreunen abzuhalten. Der eigentliche Kontrollpunkt für den Wohnbereich befindet sich auf dem nächsten Treppenflur. Während ich hinaufgehe, entdecke ich sehr schnell zwei uniformierte Secret-Service-Beamte, die mich erwarten. Sie stehen gegenüber vom Aufzug und betrachten nicht ihre Schuhe. Ich vermeide den Augenkontakt und behalte meinen zielstrebigen Schritt bei.

»Kann ich Ihnen helfen?«, fragt der größere der beiden.

Geh weiter – sie schlucken es, sage ich mir. »Wie geht's?«, sage ich und versuche anklingen zu lassen, dass ich hier ein und aus gehe. »Sie erwartet mich.«

Der andere Beamte pflanzt sich vor mir auf und verstellt mir den Weg zur nächsten Treppe. »Wer erwartet Sie?«

»Nora«, antworte ich und zeige ihnen den Umschlag. Ich mache einen Schritt nach rechts und tue so, als wolle ich für das letzte Stück meines Wegs den Aufzug nehmen. Als ich auf den Rufknopf drücke, kreischt ein rasselnder Summer los.

Ich drehe mich um. Die beiden Beamten sehen mich an. »Sie können die Post beim Usher lassen«, sagt der Größere.

»Sie hat ersucht, dass ich sie ihr persönlich aushändige.«

Sie bleiben unbeeindruckt. Nachdem er meinen Namen von der ID abgelesen hat, verschwindet der größere Beamte im Usher's Office, das direkt neben der Treppe liegt, und greift zum Telefon. »Ich habe einen Michael Garrick hier unten.« Er hört ein paar Sekunden zu. »Nein. Ja. Ich sag's ihm. Vielen Dank.« Er legt auf und sieht mich wieder an. »Sie ist nicht oben.«

»Was? Das ist nicht möglich? Wann ist sie weggegangen?«

»Sie haben gesagt, vor nicht ganz zehn Minuten. Wenn sie den Aufzug nach unten nimmt, sehen wir sie nicht.«

»Aktualisiert ihr ihre Bewegungen nicht auf euren Funkgeräten?«

»Erst wenn sie das Gebäude verlässt.«

Ich starre ihn an, bis er die Augen senkt. Das war's dann. »Sagen Sie ihr, dass ich da war«, erkläre ich und marschiere die Treppe hinunter.

Unterwegs kommt mir jemand entgegen. Die Treppe ist nicht breit, daher berühren sich unsere Schultern, und ich sehe ihn mir genau an. Er trägt Khaki und ein marineblaues Polohemd. Aber es ist der Knopf im Ohr, der ihn verrät. Secret Service. Einer von Noras Agenten. Harry. Er heißt Harry. Er gehört zu ihrer engsten Umgebung. Und er weicht ihr nur von der Seite, wenn sie oben im Wohnbereich ist.

Ich mache kehrt und folge ihm hinauf. Sobald die uniformierten Beamten mich sehen, wissen sie, dass ich weiß.

»Haben Sie mich angelogen?«, frage ich den größeren Beamten.

»Hören Sie, Sohn, das ist keine …«

»Warum haben Sie gelogen?«

»Immer mit der Ruhe«, sagt Harry.

Innerhalb von Sekunden sehe ich einen Agenten in Zivil vom Ground Floor die Treppe heraufstürmen. Ein zweiter im dunklen Anzug blockiert den Eingang zum Korridor.

Wie, zum Teufel, konnten sie so schnell reagieren? Ich blicke über meine Schulter und habe die Antwort. In der Öffnung der Klimaanlage bei der Tür steckt eine Minikamera, und sie ist direkt auf mich gerichtet.

Harry legt mir die Hand auf die Schulter. »Glauben Sie mir«, sagt er. »Sie können nicht gewinnen.«

Da hat er recht. Ich entziehe mich seinem Griff und gehe wieder zur Treppe. Dann sehe ich Harry an und füge hinzu: »Sagen Sie ihr, dass wir miteinander reden müssen.«

Er nickt nur.

Ich stürme die Treppe hinunter und vorbei an dem Agenten, der sich mir in den Weg stellt. »Schönen Tag noch«, sagt er, als ich hinausgehe.

Auf dem Rückweg ins OEOB merke ich, dass ich beide Hände krampfhaft zu Fäusten geballt habe. Ich öffne sie, strecke die Finger, versuche die Abweisung durch Nora abzuschütteln. Doch zugleich überfällt mich Panik. So schlimm ist es doch gar nicht, sage ich mir. Sie wird sich melden. Sie ist jetzt eben vorsichtig. Außerdem habe ich die Tote ja nur gefunden und ein bisschen geschrien. Es ist doch nicht so, dass ich verdächtig wäre. Niemand weiß etwas von dem Geld. Außer Nora. Und der D. C.-Polizei. Und Caroline. Und jeder, dem sie davon erzählt hat … Verdammt, die Gerüchte könnten schon brodeln. Und wenn ihnen klar wird, dass die Scheine fortlaufend nummeriert sind …

Das Summen meines Piepsers unterbricht meine Gedanken.

Ich hole ihn aus der Tasche, sehe mir die Nachricht an und werde an den Menschen erinnert, der ebenfalls von dem Geld weiß. Die Nachricht lautet: Würde gern mit Ihnen sprechen. Persönlich. E. S.

E. S. Edgar Simon.

NEUNTES KAPITEL

Während ich im Wartezimmer vor Simons Büro sitze, ist Judys Tippen meine einzige Ablenkung. Simons persönliche Assistentin Judy Stohr ist eine kleine, pummelige Frau mit rotgefärbtem Haar. In dem Jahr geschieden, in dem Hartson beschloss, für das Präsidentenamt zu kandidieren, hat sie den Männern entsagt, ist aus New Jersey in Hartsons Heimatstaat Florida umgezogen und hat sich der Kampagne angeschlossen. Eine wandelnde Enzyklopädie für jeden Tag, der seither vergangen ist, liebt Judy ihr neues Leben. Aber als immer aufmerksame Mutter zweier Kinder im College-Alter wird sie nie aus ihrer Haut heraus können.

»Was ist los? Sie sehen krank aus.«

»Es geht mir gut«, sage ich.

»Sagen Sie mir nicht, es gehe Ihnen ›gut‹. Es geht Ihnen nicht gut.«

»Judy, ich versichere Ihnen, es ist alles in Ordnung.« Als sie mich unverwandt ansieht, füge ich hinzu. »Ich bin wegen Caroline traurig.«

»Ach ja, das ist schrecklich. Meinem schlimmsten Feind würde ich nicht wünschen, so etwas …«

»Ist jemand bei ihm drin?«, unterbreche ich sie und zeige auf Simons geschlossene Tür.

»Nein, er telefoniert nur. Er hat es dem Präsidenten gesagt. Und Carolines Familie. Jetzt spricht er mit den wichtigsten Zeitungen …«

»Warum?«, frage ich nervös.

»Das ist sein Amt, sein Aufgabenbereich. Er ist der Mann, bei dem alle Fäden zusammenlaufen. Die Presse will die Reaktion von Carolines Chef erfahren.«

Das ist sinnvoll. Nichts Ungewöhnliches. »Gibt es noch andere Neuigkeiten?«

Judy lehnt sich im Sessel zurück und genießt den Augenblick, denn sie ist am besten informiert. »Es ist ein Herzinfarkt. Das FBI sieht sich zwar noch gründlich in ihrem Büro um, aber sie wissen, was passiert ist – Caroline hat mehr geraucht als meine Tante Sally und tagtäglich sechs Tassen Kaffee getrunken. Nichts für ungut, aber was kann man da erwarten?«

Ich zucke mit den Schultern, weiß nicht recht, was ich antworten soll.

Während ich schweige, entdeckt Judy etwas in meinen Augen. »Wollen Sie mir nicht sagen, was Sie wirklich bedrückt, Michael?«

»Es ist nichts. Alles ist in Ordnung.«

»Sie lassen sich doch nicht immer noch von diesen Typen einschüchtern, oder? Das sollten Sie nicht, Sie sind besser als alle zusammen. Es ist die Stimme der Wahrheit, die jetzt zu Ihnen spricht: Sie sind ein richtiger Mensch. Deshalb sind Sie so beliebt.«

Während meiner dritten Woche im Weißen Haus sandte ich an den Vorsitzenden des House Judiciary Committee irrtümlich einen Brief, der mit *Sehr geehrter Herr Kongressabgeordneter* begann anstatt mit *Sehr geehrter Herr Vorsitzender*. Da wir hier in Egoville sind, hinterließ der Stab des Vorsitzenden eine abfällige Bemerkung auf Simons Anrufbeantworter, und nachdem Simon mich gebührend abgekanzelt hatte, beging ich den Fehler, Judy zu erzählen, dass ich mich als Absolvent einer Staatsuniversität in der Welt der Ivy League – das sind die Elite-Universitäten im Osten der USA – ziemlich minderwertig fühlte. Inzwischen habe ich festgestellt, dass ich sehr gut mit ihnen mithalten kann. Für mich ist es längst kein Thema mehr. Für Judy ist und bleibt es mein Problem.

»Je erfolgreicher Sie sind, umso größer wird die Angst dieser Typen«, erklärt sie mir. »Sie sind eine Bedrohung für ihre Filzokratie – der felsenfeste Beweis dafür, dass es nicht wichtig ist, wo man zur Schule ging oder wer oder was die Eltern …«

»Ich hab's kapiert«, fauche ich.

Judy lässt mir eine Sekunde Zeit, damit ich mich abkühlen kann. »Sie sind noch immer nicht drüber weg, nicht wahr?«

»Ich versichere Ihnen, es geht mir gut. Ich muss nur mit Simon sprechen.«

Vor der gestrigen Nacht war Simon ein großartiger Kerl. Geboren und aufgewachsen in Chapel Hill, North Carolina, trat er nicht so großspurig auf wie die *Beltway Insider* und die oft intriganten *Power broker* von der Ostküste, die früher das Amt des Counsels im Weißen Haus innehatten; *Power broker* sind Leute, die das Maß an politischem Einfluss anderer, insbesondere in außenpolitischen Angelegenheiten, kontrollieren. Als zweifachem Harvard-Graduiertem mangelte es ihm nicht an grauen Zellen. Aber auf solche Dinge gebe ich nicht viel. Was mich an Simon am meisten beeindruckte, war sein privates Leben.

Ein paar Monate nach seiner Einstellung wurden in der Presse Vermutungen laut, Präsident Hartson vertusche die Tatsache, dass er Prostatakrebs habe. Als die *New York Times* äußerte, Hartson habe die gesetzliche Pflicht, seine medizinischen Befunde der Öffentlichkeit mitzuteilen, geriet Simon in seine erste große Krise. Vierundzwanzig Stunden später erfuhr er, dass sein zwölfjähriger Sohn an Neurofibromatose – der Recklinghausenschen Krankheit – litt, einer genetischen Störung des Nervensystems, die bei Kindern eine bleibende Behinderung zur Folge haben kann.

Nach einem drei Tage dauernden Marathon ohne Schlaf und mühseligen Recherchen, bei denen es um die gesetzlichen Probleme der Privatsphäre des Präsidenten in gesundheitlichen Dingen ging, überreichte Simon dem Präsidenten zweierlei: eine Dokumentation mit Informationen über die Krise und sein Rücktrittsgesuch.

Unnötig zu sagen, dass das für die Presse ein gefundenes Fressen war. Das *Parenting Magazine* wählte Simon zum Vater des Jahres. Dann, einen Monat später, nachdem die ursprüngliche Krise vorüber war, kehrte er auf seinen Posten als Counsel zurück. Er sagte, der Präsident habe ihm Daumenschrauben angelegt. Andere meinten, Simon ertrage es nicht, keine Macht zu haben. Doch wie auch immer, es war egal. Auf der Höhe seiner Karriere ließ Edgar Simon alles stehen und liegen. Für seinen Sohn. Dafür werde ich ihn immer respektieren.

Als ich sein Büro betrete, versuche ich mir den Edgar Simon vorzustellen, den ich früher gekannt hatte – den Vater des Jahres. Doch alles, was ich sehe, ist der Mann von gestern Nacht, die Natter mit dem Vierzigtausend-Dollar-Geheimnis.

Am Schreibtisch sitzend, blickt er mit dem gleichen boshaftspitzbübischen Lächeln zu mir auf wie heute Morgen. Doch anders als bei unserem ersten Treffen weiß ich jetzt, dass er uns gestern Nacht gesehen hat. Und ich weiß, was er Caroline erzählt hat … Worum es bei ihren Meinungsverschiedenheiten auch gegangen sein mag, er hat mit dem Finger auf mich gezeigt. Noch immer verrät sein Gesicht keine Spur von Ärger. Im Gegenteil, so wie er die dunklen Brauen hochgezogen hat, sieht er tatsächlich besorgt aus.

»Wie geht es Ihnen?«, fragt er, als ich vor seinem Schreibtisch Platz nehme. »Ich bin okay.«

»Tut mir leid, dass Sie Caroline so finden mussten.«

Ich blicke starr zu Boden. »Mir auch.«

Es folgt eine lange Pause – eine jener gezwungenen Pausen, die dir sagen, dass Unangenehmes auf dich zukommt, schon darauf lauert, dir an die Brust zu springen. Nach einer Weile hebe ich den Kopf.

Simon sagt, als unsere Blicke sich begegnen: »Michael, ich denke, es wäre das Beste, wenn Sie jetzt nach Hause gingen.«

»Was?«

»Regen Sie sich nicht auf, es ist nur zu Ihrem Schutz.«

Ich kann kaum an mich halten. Ich werde nicht dulden, dass er mir das anhängt. »Sie schicken mich nach Hause? Und warum sollte das zu meinem Schutz sein?«

Simon mag es nicht, wenn er herausgefordert wird. Dann spricht er langsam und schlägt einen überlegenen Ton an. »Die Leute haben gehört, wie Sie Caroline angeschrien haben. Dann haben Sie die Tote gefunden. Das Letzte, das wir ...«

»Was sagen Sie da?«, frage ich und springe auf.

»Michael, hören Sie mir zu. Die Wahlkampfbegleiter lassen Feuer auf uns regnen – das ist ein gefährliches Spiel. Wenn man einen falschen Eindruck von Ihnen gewinnt, wird jeder Wähler im Land die Brauen hochziehen.«

»Aber ich habe nicht ...«

»Ich beschuldige Sie ja nicht, ich werfe Ihnen nichts vor; ich schlage nur vor, dass Sie nach Hause gehen und verschnaufen. Sie haben heute Vormittag eine Menge durchgemacht und können ein wenig Erholung brauchen.«

»Ich brauche keine ...«

»Darüber wird nicht diskutiert. Gehen Sie nach Hause.«

Ich beiße mir auf die Unterlippe, setze mich wieder und weiß nicht recht, was ich sagen soll. Wenn ich auf vergangene Nacht zu sprechen komme, wird er mich mit ihr begraben – mich mit einem niederträchtigen Grinsen der Presse zum Fraß vorwerfen. Besser, ruhig zu bleiben und zu sehen, worauf er hinauswill. Ein stillschweigendes Einverständnis vielleicht; besonders wenn es dazu beiträgt, dass ich in seiner Nähe bleibe. Und hinter seinem Rücken.

Dennoch, ich kann nicht anders. Es gibt zu viele Unbekannte. Wie, wenn ich es verkehrt herum sehe? Vielleicht geht es um mehr als um vergangene Nacht. Simon scheint weder misstrauisch, noch scheint er mir etwas vorzuwerfen, aber das drängt mich trotzdem in eine Verteidigungsstellung. »Wissen Sie überhaupt, warum Caroline und ich gestritten haben?«, platze ich heraus und versuche so nah wie möglich bei der Wahrheit zu bleiben. Bevor er antworten kann, füge ich hinzu: »Sie hat gemeint, das Strafregister meines Vaters bringt mich in einen Gewissenskonflikt mit meiner Arbeit für Medicaid ...«

»Nein, diesmal nicht, Michael.«

»Aber denken Sie nicht, dass das FBI ...«

Simon lässt mich nicht zu Ende sprechen. »Wissen Sie, warum dieses Büro getäfelt ist?«, fragt er.

»Verzeihung?«

»Das Büro«, sagt er und zeigt auf die Nussbaumtäfelung an allen vier Wänden. »Haben Sie eine Ahnung, warum es getäfelt ist?«

Verwirrt schüttle ich den Kopf.

»Während Nixons Amtszeit residierte Budget Director Ash in diesem Büro. Das Büro am anderen Ende des Korridors gehörte John Erlichman. Beides großartige Eckbüros. Der einzige Unterschied war der, dass Erlichmans Büro getäfelt war und das hier nicht. Da dies das Weiße Haus ist, war Ash der Meinung, das müsse etwas zu bedeuten haben. Er dachte, dass jeder beobachte und urteile. Und da er von Haus aus reich war, ließ er das Büro auf eigene Kosten täfeln. Jetzt waren sie gleichauf.«

»Tut mir leid, ich verstehe nicht.«

»Der Punkt ist, Michael, vergeuden Sie nicht Ihre Zeit damit, sich zu verteidigen. Ash hat es richtig gesehen. Jeder beobachtet. Und im Moment ist alles, was die Leute sehen, eine Frau, die einen Herzinfarkt hatte. Wenn Sie anfangen, sich zu entschuldigen, denken viele vielleicht an etwas anderes.«

Ich richte mich kerzengerade auf. »Was soll denn das heißen?«

»Aber gar nichts«, entgegnet er vergnügt. »Ich passe nur auf Sie auf. Diese Schramme auf Ihrer Stirn wird morgen verheilt sein. Glauben Sie mir – Sie brauchen keine zweite.«

»Ich habe nichts Unrechtes getan«, bleibe ich hartnäckig.

»Das behauptet ja auch keiner. Es war ein Herzinfarkt. Das wissen wir beide.« Er presst die Zeigefinger aneinander und legt sie an die Lippen. Mit einem wortlosen Grinsen übermittelt er mir so die Drohung: Geh nach Hause und halt dich still, oder bleib hier und bezahl den Preis. »Übrigens, Michael, legen Sie sich nicht mehr mit dem Secret Service an. Ich möchte nichts mehr von denen hören.«

Meine Augen schweifen über die Egowand hinter Simon. Dort hängen: eine silbergerahmte Kopie des Gesetzes zur Verbrechensbekämpfung vom vorigen Jahr und einer von vier Füllern, mit denen der Präsident das Dokument unterschrieb; ein Foto von Hartson und Simon, die bei Key West von einem Boot aus fischen; und ein Foto von Simon, wie er Hartson im Oval Office berät. Dann noch ein handschriftliches Schreiben von Hartson, mit dem er Simon begrüßt hatte, als er ins Weiße Haus zurückgekehrt war. Und eine großartige Aufnahme der beiden Männer im Mittelgang von Air Force One: Simon lacht und der Präsident hält einen Riesensticker in die Höhe, auf dem steht: *Mein Anwalt kann Ihren Anwalt schlagen.*

»Glauben Sie mir, es ist zu Ihrem Besten«, sagt er. »Nehmen Sie sich den restlichen Tag frei und spannen Sie aus.«

Was für ein skrupelloser Hundesohn, denke ich, als ich mich vom Stuhl aufrapple; der Prototyp eines Anwalts des Weißen Hauses. Er hat es geschafft, nichts zu sagen und seine Meinung trotzdem überdeutlich herüberzubringen. Im Augenblick ist es für mich am sichersten, zu schweigen. Ich bin nicht glücklich darüber, doch wie ich heute Morgen in Carolines Büro erfahren musste, hat die Alternative ihre Folgen. Daher tue ich das Einzige, das mir im Moment einfällt. Ich nicke und gehe. Vorläufig.

Wieder in meinem Apartment, eile ich schnurstracks zu dem einzigen Möbelstück, das ich aus Michigan mitgebracht habe: einem behelfsmäßigen Schreibtisch, der aus einer riesigen

Eichenplatte auf zwei halbhohen schwarzen Aktenschränken besteht. So zerkratzt und hässlich er auch aussieht, so heimelig fühle ich mich in seiner Nähe.

Den Rest meiner Möbel habe ich mit dem Apartment gemietet. Das schwarze ausziehbare Sofa, der schwarze Resopal-Couchtisch, der große Ledersessel, der kleine rechteckige Küchentisch, sogar das überdimensionale Bett auf dem schwarzlackierten Podium – sie gehören nicht mir. Aber als der Makler mir das möblierte Apartment zeigte, fühlte ich mich sofort wie zu Hause – mit ausreichend schwarzen Möbeln, in denen jeder Junggeselle sich wie ein Mann vorkommen konnte. Um es zu vervollständigen, fügte ich einen Fernseher und ein hohes schwarzes Bücherregal hinzu. Gewiss, es ist ein wenig unpersönlich, wenn man die Sachen anderer Leute benutzt, doch als ich in die Stadt kam, wollte ich keine Möbel kaufen, solange ich nicht wusste, ob ich es schaffte. Das war vor zwei Jahren.

Wie in meinem Büro sind es die Wände, die das Ambiente zu meinem eigenen machen. Über der Couch hängen zwei Wahlkampfplakate in Rot, Weiß und Blau mit den dämlichsten Slogans, die ich finden konnte. Eines von den Kongresswahlen in Maine anno 1982 verkündet: *Charles Rust – reimt sich auf: dem du vertrauen musst.* Das andere, das Kreativität auf einen neuen Tiefpunkt bringt, stammt von einer Wahl in Oregon anno 1996 und lautet: *Buddy Eldon – Amerikaner. Patriot. Amerikaner.*

Ich ziehe mir den Sessel an den Schreibtisch, schalte den Laptop ein und bereite mich darauf vor, ein wenig zu arbeiten. Als meine Mom fortging, als sie meinen Dad holten, war das immer mein erster Instinkt: Vergrab dich in die Arbeit. Aber zum ersten Mal seit langem fühle ich mich dabei nicht besser.

Ich surfe zwanzig Minuten in Lexis, bevor mir klar wird, dass ich mit meiner Zensus-Recherche nicht weiterkomme. Sosehr ich mich auch zu konzentrieren versuche, meine Gedanken schweifen zu den letzten Stunden zurück. Zu Caroline. Und Simon. Und Nora. Am liebsten würde ich sie wieder anrufen, entscheide mich aber schnell dagegen. Interne Anrufe im Weißen Haus können nicht registriert werden. Rufe ich hingegen von zu Hause an, ist es durchaus möglich, dass das Gespräch abgehört wird. Es ist nicht die richtige Zeit, Risiken einzugehen.

Stattdessen hole ich meine SecurID aus der Brieftasche und rufe im Büro an. So groß wie eine Kreditkarte, ähnelt die SecurID einem winzigen Rechner ohne nummerierte Tasten. Versehen mit einem ständig wechselnden Verschlüsselungsprogramm und einer kleinen Flüssigkristallanzeige, beinhaltet die SecurID einen sechsstelligen Zifferncode, der alle sechzig Sekunden wechselt. Es ist die einzige Möglichkeit, seinen Anrufbeantworter von außerhalb abzuhören, und der ständige Austausch des Nummerncodes gewährleistet, dass niemand das Passwort errät und sich Zugang zu den Nachrichten verschaffen kann.

Auf diese Weise stelle ich fest, dass mein Anrufbeantworter drei Nachrichten für mich bereithält. Eine von Pam, die fragt, wo ich bin. Eine von Trey, der fragt, wie es mir geht. Und eine weitergeleitet vom Assistenten des Deputy Counsels Lawrence Lamb, die mir mitteilt, dass das Nachmittagsmeeting mit dem Handelsminister abgesagt wurde. Nichts von Nora. Ich mag es nicht, wenn man mich auf diese Weise fallenlässt. Ich war acht Jahre alt, als meine Mutter uns zum ersten Mal wegen ihrer klinischen Prüfungen verließ. Sie war seit drei Tagen weg und mein Dad und ich hatten keine Ahnung, wohin sie gegangen war. Da sie als Krankenschwester arbeitete, war es nicht schwierig, im Krankenhaus nachzufragen, aber dort wussten sie angeblich auch nichts. Auf jeden Fall sagten sie es uns nicht. Die Vorräte reichten für zwei Tage, aber schließlich waren wir an einem Punkt angelangt, an dem wir ein paar Lebensmittel brauchten. Weil meine Mom ihren Job hatte, waren wir nicht arm, aber mein Dad war nicht in der Verfassung, einkaufen zu gehen. Als ich mich erbot, den Einkauf allein zu erledigen, stopfte er mir eine Handvoll Scheine in die Hand und sagte, ich solle kaufen, was immer ich wolle. Strahlend im Bewusstsein meines neuen Reichtums, marschierte ich in den Supermarkt und füllte den Einkaufswagen. Skippy statt Erdnussbutter-Ersatz; Coca-Cola statt der billigen ›Hausmarke‹; endlich einmal würden wir im großen Stil leben. Ich brauchte fast zwei Stunden, um das Richtige auszusuchen, und füllte den Einkaufswagen fast bis zum Rand.

Einen Artikel nach dem anderen tippte die Kassiererin ein, während ich in einer Fernsehzeitung blätterte. Ich war Dad; mir fehlten nur Pfeife und Hausjacke. Aber als ich bezahlen wollte – als ich die zerknitterten Scheine aus der Tasche zog – erklärte man mir, drei Dollar reichten nicht.

Nachdem der Stellvertreter des Geschäftsführers mich ordentlich heruntergeputzt hatte, musste ich jeden Artikel dahin zurückstellen, wo ich ihn gefunden hatte. Das tat ich. Jeden Artikel außer einem. Ich behielt die Erdnussbutter. Irgendwo mussten wir ja anfangen.

Zwei Stunden später sitze ich vor dem Fernseher und überlege, welche Gründe Simon gehabt haben könnte, Caroline zu töten. Um ehrlich zu sein, es war nicht schwierig, sie zu finden. In ihrer Position kannte Caroline jeden Schmutz, mit dem jeder Einzelne behaftet war – so hatte sie ja auch herausgefunden, was mit meinem Dad los ist –, daher war die offensichtlichste Antwort auf diese Frage die, dass sie etwas über Simon entdeckt hatte. Vielleicht war es etwas, das er geheim halten wollte. Vielleicht hatte er deshalb das Geld hinterlegt. Vielleicht erpresste sie ihn. Das wäre auf jeden Fall eine Erklärung dafür gewesen, wie es in Carolines Safe geraten war. Ich meine, warum sollte es sonst dort sein. Traf das jedoch zu, wäre es wohl ziemlich offensichtlich, dass Caroline nicht an einem Herzinfarkt starb. Das

Problem dabei: Wenn es ein Verbrechen war, dann konnte ich auch mich selbst abschreiben.

In Panik greife ich zum Telefon und beginne zu wählen. Ich muss wissen, was vorgeht, aber ich kann weder Trey noch Pam erreichen. Es gibt andere, die ich anrufen könnte, doch ich kann es nicht riskieren, verdächtig zu wirken. Wenn man erfährt, dass Simon mich nach Hause geschickt hat, wird es in den Korridoren neues Getuschel geben. Ich lege auf und starre auf den Bildschirm. Vor drei Stunden habe ich das Büro verlassen und schon bin ich ausgeschlossen.

Ich zappe durch jedes Nachrichtenprogramm, das ich finden kann, und suche nach der möglicherweise wichtigsten Reaktion auf die Krise: der offiziellen Pressekonferenz des Weißen Hauses. Zwischendurch werfe ich einen Blick auf meine Armbanduhr – fast halb sechs. Jetzt ist es bald so weit. Die Pressekonferenz ist jeweils ungefähr um den Sechs-Uhr-Nachrichtenblock herum angesetzt, und sie sind zu clever, um die Abendnachrichten ohne Eigenkommentar vorübergehen zu lassen.

Wie zu erwarten, kommt die Meldung Punkt halb sechs. Ich halte den Atem an, als Press Secretary Emmi Goldfarb schnell die Tatsachen schildert: Heute am frühen Vormittag wurde Caroline Penzler tot in ihrem Büro aufgefunden; gestorben an einem Herzinfarkt als Folge einer Erkrankung der Herzkranzgefäße. Als sie diese Worte ausspricht, beginne ich wieder zu atmen. Nach ihrer kurzen Erklärung überlässt Goldfarb einem Herzspezialisten vom Georgetown Medical Center, Dr. Leon Welp, das Wort, der erklärt, Caroline habe sich vor einigen Jahren einer Hysterektomie unterzogen, sodass bei ihr eine vorzeitige Menopause eintrat. Kombiniere man den Mangel an Östrogen mit starkem Rauchen, sei der Herzinfarkt praktisch vorprogrammiert gewesen.

Bevor jemand eine Frage stellen kann, tritt der Präsident selbst vors Mikrofon und drückt sein Bedauern aus. Das ist ein Glanzstück des Pressebüros. Vergesst die Wies und Warums, wenden wir uns den Gefühlen zu. Ich spüre praktisch den Subtext: Unser Führer. Ein Mann, der sich um die Seinen kümmert. Ich hasse Wahljahre.

Als der Präsident das Pult mit beiden Händen umklammert, registriere ich unwillkürlich, wie ähnlich er Nora ist. Das schwarze Haar. Die durchdringenden Augen. Das rücksichtslose Kinn. Immer beherrscht. Bevor er den Mund aufmacht, wissen wir schon, was er sagen wird: »Das ist ein schwarzer Tag; sie wird uns bitter fehlen; unsere Gebete gelten ihrer Familie.« Nichts Verdächtiges. Nichts, was beunruhigen könnte. Er krönt seine Worte mit einem hastigen Wischer über die Augen – er weint nicht, aber es reicht aus, um uns denken zu lassen, dass er vielleicht weinen würde, wenn er nur einen einzigen Moment Zeit dafür hätte.

Emmi Goldfarb, Arzt und Präsident, jeder hat seinen eigenen Stil. Mir fällt nur auf, dass niemand eine Untersuchung erwähnt. Natürlich hat die Familie eine Autopsie beantragt, aber Goldfarb legt das so aus, als hoffe man, dadurch anderen Menschen mit ähnlichen Erkrankungen helfen zu können. Ein brillanter Schachzug. Nur um ganz sicher zu gehen, ist die Autopsie für Sonntag angesetzt, was bedeutet, dass sie am Wochenende kein Thema bei den Talkshows sein kann, und wenn das Ergebnis auf Mord schließen lässt, wird es für die großen Zeitschriften zu spät sein, um es auf die Titelseiten zu bringen. Für wenigstens zwei Tage bin ich sicher. Ich versuche mir einzureden, dass es dann vielleicht vorbei sein, dass alles vergehen könnte – aber wie Nora gesagt hat, bin ich ein schrecklich schlechter Lügner.

Die Zeit zum Abendessen kommt und geht, und ich sitze noch immer auf der Couch. Mein Magen schreit, aber ich kann nicht aufhören, durch die Kanäle zu zappen. Ich muss sicher sein. Ich muss wissen, dass niemand die Worte ›Verdacht – Verbrechen – Mord‹ ausspricht.

Sie werden nirgendwo erwähnt, diese Worte. Was Adenauer und das FBI auch gefunden haben mögen, sie behalten es für sich. Erleichtert lehne ich den Kopf an meine Mietcouch und akzeptiere endlich, dass ich eine ruhige Nacht vor mir habe.

Es klopft laut an meiner Tür.

»Wer ist da?«, frage ich. Keine Antwort. Nur ein lauteres Klopfen.

Noch einmal: »Wer ist da?« Nichts.

Ich springe von der Couch auf und gehe schnell zur Tür. Unterwegs greife ich nach einem Regenschirm, der am Knauf der Kleiderschranktür hängt. Es ist eine erbärmlich schlechte Waffe, doch eine bessere habe ich nicht. Langsam nähere ich mich mit einem Auge dem Spion und werfe einen Blick auf meinen eventuellen Feind. Pam.

Ich öffne die Schlösser und dann die Tür. Pam trägt in einer Hand ihre Aktenmappe, in der anderen eine blaue Plastik-Einkaufstüte. Ihr erster Blick gilt dem Regenschirm. »Sehr nervös?«

»Ich wusste nicht, wer es ist.«

»Und dann greifst du zum Regenschirm? Du hast eine Küche voller Steakmesser und greifst nach einem Regenschirm? Was willst du damit? Mich austrocknen bis zum Tod?« Sie lächelt mir herzlich zu und hebt die blaue Einkaufstüte hoch. »Jetzt komm schon, willst du mich nicht hereinbitten? Ich habe Thai-Essen mitgebracht.«

Ich trete zur Seite, und sie kommt näher. »Und du nennst mich Pfadfinder?«, frage ich.

»Halt das mal«, sagt sie, reicht mir ihre Aktenmappe und steuert auf die Küche zu. Bevor ich reagieren kann, kramt sie in Schränken und Schubladen, holt Teller und Bestecke heraus. Als sie hat, was sie braucht, geht sie in die kleine Essecke vor der Küche und zieht aus der blauen Einkaufstüte drei Kartons Thai-Essen. Das Abendessen ist serviert.

Verwirrt stehe ich noch immer an der Tür. »Pam, darf ich dich was fragen?«

»Wenn du schnell machst. Ich bin halb verhungert.«

»Was tust du hier?«

Sie blickt auf, und ihr Gesichtsausdruck verändert sich. »Hier?«, fragt sie. Ihre Stimme klingt verletzt, fast gequält. »Ich habe mir Sorgen um dich gemacht.«

Ihre Antwort überrumpelt mich. Sie ist beinahe zu ehrlich. Ich mache einen Schritt auf den Esstisch zu und erwidere ihr Lächeln. Sie ist wirklich eine gute Freundin. Und Gesellschaft können wir beide brauchen. »Das weiß ich zu schätzen.«

»Du hättest mich früher anrufen sollen.«

»Ich hab's den ganzen Nachmittag versucht, aber du warst nicht da.«

»Das kommt daher, dass das FBI mich zwei Stunden vernommen hat. Wir sitzen im gleichen Büro, wie du weißt.«

Mir vergeht auf der Stelle der Appetit. »Was hast du ihnen gesagt?«

»Ich habe ihre Fragen beantwortet. Sie haben mich gefragt, woran Caroline gearbeitet hat, und ich habe ihnen alles gesagt, was ich wusste.«

»Hast du ihnen von mir und Nora erzählt?«

»Da gibt es nichts zu erzählen«, entgegnet sie mit einem Grinsen. »Ich weiß nichts, Mr. Agent. Ich erinnere mich nur, dass er sein Büro verlassen hat.«

Wie ich schon sagte, sie ist eine gute Freundin. »Haben sie dir viele Fragen über mich gestellt?«

»Sie sind misstrauisch, aber ich glaube nicht, dass sie einen Anhaltspunkt haben. Sie sagten mir nur, ich solle mir den Rest der Nacht frei nehmen. Willst du mir jetzt nicht endlich erzählen, was wirklich los ist?«

Es ist verlockend, aber ich entscheide mich dagegen.

»Ich weiß, dass du in Schwierigkeiten bist, Michael. Ich sehe es deinem Gesicht an.«

Ich starre auf meinen Teller. Es gibt keinen Grund, sie in die Sache hineinzuziehen.

»Egal, was du denkst, du kannst es nicht allein durchstehen. Ich meine, Nora hat dich schon auf dem Trockenen sitzen lassen, oder? Daran wird sich auch nichts ändern. Die einzige Frage ist jetzt, ob du zu starrsinnig bist, um Hilfe zu bitten.« Sie streckt die Hand aus und legt sie mir auf die Schulter. »Ich würde deine Loyalität nie missbrauchen, Michael. Wenn ich dich ertrinken sehen wollte, hätte ich es schon getan.«

»Was getan?«

»Ihnen gesagt, was ich denke.«

»Und das wäre?«

»Ich denke, du und Nora, ihr seid über etwas gestolpert, das ihr nicht sehen solltet. Und was es auch war, es hat dich auf den Gedanken gebracht, hinter Carolines Herzinfarkt stecke mehr, als sie an die Presse weitergegeben haben.«

Ich antworte nicht.

»Du denkst, jemand hat sie getötet, nicht wahr?« Ich kann mich nur weiterhin mit dem Thaigericht beschäftigen.

»Wir können da rauskommen, Michael«, versichert sie mir. »Sag mir nur, wer es war. Was habt ihr gesehen? Du brauchst nicht alles für dich zu behal…«

»Simon«, flüstere ich.

»Was?«

»Es ist Simon«, wiederhole ich. »Ich weiß, es klingt irre, aber er ist es, den wir gestern Nacht beobachtet haben.« Nachdem die Schleusen einmal geöffnet wurden, ist die ganze Geschichte schnell erzählt. Wie wir den Secret Service abschüttelten. In die Bar gerieten. Simon verfolgten. Mit dem Geld erwischt wurden. Als ich fertig bin, spüre ich, wie die Last von mir abfällt, das muss ich zugeben. Nichts ist schlimmer, als allein zu sein.

Langsam wischt Pam sich den Mund mit der Serviette ab, sie ist noch immer dabei, das Gehörte zu verarbeiten. »Du denkst, *er* hat sie *ermordet*?«

»Ich weiß nicht, was ich denken soll. Ich habe noch kaum eine Sekunde gehabt, um Atem zu schöpfen.«

Sie schüttelt den Kopf. »Du steckst in Schwierigkeiten, Michael. Wir sprechen über Simon …« Sie sagt noch etwas anderes, aber ich höre es nicht. Mir ist nur aufgefallen, dass es nicht mehr ›wir‹, sondern wieder ›du‹ heißt.

Die Gabel rutscht mir aus der Hand und fällt klirrend auf meinen Teller. Von dem Geräusch aufgeschreckt, bin ich wieder da, wo ich am Anfang war. »Du willst mir also nicht helfen.«

»N-nein, ich meine – natürlich doch«, stottert sie und senkt den Blick. »Ich werde ganz bestimmt helfen.«

Ich nage an der Innenseite meiner Unterlippe und möchte nur eines, das Angebot annehmen. Doch je länger ich ihr zusehe, wie sie in ihrem Essen herumstochert … Ich werde sie da nicht hineinziehen – besonders da ich mich selber noch abstrample und nicht weiß, wie herauskommen. »Schön, dass du das sagst, aber …«

»Es ist okay, Michael, ich weiß, was ich tue.«

»Nein, du …«

»Ich weiß es«, unterbricht sie mich, immer selbstsicherer werdend. »Ich bin nicht hergekommen, um dich allein fliegen zu lassen.« Nach einer kurzen Pause fügt sie hinzu: »Wir holen dich da raus.«

Mein Gesicht zeigt ihr ein Lächeln, aber tief drinnen in mir bete ich, dass sie recht haben möge. »Ich habe daran gedacht, mir Simons und Carolines FBI-Akten kommen zu lassen. Vielleicht finden wir darin einen Hinweis, warum er …«

»Vergiss ihre Akten«, sagt sie. »Ich denke, wir sollten direkt zum FBI gehen und …«

»Nein!«, stoße ich zu unser beider Überraschung heftig hervor. »Tut mir leid, ich habe nur … Ich meine, das Ergebnis kenne ich schon. Ich mache den Mund auf und Simon macht den Mund auf.«

»Aber wenn du ihnen erzählst …«

»Wem, denkst du, werden sie glauben? Dem Anwalt des Präsidenten oder dem jungen Typen, der mit zehn Tausendern im Handschuhfach erwischt wurde? Außerdem, in dem Moment, in dem ich zu singen anfange, zerstöre ich mein Leben. Die Geier in ihren Übertragungswagen werden jedes Stück Schmutzwäsche beschnüffeln, das sie finden können.«

»Du machst dir Sorgen wegen deines Dads?«

»Würdest du das nicht?«

Sie antwortet nicht. Nachdem sie ihren Teller fortgetragen hat, sagt sie: »Ich denke trotzdem, du kannst es nicht einfach aussitzen und hoffen, dass es sich von allein erledigt.«

»Ich sitze es nicht aus, ich will nur … du hättest Simon heute hören sollen. Wenn ich stillhalte, werde ich am Ball bleiben …« Ich unterbreche mich, weil mir wieder die Luft wegbleibt. »Das ist alles, was ich habe, Pam. Ich muss stillhalten und anfangen zu suchen. Verhalte ich mich anders, werfe ich mich den Wölfen selbst zum Fraß vor.« Diese Logik muss sie begreifen, und ich füge hinzu: »Also vergessen wir hier nicht den Hintergrund: Ein Skandal wie dieser ist das Grab der Wiederwahl. Ich garantiere dir, das ist der Grund, warum das FBI alles so geheim hält.«

Ihr Schweigen sagt mir, dass ich recht habe. Ich nehme meinen Teller und gehe ihr in die Küche nach. Pam schüttet die Hälfte ihres Essens in den Abfall. Auch ihr ist der Appetit vergangen.

Ohne sich umzudrehen, fragt sie: »Was ist mit Nora?«

Nervös trinke ich einen Schluck Wasser. »Was soll mit ihr sein?«

»Was wird sie tun, um dir zu helfen? Ich meine, wenn sie keine solche Zicke wäre, säßest du nicht in diesem Schlamassel.«

»Es ist nicht nur ihre Schuld. Ihr Leben ist nicht so leicht wie du denkst.«

»*Nicht so leicht?*«, fragt Pam und dreht sich zu mir um. Sie sieht mich lange und ruhig an und verdreht dann rasch die Augen. »O *nein!*«, stöhnt sie. »Du wirst doch nicht versuchen, sie herauszuhalten – sie zu retten –, oder …?«

»Es ist nicht so, dass ich sie retten will …«

»Aber du *musst* einfach, richtig? So ist es immer.«

»Wovon redest du?«

»Ich weiß, warum du es tust, Michael; ich bewundere sogar, warum du es tust ... Aber nur weil du deinem Dad nicht helfen konntest ...«

»Das hat nichts mit meinem Dad zu tun!«

Sie lässt meinen Ausbruch unbeachtet, weiß, dass er mich beruhigen wird. Wir schweigen beide, und ich hole tief Luft. Klar, während ich heranwuchs, musste ich meinen Vater beschützen, doch das heißt nicht, dass ich alle und jeden beschütze. Und mit Nora ist es ... ist es etwas anderes.

»Es ist ein wundervoller Instinkt, Michael, aber es ist nicht so wie bei Trey. Die Sache mit Nora wirst du nicht so leicht vertuschen können.«

»Wovon redest du?«

»Du brauchst nicht den Ahnungslosen zu spielen – Trey hat mir erzählt, wie ihr beide euch kennengelernt habt: dass er hilfesuchend zu dir ins Büro kam.«

»Er brauchte keine Hilfe, nur einen Rat.«

»Ach, komm schon – man hatte ihn dabei erwischt, als er Ziegenbärte und Monokel auf Dellingers Wahlkampfplakate malte; er wurde wegen Beschädigung fremden Eigentums festgenommen und hatte eine Riesenangst, das seinem Boss zu beichten ...«

»Er wurde nicht festgenommen«, korrigiere ich. »Hat nur eine Vorladung bekommen. Die ganze Sache war ein harmloser Scherz und, was wichtiger war, er hatte es in seiner freien Zeit gemacht – nicht, während er für die Kampagne arbeitete.«

»Trotzdem, als er zu dir kam, hast du ihn kaum gekannt, war er nur irgendein Gesicht aus der Wahlzentrale – was bedeutet, du hättest deine alten Kumpel von der Uni, die jetzt im Büro des District Attorney arbeiten, nicht um einen Gefallen zu bitten brauchen.«

»Ich habe nichts Ungesetzliches getan.«

»Das behaupte ich ja auch nicht, aber du hättest dich auch nicht zu seinem Retter aufschwingen müssen.«

Ich schüttle den Kopf. Sie versteht nicht. »Pam, mach nicht mehr daraus, als es war. Trey hat Hilfe gebraucht, und er hat mich gefunden.«

»Nein«, platzt sie heraus, und ihre Stimme wird lauter. »Er hat dich gefunden, weil er Hilfe brauchte.« Sie mustert mich aufmerksam und fügt hinzu: »Ob es uns gefällt oder nicht, wir alle hier haben unseren bestimmten Ruf.«

»Und was hat das mit Nora zu tun?«

»Genau das, was ich gesagt habe: Du hast Trey geholfen und deinem Dad und deinen Freunden und allen anderen, die Hilfe brauchen, doch das heißt nicht, dass es dir bei Nora auch gelingt. Und wenn du nicht vorsichtig bist, wird sie alles dir anhängen.«

Ich denke an die vergangene Nacht und daran, wie Nora die Stimme versagte, als sie sich entschuldigte. So wie sie es sagte – mit zitterndem Kinn –, wird sie mich nie fallenlassen. »Wenn sie sich jetzt nicht meldet, muss es einen Grund dafür geben.«

»Einen Grund?«, fragt Pam. Ich sehe es ihren Stirnfalten an. Sie denkt, ich sei verblendet. »Jetzt benimmst du dich nur einfältig und lächerlich.«

»Tut mir leid – so sehe ich es nun mal.«

»Nun, gleichgültig wie blind du sein willst, du brauchst trotzdem ihre Hilfe. Sie ist die Einzige, die deine Geschichte über Simon bestätigen kann.«

Ich nicke – und versuche nicht darüber nachzudenken, warum sie mich heute nicht sehen wollte. »Sobald sich alles beruhigt hat, wird sie sich melden, darauf wette ich.«

»Warum fällt es mir nur so schwer, das zu glauben?«

»Weil du sie nicht magst.«

»Sie könnte mir nicht gleichgültiger sein – ich mache mir nur Sorgen um dich.«

»Nur keine Bange, sie wird uns nicht im Stich lassen.«

»Ich hoffe, du hast recht«, sagt Pam. »Denn wenn sie's tut, wirst du im freien Fall ohne Fallschirm abstürzen. Und noch ehe du blinzeln kannst, wirst du jede Sekunde des Aufpralls zu spüren bekommen.«

Aus finanziellen Gründen liegen am Samstagmorgen nur zwei meiner vier Zeitungen vor der Tür. Die Regierung bezahlt auch einen Anwalt nicht üppig. Dennoch, das Ritual ist fast das gleiche. Ich hole die Zeitungen herein und sehe Bartletts Foto vor mir, das zum zweiten Mal an zwei aufeinanderfolgenden Tagen auf der Titelseite prangt: ein strahlender Bartlett, diesmal mit seiner Frau bei einem Fußballspiel seines Sohnes. In der *Post* finde ich auf der unteren Hälfte der Titelseite die Nachricht von Carolines Tod und suche nach meinem Namen. Er steht nicht drin. Noch nicht.

Stattdessen wird berichtet, wie sie starb, und dann folgt eine rasche Skizze über ihre enge Freundschaft mit der First Lady. Laut dem Text unter dem Foto der beiden Freundinnen hat diese Freundschaft Carolines Leben verändert. Ich sehe mir das Bild an und verstehe. Caroline, die Jurastudentin, großäugig und leidenschaftlich, in einer billigen Bluse und einem zerknitterten Rock; Mrs. Hartson im weißen Hosenanzug ist ihr Vorbild – die sprühende Vorsitzende der Gala zugunsten der Parkinson-Stiftung. Eine Freundschaft durch einen Herzinfarkt beendet. Bitte lass es nur ein Herzinfarkt sein.

Als ich am Samstagmorgen nach Downtown fahre, wimmelt es in der Nähe des Weißen Hauses in der Pennsylvania Avenue von Joggern und Radfahrern, die versuchen die Arbeitswoche zu vergessen. Hinter ihnen glänzt die Sonne auf den elfenbeinfarbenen Säulen des weißen Gebäudes. Es ist ein Anblick, der in einem den Wunsch weckt, den ganzen Tag im Freien zu verbringen. Das heißt, wenn man seine Gedanken von der Arbeit losreißen kann.

Ich halte am ersten Kontrollpunkt vor dem South West Appointment Gate und zücke meine ID vor dem uniformierten

Secret-Service-Beamten. Er wirft einen Blick auf mein Foto und grinst leicht. In der rechten Hand hält er ein Ding, das wie ein Billardqueue mit einem runden, unzerbrechlichen Spiegel am Ende aussieht. Wortlos schiebt er den Spiegel unter den Wagen. Keine Bomben, keine Überraschungsgäste. Da ich das übrige Ritual kenne, lasse ich die Heckklappe aufspringen. Der erste Beamte durchwühlt den Fond meines Jeeps und dann entdecke ich einen zweiten, der mit einem wachsamen Deutschen Schäferhund an der Seite steht. Sobald ich den Wagen abgestellt habe, werden sie den Hund stündlich zum Schnüffeln schicken. Im Augenblick winken sie mich durch.

Auf dem State Place, unmittelbar vor den stählernen Gitterstäben des Tors, finde ich eine freie Parklücke. In meiner Stellung ist das der beste Parkplatz, den ich kriegen kann. Vor dem Tor. Aber ich habe wenigstens einen Parkausweis.

Den Rest des Wegs lege ich zu Fuß zurück, passiere das Tor, schiebe meinen Ausweis in den Automaten am Drehkreuz und warte auf das Klicken des Schlosses. Ich gehe an zwei weiteren Sicherheitsbeamtern vorbei, die mich nicht beachten. Als ich jedoch einen Blick über die Schulter werfe, sehe ich auf der anderen Seite des Tors den Beamten mit dem Spiegel. Durch die Gitterstäbe starrt er mich an. Er grinst noch immer.

Ich gehe schneller, den Gehsteig entlang, das OEOB zu meiner Linken und den Westflügel zur Rechten. Den Korridor zwischen beiden säumen Mercedes, Jaguars, Saabs, aber auch genug zerbeulte Saturns, um kein elitäres Schuldbewusstsein aufkommen zu lassen. Es ist der angesehenste Parkplatz der Stadt. Eine Insel für sich, ist der West-Exec-Parkplatz auch der Ort, an dem die Hierarchie des Weißen Hauses für alle Welt sichtbar wird: je näher der Stellplatz beim Eingang des Weißen Hauses, umso höher der Rang. Der Chief of Staff steht näher am Eingang als der Deputy Chief of Staff, und er wiederum steht näher als der Domestic Policy Advisor, der näher dran ist als ich. Und obwohl ich für gewöhnlich nicht mit dem Auto zur

Arbeit fahre, heißt das nicht, dass ich nicht auch hinter dem Tor stehen möchte.

Ein Stück weiter vorn tue ich so, als hätte ich jemand meinen Namen rufen hören und werfe wieder einen Blick über die Schulter. Der Sicherheitsbeamte ist noch da. Unsere Augen treffen sich, und er flüstert etwas in sein Walkie-Talkie. Was, zum Teufel, ist … Vergiss es. Er versucht nur, mir Angst zu machen. Mit wem könnte er denn sprechen?

Ich drehe mich wieder zum Parkplatz um und sehe auf Stellplatz sechsundzwanzig einen schwarzen Volvo. Simon ist irgendwo im Gebäude. Am Ende der Reihe steht auf Platz neunundvierzig ein alter grauer Honda. Er gehört Trey, dem sein Boss erlaubt hat, an Wochenenden seinen Stellplatz zu benutzen. In der Mitte zwischen den beiden bemerke ich einen funkelnagelneuen roten Wagen auf Platz einundvierzig. Caroline ist noch nicht einmal vierundzwanzig Stunden tot und schon hat jemand anders ihren Stellplatz in Beschlag genommen.

Als ich mich dem Seiteneingang des OEOB nähere, werfe ich einen letzten Blick auf den Sicherheitsbeamten vor dem Tor. Zum ersten Mal seit ich gekommen bin, ist er nicht mehr da – schiebt wohl wieder seinen Spiegel unter ankommende Wagen. Trotzdem – es ist genauso wie in der Nacht auf der Böschung – nicht nur mein Nacken ist in Schweiß gebadet –, ich kann das Gefühl nicht abschütteln, dass man mich beobachtet.

Völlig gedankenlos schaue ich zu den Dutzenden grauer Fenster an diesem Ende des riesigen Gebäudes hinauf. Sie alle scheinen leer zu sein, aber irgendwie starren sie alle auf mich herunter wie rechteckige Vergrößerungsgläser.

Meine Augen schweifen über die einzelnen Scheiben und suchen nach einem freundlichen Gesicht. Doch es ist keins da.

Einmal im Gebäude, brauche ich nicht lange bis zum Vorzimmer meines Büros. Als ich die Tür öffne, stelle ich überrascht fest, dass das Licht schon brennt. Ich habe Julians Wagen nicht auf dem State Place gesehen, und Pam hat mir gesagt, sie wolle zu Hause arbeiten. Das Büro müsste dunkel sein. Wahrscheinlich ist wieder einmal die Putzkolonne schuld, denke ich mir und schiebe den Arm hinter den höchsten unserer Aktenschränke, um den lautlosen Alarm abzustellen. Doch nachdem ich mich blind über den Putz vorgetastet habe, finde ich etwas, das mir ganz und gar nicht gefällt. Der Alarm ist bereits ausgeschaltet.

»Pam?«, rufe ich. »Julian? Seid ihr da?« Keine Antwort.

Unter Pams Tür sickert Licht in den Vorraum. »Pam, bist du da?« Im nächsten Moment sehe ich, dass die drei Briefkörbe aus Plastik, die uns als Briefkästen dienen, voll sind. Die Kaffeemaschine ist nicht eingeschaltet. Schon will ich Pams Tür öffnen, als ich erstarre. Ich kenne meine Freundin. Wer auch dort drin ist, es ist nicht Pam.

Ich stürze zu meinem Büro, stoße die Tür auf und renne hinein. Dann fahre ich herum, schiebe den Sicherheitsriegel vor und schließe ab. Im selben Moment trifft es mich wie ein Schlag. Meine Tür hätte nicht offen sein dürfen. Sie hätte abgesperrt sein müssen.

Hinter mir bewegt sich etwas beim Sofa. Dann beim Schreibtisch. Vinyl knarrt. Ein Bleistift rollt über eine Tastatur. Sie sind nicht in Pams Büro. Sie sind in meinem.

Um Atem ringend fahre ich herum. Es ist zu spät. Zwei Männer warten auf mich. Beide kommen auf mich zu. Ich renne zur Tür, doch die ist verschlossen. Meine Hände zittern, als ich nach dem Sicherheitsriegel greife.

Eine Faust saust herunter und knallt auf meine Knöchel. Meine Hände lassen den Sicherheitsriegel trotzdem nicht los. Ich klammere. Kralle mich fest. Ich muss einfach raus.

Von hinten kommt eine fette, fleischige Hand und legt sich auf meinen Mund. Die Fingerspitzen graben sich in die Kinnbacken, die Fingernägel zerkratzen mir die Wangen.

»Wehren Sie sich nicht«, warnt mich jemand. »Es dauert nur eine Sekunde.«

ZEHNTES KAPITEL

»Wohin, zum Teufel, gehen wir?«, frage ich, als wir durch den Korridor marschieren. Am Samstag ist das Gebäude fast leer. Die beiden Männer halten mich an den Oberarmen fest und bringen mich gewaltsam zum West-Exec-Ausgang.

»Hören Sie auf sich zu beklagen«, sagt der zu meiner Rechten. Er ist ein großer Schwarzer mit einem Hals so dick wie mein Oberschenkel. Seiner Haltung und seinem Körperbau nach schließe ich auf Secret Service, aber seine Kleidung passt nicht – zu lässig, zu wenig Politur. Und er hat kein Mikrofon im Ohr. Wichtiger noch, die beiden haben sich nicht identifiziert – was bedeutet, dass die Kerle nicht sind, was ich dachte.

Nervös versuche ich meinen Arm loszureißen. Verärgert drückt er noch stärker und bohrt mir zwei Finger in den Bizeps. Es tut höllisch weh, aber ich werde ihm nicht die Genugtuung geben, laut zu schreien. Stattdessen verbeiße ich mir den Schmerz so gut ich kann. Er bohrt weiter und ich spüre, dass mir das Blut ins Gesicht schießt. Lange halte ich nicht mehr durch. Schon wird meine Schulter taub. Nach seinem selbstgefälligen Grinsen zu schließen, amüsiert er sich ungeheuer. Sein Vergnügen, mein Schmerz. »Au!«, schreie ich auf, als er endlich loslässt. »Was, zum Teufel, ist mit Ihnen los?«

Er antwortet nicht. Er stößt nur die Tür auf und drängt mich hinaus auf den West-Exec-Parkplatz. Ich versuche gegen meine Panik anzukämpfen und sage mir, dass nichts geschehen kann, solange wir im Westflügel sind. Die Sicherheitskontrollen sind hier zu streng. Doch bevor ich mich entspannen kann, beweist mir ein heftiger Ruck nach links, dass der Westflügel nicht unser Ziel ist. Wir wenden uns zur Nordseite des Weißen Hauses, vorbei am Briefing-Raum, und halten auf den Lieferanteneingang zu. Meine Blicke sind auf den großen gelben Van direkt vor uns gerichtet. Es müssten Arbeiter in der Nähe sein, aber ich sehe niemand. Immer näher kommen wir dem Van. Die

Hecktür ist weit geöffnet. Ich bleibe stehen und versuche zurückzuweichen. Schlage mit den Armen um mich, will mich losreißen. Ich lasse mich da nicht hineinzerren.

Meine Begleiter packen fester zu und schleppen mich weiter. Hoffnungslos scharren meine Schuhe über den Beton. Meine Arme stecken wie in Schraubstöcken. Sosehr ich mich wehre, es ist sinnlos. Sie sind zu stark. »Fast am Ziel«, warnt mich der eine. Mit einem letzten Schub sind wir direkt hinter dem Van. Er ist leer. Ich bin nahe daran zu schreien. Und genau in dem Moment zerren sie mich nach rechts und wir sind vorüber. Ich schaue zurück, der Van verschwindet hinter mir. Dann erkenne ich, wohin wir wirklich wollen. Durch den Lieferanteneingang ins Haus. Ich weiß nicht, was schlimmer ist.

Im Gebäude nicken sie dem uniformierten Sicherheitsbeamten, der die Tür bewacht, vertraulich zu. Als er uns passieren lässt, wird es klar, dass die Kerle jemandem einen Gefallen tun. Nur Lamb und Simon sind dazu mächtig genug.

Im Korridor stapeln sich Dutzende leerer Lattenkisten und Schachteln. Der Duft frischer Blumen aus dem Blumenladen des Weißen Hauses erfüllt die Luft.

Wir biegen scharf links ab und kommen in einen anderen langen Korridor. Das Herz hämmert mir gegen die Rippen. Hier unten war ich noch nie. Der weiße Typ zieht einen riesigen Schlüsselbund, wie ihn Hausmeister tragen, aus der Tasche. Er dreht ihn im Schloss herum und öffnet die Tür.

Hier ist es mir zu abgelegen. »Sagen Sie mir, was …«

»Nur keine Sorge, Ihnen passiert nichts.« Er greift nach meinem Arm, doch ich ziehe ihn schnell weg. An einem Ort wie diesem trifft man weder Simon noch Lamb.

»Ich geh da nicht rein.«

Der erste Kerl packt mich am Nacken. Ich hole aus, um zuzuschlagen, aber ich habe keine Chance. Sie drehen mir die Arme hinter den Rücken und zwingen mich mit einem heftigen Stoß durch die Tür. Ich stolpere, taumle und falle beinahe aufs Ge-

sicht. Als ich auf Knien und Handtellern lande, sehe ich endlich, wo ich bin. Es ist ein langer, unglaublich schmaler Raum.
Unter mir polierter Holzfußboden. Am anderen Ende zehn
gestreifte Pins. Zu meiner Rechten höre ich das automatische
Förderband für die Kugeln summen. Was tue ich in einer Bowlingbahn?

»Lust auf eine Partie, Sportsfreund?«, fragt eine bekannte
Stimme.

Ich drehe mich zu den Zuschauerplätzen hinter dem Tisch
des Anschreibers um. Nora steht auf und kommt auf mich zu.
Sie streckt mir eine Hand entgegen und will mir auf die Füße
helfen. Ich nehme die Hand nicht.

»Was, zum Teufel, ist mit dir los?«, frage ich.

»Ich wollte mit dir sprechen.«

»Und was tust du? Schickst mir zwei vom Planeten der Affen,
die mich verschleppen?« Ich rapple mich auf und bürste mich ab.

»Ich habe ihnen gesagt, sie dürfen nicht reden – man weiß ja
nie, wer zuhört.«

»Oder wer nicht zuhört. Ich muss dich ungefähr zwanzigmal
angerufen haben, aber du hast kein einziges Mal zurückgerufen.«

Sie geht zu ihrem Platz zurück und winkt mir, mich zu ihr zu
setzen. Es ist ihre Art, die Antwort zu umgehen.

»Nein, besten Dank«, sage ich. »Warum hast du dich vom
Secret Service verleugnen lassen, als ich dich besuchen wollte.«

»Bitte sei nicht böse, Michael. Ich wollte gerade …«

»Warum hast du gelogen?«, schreie ich, und meine Stimme
hallt durch den schmalen Raum.

Sie reagiert nicht, denn ihr ist klar, dass ich ein Ventil brauche. Es waren zwei harte Tage. Für uns beide. Ehrlich gesagt, es
ist mir egal. Es ist mein Arsch, den sie festnageln werden, nicht
der ihre.

Endlich hebt sie den Kopf. »Ich hatte keine andere Wahl.«

»Oh, hat man dich plötzlich deines freien Willens beraubt?«

»Du weißt, wovon ich rede. Es ist nicht so leicht.«

»Tatsächlich ist es ganz leicht – du brauchst nur zum Telefon zu greifen und meinen Nebenanschluss zu wählen. Soweit ich das übersehe, wäre es das Wenigste, das du tun kannst.«

»Also ist jetzt alles meine Schuld?«

»*Du bist diejenige*, die das Geld genommen hat.«

Sie wirft mir einen festen, kalten Blick zu. »Und du bist der Letzte, der sie lebendig gesehen hat.«

Mir gefällt ihr Ton nicht. »Was sagst du da?«

»Nichts«, schnurrt sie plötzlich unbekümmert.

»Fang mir nicht so an – du hast eben …« Mir versagt die Stimme. »Drohst du mir, Nora?«

Sie grinst mich finster an. Ihre Stimme ist eisglatt. »Sag zu irgendjemand ein Wort, und ich mach dich damit fertig.« Als die Worte über ihre Lippen kommen, hämmert mir das Herz in der Kehle. Ich schwöre, ich kann nicht atmen.

»Das kriegt man dafür, dass man ein netter Junge ist«, fügt sie hinzu und lässt nicht locker. »Ist totale Kacke, dass du der bist, der du bist, nicht wahr?«

O Gott! Es ist genauso wie Pam gesagt hat …

Nora fängt an zu lächeln. Und zu lachen. Zeigt auf mich und lacht. Der ganze Raum ist von ihrem übermütigen Gelächter erfüllt.

Ein Witz. Es war nur ein Scherz.

»Komm schon, Michael, hast du wirklich gedacht, ich würde dich im Stich lassen?«, fragt sie, noch immer belustigt.

Das Blut schießt mir wieder ins Gesicht. Ich sehe sie ungläubig an. Zwei Menschen – ein Leib. »Das war nicht komisch, Nora.«

»Dann zeig nicht mit dem Finger. So macht man sich keine Freunde.«

»Ich habe nicht mit Fingern gezeigt … Ich habe nur … Ich mag es nicht, wenn man mich hängen lässt.«

Kopfschüttelnd wendet sie sich ab. Ihr ganzer Körper wirkt

plötzlich erschlafft. »Ich könnte dir das nicht antun, Michael. Auch nicht, wenn ich wollte. Nicht nachdem du …« Sie unterbricht sich, sucht nach Worten. »Was du für mich getan hast … Ich schulde dir mehr als das.«

Ich spüre, wie das Pendel zurückschwingt. »Heißt das, du wirst mir helfen?«

Sie erwidert meinen Blick, beinahe überrascht von der Frage. »Komm schon, hast du nach allem wirklich gedacht, ich würde nicht für dich da sein?«

»Es geht nicht nur darum, da zu sein – wenn es schiefgeht, werde ich dich bitten müssen, meine Version der Geschichte zu bestätigen.«

Den Blick senkend, studiert sie das leere Blatt des Anschreibens, das vor ihr liegt.

»Was?«, frage ich. »Sag es.«

Wieder starrt sie nur auf das Blatt Papier.

Ich kann's nicht glauben. »So geht das also, wie? Jetzt steh ich ganz allein da.«

»Nein, durchaus nicht«, antwortet sie hastig. »Ich hab' dir gesagt, das würde ich nie tun – es ist nur, dass …« Sie unterbricht sich und wendet sich schließlich ab. »Verstehst du denn nicht, Michael? Wenn ich in die Sache hineingezogen werde, wird alles nur noch schlimmer.«

»Wie meinst du das?«

»Kannst du dir auch nur annähernd vorstellen, was passieren würde, wenn sie herausfänden, dass wir fest verabredet waren?«

Hat sie eben gesagt, es sei eine feste Verabredung gewesen?

»Sie würden dich umbringen, Michael. Sie würden dein Bild auf die Titelseiten setzen, mit jedem Lehrer und jedem Feind reden, den du je hattest, und sie würden dich bei lebendigem Leib auffressen – nur um zu sehen, ob du für mich gut genug bist. Du hast miterlebt, wie sie meinen letzten Freund auseinandergenommen haben. Nachdem die Reporter drei Wochen auf Schritt und Tritt hinter ihm her gewesen waren, hat er mich angerufen, gesagt, er habe ein Magengeschwür und hat Schluss gemacht. Einfach so.«

Ich weiß, es ist nicht der richtige Moment, abzulenken, aber ich muss unwillkürlich lächeln. »Also bin ich jetzt dein fester Freund?«

»Bleib beim Thema. Auch wenn ich für dich einspringe und die Schläge einstecke, werden sie dich zusammen mit mir fertigmachen.«

Ich bleibe stehen, einen knappen Meter vor der Anzeigetafel. »Woher weißt du das? Hat das jemand zu dir gesagt?«

»Sie brauchen es mir nicht zu sagen – du weißt, wie es funktioniert.«

So ungern ich es zugebe, damit hat sie recht. Jedes Mal, wenn ein hohes Tier stürzt, stürzen alle, die in seinem Epizentrum leben, mit ihm. Auch wenn ich unschuldig bin, die Öffentlichkeit muss glauben, man hätte das Haus gesäubert.

Ich schließe die Augen und bedecke sie mit der Hand, hoffe, ein wenig Abstand zu gewinnen. Während der letzten beiden Tage hat es wenigstens einen deutlichen Ausweg gegeben – Nora opfern und mich selbst retten. Doch wieder einmal ist es mit Nora nicht so einfach. Selbst wenn ich sie aufgebe, werden sie mich hängen, bis ich verdorre. »Verdammt!«

Mein Aufschrei lässt die Wände der Bowlingbahn zittern, doch Nora sieht nicht einmal auf. Mit gesenktem Kopf, die Hände unter den Kniekehlen versteckt, wird sie wieder zum kleinen Mädchen. Es ist für sie auch nicht leicht. Sie weiß, sie hat mich da hineingebracht. Das ist das winzige Licht am Ende des Tunnels – sie ist nicht nur um sich selbst besorgt –, sie macht sich Sorgen um mich. »Michael, ich schwöre dir, wenn ich gedacht hätte, dass das dabei herauskommt, hätte ich nie …«

»Das brauchst du nicht zu sagen, Nora.«

»Doch, ich muss. Was auch passiert, ich hab dich da hineingebracht und ich hol dich auch wieder raus.«

Sie sagt es sehr energisch und überzeugend, aber ich höre auch ihre Angst. Ihre Augen kleben praktisch auf dem Boden der Bowlingbahn. *Ihrer* Bowlingbahn. Sie hat viel mehr zu verlieren. »Bist du sicher, dass du das riskieren willst, Nora?«

Langsam hebt sie den Kopf und sieht mich an. Darüber hat sie nachgedacht, seit ich sie vorgestern Nacht abgesetzt habe. Die Hände hat sie noch immer nervös unter den Kniekehlen versteckt. Doch ihre Antwort kommt so schnell wie ihr Lächeln. »Ja.« Sie nickt. »Keine Frage.«

Im Kopf habe ich alle Gründe, die Pam und Trey mir aufgezählt haben, warum ich mich zurückziehen soll. Und ihr ganzes Freudsches Blabla, warum ich es nicht tun wolle: Mein Beschützersyndrom; mein Wunsch, meinem Dad zu helfen; mein Wunsch, irgendwie in unmittelbare Nähe des Präsidenten zu gelangen … Aber als ich da stehe – als ich Nora beobachte –, ergibt nur eins wirklich einen Sinn. Anders als früher hat es nichts mit so albernen Dingen wie ihrem Aussehen und der Art zu tun, wie sie meinen Namen sagt. Es geht nicht darum, wie sehr sie mich braucht, nicht einmal darum, wer sie ist. Am Ende zählt, wie ich es begreife, nur das, was Nora Hartson aufzugeben bereit ist – für mich –, um alles in Ordnung zu bringen.

»Ich hole dich raus«, wiederholt sie zuversichtlich. »Ich hole dich …«

»*Wir*«, unterbreche ich sie. »*Wir* sind hineingeraten. *Wir* kommen heraus.« Ich setze mich neben sie und lege ihr die Hand auf die Schulter. Es war das Gleiche wie mit meinem Dad – manchmal ist dies der einzige Weg, ein Problem zu lösen: zu überschauen, *wie wir hineingeraten sind*. Und obwohl es mir ganz und gar nicht gefällt, ist es – bei meiner Familie – die einzige Art das Leben zu bewältigen, die ich kenne.

Wieder hebt sie den Kopf, ein weiches Lächeln um ihre Wangen. »Nur damit du's weißt, ich hasse Romantiker.«

»Ich auch. Hasse sie leidenschaftlich«, antworte ich. Sie ist zu einem Comeback bereit, doch ich gebe ihr keine Chance. Für uns existiert nur ein einziger Ausweg, herauszufinden, was wirklich geschehen ist. »Wie steht es mit deinen Bodyguards? Hast du ihnen gesagt, was los ist?«

»Diesen Typen? Sie arbeiten nur am Wochenende. Ich hab ihnen gesagt, wir wären verabredet gewesen und du hättest mich sitzen lassen. Sie vermuten, dass wir uns jetzt versöhnen. Warum? Hast du's deiner Freundin Pam erzählt?«

»Woher weißt du von Pam?«

»Ich hab' dich überprüft, Garrick. Schließlich geh ich nicht mit jedem Warmduscher im Haus aus.«

»Sie ist nicht meine Freundin«, füge ich hinzu.

»Darüber denkt sie aber anders, Romeo.« Sie steht auf, geht zur Bahn und wirft eine imaginäre Kugel. »Weißt du, dass Nixon regelmäßig hier herunterkam und zehn Spiele in Folge absolvierte? Sind wir in Psychoville oder was?«

Als sie die Frage stellt, fällt mir wieder einmal auf, wie schnell ihre Stimmungen wechseln. Innerhalb weniger Sekunden ist sie ein anderer Mensch. Und wieder werde ich daran erinnert, dass ich noch nie jemand begegnet bin, der mir das Gefühl gab, gleichzeitig so alt und so jung zu sein.

»Also hast du's nun Pam erzählt oder was?«

»Ja«, sage ich zögernd. »Ich hatte niemand anders, mit dem ich hätte reden können, also habe ich …«

»Entschuldige dich nicht. Chris hat gesagt, ich hätte mich früher bei dir melden sollen.«

»Du hast es deinem Bruder erzählt?«

»Er gehört zur Familie – und ist einer der wenigen, der damit umgehen kann.« Sie wirft eine zweite imaginäre Kugel.

Ich zeige auf das Gestell mit den Bowlingkugeln und sage: »Die richtigen sind direkt hinter dir, weißt du.«

Sie sieht mich mit diesen Augen an, die einen auseinanderzunehmen scheinen. »Ich hasse Bowling«, sagt sie sachlich. »Jetzt erzähl mir, was passiert ist, als du bei ihr warst.«

»Bei Caroline?«

»Nein, bei der anderen Toten mit dreißig Tausendern im Safe. Natürlich bei Caroline.«

Rasch berichte ich ihr die wichtigen Einzelheiten.

»Simon hat also *dich* hingehängt?«, fragt sie, als ich fertig bin.

»Vergiss das skrupellose Washington; der Kerl kommt aus der Filmindustrie.«

»Das ist das Wenigste. Übersehen wir nicht, dass er sie vielleicht getötet hat.«

»Du glaubst nicht an den Herzinfarkt?«

»Es hätte einer sein können – aber wenn man eins und eins zusammenzählt, scheint es mir ein bisschen viel des Zufalls.«

»Vielleicht«, sagt sie. »Aber du wärst überrascht, wenn du wüsstest, warum Dinge geschehen – ganz besonders hier.«

Ich bin nicht sicher, was sie damit meint, und sie gibt mir keine Gelegenheit zu fragen.

»Angenommen, es war Simon«, fährt sie fort, »warum, denkst du, hat er es getan?«

»Es muss irgendetwas mit dem Geld zu tun haben.«

»Bist du noch immer überzeugt, dass er Geheimnisse verhökert?«

»Ich weiß nicht. Wenn man Geheimnisse verkauft, hinterlegt man Informationen. Er hatte nur Bargeld – dasselbe Bargeld, das in Carolines Safe lag.«

»Also denkst du, er wurde erpresst?«

»Ein verheirateter Mann in einer Schwulenbar? Du hast dort drin seinen Gesichtsausdruck bemerkt. Er hat nicht so ausgesehen, als hätte er alles unter Kontrolle – er hatte Angst.«

»Ich merke, worauf du hinauswillst. Caroline ist die Erpresserin, und Simon hat sie umgebracht, damit sie nicht mehr reden konnte.«

»Sie ist die Einzige, die Zugang zu allen persönlichen Informationen hatte. Und das hat sie genossen. Du hättest sehen sollen, wie sie auf mich losging.« Zum Ende der Bahn starrend, habe ich von der Seite her einen Blick auf alle zehn Pins. »Da ist nur eins, das für mich keinen Sinn ergibt: Wenn Caroline die Erpresserin war, warum hat Simon sich das Geld nicht wieder genommen, nachdem er sie umgebracht hatte?«

Wieder setzt Nora ihr finsteres Lächeln auf. Sie schüttelt den Kopf, als sei mir etwas entgangen. »Vielleicht hatte er die Kombination des Safes nicht. Vielleicht wollte er nicht mit dem Geld erwischt werden. Und außerdem – vielleicht war es wirklich ein Herzinfarkt. Oder das Beste von allem: Mit seiner Schwindelgeschichte konnte er damit ganz leicht die Schuld dir in die Schuhe schieben. Wenn er uns in der bewussten Nacht gesehen hat, könnte er auch die Cops gesehen haben. Jetzt ändert sich der ganze Plot. Die zehntausend, die die Cops bei dir konfisziert haben, waren nur ein Viertel der ganzen Summe. Den Rest hast du Caroline als Schweigegeld gegeben. Das beweisen die fortlaufend nummerierten Scheine. *Du* bist derjenige, der erpresst wurde. *Du* hast das Geld. *Du* hast sie getötet.«

Das Geld. Immer wieder dieses Geld. Im Safe. In meinem Handschuhfach. In meinem Namen. Fortlaufend nummeriert, hängt alles mit mir zusammen. Sie hat den Nagel auf den Kopf getroffen. Das Geld bei der D. C.-Polizei ist eine Zeitbombe. Und sobald jemand davon erfährt, geht sie hoch. Selbst wenn es ein Herzinfarkt war – mit so viel Geld in meinem Besitz … in diesem Viertel – erhebt das Drogengespenst auch nur von fern sein hässliches Haupt, ist mein Job Geschichte. Sie werden mich entlassen, und wenn auch nur, weil sie eine Titelgeschichte vermeiden wollen. Und falls bei der Autopsie herauskommt, dass es Mord war … O Gott, ich reibe mir den Nacken, tue mein Bestes, um hinauszuzögern, was ich jetzt sagen werde. Es wird sie alarmieren, vielleicht reagiert sie sogar hysterisch, aber gesagt muss es werden. »Nora, wenn das eine Kettenreaktion auslöst, wird sie sich bis ganz oben fortsetzen.«

Von der anderen Seite des schmalen Raums, am Gestell mit den Bowlingkugeln lehnend, sieht sie mich an. Sie weiß, dass ich recht habe. Ich sehe es ihren flirrenden Augen an. Sie hat entsetzliche Angst. »Sie werden versuchen, ihn damit zu killen, nicht wahr?«

Da ist er wieder. Ihr Vater. Wie er auch enden mag, ein solcher Skandal fordert immer seinen Tribut. Besonders mit Bartlett so dicht auf den Fersen.

»Wir brauchen nur ein bisschen Zeit«, sagt sie und reibt sich heftig die Nase. »Es kann noch immer gut ausgehen.«

Je mehr sie spricht, umso schneller wird sie. Das erinnert mich an die Rede, die sie auf dem Nationalkonvent der Partei hielt, als ihr Vater vor so vielen Jahren nominiert wurde. Ursprünglich bat man ihren Bruder Chris zu sprechen, da man dachte, Amerika werde sich um einen jungen Mann scharen, der für seinen Dad eintrat. Doch nach einigen privaten Proben, in denen Chris über Worte stolperte und ganz allgemein in Panik geriet, fragte Nora, ob sie ihn vertreten könne. Man stelle das erstgeborene Kind in die vorderste Linie des Wahlkampfs, verkündete die Partei, unsere Gegner hingegen behaupteten, eine weitere ehrgeizige Hartson strebe nach Macht.

Als alles vorbei war, kritisierte man Nora, die wie jede andere Achtzehnjährige zu hundertzehn Millionen Menschen gesprochen hatte, sie sei nervös, ihre Sprache ungeschliffen gewesen. Das kommt davon, wenn man versucht, andere aus dem Scheinwerferlicht zu verdrängen, tönten ein paar Kritiker. Aber als ich jetzt sehe, wie ängstlich sie reagiert, als der Schmerz ihres Vaters nur erwähnt wird, denke ich, dass es ihr damals weniger um Macht als um Schutz ging. Wenn sie sich da zur Schau stellte, musste Chris es nicht tun. Und wenn die Schläge besonders hart auf uns herunterprasseln, beschützen wir alle uns Nahestehenden.

»Soweit wir wissen – war es nur ein Herzinfarkt«, stottert sie. »Vielleicht verhält sogar Simon sich still.«

Was soll ich ihr sagen? *Nein, das Leben deines Vaters ist endgültig ruiniert – besonders wenn ich die Wahrheit herausschreie?* Während einiger entspannter Sekunden werden meine Alternativen drastisch weniger: Wenn ich den Mund aufmache, reißt es ihrem Dad die Beine weg, und da ich im Epizentrum bin, gehen wir alle unter. Wenn ich den Mund halte, gewinne ich ein bisschen Zeit, um herumzuschnüffeln, riskiere aber, allein unterzugehen. Wieder betrachte ich die Pins am Ende der Bahn. Ich kann mir nicht helfen, aber ich fühle mich wie der erste Pin im Dreieck. Der, den die Kugel jedes Mal trifft und umwirft.

»Vielleicht sollten wir mit ihm sprechen«, schlage ich vor. »Nur damit er weiß, wem er trauen kann. Ich meine, selbst wenn es ein Herzinfarkt war, wurde Simon aus irgendeinem Grund erpresst – und solange wir es nicht herausfinden, wird er die Schlinge über meinem Kopf baumeln lassen.«

Nora sieht mich an, sagt aber kein Wort.

»Wirst du also mit ihm reden?«

»Ich kann nicht.«

»Wie meinst du das – du *kannst nicht*?«

»Ich sage dir, man darf ihn mit so etwas nicht behelligen. Er wird … er wird es nicht verstehen. Er ist kein durchschnittlicher Dad, wie du sie kennst.«

An diesem Punkt höre ich auf zu diskutieren. Ich kenne diese Frustration in ihrer Stimme. Und ich kenne diese Welt – eine Waise mit einem lebenden Elternteil.

»Gibt es sonst jemand, mit dem du reden kannst?«

»Ich hab's schon meinem Onkel Larry erzählt.«

»Wem?«

»Larry. Larry Lamb.«

»Natürlich«, sage ich und versuche so nonchalant zu sein wie möglich. Sie wird ihn nicht Lawrence nennen. Sie kennt ihn seit frühester Kindheit – praktisch von Geburt an –, ich habe die Titelgeschichte in *People* gelesen. Sie und ihr Bruder haben die Sommer auf seiner Farm in Connecticut verbracht. Es gibt ein Bild von Nora und Christopher, jauchzend auf einer Schaukel, und ein anderes, auf dem sie sich unter den Decken von Lambs Himmelbett verstecken. Ich lasse mich auf meinen Platz sinken und sammle meine Gedanken. *Er* ist der Schatten des Präsidenten, *sie* nennt ihn Onkel Larry. Es klingt fast albern, wenn man es näher bedenkt. Doch das ist sie nun einmal. Noch immer scheinbar unbeeindruckt, frage ich schließlich: »Was hat er gesagt?«

»Genau das, was du erwartest. ›*Danke. Ich bin froh, dass du es mir erzählt hast. Es wurde zwar als Herzinfarkt diagnostiziert, aber ich werde mich darum kümmern.*‹ Im Moment hat er nur die Wiederwahl im Auge – auf keinen Fall wird er jetzt den Hahn zudrehen. Wenn sich alles beruhigt hat, werden sie die offizielle Untersuchung einleiten.«

»Und was wird aus uns?«, frage ich.

»Wir bleiben die Einzigen, denen es darum geht, deinen Hintern zu retten. Simon scheint zufrieden, wenn alles geheim bleibt – doch das ist keine befriedigende Lösung.«

Ich nicke. Allianzen funktionieren nicht immer. Früher oder später wahrt die mächtigere Seite ihren Vorteil. Und die andere Seite krepiert. »Ich wünschte nur, wir hätten ein paar Informationen. Wenn Caroline erpresst hat, dann vermutlich nicht nur Simon. Sie hatte Zugang zu allen unseren Geheimnissen – sie hätte auch …«

»Ach, da fällt mir was ein …« Nora geht zum Platz des Anschreibers und nimmt ein gefaltetes Blatt Papier aus ihrer schwarzen Lederhandtasche.

»Was ist das?«, frage ich, als sie es mir reicht.

»Es ist hereingekommen, als ich bei Onkel Larry war. Es sind die Namen zweier FBI-Akten, die in Carolines Büro gefunden wurden.«

Rick Ferguson und Gary Seward. Einer steht vor der Ernennung zum Finanzminister, der andere hat eben im Handelsministerium angefangen.

»Ich verstehe nicht«, sage ich. »Wieso nur zwei?«

»Anscheinend hatte sie tonnenweise Akten in ihrem Büro – und nicht nur über Ernennungen durch den Präsidenten. Einige waren Gerichtsakten, einige stammten aus dem Counsel's Office ...«

»Sie hatte meine. Ich habe sie gesehen.«

»Das FBI überprüft alle noch einmal.«

»Also haben sie eine ganze Namensliste bekanntgegeben?«

»Nein, das tun sie erst, wenn sie fertig sind. In dem Memo stand, sie wollten niemand einen Hinweis geben. Stattdessen bekommen wir sie aus Sicherheitsgründen nacheinander – immer nur eine oder zwei auf einmal.«

»Und woher hast du diese beiden Namen?«, frage ich und halte das Blatt Papier in die Höhe.

»Hab' ich dir doch gesagt, von Onkel Larry.« »Er hat sie dir gesagt?«

»Nun ... nein, er ist hinausgegangen, um mit seiner Sekretärin zu sprechen, und ich habe mir die Namen auf einen Zettel notiert.«

»Du hast sie gestohlen?«

»Willst du sie oder nicht?«

»Natürlich will ich sie. Ich möchte nur nicht, dass du sie Lawrence Lamb stiehlst.«

»Es ist ihm egal. Der Mann ist mein Taufpate – er hat mir die Stützräder vom Fahrrad abgeschraubt; er denkt sich nichts dabei, wenn ich einen kurzen Blick in eine Akte werfe. Auf diese Weise sitzen wir wenigstens nicht ganz im Dunkeln.«

Das ist kein Trost. »Das bedeutet also, dass das FBI sich meine Akte ansieht.«

»Entspann dich, Michael. Ich bin sicher, sie werden keine Bedenken im Hinblick auf dich haben.«

Ich gebe mir große Mühe, das zu glauben, und starre auf die Namen. Noras Schrift ist rund und holprig. Wie die Schrift einer Drittklässlerin, die eben lernt, zusammenhängend zu schreiben. Rick Ferguson. Gary Seward. Zwei Leute, die vom FBI für unbedenklich erklärt wurden. Ich versuche mich zu erinnern, wie viele Akten ich in Carolines Büro gesehen hatte. Es lagen mindestens fünf oder sechs unter der meinen – und wahrscheinlich noch mehr in den Schubläden. Sieht so aus, als denke auch das FBI an Erpressung. Ich drehe mich wieder zu Nora um und frage: »Warum hast du bis jetzt gewartet, bevor du sie mir gegeben hast?«

»Ich weiß nicht. Schätze, ich hatte sie vergessen«, sagt sie mit einem Schulterzucken. »Hör zu, ich muss jetzt los. Irgendein Premierminister kommt mit seiner Familie zu einem Fototermin.«

»Wirst du dort deinen Onkel sehen?«

»Der einzige, den ich sehen werde, ist der Sohn des Premierministers. Gut aussehender Junge, weißt du.«

Ich weiß nicht, ob sie das Thema wechseln oder mich eifersüchtig machen will. Egal was, es ist ihr gelungen. »Für so einen lässt du mich also im Stich?«

»He, wenn du mal ein Land regierst, werden sie versuchen, mich dazu zu bringen, dir auch die Füße zu küssen. Ich muss los, diese Typen rasten aus, wenn ich zu spät komme.«

»Davon bin ich überzeugt. Ausländische Märkte werden zusammenbrechen. Die Ehre wird verloren sein. Alles weil du dich verspätest. Internationaler Zwischenfall.«

»Du hörst dich gern reden, nicht wahr?«

»Sogar lieber als dich zu diesen Fototerminen mit ausländischen Fremden gehen zu lassen. Aber so ist es nun einmal im Leben, wie?«

»Seit der letzten Stunde in der sechsten Klasse.«

»Versteh ich nicht.«

»Das war der Tag, an dem mein Dad sich entschloss, für das Amt des Gouverneurs zu kandidieren – vielmehr, das war der Tag, an dem er es mir sagte. Ich erinnere mich noch, dass ich auf das letzte Klingeln wartete – aus dem Klassenzimmer rannte und mit Melissa Persily zum Fahrradstand flog. Ich sollte bei ihr übernachten. Sie war eines jener *coolen* Kids, die nah genug wohnten, um mit dem Fahrrad in die Schule zu fahren – also war schon der Fahrradständer an sich eine große Sache. Sie hatte ihr eigenes Kombinationsschloss und das zerbeulte schwarze Zehngangrad, das ihrem Bruder gehört hatte …« Noras Stimme überschlägt sich, als sie aufblickt. »Mann, es war himmlisch …« In der Sekunde, in der unsere Blicke sich begegnen, unterbricht sie sich. Wie vorher schaut sie starr zu Boden.

»Was?«, frage ich.

»Ni… nichts …«

»Was meinst du mit *nichts*? Was ist passiert? Du bist am Fahrradständer … du willst bei deiner Freundin übernachten …«

»Es ist nichts«, bleibt sie hartnäckig und weicht einen Schritt zurück. »Hör mal, ich sollte wirklich gehen.«

»Nora, das ist nur eine Geschichte aus deiner Kindheit. Wovor fürchtest du dich so …?«

»Ich fürchte mich nicht.«

Da erkenne ich die Lüge.

Seit zwei Monaten ist Nora tagtäglich in den Wahlkampfmodus eingebunden – angefangen bei Luncheons mit großen Spendern für dreihundert Personen bis zu von Satelliten übertragenen Massenkundgebungen an der Seite ihrer Mom; wenn sie gut gelaunt und bereit ist, zu kooperieren, gibt sie auch Interviews darüber, warum College-Kids Stimmen werben und selbst wählen sollen: Alles in allem ist sie die jüngste und unwilligste Meisterin in der Kunst des Immer-nur-Lächelns. Sie kennt das seit der sechsten Klasse. Aber heute – heute wurde sie für einen Moment von der Realität eingeholt; sie hat es sogar genossen. Und es hat ihr höllische Angst eingejagt.

»Nora!«, rufe ich, als sie auf die Tür zusteuert. »Nur damit du's weißt, ich werde es nie jemand erzählen.«

Sie bleibt stehen und dreht sich langsam um. »Ist mir klar«, sagt sie und nickt dankend. »Aber ich muss wirklich gehen – du kennst das Spiel –, Präsidenten im Wahlkampf müssen sich ganz besonders um die Außenpolitik kümmern.«

Ich denke an Bartletts Foto auf der Titelseite.

Nora ist schon fast zur Tür draußen. Da dreht sie sich noch einmal um und holt tief Atem. Ihre Stimme klingt leise und widerstrebend. »Als wir zum Fahrradständer kamen, wartete meine Mom auf mich. Sie nahm mich nach Hause mit und mein Dad sagte mir, dass er für das Amt des Gouverneurs kandidiere, und das war's. Kein Übernachten bei Melissa Persily – ich war die Einzige, die es vermisste. Im nächsten Jahr fing Melissa an, mich ›Es‹ zu nennen. Zum Beispiel ›Dort ist es‹ und ›Lass es ja nicht in meine Nähe‹. Es war idiotisch, aber die Klasse schlug sich auf ihre Seite. Das war in der Unterstufe.« Ohne noch etwas zu sagen, greift Nora wieder nach dem Türknauf. Der Sohn des Premierministers wartet.

»Hast du das Ganze nicht manchmal gründlich satt?«, frage ich.

Noch einmal eine Chance, sich zu öffnen. Sie lächelt nur schwach. »Nein.«

Es ist nicht schwierig, ihre Antwort zu durchschauen. Aber ihr Instinkt lässt sie trotzdem *nein* sagen. In gewisser Weise vertraut sie mir noch nicht in allem. Mit der Zeit werde ich erreichen, dass sie es tut. Sie hat es selbst gesagt. Was auch sonst passieren mag, ich bin der *feste Freund* der Tochter des Präsidenten der Vereinigten Staaten.

Über das ganze Gesicht grinsend, betrete ich Treys Büro. Zehn Minuten später schreit er mich an.

»Idiotisch, Michael! Idiotisch, idiotisch, idiotisch!«

»Warum bist du so sauer?«

»Wem hast du das noch erzählt? Wie vielen?«

»Nur dir«, antworte ich.

»Lüg mich nicht an.«

Er kennt mich zu gut. »Ich hab's Pam erzählt. Nur dir und Pam. Sonst keinem. Das schwör ich.«

Trey fährt sich mit der Hand über die hellbraune Haut seiner Stirn und weiter zum Nacken seines kurzgeschnittenen Afro.

Seine kleine Hand gleitet langsam über seinen Kopf – ich habe das schon früher beobachtet –, er nennt es ›das Reiben‹. Reibt er sich kurz und schnell den Kopf, wirkt es so wie ein verlegenes kleines Lachen oder Kichern – wenn zum Beispiel ein Würdenträger bei einem Fototermin stolpert und stürzt. Das Tempo nimmt ab, je größer die Folgen sind, und je langsamer er reibt, umso aufgeregter ist er. Als die *TIME* ein wenig schmeichelhaftes Profil der First Lady veröffentlichte, rieb er langsam. Als das Gerücht umging, der Präsident habe Krebs, sogar noch langsamer. Vor fünf Minuten habe ich ihm erzählt, was mit Nora und Caroline passiert ist. Ich beobachte seine Hand, um die Geschwindigkeit abzulesen. Superzeitlupe.

»Es sind nur zwei Leute. Warum die Aufregung?«

»Ich will es so klar wie möglich ausdrücken: Ich freu mich, dass du in der Welt vorankommst, und ich freu mich, dass du mir alle deine Geheimnisse anvertraust. Ich freu mich sogar darüber, dass Nora dir an die Wäsche will – glaub mir, darüber werden wir uns noch ausführlicher unterhalten –, aber wenn es um etwas so Großes geht, solltest du den Mund halten.«

»Also hätte ich es dir nicht sagen sollen?«

»Du hättest es mir nicht sagen sollen und du hättest es Pam nicht sagen sollen.« Er hält einen Moment inne. »Okay, mir hättest du es sagen sollen. Aber das war's auch schon.«

»Pam würde nie etwas weitersagen.«

»Woher weißt du das? Hat sie dir etwas von sich anvertraut?«

Ich weiß, worauf er hinauswill, als er diese Frage stellt. Er mag nur ein sechsundzwanzig Jahre alter Angestellter sein, aber wenn es darauf ankommt, herauszufinden, wohin man treten soll, weiß Trey haargenau, wo die Landminen liegen.

»Ich sag dir eins«, erklärt er mir jetzt, »wenn Pam dir nichts anvertraut, solltest du ihr auch nichts anvertrauen.«

»Jetzt bist du aber ein bisschen zu politisch. Nicht alles im Leben läuft nach der Regel wie du mir, so ich dir.«

»Wir sind im Weißen Haus, Michael. Hier heißt es immer wie du mir, so ich dir.«

»Das ist mir egal. Bei Pam liegst du falsch. Sie hat nichts zu gewinnen.«

»Bitte, Jungchen, du weißt, dass sie dich liebt.«

»Na und? Ich liebe sie auch.«

»Aber nicht so, Magoo. Sie mag dich nicht nur.« Er legt die Hand auf sein Herz wie zum Treuegelöbnis und fängt dann an, schnell auf seine Brust zu trommeln. »Sie *lieieiebt* dich«, singt er, die Augen verdrehend. »Ich rede von den hübschen rosaroten Träumen: Teddybären – Eiscreme-Shakes – glücklich schwebende Regenbogen …«

»Krieg dich wieder ein, Trey. Du könntest von der Wahrheit nicht weiter entfernt sein.«

»Spotte meiner nicht, Junge. Es ist genauso wie zwischen dem Präsidenten und Lawrence Lamb.«

»Wie meinst du das?«

Instinktiv lehnt Trey sich im Sessel zurück und reckt den Hals, um sich im übrigen Empfangsbereich umzusehen. Er teilt sich das Büro mit zwei anderen Leuten. Ihre Schreibtische stehen bei einem Fenster; ein paar Aktenschränke dienen als Raumteiler. Treys Schreibtisch ist der nächste zur Tür hin. Er sieht gern, wer kommt und geht. Keiner seiner beiden Mitarbeiter ist heute hier, aber Trey kann nicht anders. Es ist die erste Regel in der Politik. Zu wissen, wer zuhört. Nachdem er festgestellt hat, dass wir allein sind, sagt er: »Schau dir doch ihre Beziehung an. Lamb ist bei allen euren Sitzungen dabei, stimmt bei allen endgültigen Entscheidungen mit; sein Titel ist sogar Deputy Counsel, aber wenn es um richtige juristische Arbeit geht, ist er nirgends zu finden. Warum, denkst du, ist das so?«

»Er ist ein fauler, zahnloser Bastard?«

»Ich meine es ernst. Lamb ist da, um auf dich und alle anderen aus deinem Büro ein Auge zu haben.«

»Das ist nicht …«

»Komm schon, Michael, wenn du Präsident wärst, wen hättest du dann lieber im Rücken: eine Gruppe von Fremden aus deinem Personal oder jemand, mit dem du seit dreißig Jahren befreundet bist? Lamb kennt alle persönlichen Dinge – deshalb vertraut man ihm. Mit uns ist es doch genauso; es ist jetzt fast vier Jahre her, seit ich im Wahlkampf das erste Mal mit dir gesprochen habe, aber hier rechnet man nach Hundejahren. Bei Pam allerdings …«

»Ich weiß deine Sorge zu schätzen, aber sie würde nie etwas sagen. Sie kommt aus Ohio.«

»Ulysses S. Grant kam aus Ohio, und er hatte die korrupteste Verwaltung in der Geschichte. Sie ziehen nur eine Schau ab – sind skrupellos, diese Leute aus dem Mittelwesten.«

»Ich komme aus Michigan, Trey.«

»Nur die nicht, die aus Michigan stammen. Diese Menschen liebe ich.«

Kopfschüttelnd sage ich: »Du bist nur sauer, weil ich es Pam zuerst erzählt habe.«

Er muss unwillkürlich lächeln. »Du sollst wissen, dass ich derjenige bin, der deinen Namen aus der Presse herausgehalten hat. Ich habe niemand gesagt, dass du die Tote gefunden hast.«

»Und dafür bin ich dir dankbar. Doch jetzt möchte ich über Nora sprechen. Sag mir, was du weißt.«

»Was gibt es da zu wissen. Sie ist die Tochter des Präsidenten. Sie hat einen eigenen Fan-Club. Sie beantwortet ihre Post nicht selbst. Und sie ist richtig lecker. Sie ist auch ein bisschen verrückt, aber wenn ich mir das jetzt so überlege, törnt es mich richtig an.«

Er macht zu viele Witze. Etwas stimmt nicht. »Sag, was du denkst, Trey.«

Er streicht mit der Hand über seine billige braungestreifte Krawatte. Mit den abgewetzten mokassinartigen Halbschuhen und dem steifen marineblauen Jackett, dessen abgerissener Goldknopf sorgfältig mit einer versteckten Sicherheitsnadel befestigt ist, sieht er nicht gerade aus wie das Modell eines jungen Erfolgreichen. Es ist wirklich erstaunlich. Er verdient weniger als alle anderen hier und trotzdem ist er der Einzige, der am Samstag einen Anzug trägt.

»Ich habe es dir schon gesagt, Michael: Du bist in Schwierigkeiten. Diese Leute sind keine Leichtgewichte.«

»Aber wie denkst du über Nora?«

»Ich denke, du solltest vorsichtig sein. Zwar kenne ich sie nicht persönlich, aber ich beobachte sie, wenn sie auf dem Weg zu ihrer Mom hier durchkommt. Rein und raus; immer schnell; manchmal aufgeregt; und nie ein Wort zu irgendjemand.«

»Das heißt nicht …«

»Ich spreche nicht von Höflichkeit – ich spreche von dem, was drunter liegt. Sie mag sich von dir anfassen lassen und sie mag eine Freundin sein, mit der man angeben kann, aber du weißt, was man über sie redet – Sex, spezielle Drogen, vielleicht etwas Kokain …«

»Wer sagt, dass sie Koks schnupft?«

»Niemand. Wenigstens jetzt noch nicht. Deshalb nennen wir es ein Gerücht, mein Freund. Es ist zu groß, um ohne Quelle gedruckt zu werden.«

Ich sage kein Wort.

»Du kennst sie nicht, Michael. Vielleicht hast du sie beim Frisbee-Spielen mit ihren Hunden beobachtet, und vielleicht hast du sie in ihre erste Soziologievorlesung im College gehen sehen, aber das ist nicht ihr Leben. Das sind nur Presseschnipsel und Futter für die Spätnachrichten. Der Rest des Bildes bleibt verborgen. Und das Bild ist riesig.«

»Dann meinst du also, ich sollte sie einfach im Stich lassen?«

»Im Stich lassen?« Er lacht. »Nach allem, was du getan hast, könnte dir das niemand vorwerfen. Nicht einmal Nora.«

Er hat recht. Aber dadurch wird es nicht leichter. Als ich nicht antworte, fügt er hinzu: »Jetzt geht es dir doch langsam an die Nieren, wie?«

»Es gefällt mir nur nicht, wie jeder automatisch sie zur Zielscheibe macht.«

»*Sie*? Was ist mit ...« Er unterbricht sich. Und sieht meinen Gesichtsausdruck. »O Jesus, Michael, sag mir nicht, du ... Oh, du bist es aber, nicht wahr? Es geht dir nicht nur darum, sie zu beschützen ... du fängst wirklich und wahrhaftig an, sie zu mögen ...«

»Nein«, antworte ich. »Jetzt liest du zu viel hinein.«

»Wirklich?«, fragt er herausfordernd. »Dann beantworte mir das: Im Hinblick auf Sex – als du an diesem ersten Abend mit ihr ausgingst, was ist da wirklich passiert?«

»Ich verstehe nicht.«

»Soll ich es auf Latein fragen? Ihr beide hattet ein Rendezvous. Bevor du gingst, hast du mir geschworen, mir alles haarklein zu berichten. Wortwörtlich hast du in etwa gesagt: ›*Ich werde mir die Wäsche der Präsidententochter näher ansehen.*‹ Du warst ganz und gar für eine Befragung im Umkleideraum bereit – also lass hören. Was ist tatsächlich geschehen? Wie hat sie geküsst? Erzähl mir auch die Nebenhandlung.«

Wieder bleibe ich stumm.

»Also sag schon«, fügt Trey hinzu. »War sie gut oder war sie maulfaul?«

Mein Kopf wird von Bildern von ihr in meinen Armen überflutet ... und wie ihre Hand über meinen Oberschenkel glitt ... O Mann, Trey würde sterben, wenn er das hörte ... Ich schalte ab und schaue auf den blassblauen Spannteppich hinunter.

»Also«, drängt Trey, »was war los?«

Ich bin sicher, jeder Typ, der mit ihr ausging, wurde mit dieser Situation konfrontiert. Meine Antwort ist nur ein Flüstern: »Nein.«

»*Was?*«

»Nein«, wiederhole ich. »Das geht niemand was an. Nicht einmal dich.«

Er kreuzt die Arme vor der Brust, verdreht die Augen und

lehnt sich zurück. »Nur weil du sie in deinem Wohnzimmer auf dem Bildschirm gesehen hast, heißt das nicht, dass sie dort war, Michael. Außerdem, auch wenn nicht stimmt, was man tuschelt, sie ist zuallererst und vor allem Hartsons Tochter.«

»Was soll das heißen?«

»Ich meine, sie hat die Politik im Blut. Also wenn ihr beide an die Wand gespießt werden solltet, nun – sie wird diejenige sein, die sich vorher hinausschlängelt.«

ELFTES KAPITEL

Wenn ich nach Hause komme, öffne ich zuallererst den winzigen Metallbriefkasten für Apartment 708, hole die Post heraus und steuere auf das Empfangspult zu. »Irgendwas für mich gekommen?«, frage ich Fidel, der im Haus schon Portier war, bevor ich einzog.

Er wirft einen Blick unter das Pult, wo er die Päckchen verwahrt.

»Können Sie auch für Sidney nachsehen?«, füge ich hinzu.

Einen Karton mit einem FedEx-Sticker in der Hand, richtet er sich auf und knallt ihn auf das Pult. Es klappert wie eine Rumbakugel. »Nichts für Sie, Pillen für Sidney«, sagt Fidel und lächelt breit.

Den Aktenkoffer in einer, die Post in der anderen Hand, klemme ich das Paket unter den Arm und gehe zum Lift. »Gute Nacht, Fidel.«

Um den Liftknopf mit der Zahl sieben drücken zu können, muss ich das sehr große Paket schräg halten und erhasche dabei einen Blick auf den Namen. Sidney Gottesman. Apartment 709. Sidney hat im Oktober seinen neununddreißigsten Geburtstag gefeiert und ist seit zwei Jahren mein Nachbar. Und seit zwei Monaten bettlägerig.

Als ich an einem Superbowl-Sonntag einzog, war er so nett mich einzuladen, mir das Spiel bei ihm anzusehen er schlief schon im zweiten Viertel ein. Als die Ärzte ihm wegen Diabetes-Komplikationen das recht Bein amputierten, tat ich mein Bestes, um mich für die damalige Einladung erkenntlich zu zeigen. Mit der Post kommt er im Rollstuhl zurecht, er hasst es nur, Pakete entgegenzunehmen.

Das Paket unter einem Arm, meinen Aktenkoffer in der anderen Hand, klopfe ich an seine Tür. »Sidney, ich bin's!« Er antwortet nicht. Er antwortet nie.

Da ich das schon kenne, hinterlege ich das Paket auf seiner Türmatte aus Gummi und gehe zu meinem Apartment. Als ich mich umdrehe, ist es im Flur still. Stiller noch als vorhin. Die Klimaanlage des Gebäudes summt. Der Trockner im Wäscheraum rumpelt. Hinter mir hält schnaufend der Lift. Ich fahre herum, um zu sehen, wer da kommt, aber niemand steigt aus. Die Tür schließt sich wieder. Im Flur ist es noch immer still.

Auf der Suche nach meinen Schlüsseln greife ich in meine rechte Tasche, dann in die linke. Sie sind nicht da. Verdammt. Hab ich sie vielleicht unten liegen lassen …? Nein, hier … Ich habe sie in der Hand. Schnell schiebe ich den Schlüssel ins Schloss und drehe ihn herum. »Suchen Sie einen neuen Job?«, fragt eine Männerstimme von der anderen Seite des Flurs her.

Erschrocken drehe ich mich nach rechts um. Joel Westman, mein direkter Nachbar, kommt aus seinem Apartment. »Verzeihung?«, frage ich.

»Heute Nachmittag hat irgendein Typ bei mir angeklopft und mich über Sie ausgefragt. Als so was schon mal passierte, war's das FBI.«

Der Aktenkoffer rutscht mir aus der Hand und fällt auf den Boden. Die Schlösser springen auf, und meine Papiere ergießen sich vor meiner Tür in den Flur.

»Sind Sie okay?«, fragt Joel.

»Aber ja. Natürlich«, sage ich und bemühe mich, die Papiere

wieder da hineinzustopfen, wohin sie gehören. Als ich im Weißen Haus anfing, hat das FBI auch mit meinen Nachbarn gesprochen, das war ein Teil des Hintergrundchecks. Was immer sie vorhaben, es kommt schneller, als ich es erwartet habe.

»Sie suchen also keinen neuen Job?«

»Nein«, sage ich mit einem gezwungenen Lachen. »Wahrscheinlich aktualisieren sie nur die Akten.« Als Joel näher kommt, füge ich hinzu: »Was haben die Typen eigentlich gefragt?«

»Diesmal war es nur einer. Ende zwanzig. Bostoner Akzent. Menge Goldkettchen.«

Ich blicke zu Joel auf, unterdrücke aber meine Überraschung. Seit wann trägt das FBI Goldkettchen?

»Ich weiß, ist ein bisschen seltsam … hey, vielleicht dient's aber der Nation«, fährt Joel fort. »Übrigens, nur keine Bange – er hat nichts Besonderes gefragt: Was ich über Sie weiß. Wann Sie zu Hause sind. Wie lange Sie arbeiten. Ganz ähnlich wie beim letzten Mal.« Langsam entziffert Joel die Nervosität in meinen Zügen. »Hätte ich nichts sagen sollen?«

»Nein, nein, ist schon in Ordnung. Sie machen das so alle zwei Jahre. Es ist nichts, worüber man sich den Kopf zerbrechen muss.«

Joel geht weiter zum Lift, und ich bleibe zurück und versuche zu überlegen, mit wem er gesprochen haben mag. Vor einer Minute noch hatte ich eine Todesangst vor dem FBI. Jetzt bete ich darum, dass es das FBI war.

Als ich meine Tür öffne, sehe ich auf dem Boden einen in der Mitte zusammengefalteten Zettel. Jemand hat ihn in meiner Abwesenheit unter meiner Tür durchgeschoben. Er enthält eine aus drei Worten bestehende Nachricht. *Wir sollten reden.* Unterschrieben ist er mit *P. Vaughn.*

P. Vaughn. P. Vaughn. P. Vaughn. Ich tauche mit dem Namen bis in mein Unterbewusstsein ab, aber der Name sagt mir nichts. Hinter mir fällt laut meine Apartmenttür zu. Ich fahre zusammen. Obwohl die Sonne noch nicht untergegangen ist, kommt es mir irgendwie dunkel vor. So schnell wie möglich schalte ich das Licht in Flur, Küche und Wohnzimmer ein. Irgendetwas ist noch immer nicht, wie es sein soll.

In der Küche höre ich das regelmäßige Tropf-tropf des undichten Wasserhahns. Vor zwei Tagen noch war es ein Geräusch, das ich längst verinnerlicht hatte. Heute erinnert es mich nur daran, wie ich Caroline aufgefunden habe, erinnert mich an den aus ihrem umgekippten Becher tropfenden Kaffee, der um sie herum eine Pfütze bildete. Ein Auge geradeaus, eins schielend auf der Seite.

Ich nehme einen Schwamm aus dem Küchenbüfett und stopfe ihn in den Ausguss. Was das Tropfen nicht verhindert, aber das Geräusch dämpft. Jetzt höre ich nur noch das Summen der zentralen Klimaanlage. Verzweifelt nach Stille suchend, gehe ich ins Wohnzimmer und schalte sie ab. Sie verstummt mit einem verlegenen Hüsteln.

Ich sehe mich im Apartment um, betrachte jede Einzelheit. Meinen Schreibtisch. Die gemieteten Möbel. Die Plakate. Alles sieht aus wie vorher, aber etwas ist anders. Aus keinem besonderen Grund bleiben meine Augen auf der schwarzen Ledercouch hängen. Die beiden beigen Zierkissen sind noch genau da, wo ich sie hingelegt habe. Das mittlere Kissen ist noch an der Stelle eingedrückt, wo gestern beim Fernsehen mein Kopf gelegen hat. Eine einzelne Schweißperle läuft mir den Nacken hinunter. Ohne Klimaanlage ist der Raum stickig. Ich sehe mir erneut den Namen auf dem Zettel an. P. Vaughn. P. Vaughn. Der Wasserhahn tropft noch immer.

Ich ziehe die Schuhe und dann das Hemd aus. Am besten, sich unter der Dusche ablenken. Säubern. Von vorn anfangen. Aber als ich ins Bad gehe, sehe ich, direkt neben der Couch, den Füller, der auf dem Boden liegt. Nicht irgendein Füller – es ist mein rot-weiß-blau gestreifter Weißes-Haus-Füller. Mit einem winzigen Präsidentenemblem und den Worten ›Das Weiße Haus‹ in goldenen Lettern, ist der Füller ein Geschenk, das ich in meiner ersten Arbeitswoche bekommen habe. Jeder hat einen, aber das bedeutet nicht, dass ich ihn nicht in Ehren halte – und genau deshalb würde ich ihn nie auf dem Fußboden liegen lassen. Noch einmal sehe ich mich um, doch alles ist da, wo es hingehört. Vielleicht ist er vom Couchtisch gefallen. Aber als ich ihn aufheben will, höre ich aus dem Wandschrank im Flur ein Geräusch.

Es ist nicht laut – nur ein leises Klicken. Wie ein Fingerschnippen. Oder wie wenn jemand sein Gewicht verlagert. Ich fahre herum, halte nach einer Bewegung Ausschau. Nichts passiert. Hastig ziehe ich das Hemd an und stecke den Füller in die Tasche, als ob mir das helfen könnte. Noch immer nichts. Im Apartment ist es so still, dass ich meinen eigenen Atem höre.

Langsam gehe ich auf die Schranktür zu. Sie steht einen winzigen Spalt offen. Das Adrenalin schießt mir durch die Adern. Es gibt nur eine Möglichkeit, damit fertig zu werden. Hör auf, das Opfer zu sein. Bevor ich es mir noch ausreden kann, stürze ich zu der Tür und ramme sie mit der Schulter. Sie knallt zu, und ich packe mit meiner ganzen Kraft den Griff.

»Wer, zum Teufel, sind Sie?«, schreie ich so einschüchternd wie möglich. Mit dem ganzen Gewicht an der Tür lehnend, erwarte ich einen Gegenstoß. Doch niemand wehrt sich. »Antworten Sie mir«, sage ich warnend.

Wieder bleibt es still.

Über die Schulter blickend, schaue ich in die Küche. Auf dem Büfett steht ein hölzerner Block voller Messer. »Ich mache jetzt die Tür auf, und ich habe ein Messer.«

Stille.

»Jetzt reicht es – kommen Sie langsam heraus! Auf drei! Eins – zwei…« Ich reiße die Tür auf und rase in die Küche. Noch bevor ich mich umdrehe, habe ich ein fünfzehn Zentimeter langes Steakmesser in der Hand. Aber das Einzige, das ich sehe, ist ein Schrank voller Mäntel und Jacken.

Das Messer schwingend mache ich einen Schritt auf den

Schrank zu. »Hallo?« In einem blutrünstigen Teenagerfilm ist das der Moment, in dem der Killer herausspringt. Es hält mich nicht auf.

Langsam arbeite ich mich zwischen Mänteln und Jacken durch. Als ich damit fertig bin, begreife ich: Es ist niemand da.

Das Hemd klebt mir jetzt schweißnass an der Brust, ich bringe das Messer in die Küche zurück und schalte die Klimaanlage wieder ein. Als sie anfängt zu summen, drücke ich auf den Knopf des Anrufbeantworters.

»Sie haben eine Nachricht«, erklärt mir die Maschine mit ihrer metallischen Stimme. »Samstag, ein Uhr siebenundfünfzig, nachmittags.«

Eine Sekunde verstreicht, dann meldet sich eine Männerstimme: »Michael, hier spricht Randall Adenauer vom FBI. Wir sind für Dienstag verabredet, aber ich würde gern morgen ein paar Beamte rüber ...« Er unterbricht sich, abgelenkt. »Sagen Sie ihnen, ich rufe ihn zurück!«, schreit er und es klingt, als decke er den Hörer zu. Dann kommt er wieder an den Apparat. »Entschuldigen Sie, Michael. Rufen Sie mich bitte an.«

Mit dem Weißes-Haus-Füller notiere ich mir seine Nummer und atme erleichtert auf. Er schickt sie rüber. Also war's doch einer vom FBI – Goldkettchen oder nicht –, mit dem Joel gesprochen hat. FBI-Agent Vaughn. Ich drücke auf Löschen und gehe ins Schlafzimmer. Vor dem Nachtschränkchen bleibe ich wie angewurzelt stehen. Da liegt, auf dem Kreuzworträtsel von gestern – ein rot-weiß-blau gestreifter Füller mit dem goldenen Aufdruck *Das Weiße Haus*. Ich betrachte den Füller in meiner Hand. Dann wieder den auf dem Nachtschränkchen. Vierundzwanzig Stunden zurückspulend, denke ich an Pams Besuch mit dem Thai-Essen. Es könnte Pams Füller sein, sage ich mir. Bitte lass es Pams Füller sein.

Am frühen Morgen des Labor Day sitze ich in der letzten Reihe eines Kleinbusses und versuche mir noch immer einzureden, dass ein FBI-Agent einen Zettel unter meiner Tür durchgesteckt hatte. P. Vaughn. Peter Vaughn. Philip Vaughn? Wer, zum Teufel, ist dieser Kerl?

Von einem Sergeant in einem grauen Sportjackett und schmaler schwarzer Krawatte gefahren, donnert der Kleinbus über den Highway, hinter zwei Kleinbussen gleichen Typs her. Neben mir sitzt Pam, die kein Wort gesagt hat, nachdem wir um sechs Uhr morgens auf dem West-Exec-Parkplatz eingestiegen sind. Die übrigen elf Passagiere folgen ihrem Beispiel.

Es ist wirklich ein kleines Wunder: Dreizehn Anwälte des Weißen Hauses in einem Kleinbus beisammen, und keiner erzählt von seinen Heldentaten, keiner redet. Aber es ist nicht nur die frühe Stunde, die alle veranlasst zu schweigen. Es ist unser Ziel. Heute beerdigen wir eine von uns.

Zwanzig Minuten später, auf der Andrews Air Force Base, checken wir bei einem uniformierten Wachtposten am Torhaus ein. Kurz vor halb sieben ist der Himmel noch dunkel, aber wir sind alle hellwach. Fast sind wir da. Ich bin zum ersten Mal in einem Militärstützpunkt und erwarte daher, ganze Kolonnen junger Männer im Gleichschritt marschieren und joggen zu sehen. Stattdessen kann ich, während wir über die gewundene Pflasterstraße fahren, nur ein paar niedrige Gebäude ausmachen, die ich für eine Kaserne halte, und einen weitläufigen Parkplatz mit Mengen von Wagen und ein paar verstreut dastehenden Militärjeeps. Am anderen Ende der Straße hält der Kleinbus vor der Distinguished Visitors Lounge, einem öden eingeschossigen Backsteinbau, einem Musterbeispiel für die Kreativität der Fünfzigerjahre.

Als wir drin sind, schlendern fast alle zu dem breiten Glasfenster mit Blick auf die Rollbahn. Sie bemühen sich, unbekümmert auszusehen, sind aber zu ängstlich, um es wirklich zu schaffen. Man sieht es daran, wie sie sich bewegen. Wie Kinder, die vorzeitig verstohlene Blicke auf ihre Geburtstagsgeschenke werfen wollen. Was soll's?, frage ich mich und marschiere, ganz darauf eingestellt, unbeeindruckt zu bleiben, zum Fenster.

Dann sehe ich es. Die Worte ›United States of America‹ stehen in riesigen schwarzen Lettern auf seinen blauweißen Flanken, und auf das Heck ist eine überdimensionale amerikanische Flagge gemalt. Es ist das größte Flugzeug, das ich je gesehen habe. Und wir fliegen mit ihm nach Minnesota zu Carolines Beerdigung: Air Force One.

»Hast du sie gesehen?«, frage ich Pam, die allein auf einer Bank in der Ecke sitzt.

»Nein, ich …«

»Geh zum Fenster. Vertrau mir, du wirst nicht enttäuscht sein. Sie sieht aus wie eine schwangere 747.«

»Michael …«

»Ich weiß, ich rede wie ein Tourist – aber das ist nicht immer das Schlechteste. Manchmal muss man sich den Fotoapparat schnappen, ein Hard-Rock-T-Shirt anziehen und sich richtig gehen lassen …«

»Wir sind keine Touristen«, murrt sie, und ihr eisiger Blick durchbohrt mir die Brust. »Wir fliegen zu einer Beerdigung.« Sie hat recht, wie immer.

Ich gebe klein bei. Vom Kopf bis zu den Zehen fühle ich mich ungefähr einen halben Meter groß. »Tut mir leid, ich wollte nicht …«

»Mach dir deshalb keine Sorgen«, murmelt sie, ohne mich anzusehen. »Sag mir nur, wann es Zeit ist zu gehen.«

Viertel vor sieben führen sie uns zum Flugzeug, wo wir in einer Reihe antreten müssen. Dunkler Anzug, lederner Aktenkoffer. Dunkler Anzug, lederner Aktenkoffer. Dunkler Anzug, lederner Aktenkoffer. Einer nach dem anderen, die Botschaft ist klar: Es ist zwar eine Beerdigung, aber ein bisschen Arbeit muss schon erledigt werden. Ich schaue auf meinen Aktenkoffer hinunter und wünschte, ich hätte ihn nicht mitgenommen. Dann blicke ich zu Pam hinüber. Sie trägt nichts außer einer kleinen schwarzen Handtasche.

Am Fuß der Gangway steht wieder der Secret-Service-Agent, der unsere Namen und Beglaubigungen überprüft. Neben dem Agenten wartet Simon. Im schwarzen Anzug und Silberkrawatte (›Der-Präsident-hat-vor-ein-paar-Wochen-eine-getragen‹) begrüßt er uns einen nach dem anderen. Es passiert nicht oft, dass der Counsel Gelegenheit hat, eine solche öffentliche Show abzuziehen, und seinem dümmlichen Gesichtsausdruck nach zu schließen badet er in ihrem Glanz. Man sieht es daran, wie er die Brust bläht. Als die Reihe sich vorwärts bewegt, kommen Simon und ich schließlich in Blickkontakt. In dem Moment, in dem er mich sieht, macht er kehrt und geht zu seinem Sekretär, der mit einem Klemmbrett in der Hand ein Stückchen weiter entfernt steht.

»Arschloch«, flüstere ich Pam zu.

Bei der Treppe angekommen, nenne ich dem Secret-Service-Agenten meinen Namen. Er sucht in der Liste, die er in der Hand hält. »Entschuldigen Sie, Sir, wie war der Name?«

»Michael Garrick«, sage ich und ziehe meine ID hinter der Krawatte hervor.

Er sieht noch einmal nach. »Tut mir leid, Mr. Garrick, ich habe Sie nicht hier.«

»Das ist nicht mög…« Ich unterbreche mich. Über die Schulter des Agenten hinweg sehe ich Simon, der zu uns herschaut. Er grinst genauso wie an dem Tag, an dem er mich nach Hause geschickt hat. Dieser Hurensohn …

»Rufen Sie in der Personalabteilung an«, sagt Pam zu dem Agenten. »Sie werden sehen, dass er zum Team gehört.«

»Mir ist egal, ob er zum Team gehört«, erklärt der Agent. »Wenn er nicht auf der Liste steht, steigt er auch nicht in diese Maschine.«

»Darf ich einen Moment unterbrechen?«, fragt Simon. Er nimmt ein Blatt Papier aus der inneren Brusttasche seiner Jacke und reicht es dem Agenten. »In der Eile, das hier zu organisieren, muss ich unabsichtlich ein paar Leute vergessen haben.

Hier ist eine auf den neuesten Stand gebrachte Unbedenklichkeitsliste. Ich hätte sie Ihnen früher geben sollen, es ist nur … nach diesem schrecklichen Verlust …«

Der Agent überprüft die Liste und den Code auf dem Formular. »Willkommen an Bord von Air Force One, Mr. Garrick.«

Ich nicke ihm zu und bedenke Simon mit meinem eisigsten Blick. Nichts braucht gesagt zu werden. Um an Bord zu kommen, muss ich mitspielen. Alles andere hätte Konsequenzen. Er tritt beiseite und winkt mich weiter; ich wappne mich und steige die Treppe hinauf.

An einem normalen Tag benutzt das Personal die Hintertreppe – heute steigen wir vorn ein.

In der Kabine sehe ich mich nach einer Stewardess um, doch es ist niemand da. »Zum ersten Mal hier?«, fragt jemand. Links von mir steht ein junger Typ in einem makellos gestärkten weißen Hemd. Seine Schulterklappen verraten mir, dass er zur Air Force gehört.

»Ist die Sitzordnung festgelegt?«

»Wie heißen Sie?«

»Michael Garrick.«

»Folgen Sie mir, Mr. Garrick.«

Er geht mir durch den Hauptgang voran, der sich an der rechten Seite des Flugzeugs hinzieht und von im Boden verschraubten üppigen Couches und unechten antiken Beistelltischen gesäumt wird. Es ist ein fliegendes Wohnzimmer.

Auch der Personalbereich ist nicht etwa eine Kabine für hundert Personen, es gibt kleinere Abteile für jeweils zehn. Die Sitze befinden sich einander gegenüber – fünf und fünf –, mit einem gemeinsamen Resopaltisch zwischen dir und deinem Gegenüber. Jeder beobachtet jeden. Man wird hier sehr leicht zur Arbeit ermutigt.

»Ist es möglich, einen Fensterplatz zu bekommen?«, frage ich.

»Diesmal nicht«, sagt er stehen bleibend. Er zeigt auf einen nach vorn gerichteten Sitz am Mittelgang. Auf dem Polster liegt eine weiße Karte mit dem Präsidentenemblem. Unter dem Siegel steht: *Willkommen an Bord der Air Force One.* Und darunter mein Name: *Mr. Garrick.*

»Darf ich die Karte behalten?«, frage ich spontan.

»Tut mir leid, aber aus Sicherheitsgründen müssen wir sie wiederhaben.«

»Natürlich.« Ich reiche ihm die Karte. »Ich verstehe.« Er tut sein Bestes, um ein Lächeln vorzutäuschen. »Das ist ein Scherz. Ich scherze nur, Mr. Garrick.« Als ich begriffen habe, fügt er hinzu: »Wünschen Sie jetzt eine Führung durch das restliche Flugzeug?«

»Ist das Ihr Ernst? Ich würde gern …« Hinter ihm sehe ich Pam auf uns zukommen. »Wissen Sie was? Vorläufig passe ich. Ich habe zu arbeiten.«

Pam überprüft die Karte mir gegenüber, findet ihren Namen und setzt sich.

Schon will ich meinen Aktenkoffer auf den Tisch zwischen uns legen, stelle ihn aber stattdessen unter meinen Sitz. »Wie geht's?«, frage ich.

»Frag mich noch einmal, wenn es vorüber ist.«

Um sieben Uhr morgens sind alle an Bord, und die Maschine ist startbereit, doch da es kein kommerzieller Flug ist, sitzen die Leute nicht auf ihren Plätzen – sie stehen in kleinen Gruppen beisammen oder wandern umher, erkunden die Maschine. Es sieht ohne Frage mehr nach einer Cocktailparty aus als nach einem Flug.

Von ihrer Zeitung aufblickend, ertappt mich Pam, wie ich mich auf den Gang hinausbeuge und eingehend umsehe. »Nur keine Sorge, Michael, sie kommt bestimmt.«

Sie denkt, ich halte nach Nora Ausschau. »Warum nur vermutest du immer, dass es um sie geht?«

»Dreht sich nicht immer alles um sie?«

»Wie komisch.«

»Nein, Charlie Brown ist komisch ...« Sie hält ihre Zeitung in die Höhe. »Jaja, dieser Charlie Brown ... Er liebt den kleinen Rotschopf wirklich ...«

Ich ignoriere sie und stehe auf.

»Wohin willst du?«, fragt sie und lässt die Zeitung sinken.

»Nur ins Bad. Bin gleich wieder zurück.«

Vorn in der Maschine finde ich zwei Badezimmer, beide besetzt. Zu meiner Linken steht auf einem im Boden verschraubten Beistelltisch eine Schale für Süßigkeiten. Auf der Schale liegen Streichholzbriefchen mit dem Air-Force-One-Logo. Ich nehme eins für Pam und eins für meinen Dad. Bevor ich eins für mich nehmen kann, höre ich das pulsierende Dröhnen anfliegender Hubschrauber. Die Badezimmertür wird geöffnet, aber ich stürze sofort zu den Fenstern. Draußen sehe ich zwei gleiche Mehrpersonen-Hubschrauber. Der, in dem Hartson sitzt, ist Marine One. Der andere ist nur ein Lockvogel und dient der Ablenkung. Indem sie ihn abwechselnd einmal in der und dann in der anderen Maschine befördern, hoffen sie, dass potentielle Attentäter nicht wissen würden, wen sie vom Himmel herunterschießen sollen.

Die beiden Hubschrauber landen fast gleichzeitig, aber einer ist näher am Flugzeug. Das ist Marine One. Als die Tür sich öffnet, kommt als erster der Chef des Stabes heraus. Hinter ihm folgen ein oberster Berater, ein paar Stellvertreter und schließlich Lamb. Der Mann ist erstaunlich. Hat die Ohren überall. Nora ist die Nächste, gefolgt von ihrem Bruder Christopher, einem linkisch wirkenden Jungen, der noch die Internatsschule besucht. Hand in Hand bleiben die Geschwister einen Augenblick stehen und warten auf ihre Eltern. Zuerst erscheint Mrs. Hartson. Dann der Präsident. Während alle den POTUS anstarren, kann ich die Blicke nicht von seiner Tochter ...

Jemand legt mir schwer die Hand auf die Schulter. »Wen sehen Sie sich an?«, fragt Simon.

Beim Klang seiner Stimme fahre ich herum. »Natürlich nur den Präsidenten«, antworte ich.

»Unglaublicher Anblick, finden Sie nicht?«

»Habe schon Besseres gesehen«, sage ich spitz.

Er wirft mir einen Blick zu, der bei mir einen blauen Fleck hinterlassen wird, das weiß ich. »Vergessen Sie nicht, wo Sie sind, Michael. Es wäre wirklich ein Jammer, wenn Sie nach Hause fahren müssten.«

Ich bin in Kampfstimmung, aber ich kann nicht gewinnen. Jetzt heißt es, vernünftig und klug zu sein. Hätte Simon mich wirklich draußen haben wollen, wäre ich längst nicht mehr da. Er will nur, dass ich mich still verhalte, dass die Presse keinen Wirbel macht; ich werde meinen Job behalten; Nora wird weiterhin in Sicherheit sein. Und wie sie auf der Bowlingbahn gesagt hat, es ist die einzige Möglichkeit, der Sache auf den Grund zu kommen.

»Wir verstehen einander?«, fragt Simon.

Ich nicke. »Sie brauchen sich meinetwegen nicht den Kopf zu zerbrechen.«

»Gut«, sagt er mit einem Lächeln. Mit einem Winken zum Heck der Maschine schickt er mich weg.

Ich fühle mich, als hätte ich einen Tritt in den Magen bekommen; benommen kehre ich auf meinen Platz zurück.

»Deine Freundin gesehen?«, fragt Pam, als ich dabei bin, mich zu setzen. Wieder hat sie sich hinter ihrer Zeitung verschanzt, und ihre Stimme zittert.

»Was ist passiert?«

Sie antwortet nicht.

Ich greife nach der Zeitung. »Pam, sag mir, was …«

Ihre Augen schwimmen in Tränen. Als die Zeitung zwischen uns auf den Tisch fällt, werfe ich einen ersten Blick auf das, was sie gelesen hat. Seite B6 aus der Metro Section. Todesanzeigen. Zuoberst ein Foto von Caroline. Die Schlagzeile lautet: *Caroline Penzler, Anwältin im Weißen Haus, ist tot.*

Ehe ich reagieren kann, setzt die Maschine sich in Bewegung. Bei einem plötzlichen Schlingern fällt Pams Handtasche zu Boden, und im selben Moment rutscht ihr Weißes-Haus-Füller heraus und liegt auf dem Teppich. Nach einer kurzen Ankündigung rollen wir startbereit über die Bahn. Ein paar Leute gehen zu ihren Plätzen; andere kümmern sich nicht darum. Die Cocktailparty geht weiter. Die ganze Kabine bebt vom letzten Schub beim Start. Doch niemand hat den Sicherheitsgurt angelegt. Es ist eine subtile Geste, aber ein Zeichen für Macht. Und auch unterwegs zu einer Beerdigung ist Macht das Einzige, wofür das Weiße Haus steht.

Die Landung auf dem Duluth International Airport ist viel glatter als der Start. Als die Landebahn in Sicht kommt, fangen die Fernsehmonitoren in der Kabine an zu flackern. Die TVs sind direkt in die Wand eingebaut – einer über dem Kopf der Person zu meiner Rechten, ein anderer über dem Kopf der Person links von Pam.

Auf den Bildschirmen sehe ich ein gigantisches blauweißes Flugzeug, das zur Landung ansetzt. Die Lokalnachrichten berichten über unsere Ankunft, und da wir uns im Luftraum befinden, übernehmen die Fernsehsender die Berichte der Lokalstationen.

Erstaunlich, sage ich mir.

Da wir darauf vertrauen, dass uns das Fernsehen die Wirklichkeit liefert, starren wir auf die Bildschirme – und das in einem Moment, der unser Leben in den größten interaktiven Film verwandelt; wenn die Räder auf dem Bildschirm den Boden berühren, fühlen wir, dass sie unter uns dasselbe tun.

Nachdem die großen Tiere von Bord gegangen sind, schieben wir anderen uns zur Tür. Es ist kein langer Weg und man spürt schon, wie die Stimmung umschlägt. Niemand spricht. Niemand geht umher. Die Spritztour mit dem besten Privatflugzeug der Welt ist zu Ende.

Als die Reihe sich endlich in Bewegung setzt, reiche ich Pam die Hand. »Komm, es ist Zeit.«

Sie streckt die Hand aus und verschränkt die Finger mit mei-

nen. Ich drücke sie herzlich und beruhigend. Es ist ein Hände-
druck, den man nur seinen besten Freunden vorbehält.

»Wie fühlst du dich?«, frage ich.

Sie drückt noch fester zu und sagt nur ein Wort. »Besser.«

Wir kommen nur langsam voran und sehen dann, warum es so
lange dauert. Im Haupteingang steht der Präsident und drückt
jedem von uns sein Beileid aus.

Diese menschliche Anteilnahme – sein Wunsch zu helfen –,
das ist genau der Grund, warum ich unbedingt für Hartson
arbeiten wollte. Würde er uns am Fuß der Ausstiegstreppe die
Hände schütteln, wäre das eine rein politische Geste – ein ge-
stellter Moment für die Kameras und die Wiederwahl. Hier drin
kann die Presse ihn nicht sehen. Es ist der Traum eines jeden
Mitarbeiters im Weißen Haus: ein Augenblick, der nur zwischen einem selbst und ihm existiert.

Als wir näher kommen, sehe ich links von ihrem Gatten die
First Lady. Sie kannte Caroline länger als wir – man merkt es an
ihren gespannten und zusammengepressten Lippen.

Drei Schritte weiter sehe ich die vertraute Silhouette. Hinter
Hartson erhasche ich einen Blick auf das mir liebste Mitglied
der Präsidentenfamilie.

Als sie aufsieht, bleiben unsere Blicke ineinander verschränkt.
Nora lächelt leicht. Sie versucht so unberührt auszusehen wie
sonst, aber ich beginne sie zu durchschauen. Wie sie ihren Dad
ansieht – dann ihre Mom ... Jetzt sind sie nicht mehr der Präsident und die First Lady, es sind ihre Eltern. Das ist es, was sie zu
verlieren hat. Für uns ist es ein Klacks. Für Nora ist es – wenn es
auch nur den Hauch eines Skandals um sie und das Geld, oder
schlimmer noch, um Carolines Tod gäbe – ihr Leben.

Ich lasse Pams Hand los und nicke Nora leicht zu. *Du bist
nicht allein.*

Sie lächelt mich an, kann offenbar nicht anders.

Wortlos reißt Pam wieder meine Hand an sich. »Vergiss nicht«,
flüstert sie, »jeder trägt seine eigene Last.«

ZWÖLFTES KAPITEL

Nachdem ich am nächsten Morgen meine Zeitungen hereingeholt habe, breite ich sie auf dem Küchentisch aus und suche auf allen Titelseiten meinen Namen. Nichts. Nichts über mich, nichts über Caroline. Es gibt auch keine Titelfotos der Hartsons bei der Beerdigung, die ich eigentlich erwartet hätte; stattdessen gibt es Fotos der Baltimore Orioles und ihren spektakulären Fehlwurf. Jetzt, nach der Beerdigung, ist Caroline keine Nachricht mehr wert. Es war ja nur ein Herzinfarkt.

Nachlässig die *New York Times* durchblätternd, warte ich darauf, dass das Telefon klingelt. Ein paar Sekunden später tut es mir den Gefallen. »Hast du's gesehen?«, fragt Trey.

»Was gesehen?«

Nach einer Pause: »Seite A14 in der *Post*.«

Den Ton kenne ich. Ich wische die *Times* vom Tisch und greife nervös nach der *Post*. Meine Hände schaffen es kaum, die Seiten zu durchblättern. Zwölf, dreizehn ... Da: *Weißes-Haus-Anwältin depressiv und in Behandlung.* Ich überfliege den kurzen Artikel über Carolines Depression und die erfolgreiche Behandlung, der sie sich unterzogen hatte.

Ich werde kein einziges Mal erwähnt, aber jeder politische Junkie kennt den Rest. Carolines Story mag in die mittleren Seiten abgewandert sein, aber sie ist noch lebendig.

»Wenn du dich damit besser fühlst, du bist nicht der Einzige, der eine schlechte Presse hat«, sagt Trey, offensichtlich bemüht, das Thema zu wechseln. »Hast du die Nora-Story im *Herald* gelesen?« Bevor ich antworten kann, erklärt er: »Der Klatschkolumnist behauptet, einer von Bartletts Top-Adjutanten habe sie – pass auf! – die ›Erste Nassauerin‹ genannt, weil sie sich noch für kein weiterführendes Studium entschlossen hat. Blutrünstige, rufschädigende sensationslüsterne Mistkerle.«

Ich durchblättere den *Herald* und suche die Story. »Kein kluger Schachzug«, sage ich, nachdem ich sie gelesen habe.

»Die Leute mögen es nicht, wenn man die ›Erste Tochter‹ angreift.«

»Ich weiß nicht«, sagt Trey. »Bartletts Jungs haben schon mehrere Umfragen gemacht. Wenn sie jetzt damit rauskommen, wette ich, dass die Leute inzwischen heiß drauf sind.«

»Wenn es so wäre, hätte Bartlett sich selbst darum gekümmert.«

»Lass ihnen ein paar Tage Zeit. Das ist nur ein Versuchsballon. Ich höre schon die Redenschreiber kritzeln: *Wenn Hartson seine eigene Familie nicht im Griff hat, wie soll er das ganze Land in den Griff kriegen?*«

»Das ist ein großes Risiko, Dukakis. Die Gegenreaktion allein …«

»Hast du die Zahlen gesehen? Weit und breit keine Gegenreaktion in Sicht. Wir dachten, wir würden durch die Beerdigung Auftrieb bekommen – Hartsons Vorsprung ist runter auf zehn. Ich denke, IPO Moms kämpfen mit Begeisterung für die Familien-Idee.«

»Ist mir egal. Hier werden sie die Grenze ziehen. Das wird Bartlett nie über die Lippen kommen.«

»Wetten?«, fragt Trey.

»So sehr liegt es dir am Herzen?«

»Noch mehr als Hartsons Auftreten mit Sonnenbrille und Baseballmütze auf dem Flugzeugträger.«

»Oh, oh, also schwere Geschütze.« Nachdenklich sehe ich mir noch einmal den Artikel an. Nein, sie werden es Bartlett ganz bestimmt nicht in den Mund legen. »Fünf-Cent-Wette?«

»Fünf-Cent-Wette.«

Seit fast zwei Jahren ist das unser Spiel. Jeder will gewinnen. Ich auch.

»Und keine halbe Sache«, füge ich hinzu. »Nur nicht zimperlich mit Bartlett umgehen, nachdem er ihre jungfräuliche, unschuldige Tochter angegriffen hat.«

»Oh, wir nehmen ihn uns vor«, verspricht Trey. »Ich kann

Mrs. Hartsons Erklärung gegen neun Uhr rausgehen lassen.«
Kleine Pause. »Helfen wird sie allerdings nicht.«

»Wir werden sehen.«

»Das werden wir ganz bestimmt«, kommt die Antwort wie aus der Pistole geschossen. »Bist du jetzt soweit, um lesen zu können?«

Ich lege den *Herald* weg, da wir üblicherweise mit der *Post* anfangen. Aber wenn ich die Zeitung ansehe, starrt mir noch immer Carolines Geschichte ins Gesicht. Ich kann sie verdecken wie ich will – sie verschwindet nicht. »Darf ich dich was fragen?«

»Was ist los? Willst du deine Wette zurücknehmen?«

»Nein, es ist nur – wegen dieser Caroline-Story …«

»Ach, komm schon, Michael, ich hab gedacht, du würdest nicht …«

»Sag mir die Wahrheit, Trey – denkst du, sie hat sich verselbständigt?« Er antwortet nicht.

Ich sinke im Sessel zusammen. Aus welchem Grund auch immer, die *Post* ist noch interessiert. Und soweit ich sehe, fangen sie gerade an, die Feineinstellung des Mikroskops zu justieren.

»Ich suche einen Officer Rayford«, sage ich am nächsten Morgen, den Namen von der Empfangsbestätigung ablesend.

»Ich bin Rayford«, antwortet er unmutig. »Mit wem spreche ich?«

Als er das sagt, nehme ich das Telefon ans andere Ohr und stelle mir seine krumme Nase und die unbehaarten Unterarme vor. »Hallo, Officer, hier ist Michael Garrick Sie haben mich vorige Woche angehalten, weil ich zu schnell gefahren bin …«

»Und möglicherweise mit Drogen gehandelt haben«, fügt er hinzu. »Ich weiß, wer Sie sind.«

Ich schließe die Augen und tue so, als sei ich nicht eingeschüchtert. »Darüber möchte ich mit Ihnen reden. Ich habe mich gefragt, ob Sie das Geld überprüfen konnten, damit wir die Sache hinter uns bringen …«

»Wissen Sie, wie viel Geld unsere Leute bei dem Drogendeal fotokopiert haben? Fast hundert Tausender. Sogar bei vier Scheinen pro Seite werde ich Tage brauchen, ehe ich feststellen kann, dass die Seriennummern auf Ihren Scheinen nicht mit den Seriennummern auf unseren Scheinen übereinstimmen.«

»Ich wollte Ihnen nicht lästig fallen, ich wollte nur …«

»Hören Sie, wenn wir fertig sind, rufen wir Sie an. Bis dahin kümmern Sie sich nicht drum. Und inzwischen grüßen Sie den Präsidenten von mir.«

Woher weiß er, wo ich arbeite?

Es klickt in der Leitung, und er ist weg.

»Mehr hat er nicht gesagt?«, fragt Pam, die an meinem Computer sitzt.

Ich schaue auf meinen Schreibtisch hinunter, wo ich nervös an dem locker gewordenen Griff der mittleren Schublade herumfummle. Ich möchte ihn befestigen, doch er fällt ständig wieder herunter.

»Vielleicht solltest du mit dem FBI über das Geld sprechen«, fügt sie hinzu, weil sie ahnt, was ich denke. »Nur um sicherzugehen.«

»Das kann ich nicht«, behaupte ich.

»Natürlich kannst du.«

»Pam, überleg doch eine Sekunde – es geht nicht nur darum, es dem FBI zu sagen; wenn es nur sie wären, wär's einfach. Aber du weißt, wie sie zu Hartson stehen. Von Hoover bis Freeh ist es der pure Hass gegen jeden Chief Exec – ständig ein Machtkampf. Und da Nora mit drinhängt – werden sie's, ohne mit der Wimper zu zucken, an die Presse weitergeben. Das Gleiche haben sie doch mit den medizinischen Befunden des Präsidenten getan.«

»Aber wenigstens wärst du …«

»Ich wäre tot, das wäre ich. Wenn ich anfange, mit dem FBI zu quatschen, wird Simon alle auf meine Spur ansetzen. In einem Spiel dieser Art: Er hat gesagt/ich hab gesagt, verliere ich.

Und wenn sie nach Beweisen suchen, werden sie nichts anderes sehen als diese fortlaufend nummerierten Scheine. Die ersten dreißig Tausender in Carolines Safe. Die letzten zehn Tausender in meinem Besitz. Sogar *ich* fange an zu glauben, das Geld gehöre mir.«

»Also wirst du nur herumsitzen und Simons artiger, stiller Junge sein?«

Ich nehme ein Blatt Papier aus dem Korb für die ausgehende Post und wedle damit vor ihrem Gesicht herum. »Weißt du, was das ist?«

»Früher war es ein Baum – jetzt ist es Papier. Produkt der gierigen Maschine, die wir moderne Gesellschaft nennen.«

»Tatsächlich ist es ein formelles Ersuchen an das Office of Government Ethics. Ich habe sie um Kopien von Simons Offenlegungsformularen gebeten, die jedes Jahr im Archiv abgelegt werden.«

»Okay, dann kriegst du eine Liste über seinen Aktienbesitz und ein paar Bankkonten.«

»Klar, aber sobald mir seine Unterlagen vorliegen, haben wir neue Möglichkeiten, zu suchen. Man bekommt vierzigtausend Dollar nicht aus dem Nichts. Entweder hat er ein paar große Depots aufgelöst, oder er ist auf einem seiner Konten im Soll. Finde ich dieses Minus, kann ich ganz leicht beweisen, dass das Geld ihm gehört.«

»Es gibt einen leichteren Weg: Lass dir von Nora bestätigen, dass er …«

»Ich habe dir gesagt, dass das nicht in Frage kommt. Wir haben das schon durchgesprochen: In dem Moment, in dem sie hineingezogen wird, stehen wir alle auf Seite eins. Karriere zu Ende. Wahl entschieden.«

»Das ist nicht …«

»Außerdem, was Nora gesehen hat, betrifft nur den ersten Abend. Wenn es um Carolines Tod geht – selbst wenn es ein Herzinfarkt war –, stehe ich noch immer allein.«

Pam schüttelt den Kopf, und mein Telefon fängt an zu läuten.

Ich will nicht länger mit ihr diskutieren und gehe an den Apparat. »Michael hier.«

»Hallo, Michael! Hier spricht Ellen Sherman. Kommt mein Anruf ungelegen? Sprechen Sie gerade mit dem Präsidenten oder so?«

»Nein, Mrs. Sherman, ich spreche nicht mit dem Präsidenten.« Mrs. Sherman war in meiner Heimatstadt Arcana, Michigan, in der sechsten Klasse meine Sozialkunde-Lehrerin. Sie organisiert auch die alljährliche Schülerreise nach Washington, und als sie erfuhr, wo ich arbeite, hat sie ihr Programm um einen zusätzlichen Stopp erweitert: eine private Führung durch den Westflügel.

»Sie wissen bestimmt, warum ich anrufe«, sagt sie mit leicht überschwänglichem Grundschuleifer. »Ich wollte nur sicherstellen, dass Sie uns nicht vergessen.«

»Wie könnte ich Sie vergessen, Mrs. Sherman.«

»Also sind wir für Ende des Monats vorgemerkt? Haben Sie alle Namen vom Sicherheitsdienst überprüfen lassen?«

»Habe ich gestern gemacht«, schwindle ich und suche auf dem Schreibtisch nach der Namensliste.

»Wie isses mit Janie Lewis? Geht das in Ordnung. Ihre Eltern sind Mormonen. Aus Utah.«

»Das Weiße Haus ist für alle Religionen offen, Mrs. Sherman. Auch für die von Utah. Gibt es noch etwas? Ich hab's nämlich ein wenig eilig.«

»Wenn Sie nur alle unsere Namen durchgekriegt haben …«

»Alle sind überprüft«, sage ich und beobachte Pam, in der noch immer der Zorn schwelt. »Ich wünsche Ihnen einen guten Tag, Mrs. Sherman. Ich sehe Sie am …«

»Versuchen Sie nicht, mich abzuhängen, junger Mann. Sie mögen groß und berühmt geworden sein, aber für mich sind Sie noch immer Mikey G.«

»Ja, Ma'am. Tut mir leid.« Der Mittelwesten stirbt schwer.

»Und wie geht es Ihrem Vater? Haben Sie von ihm gehört?«

Ich starre auf das Gesuch um Simons Offenlegungsformulare. »Nur das Übliche. Nicht viel zu berichten.«

»Richten Sie ihm meine besten Wünsche aus, wenn Sie ihn sehen«, sagt sie. »Oh, und Michael, noch eins ...«

»Ja?«

»Wir sind hier wirklich stolz auf Sie.«

Es fällt mir nicht schwer, über das Kompliment zu lächeln. »Danke, Mrs. Sherman.« Ich lege auf und wende mich meinem Computer-Bildschirm zu.

»Meine Vergangenheit«, erkläre ich und finde Mrs. Shermans Liste. Ihr Schulausflug hat es mir ermöglicht, zum ersten Mal aus Michigan herauszukommen. Der Flug allein machte die Welt viel größer.

»Kannst du das nicht spä...«

»Nein«, sage ich eigensinnig, »ich tu's jetzt.« Mit einem Doppelklick öffne ich ein leeres Gesuchsformular im Worker and Visitors Entrance System. Ehe Besuchern der Zutritt ins OEOB oder ins Weiße Haus gestattet wird, müssen sie durch Waves überprüft worden sein. Nacheinander tippe ich Namen, Geburtstage und Sozialversicherungsnummern von Mrs. Sherman und ihren Sechstklässlern ein. Als ich fertig bin, füge ich das Datum, die Zeit und unseren Treffpunkt hinzu und drücke auf *abschicken*. Auf meinem Bildschirm erscheint ein rechteckiges Fenster: *Ihr Waves Besucher-Gesuch wurde an den US Secret Service zur Bearbeitung weitergeleitet.*

»Endlich bereit, die Diskussion fortzusetzen?«, erkundigt sich Pam.

Auf meine Uhr schauend stelle ich fest, dass ich mich schon verspätet habe. Ich springe auf und antworte auf dem Weg zur Tür: »Später, wenn ich wieder da bin.«

»Wohin gehst du?«

»Adenauer will mich sprechen.«

»Der Typ vom FBI? Was will er?«

»Keine Ahnung«, sage ich, schon halb draußen. »Doch wenn das FBI herausbekommt, was los ist, und wenn die Sache an die Öffentlichkeit gelangt, wird Simon die geringste meiner Sorgen sein.«

In Gedanken mit Mrs. Shermans Schulausflug beschäftigt, gehe ich in den Westflügel. Es ist ein Trick, der mich, wie ich hoffe, davon abhalten wird, wegen Adenauer und der Frage, ob es ein Herzinfarkt war oder nicht, in Panik zu geraten. Das Problem ist, je mehr ich über Sechstklässler nachdenke, umso größer wird meine Sorge, dass ich nicht mehr hier sein werde, um die Führung übernehmen zu können.

Beim Pult der Sicherheitsbeamten am ersten Kontrollpunkt angekommen, sehne ich mich verzweifelt nach einem freundlichen Gesicht. »Hallo, Phil.«

Er blickt auf und nickt. Hat mir nichts zu sagen.

Ich beobachte ihn, während ich vorübergehe, aber er verschwendet noch immer keine Silbe an mich. Es ist wie mit dem Sicherheitsbeamten vor dem Parkplatz. Je mehr das FBI in die Sache verwickelt wird, umso merkwürdigere Blicke wirft man mir zu. Ich bemühe mich, nicht daran zu denken, gehe an Phil vorbei, biege scharf rechts ab und steige eine kurze Treppe hinunter. Noch einmal schnell rechts abgebogen, und ich stehe vor dem Sit Room.

Der Aufenthaltsraum für die hohen Tiere vom Nationalen Sicherheitsrat, der Situation Room, ist der sicherste Platz im Komplex des Weißen Hauses. Ein Gerücht besagt, dass man, sobald man durch die Tür tritt, in einen dünnen Streifen unsichtbaren Laserlichts getaucht wird, das den Körper nach chemischen Waffen abtastet. Ich glaube kein Wort davon. Wir sind gut, aber so gut auch wieder nicht.

»Ich suche Randall Adenauer«, sage ich der ersten Empfangsdame, die ich sehe.

»Und Ihr Name?«, fragt sie und schaut in ihr Terminbuch.

»Michael Garrick.«

Sie blickt erschrocken auf. »Oh – Mr. Garrick ... Hier entlang bitte.«

Der Magen rutscht mir in die Kniekehlen. Ich beiße die Zähne zusammen, um langsamer zu atmen, und folge der Empfangsdame in einen der, wie ich vermute, peripheren kleinen Büroräume. Stattdessen bleiben wir vor der geschlossenen Tür des großen Konferenzraums stehen. Noch ein schlechtes Zeichen. Nicht im FBI-Büro im fünften Stock des OEOB will er mich sprechen, er holt mich in den sichersten Raum des Gebäudes. Hier hat Kennedys Stab über die Kuba-Krise beraten und Reagans Stab hitzig gestritten, wer das Land regieren sollte, nachdem der Präsident angeschossen worden war. Wenn er hier drin ist, hat Adenauer etwas Schwerwiegendes zu verbergen.

Das magnetische Schloss klickt, ich öffne die Tür und trete ein. Rein optisch ist es ein ganz normaler Konferenzraum: langer Mahagonitisch, Ledersessel, ein paar Wasserkrüge. Technologisch gesehen, ist es viel mehr. Es heißt, die unsichtbare technische und elektronische Ausstattung des Raums, die in der Wandverkleidung steckt, hält alles fern, angefangen von infraroten Spionagesatelliten bis zu elektromagnetischen Überwachungssystemen und Abhöranlagen jeder Art. Was auch hier geschehen sollte, es wird keine Zeugen geben.

Als ich die Tür hinter mir schließe, höre ich ein leises Summen, das den Raum durchdringt. Es klingt, als sitze man direkt neben einem laufenden Kopiergerät, tatsächlich aber ist es ein Geräuschgenerator mit mehreren Frequenzen in gleicher Lautstärke. Falls ich einen Sender oder ein Mikrofon am Körper trage, übertönt das Geräusch alles, was gesagt wird. Er geht kein Risiko ein.

»Danke, dass Sie gekommen sind«, sagt Adenauer. Er sieht anders aus als bei unserer letzten Begegnung. Sein sandfarbenes Haar, sein leicht schiefes Kinn, kommen mir – ohne Carolines Leiche im Hintergrund – irgendwie weicher vor. Wie damals ist sein oberster Hemdknopf offen. Seine Krawatte hängt lose herunter. Er hat nichts Einschüchterndes an sich. Vor ihm liegt ein roter Ordner. Er sitzt auf der anderen Seite des Tisches und seine rechte Hand, die weit offene Handfläche nach oben gekehrt, liegt auf der Tischplatte. Ein Hilfsangebot, wie es unmissverständlicher nicht sein könnte. »Stimmt etwas nicht, Michael?«

»Ich überlege nur, warum wir hier sind. Sie hätten mich nach oben in Ihr Büro beordern können.«

»Das benutzt schon jemand anders, und hätte ich Sie ins Hauptbüro kommen lassen, wären Sie von jedem Reporter gesehen worden, der unser Gebäude überwacht. Hier sind Sie wenigstens sicher.«

Das ist ein guter Punkt.

»Ich bin nicht hier, um Sie zu beschuldigen, Michael. Ich halte nichts von Sündenböcken«, versichert er mir in seinem weichen Virginia–Akzent. Anders als das letzte Mal, versucht er nicht die Hand auszustrecken und meine Schulter zu berühren, für mich einer der echten Gründe, warum ich denke, dass er es ernst meint. Seine Stimme hat einen hektischen, professionellen Ton angenommen. Er passt zu seinem Tweedanzug – und erinnert mich an einen alten Englischlehrer aus der Highschool. Nein, er war nicht nur Lehrer. Er war ein Freund.

»Warum setzen Sie sich nicht?«, fragt Adenauer. Er zeigt auf einen Stuhl an der Ecke des Konferenztisches, und ich folge seinem Hinweis. »Keine Sorge«, sagt er. »Ich werde Sie nicht lange aufhalten.«

Er ist völlig unbefangen. Als ich sitze, schlägt er den roten Ordner auf. Zur Sache. »Also, Michael, Sie bleiben bei Ihrer Aussage, dass Sie nichts anderes getan haben, als die Leiche zu finden?«

Mein Kopf zuckt schon in die Höhe, bevor er die Frage beendet hat. »Was wollen Sie damit …«

»Es ist nur eine Formalität«, versichert er mir. »Kein Grund, sich aufzuregen.«

Ich zwinge mich zu einem Lächeln und nehme ihn beim Wort. Doch in seinen Augen – die Art, wie er sie zusammenkneift … Er scheint mir ein wenig allzu amüsiert zu sein.

»Ich habe sie nur gefunden, nichts sonst.«

»Großartig«, erwidert er mit unveränderter Miene. Alles um mich herum, das eintönige Summen, fängt an mich zu ärgern. »Erzählen Sie mir jetzt, was Sie über Patrick Vaughn wissen«, sagt er und greift wieder auf alte Vernehmungstricks zurück. Er fragt nicht, *ob* ich Patrick Vaughn kenne, er überrumpelt mich, verlangt eine klare Aussage von mir. Ich bin misstrauisch geworden. P. Vaughn. Vorname Patrick. Der Typ, der den Zettel unter meiner Tür durchgeschoben hat. Da ich mehr zu erfahren hoffe, sage ich Adenauer die Wahrheit.

»Kenn den Typen nicht.«

»Patrick Vaughn«, wiederholt er.

»Ich habe Sie schon beim ersten Mal verstanden. Keine Ahnung, wer das ist.«

»Aber, aber, Michael, kommen Sie mir nicht so. Sie sind doch klüger.«

Der Ton gefällt mir nicht; es ist kein Trick – aus seiner Stimme klingt echte Sorge. Was bedeutet, dass er einen guten Grund hat zu glauben, ich müsste diesen Vaughn kennen. Zeit zu fischen. »Ich schwöre, ich tue mein Bestes. Helfen Sie mir ein bisschen. Wie sieht er aus?«

Adenauer greift in den Ordner und nimmt ein schwarzweißes Verbrecherfoto heraus. Vaughn ist ein klein geratener Typ mit einem Schnurrbart wie bei Gangstern in Fernsehfilmen und angeklatschten, fettigen Haaren. Auf dem Schild, das er sich vor die Brust hält, stehen die Nummer, unter der er nach seiner Festnahme bei der Polizei geführt wird, und sein Geburtsdatum. Auf der letzten Zeile der Karte steht *Wayne County*, was bedeutet, dass er einige Zeit in Detroit gesessen hat.

»Nun, klingelt es bei Ihnen?«, fragt Adenauer.

Ich denke daran, wie mir mein Nachbar den Typen mit den Goldkettchen beschrieben hat.

»Ich habe Sie etwas gefragt, Michael.«

Der Zettel unter meiner Tür – ich komme nicht los davon. Wenn der Typ mit den Kettchen – wenn das Vaughn war, warum hat er dann meinen Nachbarn ausgefragt? Will er helfen? Oder versucht er, mir die Schuld in die Schuhe zu schieben? Solange ich die Antwort darauf nicht kenne, gehe ich kein Risiko ein. »Ich sage Ihnen, ich habe keine Ahnung, wer das ist. Hab ihn nie im Leben gesehen.« Es ist die Antwort eines Anwalts, aber dennoch die Wahrheit. Ich betrachte das Verbrecherfoto und werfe eine andere Angel aus: »Warum wurde er verhaftet?«

Adenauer bewegt keinen Muskel. »Pinkel mir nicht auf die Schuhe, Junge.«

»Tu ich nicht – ich weiß nicht, was Sie von mir hören wollen. Was hat er gemacht?«

Das Leder knarrt, als er sich auf dem Sessel vorbeugt. Er holt zum entscheidenden Schlag aus. »Raten Sie mal … Ich meine, Sie waren der Erste auf der Szene.«

O Gott. »Er ist ein Mörder? Das ist der Kerl, von dem Sie glauben, er habe Caroline getötet?«

Er schnappt sich das Foto, das ich noch in der Hand halte. »Sie hatten Ihre Chance, Michael.«

»Was? Sie denken, ich kenne ihn?«

»Diese Frage beantworte ich nicht.«

Jetzt fange ich an zu schwitzen. Es gibt da etwas, das er mir nicht sagt. Ist das der Kerl, den Simon angeheuert hat? Vielleicht benutzt Simon ihn, damit er mit dem Finger auf mich zeigt. Das eintönige Summen erschwert das Denken. »Hat Ihnen jemand etwas vorgemacht?«

»Vergessen Sie's, Michael. Machen wir weiter.«

»Ich möchte nicht weitermachen. Sagen Sie mir, warum Sie

das denken? Wegen meines Vaters? Ist etwas mit ihm? Hängt es damit zusammen, dass dieser Typ aus Detroit kommt? Weil wir beide aus Michigan …?«

»Wie, wenn ich Ihnen sage, dass er zweimal in D. C. wegen Drogenhandels geschnappt wurde?«, unterbricht mich Adenauer. »Na, klingelt es jetzt bei Ihnen?«

Mir gefällt schon jetzt nicht, wohin das zielt. »Sollte es?«

»Das sollen Sie mir sagen – zwei Festnahmen wegen Drogenhandels hier und ein Mordprozess vor zwei Jahren in Michigan. Klingt das nach jemand, den Sie kennen?«

Auf die Drogen konzentriert, versuche ich, nicht an die Antwort zu denken.

»Übrigens«, sagt Adenauer grinsend. »Haben Sie heute Morgen den Artikel über Nora im *Herald* gelesen? Was halten Sie davon, dass man sie die Erste Nassauerin nennt?«

Ich bemühe mich, ruhig zu bleiben. »Wie bitte?«

»Wissen Sie, ich habe mir überlegt, ob es euch Jungs – die ihr euch mit ihr verabredet und so – schwerfällt, sie immer mit der ganzen Welt teilen zu müssen?«

Ich bin versucht, etwas zu sagen, beschließe aber, abzuwarten.

»Ich meine, mit der Ersten Tochter auszugehen – da müssen Sie interessante Geschichten zu erzählen haben.« Die Arme kreuzend, wartet er auf meine Reaktion. Ich gebe ihm einen Raum voll toter Luft. Unsere Dates sind eines, aber ich lasse mich von ihm nicht wegen Vaughn und den Gerüchten über Noras so genannten Drogenkonsum herumstoßen. Ich könnte mir gut vorstellen, dass es ein Bluff ist, der sich auf die *Rolling-Stone*-Story stützt. Oder einfach mit der alten Vendetta gegen Hartson zu tun hat.

»Also, seit wann seid ihr zusammen?«, fügt er schließlich hinzu.

»Wir sind nicht ›zusammen‹«, entgegnete ich grollend. »Wir sind nur Freunde.«

»Oh … Mein Fehler.«

»Und was hat überhaupt eins mit dem anderen zu tun?«

»Nichts – überhaupt nichts«, sagt Adenauer. »Ich bespreche nur ein paar aktuelle Ereignisse mit einem Angestellten des Weißen Hauses. Unser Gespräch ist in meinem Terminkalender nicht einmal als Befragung eingetragen.« Er sieht mich aufmerksam an, legt Vaughns Foto wieder in den Ordner und klappt ihn zu. »Und jetzt zurück zu Ihrer Geschichte. Sie haben mit Caroline gestritten, bevor Sie die Leiche fanden?«

»Ja, sie hat …« Ich unterbreche mich. Mistkerl. Ich habe Adenauer mit keinem Wort gesagt, dass Caroline und ich gestritten hatten. Er macht mich fertig.

Ein echter Virginier, auch wenn er sich nicht hämisch darüber freut. »Ich habe ernst gemeint, was ich sagte – ich bin nicht hier, um Sie zu beschuldigen«, erklärt er. »Jemand auf dem Korridor hat Sie brüllen gehört. Ich möchte nur wissen, um was es ging.« Bevor ich antworten kann, setzt er hinzu: »Diesmal die Wahrheit, Michael.«

Es gibt kein Drumherumreden. Ich starre auf Adenauers roten Ordner. Wie vorher macht er sich keine Notizen, er liest nur meine Sprechblasen. Ich hoffe, den Geräuschgenerator durch einen tiefen Atemzug zu übertönen, und erzähle Adenauer von meinem Vater, seinem Strafregister und dem Konflikt zwischen seinen Sozialversicherungen.

Adenauer hört zu, ohne mich zu unterbrechen.

»Ich denke nicht, dass ich etwas Illegales getan habe, aber Caroline war der Meinung, ich hätte die Arbeit wegen Befangenheit ablehnen müssen. Für sie war es ein Interessenkonflikt.«

Er mustert mich, sucht nach einem Loch in der Geschichte. »Und das war alles? Als sie uneinsichtig blieb, sind Sie in Ihr Büro zurückgegangen?«

»Genau so war es. Und als ich wiederkam, war sie tot.«

»Wie lange waren Sie weg?«

»Zehn Minuten – fünfzehn, maximal.«

»Irgendwelche Stopps dazwischen?«

Ich schüttle den Kopf.

»Sind Sie sicher?«, fragt er misstrauisch. Wieder habe ich das Gefühl, dass er etwas weiß.

»Mehr war nicht«, erkläre ich beharrlich.

Er wirft mir einen langen Blick zu, gibt mir jede Gelegenheit, meine Geschichte zu ändern. Als ich es nicht tue, nimmt er seinen Ordner und steht auf.

»Ich schwöre, ich lüge nicht, es ist die Wahr…«

»Michael, hat Caroline Sie erpresst?«

»Was?«, frage ich mit einem gezwungenen Lachen. »Ist es das, was Sie denken?«

»Sie wollen ja gar nicht wissen, was ich denke«, sagt er. »Jetzt helfen Sie mir damit. Es war nicht das erste Mal, dass sie sich Ihre Akte kommen ließ, nicht wahr?«

Mein Körper ist eiskalt. »Keine Ahnung, wovon Sie reden.«

»Hier ist sie!«, schreit er mich an und zeigt auf den Ordner. Er schlägt ihn auf und präsentiert mir die Anforderungsliste auf dem Innendeckel. An den zwei Unterschriften in der ›Ausgabe‹-Spalte sehe ich, dass Caroline sich meine Akte zweimal geholt hat: vergangene Woche und sechs Monate nachdem ich mit der Arbeit angefangen hatte. »Wollen Sie mir sagen, worum es das erste Mal ging?«

»Ich weiß es nicht.«

»Je mehr Sie lügen, umso heftiger wird es wehtun.«

»Ich sage Ihnen, ich habe keine Ahnung.«

»Erwarten Sie wirklich, dass ich das glaube?«

»Glauben Sie, was Sie wollen – ich sage Ihnen die Wahrheit. Ich meine, warum habe ich meine Akte nicht mitgenommen, wenn ich sie getötet habe? Oder wenigstens das Geld?«

»Hören Sie, Sohn, ich hatte mal einen Verdächtigen, der sich zweimal ein Küchenmesser in die Lunge gestoßen hatte, nur um den Verdacht von sich abzulenken. Wenn es darum geht, etwas zu vertuschen, gibt es keine Grenzen.«

»Ich vertusche nichts!«, schreie ich. »Sie hatte einen Herzinfarkt! Warum können Sie das nicht akzeptieren?«

»Weil sie mit dreißigtausend Dollar in ihrem Safe starb. Und noch wichtiger, es war kein Herzinfarkt.«

»Wie bitte?«

»Ich war bei der Autopsie dabei. Sie hatte einen Schlaganfall.« Ich presse die Zähne zusammen und bemühe mich, so mutig wie möglich dreinzuschauen. »Das bedeutet nicht, dass sie ermordet wurde.«

»Aber es bedeutet, dass es kein Herzinfarkt war«, erklärt Adenauer und studiert meine Reaktion. »Keine Sorge, Michael. Sobald wir die toxischen Ergebnisse haben, werden wir wissen, was ihn verursacht hat. Das ist nur noch eine Frage der Zeit.«

Das war es, was Adenauer im Ärmel hatte; er hat nur darauf gewartet, was ich preisgeben würde. Er ist nicht sicher, dass es Mord war, aber auch nicht sicher, dass es keiner war.

»Was ist mit der Presse?«, frage ich.

»Das hängt von Ihnen ab. Natürlich lasse ich sie nicht in dieser Untersuchung herumtrampeln – vor allem werden sie nicht erfahren, wie dicht wir dran sind.« Er wirft mir wieder einen seiner besorgten Blicke zu. »Wären Sie und Ihre Freundin nicht derselben Meinung?«

Ich sehe ihn an, verliere mich aber in dem vielstimmigen Geräusch. Mein Kopf hämmert. Wenn die Ergebnisse der toxischen Untersuchung schlecht ausfallen und sich das herumspricht … Die ganze Zeit habe ich mir Sorgen gemacht, dass sie versuchen würden, mir den Mord anzuhängen … doch die Art, wie er mich Noras wegen geneckt hat … und sie mit Vaughn in Verbindung brachte … Ich kann mir nicht helfen, aber ich denke, sein Augenmerk ist auf Größeres gerichtet.

Ich bemühe mich nach Kräften, nicht in Panik zu geraten, und biete ihm meine beste Alternative an, die einzige Sache, die, wie ich weiß, nicht zu mir zurückverfolgt werden kann. »Haben Sie Simons Bankkonten überprüft?«

»Warum sollten wir?«

»Überprüfen Sie sie einfach«, sage ich und hoffe, dadurch ein wenig Zeit zu gewinnen.

»Gibt es noch etwas, das Sie mir sagen möchten?«, fragt Adenauer.

»Nein, das war's.« Ich muss hier raus. Ich lasse Adenauer sitzen, wo er ist, stehe auf und stolpre auf die Tür zu.

»Ich ruf Sie an, wenn wir die toxischen Berichte haben«, sagt er und kann seine Häme nun nicht mehr unterdrücken. Er hat mich hergeholt, um meine Reaktion zu testen. Und nun, da er sie hat, möchte er sehen, was ich tun werde. »Es sollte nicht mehr allzu lange dauern«, fügt er hinzu.

Ich bleibe nicht einmal stehen, um mich umzudrehen. Je weniger ich von ihm sehe, umso besser. Im Augenblick möchte ich nur noch herausfinden, ob es eine Verbindung zwischen Nora und Patrick Vaughn gibt.

DREIZEHNTES KAPITEL

»Und wie, glaubst du, hat das FBI es herausgefunden?«, fragt Trey; er sitzt auf dem Stuhl vor meinem Schreibtisch.

»Das mit mir und Nora? Ich habe keine Ahnung. Ich nehme an, durch den Secret Service. Aber um ehrlich zu sein, mich beunruhigt mehr, was er über eine Verbindung zwischen ihr und Vaughn angedeutet hat.«

»Das nehme ich dir nicht übel – wenn sie etwas haben, das Vaughn mit Nora in Verbindung bringt, könnten die beiden potentiell …«

»Sprich es ja nicht aus!«

»Warum nicht?«, fragt Trey. »Du hast doch selbst daran gedacht – sie hat nicht ihr ganzes Leben auf der Seite der Engel zugebracht.«

»Das bedeutet nicht, dass sie darauf aus ist, mich dranzukriegen.«

»Bist du da sicher?«

»Ja. Bin ich.« Kopfschüttelnd füge ich hinzu: »Und selbst wenn ich's nicht wäre, was sollte ich tun – annehmen, dass sie der Feind ist, nur weil das FBI sie in Zusammenhang mit einem Killer namens Vaughn bringt?«

»Aber die Drogen …«

»Trey, ich unternehme nichts, bis wir mehr Fakten haben. Du hättest Adenauer hören sollen. So wie er sich verhalten hat, sieht es so aus, als hätte er etwas, das *mich* mit diesem Typen in Verbindung bringt.«

»Du denkst, deshalb wollte Vaughn mit dir Kontakt aufnehmen?«

»Ich weiß nicht, was ich denken soll. Was wissen wir denn? Vielleicht stammt der Zettel von Simon, und er hat ihn mit dem Namen Vaughn unterschrieben, um mich mit einem Killer in Verbindung zu bringen.«

»Klingt 'n bisschen heftig«, sagt Trey. Er lehnt sich mit dem Stuhl zurück, streckt die Arme in die Luft und gähnt herzhaft. Dann kippt er seinen Stuhl wieder in die Senkrechte. »Was ist mit dem Mordprozess gegen Vaughn?«, fragt er. »Hast du eine Ahnung, was passiert ist?«

»Noch nicht. Pam sollte …«

»Ich krieg sie morgen früh«, sagt Pam, die eben hereinkommt.

»Kriegst was?«, fragt Trey.

»Vaughns FBI-Akte.«

»Ich versteh nicht. Seit wann hast du …«

»Bis Simon einen Nachfolger findet, hat Pam den Aufgabenbereich von Caroline übernommen«, erkläre ich ihm. »Und das bedeutet, dass sie die Herrin der Akten ist.«

»Rate mal, wen ich auf dem Weg ins FBI-Büro getroffen habe.«

»Simon?«, frage ich nervös.

»Deine leicht irre Freundin …«

»Du hast Nora gesehen?«

»Sie war unterwegs zu irgendeiner Veranstaltung im Indian Treaty Room – ich bin in den Lift eingestiegen und da war sie.«

»Hat sie dich erkannt?«

»Ich nehme an – sie hat mich gefragt, ob wir das gleiche Ziel hätten. Ich konnte nicht anders, ich musste ihr sagen, dass die Zusammenkünfte beim FBI nicht gerade gesellig sind. Und dann – ich konnte es nicht glauben – schaut sie mich direkt an und sagt mit ihrer weichsten und süßesten Stimme: ›Danke, dass Sie ihm helfen.‹ Um ein Haar hätte ich an Ort und Stelle den Alarmknopf gedrückt.«

Es ist nicht schwer, aus Pams Stimme die Überraschung herauszuhören. »Sie war dir richtig sympathisch, nicht wahr?«, frage ich.

»Nein, nein – jetzt phantasierst du. Im tiefsten Innern denke ich noch immer, dass sie einen raschen Tritt in ihren privilegierten kleinen Arsch braucht – aber von Angesicht zu Angesicht … Nein, ich hab sie ganz bestimmt nicht gemocht … Es ist nur – sie ist auch nicht so, wie ich dachte.«

»Du hast dich ihretwegen mies gefühlt, wie?«

»Sie tut mir nicht leid, wenn du das meinst … Aber sie ist nicht so simpel wie sie aussieht.«

»Natürlich ist sie nicht simpel – sie ist eine Irre«, mischt Trey sich ein. »Was, zum Teufel, ist los mit euch beiden? Man könnte glauben, sie ist der verfluchte Rattenfänger. Sie ist kompliziert – na, große Sache das! Willkommen in der Wirklichkeit. Thomas Jefferson hat Freiheit gerufen und hatte dann eine Affäre mit einer seiner Sklavinnen.«

»Na und? Die Leute können die beiden noch immer auseinanderhalten.«

»Tja, aber das sollten sie nicht.«

»Also – tut mir ja leid, es euch sagen zu müssen, aber es gibt zweihundertsiebzig Millionen Patrioten, die anderer Meinung sind.«

Trey schüttelt den Kopf; er weiß, dass er hier nicht gewinnen kann. »Wisst ihr was, warum kehren wir nicht ganz einfach zu Vaughn zurück?«

Ich wende mich Pam zu und frage: »Gibt es keine Möglichkeit, seine Akte früher zu bekommen?«

»Ich versuche mein Bestes«, sagt sie und spielt es schon wieder herunter. »Sie haben gesagt, es dauert bis morgen.«

»Scheiß doch auf morgen«, sagt Trey. »Ich habe Vaughns Nummer von der Information – wir können ihn sofort anrufen.« Er greift zum Telefon und fängt an zu wählen.

»Nicht!«, schreie ich.

Trey hält sofort inne.

»Wenn er der Kerl ist, der Caroline umgebracht hat, ist ein Anruf bei ihm, der zu mir zurückverfolgt werden kann, das Letzte, das ich brauche ...«

Bevor ich den Satz beenden kann, klingelt durchdringend das Telefon. Pam und ich sehen Trey an, der noch neben dem Apparat steht.

»Was sagt es?«, frage ich Trey, der sich die ID des Anrufers auf dem Display ansieht.

Er schüttelt den Kopf. »Ruf von extern«, was bedeutet, dass der Anruf von einem Münzfernsprecher kommt und nicht zurückverfolgt werden kann – oder der Anrufer ist eines der großen Tiere aus dem Weißen Haus mit verschlüsselter Identität. Ich stürze zum Schreibtisch, während mir gleichzeitig geraten wird:

»Nimm ab.«

»Nimm nicht ab.«

»Lass es«, sagt Pamela. »Der Anrufer wird eine Nachricht aufsprechen.«

»Wenn er eine Nachricht aufspricht, bist du in der gleichen Klemme wie jetzt«, sagt Trey. »Hast Angst, zurückzurufen.«

Verunsichert gebe ich meinem Instinkt nach. Trey vor Pam.
»Michael hier«, sage ich, den Hörer am Ohr.

»Michael, komm her«, sagt Nora am anderen Ende der Leitung.

»Wohin – her? Wo bist du?«

»In Onkel Larrys Büro. Er hat eben den ganzen Dreck von deinem neuen Freund Vaughn reingekriegt.«

»Woher weißt du von …«

»Hör mal, kannst du dir nicht vorstellen, dass das FBI ihn über den neuesten Stand der Dinge informiert?«

Ich bleibe stumm. Endlich frage ich: »Ist es schlimm?«

»Ich denke, du solltest herkommen. Schnell. *Bitte.*«

Wie an dem Tag in der Bowlingbahn ist es schrecklich entnervend für mich, in Noras Stimme Furcht zu hören. Sie gibt sich große Mühe, kann sich aber nicht gut verstellen. Ich lege auf und stürze zur Tür.

»Wohin willst du?«, fragt Pam.

»Brauchst du nicht zu wissen.«

Lawrence Lamb blickt nicht einmal auf. In fast militärisch aufrechter Haltung liest er in einem roten Ordner, der offen auf seinem riesigen Schreibtisch mit der lederüberzogenen Platte liegt. Ich flüstere respektvoll: »Guten Tag«, doch er ist nicht interessiert. Nora, die aus dem Fenster schaut, wirbelt herum, als ich eintrete.

»Was ist los?«, frage ich sie, nachdem die Tür von Lambs Büro im Westflügel zugefallen ist.

»Vielleicht setzt du dich erst einmal«, meint Nora. »Sag mir nicht, was ich …«

»Setzen Sie sich, Michael«, sagt Lamb mit seiner stets ruhig klingenden Stimme. Schneller als ich es bei ihm für möglich gehalten hätte, nimmt er die Lesebrille ab und blickt endlich auf. Seine durchdringend blauen Augen erklären mir den Rest: Ich bin jetzt in seinem Büro.

Ich setze mich neben Nora auf einen der beiden Stühle vor Lambs Schreibtisch und formuliere die Frage um: »Nora hat mir gesagt, Sie hätten von Vaughn erfahren?«

»Und sie hat mir gesagt, Sie seien ein vertrauenswürdiger Freund. Was bedeutet, dass ich Sie das nur einmal fragen werde: Haben Sie jemals persönlich mit Patrick Vaughn zu tun gehabt?«

Ich blicke zu Nora hinüber, die meine Gedanken liest. Mit einem leichten Nicken beantwortet sie meine Frage nach Lamb: Ich kann ihm vertrauen. »Ich schwöre Ihnen, ich habe ihn nie gesehen, nie mit ihm gesprochen, hatte nie etwas mit ihm zu tun ... nichts. Seinen Namen kenne ich nur, weil der Ermittler vom Secret Service ...«

»Ich weiß über Agent Adenauer Bescheid«, unterbricht mich Lamb. »Und ich weiß auch, was Sie an dem Abend für uns getan haben.« In der Eine-Hand-wäscht-die-andere-Welt der Politik ist das seine Art, sich für einen Gefallen zu revanchieren. Er setzt die Lesebrille wieder auf und nimmt sich den Ordner von neuem vor. Obwohl er in seinem Büro sitzt, trägt er sein Anzugjackett und wirkt sehr förmlich, um nicht zu sagen würdevoll. Wie seine unauffälligen Brooks-Brothers-Krawatten beweisen, hat er es nicht nötig, sich hervorzutun. Nachdem er jahrelang sehr erfolgreich eine Gesellschaft für Gesundheitsfürsorge geleitet hat, konnte er seine Schäfchen ins Trockene bringen, daher ist er ungefähr der Einzige im Stab, bei dem keine abgekauten Fingernägel auffallen.

Den roten Ordner in den manikürten Händen haltend, beginnt er: »Patrick Vaughn wurde in Boston, Massachusetts geboren und hat als Punk-Drogenhändler angefangen. Pot, Haschisch, nichts Spezielles. Interessant ist jedoch, dass er *clever* ist. Er hat sich mit den Pfennigfuchsergeschäften in seinem alten Viertel nicht zufriedengegeben, sondern hat angefangen, die jungen Elitestudenten in Bostons vielen feinen Universitäten zu beliefern. Das war sicherer, und außerdem bezahlten sie ihre Rechnungen. Jetzt verlegt er sich auf Designerdrogen: LSD, Ecstasy, eine Menge Special K.«

Meine Augen schweifen schnell zu Nora ab. Sie blickt zu Boden.

»Nach einigen Gebietskämpfen hat Vaughn die Konkurrenz satt und setzt sich in *Ihren* Heimatstaat Michigan ab.«

Ich werfe ihm einen scharfen Blick zu.

»Sie wollten die Geschichte hören«, sagt er. »In Michigan hat er ein paar Zusammenstöße mit dem Gesetz. Dann, vor zwei Jahren, findet die Polizei die Leiche von Jamal Khafra, einem von Vaughns größten Konkurrenten. Jemand hatte Jamal von hinten mit einer Klaviersaite die Kehle aufgeschnitten. Vaughn wird von jemand verpfiffen, der sagt, er habe den Mord begangen, aber er schwört, dass er es nicht war. Er unterzieht sich sogar mit Erfolg einem Lügendetektor-Test. Nach einigen Verfahrensfehlern befindet die Jury auf Freispruch. Vaughn weiß, dass er Glück gehabt hat, haut aus Michigan ab und fängt direkt hier in D.C. neu an. Er wohnt im Nordosten, in der Nähe der First Street. Das Problem ist, dass das FBI, bevor es ihn wegen Caroline befragen konnte, zuerst mit einem seiner Nachbarn sprach, der ihm anscheinend einen Wink gegeben hat. Ungefähr um diese Zeit ist Vaughn verschwunden. Er wird seit fast einer Woche vermisst.«

»Ich verstehe nicht. Wieso wird er überhaupt verdächtigt?«

»Weil das FBI, als es am Tag von Carolines Tod die WAVES-Aufzeichnungen überprüfte, feststellte, dass Patrick Vaughn sich um die kritische Zeit im Gebäude aufgehalten hat.«

»Im OEOB? Das muss ein Witz sein.«

»Ich wünschte, es wäre einer.«

»Und was hat das mit mir zu tun?«

»Eben darüber müssen wir miteinander reden, Michael. Den Computer-Aufzeichnungen zufolge sind Sie derjenige, der ihn für unbedenklich im Sinn der Sicherheitsbestimmungen erklärt hat.«

VIERZEHNTES KAPITEL

»Sind Sie verrückt?«, brülle ich und umklammere die Armleh-
nen meines Sessels. »Ich habe keine Ahnung, wer er ist!«

»Es ist okay«, sagt Nora und streichelt mir den Rücken. »Wie
hätte ich … Ich habe noch nie von dem Kerl gehört.«

»Ich wusste, dass du's nicht warst«, sagt sie.

Lamb sieht weniger überzeugt aus. Er hat sich kaum bewegt,
seit er mit der Neuigkeit herausgerückt ist. An seinen Schreibtisch gelehnt, betrachtet er die Szene – beobachtet, wie wir reagieren. Das kann er am besten: Er verschafft sich einen Überblick über die Situation und entscheidet später.

Ich wende mich direkt an ihn: »*Ich schwöre Ihnen, ich habe
ihn nie hereingelassen.*«

»Wer außer Ihnen hatte Zutritt zu Ihrem Büro?«, fragt er.

»Verzeihung?«

»Damit Ihr Name draufsteht, musste das WAVES-Ersuchen
von Ihrem Computer aus verschickt werden«, erklärt er. »Also,
wer sonst noch war nach der Personalkonferenz in der Nähe
Ihres Büros?«

»Nur … nur Pam«, antworte ich. »Und Julian. Julian war da,
als ich zurückkam.«

»Einer von den beiden hätte also Ihren Computer benutzen
können.«

»Das ist durchaus möglich.« Doch obwohl ich die Worte aus-
spreche, glaube ich sie nicht wirklich. Warum sollte einer von
ihnen einen Drogendealer ins Weiße Haus einschleusen… Scheißkerl. Ich sehe Nora an. Habe noch immer ihr kleines braunes
Fläschchen vor Augen. An dem Abend in der Bar sagte sie, es sei
ein Medikament gegen Kopfschmerzen. Ich habe mein Bestes
getan, um der Frage auszuweichen – aber von irgendwoher muss
sie es bekommen.

»Gibt es noch jemand, der Zugang zu Ihrem Computer hat?«,
fragt Lamb.

Ich denke an jenen ersten Abend mit Nora zurück. Sie hatte mir gesagt, sie habe das Geld als Beweis mitgenommen. Um ihren Dad zu schützen. Aber jetzt – das viele Geld – die Kosten der Drogen … Wenn sie einen Sündenbock sucht …

»Ich habe Sie etwas gefragt, Michael«, wiederholt Lamb. »Hatten Pam oder Julian Zugang zu Ihrem Computer?«

Ich behalte Nora im Auge. »Es hätte auch ohne Computer gemacht werden können«, sage ich. »Es gibt noch andere Wege, jemand als unbedenklich ins Gebäude einzuschleusen. Es funktioniert zum Beispiel über ein internes Telefon oder sogar per Fax.«

»Damit wollen Sie sagen, jeder hätte es tun können.«

»Ich schätze, ja«, sage ich. Nora blickt endlich zu mir auf. »Doch es muss Simon gewesen sein.«

»Selbst wenn er es war, wie hätte er diesen Vaughn hereinbringen können?«, unterbricht Nora. »Ich dachte, der Secret Service unterzieht jeden Besucher einem Sicherheitscheck.«

»Nur ausländische Besucher und verurteilte Schwerverbrecher. Beide Drogenanklagen gegen Vaughn wurden als Vergehen eingestuft und die Mordanklage fallen gelassen. Wer immer ihn für unbedenklich erklärt hat, kannte das System.«

»Wissen Sie, wann das Ersuchen abgeschickt wurde?«, frage ich.

»Sofort nach unserer Sitzung. Und Adenauers Zeitplan zufolge könnten es sehr leicht Sie gewesen sein.«

»Er war's nicht«, mischt Nora sich ein.

»Entspann dich einfach«, sagt Lamb.

»Ich sag dir, er war's nicht«, behauptet sie beharrlich.

»Ich hab's gehört«, erwidert er mit dröhnender Stimme.

Dann reißt er sich zusammen und lehnt sich verlegen zurück. Es wird ihm zu persönlich. »Ich weiß nicht, was du von mir willst«, sagt er zu Nora.

»Du hast mir versprochen, du würdest ihm helfen.«

»Ich habe gesagt, ich würde mit ihm *sprechen*.« Die Fakten

abwägend, wirft Lamb mir einen letzten Blick zu. Wie die Besten unter den großen Tieren gibt er nicht preis, was er denkt. Er sitzt nur da, die steinernen Gesichtszüge unbewegt. Endlich sagt er: »Nora, würde es dir etwas ausmachen, uns eine Sekunde zu entschuldigen?«

»Kommt nicht in Frage«, erwidert sie. »Ich habe ihn herge…«

»Nora.«

»Es kommt nicht in Frage, dass ich hier weggehe, ohne dass …«

»Nora!«

Wie ein gescholtener Hund macht sie sich in ihrem Sessel ganz klein. Ich habe nie vorher gehört, dass Lamb die Stimme erhoben hätte. Und ich habe Nora noch nie so verängstigt gesehen. Nicht umsonst hat er sich während so vieler Sommer um sie gekümmert – Lamb ist einer der wenigen Menschen, die sich trauen, nein zu ihr zu sagen. Nora weiß, wo die Grenzen sind, steht auf und geht zur Tür. Bevor sie sie hinter sich zumacht, ruft sie: »Er wird mir sowieso alles sagen!« Dann fällt die Tür zu.

Als wir allein sind, hängt ein verlegenes Schweigen in der Luft. Meine Augen schweifen über Lambs Schulter, während ich versuche, mich mit der Ausstattung des Büros vertraut zu machen. Ich betrachte das Ölgemälde hinter ihm, das eine Landschaft aus der Kolonialzeit darstellt, und mir wird zum ersten Mal bewusst, dass er keine Ego-Wand hat. Er braucht keine. Er ist nur hier, um seinen Freund zu schützen.

»Mögen Sie sie?«, fragt er.

»Was?«

»Nora. Mögen Sie sie?«

»Natürlich mag ich sie. Hab sie schon immer gemocht.« Mit den Fingerknöcheln leicht auf den Schreibtisch trommelnd, blickt Lamb in die Ferne, sammelt seine Gedanken. »Kennen Sie sie überhaupt?«, fragt er endlich.

»Wie bitte?«

»Die Frage ist kein Trick – kennen Sie sie? Wissen Sie wirklich, wer sie ist?«

»Ich – ich denke schon«, stottere ich. »Ich versuche es.«

Er nickt, als sei das eine Antwort. Nach einer Weile fährt er fort: »Als sie jünger war – in der siebenten, achten Klasse –, fing sie an, Feldhockey zu spielen. Schnell. Sie haben sie in die Mannschaft gesteckt, damit sie ein paar richtige Freundinnen bekam, und sie spielte stundenlang – auf den Teppichen, vor unserer Farm –, überall wo sie ihren Schläger schwingen konnte. Chris musste immer gegen sie spielen. Aber für Nora war nicht die körperliche Seite das Beste daran. Sie war gern im Team. Sich aneinander anlehnen, jemand haben, mit dem man feiern konnte – das war es, warum es sich für sie lohnte. Doch als ihr Vater zum Gouverneur gewählt wurde … nun, die Sicherheitsvorschriften verboten ihr jeden Mannschaftssport. Stattdessen bekam sie eine Image-Beraterin, die für sie und ihre Mom die Garderobe einkaufte. Es kommt einem jetzt albern vor, doch so wurde es eben gemacht.«

»Ich weiß nicht recht, ob ich verstehe.«

»Wenn Sie sie gern haben, sollten Sie das wissen.«

»Wenn ich sie nicht gern hätte, hätte ich wegen des Geldes nicht gelogen.«

Seine Schultern sacken nach vorn, und mir wird klar, dass es das war, was er hören wollte. In gewisser Weise bin ich nicht überrascht. Jetzt, da das FBI weiß, dass wir fest befreundet sind, stecken wir alle im Epizentrum. Nora, Simon, ich – eine falsche Bewegung, und wir gehen alle unter. Um ehrlich zu sein, ich glaube nicht, dass Lamb auch nur mit einer Wimper zucken würde, wenn ich es wäre, der mitgerissen würde. Aber nach dem steinernen Ausdruck seines Gesichts und der kalten, pragmatischen Art zu schließen, in der er gefragt hat, ob ich sie gern habe, wird er nicht dulden, dass ich seine Patentochter – oder den Präsidenten – zum Narren halte.

Er greift nach dem FBI-Ordner auf dem Schreibtisch und

reicht ihn mir. »Ich nehme an, sie hat Ihnen von den anderen Ordnern in Carolines Büro erzählt. Alles in allem waren es fünfzehn – einige auf dem Schreibtisch, einige in den Schubfächern. Beim FBI stehen alle auf der Liste der Hauptverdächtigen.«

»Meine Akte war auch dabei.«

Er nickt vor sich hin, fast so, als sei das ein Test. »Hinten in Vaughns Ordner liegt die Liste derer, die bisher für unbedenklich erklärt wurden.« Ich schlage die Liste auf und sehe drei weitere Kandidaten. Die anderen beiden sind die, deren Namen mir Nora gezeigt hat. Fünf erledigt, zehn noch übrig. Die Liste der Verdächtigen wird kürzer. Und noch immer sind sie nicht bei mir angelangt.

»Ich brauche Ihnen nicht zu sagen, Michael, was passiert, wenn Nora mit einem Drogendealer in Verbindung gebracht wird – schlimmer noch, mit einem Mörder …«

Nicht nötig, dass er den Satz beendet. Wir wissen alle, was hier auf dem Spiel steht. »Heißt das, Sie werden helfen?«, frage ich.

Seine Worte kommen langsam und methodisch. »Ich darf mich in diese Untersuchung nicht einmischen …«

»Natürlich.«

»… doch ich werde tun, was ich kann.«

Ich richte mich im Sessel auf. »Ich bin sehr dankbar, dass Sie mir glauben.«

»Es sind nicht Sie, dem ich glaube«, sagt er sachlich. »Ich glaube *ihr*.« Meine Reaktion beobachtend, fügt er hinzu: »Die Hartsons sind meine Familie, Michael. Ich habe Nora acht Stunden nach ihrer Geburt in den Armen gehalten. Wenn sie mich in zwei Stunden siebenmal anruft und verlangt, dass ich etwas unternehme, um Sie zu schützen, nehme ich langsam Notiz davon.«

»Sie hat Sie siebenmal angerufen?«

»Das war nur heute«, sagt er. »Sie ist ein kompliziertes Mädchen, Michael. Sie hat fast alles getan, worum Sie sie gebeten haben. Und sie macht sich Sorgen um Sie – das genügt mir.«

Ich sehe Lamb nervös an. »Heißt das, sie hat es dem Präsidenten erzählt?«

»Sohn, wenn Sie mich nach ihren privaten Gesprächen fragen, habe ich nichts dazu zu sagen. Aber wenn ich Sie wäre …« Er unterbricht sich, um sich zu vergewissern, dass ich richtig verstehe. »Ich bete darum, dass er es nie erfährt. Vergessen Sie die Tatsache, dass er mit einem kurzen Befehl eine kleine Stadt am anderen Ende der Welt vernichten kann, oder dass ihn ständig ein Militäradjutant mit den nuklearen Codes in einer Ledertasche begleitet. Denn nichts davon ist mit der Tatsache zu vergleichen, der Vater einer Tochter zu sein, die man verletzt hat.«

»Was hat er gesagt?«, fragt Nora, sobald sie mich sieht.

»Nichts.« Mit dem Kinn zeige ich auf Lambs Assistentin, die jedes Wort hören kann.

Nora wendet sich ihr zu und sagt: »Glauben Sie, Sie könnten …«

»Ich wollte mir eben selbst einen Kaffee holen«, antwortet die Frau mit einem vertrauten Nicken. Man sagt zu der Tochter des Präsidenten nicht nein. Nach dreißig Sekunden ist Lambs Assistentin verschwunden.

»Also, was hat er gesagt?«, fragt Nora und fährt sich noch einmal über die Nase. »Wird er helfen?«

»Er ist dein Taufpate, nicht wahr?«, fauche ich.

»Was ist los mit dir?«

Jetzt ist nicht die Zeit für Zurückhaltung. »Hast du Vaughn ins Gebäude eingeschleust?«

»Was …? Hast du deinen beschissenen Verstand verloren? Was hat Larry dir erzählt?«

»Er hat mir nichts erzählt. Ich hab's mit eigenen Augen gesehen. Das braune Fläschchen in der Bar … Die Gerüchte über Ecstasy – und Special K. Vaughn dealt mit beiden, um Himmels willen.«

»Und das macht mich zu seiner Kundin?«, explodiert sie

vehement, aber leise. »Ist es das, was du von mir denkst? Dass ich ein Junkie bin?«

»Nein, ich …«

»Ich bin kein Abschaum, Michael! Hörst du? Ich bin's nicht!«

Jetzt bin ich wohl zu weit gegangen. »Nora – beruhige dich.«

»Sag mir nicht, dass ich mich beruhigen soll. Dieser Scheiß wird mir tagtäglich von Klatschkolumnisten aufgetischt – von dir brauch ich ihn mir nicht anzuhören. Ich meine, wenn ich was kaufen wollte, glaubst du wirklich, ich würde einen Drogendealer und Mörder *hier hereinholen*? Sehe ich wirklich so dumm aus? Sie sind auf meinen Arsch aus – nicht nur auf deinen. Und selbst wenn sie's nicht wären, ich brauche deinen Namen nicht, um jemand reinzubringen – meine Gäste werden nicht überprüft.«

Ich will ihre Hand nehmen, aber sie schlägt sie weg. Ihr Gesicht ist zornrot. Nicht imstande, sich zurückzuhalten, faucht sie: »Warst du es, der dem FBI gesagt hat, dass wir ein Date hatten?«

Mir fällt buchstäblich die Kinnlade hinunter. »Du denkst wirklich, ich würde …«

»Beantworte meine Frage!«, fordert sie.

»Wie kannst du das auch nur denken?«

»Jeder will etwas, Michael. Auch ein kleiner Skandal macht dich berühmt.«

»Nora …« Wieder strecke ich die Hand nach ihr aus, doch als sie versucht sie wegzuschlagen, packe ich ihr Handgelenk und halte es fest.

»*Lass mich los, verdammt!*«, knurrt sie und wehrt sich gegen mich.

Aber ich lasse nicht los, umgreife ihre Hand schnell mit meiner. Ihre Finger sind steif. Nicht nur jetzt – so ist sie immer. In ihrer Welt, in der so viel auf dem Spiel steht, muss sie sich ständig gegen den großen Krach wappnen. Das überlagert alles. »Bitte, Nora – hör mir zu.«

»Ich will nicht ...«

»*Hör mich doch an!*« Ich mache einen Schritt auf sie zu und lege ihr die andere Hand auf die Schulter. »Ich will nicht berühmt werden.«

Ich erwarte eine bissige Bemerkung, doch stattdessen erstarrt sie. Das ist Nora – ein und aus mit einem Klick. Bevor ich reagieren kann, umschlingt sie mich mit den Armen und wirft sich mir an die Brust. Die Umarmung überrascht mich, aber sie fühlt sich auch völlig richtig an. »Ich hab es nicht getan«, flüstert sie. »Ich hab ihn nicht reingelassen.«

»Ich habe nicht gesagt, dass du's getan hast. Kein einziges Mal.«

»Aber du hast es geglaubt, Michael. Du hast ihnen mehr geglaubt als mir.«

»Das ist nicht wahr«, erkläre ich. Ich umfasse ihre Schultern, schiebe sie weg und halte sie auf Armeslänge von mir ab. »Ich habe dir nur eine Frage gestellt – und nach allem, was wir durchgemacht haben, verdiene ich zumindest eine Antwort, das weißt du.«

»Du traust mir also noch immer nicht.«

»Wenn du mir beweisen willst, dass ich es tun kann, Nora, dann beweis es. Wenn nicht, lass es mich wissen, und ich versuche mit dem Rest meines Lebens zurechtzukommen.«

Sie legt bei der Herausforderung den Kopf auf die Seite, strafft die Schultern. Ausnahmsweise muss sie Farbe bekennen. »Du hast recht«, sagt sie, und ihre Stimme zittert noch leicht. »Ich werde es dir beweisen.« Wieder umarmt sie mich. »Ich lasse dich nicht im Stich.«

Ich nehme sie in die Arme und denke daran, dass sie Lamb siebenmal angerufen hat. Meinetwegen. Sie hat es für mich getan. »Mehr verlange ich nicht.«

»Und du glaubst diesen Haufen Scheiße?«, fragt Trey.

»Glaub mir, sie hat sich wirklich aufgeregt.«

Als wir das OEOB verlassen, beginnt Trey sich den Kopf zu

reiben. Nicht langsam – aber langsam genug, um mir zu sagen, dass ich vorsichtig sein soll.

»Du traust Lamb nicht?«, frage ich, als wir die 17th Street überqueren.

»Ich liebe Lamb – wer mir Sorgen macht, ist Nora.«

»Du denkst wirklich, dass sie Vaughn kennt?«

»Nein, das nicht, aber ich denke, sie lügt wegen der Drogen. Ich habe zu viele Gerüchte gehört, um zu glauben, dass sie clean ist.«

»Vergiss die Drogen. Die wichtige Frage ist: Wie gut kennt Simon Vaughn?«

»Du bist also jetzt überzeugt, dass es Simon war, der ihn reingelassen hat?«

»Sieh dir mal die Tatsachen an, Trey. Caroline ist genau während des Zeitraums gestorben, in dem sich ein ehemaliger Mordangeklagter ungehindert im Gebäude bewegte. Du hältst all das noch immer für Zufall? Simon hat in dem Moment die Gelegenheit erkannt, als er sah, dass ich ihm folge. Anstatt Caroline weiterhin zu bezahlen, beschließt er, sie zu töten. Er weiß, ich habe das Geld. Er weiß, dass ich mein Alibi nicht nutzen werde. Er weiß, er kann mir die Sache anhängen. Es ist die beste Möglichkeit, mich in die Enge zu treiben – Vaughn unter meinem Namen einzuschleusen und dann das Feuerwerk zu beobachten.«

»Und woher wusste er, dass du das Geld hast?«

»Er hätte zurückkommen und uns sehen können – oder Caroline hat ihn angerufen, als sie feststellte, dass die Höhe des Betrags nicht stimmte.«

»Also ich weiß nicht. Das hieße eine Menge planen – in einer Nacht.«

»Nicht wenn du überlegst, was auf dem Spiel steht«, antworte ich schnell. Trey schickt sich an, die Pennsylvania Avenue zu überqueren; er lässt mich zwei Schritte hinter sich und ich beeile mich, ihn einzuholen.

Beim Münzfernsprecher gegenüber vom OEOB holt Trey

einen Zettel mit der Telefonnummer Vaughns und eine Handvoll Kleingeld aus der Tasche.

»Bist du sicher, dass das eine gute Idee ist?«, frage ich, als er zum Hörer greift.

»Jemand muss deinen Arsch retten. Wenn ich derjenige bin, der redet, führt die Spur nicht zu dir« – er drückt die ersten drei Tasten –, »und von hier läuft es nicht über deine Leitung.«

»Pfeif auf die Spur – ich spreche von dem Anruf im Allgemeinen. Wenn Vaughn der Killer ist, warum hat er sich mit mir in Verbindung gesetzt?«

»Vielleicht hat er ein schlechtes Gewissen. Vielleicht ist er auf einen Deal aus. Aber so oder so, wir tun wenigstens etwas.«

»Ihn aber zu Hause anzurufen …«

»Nichts für ungut, Michael, aber du hast mich um Hilfe gebeten, und ich werde nicht dulden, dass du untätig rumsitzt – selbst wenn Lamb alles bis nach der Wahl hinausziehen kann, wirst du dann dieselben Probleme haben wie jetzt. Mit Vaughn hast du wenigstens die Chance, eine Antwort zu finden.«

»Und wie, wenn ich darauf hereinfallen soll? Vielleicht ist genau das die Falle. Sie bringen uns miteinander in Verbindung, Vaughn wird Kronzeuge und – wumm – schicken sie mich zum Teufel.«

Trey hört auf zu wählen. Paranoia wirkt nach beiden Seiten.

»Du weißt, dass das möglich ist«, sage ich.

Wir schauen beide Vaughns Nummer an. Sicher, es ist unheimlich, dass Vaughn sich bei mir meldet. Und, ja, es hat mich auf die Idee gebracht, dass noch etwas anderes gespielt wird. Doch das bedeutet nicht, dass wir es mit einem Telefonanruf lösen können.

»Vielleicht solltest du mit Nora reden«, schlägt Trey schließlich vor.

»Hab ich schon.«

»Aber du kannst sie noch immer fragen …«

»Ich sag dir doch, das hab' ich schon!«

»Hör auf mich anzubrüllen!«

»Dann hör du auf, mich wie einen Schwachsinnigen zu behandeln! Ich weiß, womit ich's zu tun habe.«

»Siehst du, und hier liegst du falsch. Du kennst sie nicht, Michael. Du weißt nichts über sie – was du gesehen hast, waren nur die Highlights.«

»Das stimmt nicht. Ich weiß eine Menge über …«

»Ich spreche nicht von oberflächlichen politischen Plaudereien. Ich spreche von den richtigen Sachen: Was hat sie für einen Lieblingsfilm? Was isst sie am liebsten? Wer ist ihr Lieblingsautor?«

»Graham Greene, Burritos und *Annie Hall*«, rassle ich in verkehrter Reihenfolge herunter.

»Du verlässt dich auf den alten Artikel in *People*. Diese Antworten habe ich geschrieben, nicht sie.«

Da wir beide den wachsenden Zorn in den Augen des anderen sehen, halten wir einen Augenblick inne und schauen uns gegenseitig über die Schulter. Trey bricht schließlich das Schweigen. »Um was geht es da eigentlich, Michael? Willst du dich in Sicherheit bringen oder Nora?«

Die Frage ist so dumm, dass sie keine Antwort verdient.

»Schon okay, wenn du unbedingt ein Held sein willst«, sagt er. »Ich bin überzeugt, sie weiß deine Loyalität zu schätzen …«

»Es ist nicht nur Loyalität, Trey – wenn es sie trifft, gehe ich mit ihr unter.«

»Es sei denn, sie schneidet sich los, und du gehst allein unter. Hier hast du die Kurzfassung, mein Freund: Mir ist egal, dass Pam einem netten Menschen im Aufzug begegnet ist; ich werde nicht zusehen, wie man dich als den Hauptverdächtigen in die Pfanne haut.«

Ich gehe an Trey vorbei und mache mich auf den Rückweg ins OEOB. »Ich bin dir für deine Fürsorge sehr dankbar, aber ich weiß, was ich tue. Ich habe nicht so hart gearbeitet und bin so weit gekommen, um jetzt aufzugeben und alles zu verlieren. Besonders wenn ich es unter Kontrolle habe.«

»Du denkst, du hast es unter Kontrolle?« Er springt vor mich und verstellt mir den Weg. »Ich sage es dir sehr ungern, Loverboy, aber du kannst nicht alle retten. Ich will damit nicht sagen, dass du dich zurückziehen sollst – ich denke nur, du solltest den Fakten ein bisschen mehr Aufmerksamkeit schenken.«

»Es gibt keine Fakten. Wer immer diese Tat begangen hat, hat eine ganze neue Wirklichkeit geschaffen.«

»Siehst du, hier steckt der Fehler. So gern du dir auch etwas vormachen möchtest, es gibt im Universum noch ein paar ewige Wahrheiten. Neue Schuhe drücken. Khakihosen sind billig. Bei Flugschauen passieren schlimme Dinge. Und was am wichtigsten ist – wenn du nicht vorsichtig bist, wird es dir übel ergehen. Falls du Nora schützt ...«

»Seid ihr beiden okay?«, unterbricht ihn eine männliche Stimme hinter uns.

Wir fahren beide herum.

»Ich wollte nicht stören«, sagt Simon. »Nur schnell mal guten Tag sagen.«

»Hallo«, platze ich heraus.

»Hey«, sagt Trey.

Da wir uns fragen, wie lange er schon in der Nähe ist, fangen wir mit der Analyse an. Wenn er weiß, was wir vorhatten, werden wir es an seiner Körpersprache erkennen.

»Und wen habt ihr angerufen?«, fragt er und schiebt die Hand in die linke Hosentasche.

»Nur versucht, Pam zu erreichen«, antworte ich. »Wir wollten uns zum Lunch treffen.«

Simon wirft einen Blick auf Trey und sieht dann mich an: »Und wie ist Ihr Treffen mit Adenauer gelaufen?«

Woher weiß er ...

»Wenn Sie wollen, können wir später darüber reden«, fügt er, um mich an unseren Deal zu erinnern, mit einigem Nachdruck hinzu. Simon möchte die Sache noch immer unter Verschluss halten – selbst wenn er mich dazu wie einen Mörder aussehen lassen muss. Er tritt vom Gehsteig hinunter und prostet uns mit einem kürzlich erstandenen Becher Kaffee zu. »Sagen Sie mir einfach Bescheid, wenn es etwas gibt, das ich für Sie tun kann.«

FÜNFZEHNTES KAPITEL

Am Freitagmorgen wache ich mit dem Gefühl auf, jemand habe mir eine Bratpfanne über den Schädel geschlagen. Sieben Tage nach Carolines Tod wüten Ängste in mir und meine Augen sind wie zugeschwollen. Die Woche unruhigen Schlafs fordert endlich ihren Tribut. Wie Frankenstein schlurfe ich zur Wohnungstür und öffne die Augen nur lange genug, um meine Zeitungen aufzuheben. Es ist ein paar Minuten nach sechs, und ich habe Trey noch nicht angerufen. Nicht mehr lange, dann wird er sich melden.

Ich mache zwei Schritte auf den Küchentisch zu und das Telefon klingelt. Darauf ist Verlass. Ich nehme ab, ohne mich zu melden.

»Wer ist deine Momma?«, singt er schmachtend.

Ich antworte mit einem übertrieben langen Gähnen.

»Du warst noch nicht mal unter der Dusche, wie?«, fragt er.

»Ich hab mich noch nicht mal gekratzt.«

Trey macht eine Pause. »Das will ich gar nicht hören. Verstehst du wenigstens, was ich sage?«

»Ja, ja, erzähl mir, was es Neues gibt.« Ich ziehe die *Post* vom Stapel und lege sie flach auf den Tisch. Sofort richten sich meine Augen auf die kleine Schlagzeile rechts unten auf der Seite: *Die Spermien könnten echt sein, doch die Regierung lehnt Antrag ab.*

»Was sind das für Spermien, Trey?«

Wieder eine Pause. »Hoffentlich wirst du nicht abgehört.«

»Erzähl mir nur die Story. Ist das die Frau, die nach dem Tod ihres Mannes mit seinen eingefrorenen Spermien künstlich befruchtet wurde?«

»Genau die. Sie legt das Sperma auf Eis, bekommt ein Kind, nachdem ihr Mann gestorben ist, und ersucht dann um die Sozialversicherung des Toten. Gestern hat das HHS – Department for Health and Human Services – das Gesuch abschlägig beschieden, weil das Baby nach dem Tod des Vaters empfangen wurde.«

»Lass mich raten: Jetzt wollen sie, dass das Weiße Haus die Entscheidung revidiert?«

»Gib dem Hund 'n Knochen«, singt er. »Und glaub mir, an dem Knochen wird man zu beißen haben. Jetzt geht es nur noch darum, wem sie die Sache aufhalsen werden.«

»Wetten, dass wir das sind.« Ich blättere die restliche Zeitung durch. »Noch was Interessantes?«

»Hängt davon ab, ob du denkst, es sei interessant, eine Wette zu verlieren.«

»Was?«

»Jack Tandys Medienkolumne in der *Times*. In einem Interview mit *Vanity Fair*, das nächste Woche zum Verkauf kommt, sagt Bartlett – und ich zitiere: ›Wenn man nicht einmal auf die eigene Familie aufpassen kann, wie kann man dann die Sorge für die Familien dieses Landes allem voranstellen?‹«

Ich zucke bei dem verbalen Dolchstoß zusammen. »Glaubst du, es wird hängenbleiben?«

»Machst du Witze? Ein solches Zitat kommt nicht von ungefähr – ich sage es höchst ungern, Michael, aber so spricht ein Sieger. Ich meine, man spürt den Wechsel. Wenn das Land keinen Wutanfall bekommt, wird es im nächsten Nachrichtenzyklus zur Wahlkampfrede mutieren. Wähler mögen keine schlechten Eltern. Und dank deiner Freundin hat Bartlett eben eine brandneue Möglichkeit zu punkten ergattert.«

Instinktiv greife ich nach der *Times*. Aber als ich sie auf dem Tisch aufschlage, ist das Foto auf der Titelseite das Erste, das mir in die Augen fällt: Ein hübscher Schnappschuss von Hartson und der First Lady, die im Rose Garden zu einer Gruppe religiöser Führer sprechen. Aber in der hinteren rechten Ecke des Bildes, in der letzten Reihe der Menge lauernd, steht die einzige Person, die nicht lächelt: Agent Adenauer.

Mir bricht sofort der Schweiß aus. Was, zum Teufel, macht er dort?

»Michael, bist du noch da?«, schreit Trey.

»Ja«, sage ich und drehe mich wieder zum Hörer um. »Ich … Ja.«

»Was ist los? Du hörst dich an wie der leibhaftige Tod.«

»Nichts. Ich sag es dir später.«

Nach einer Dreiviertelstunde habe ich geduscht, bin rasiert und habe zwei Zeitungen durch. Aber als ich mein Apartment verlasse, geht mir das Foto von Adenauer nicht aus dem Kopf. Es gibt keinen einzigen guten Grund für einen FBI-Ermittler, so nah bei Hartson zu sein, und allein das hat bewirkt, dass ich jetzt gute fünfzehn Minuten zu spät zur Arbeit komme. Ich habe keine Zeit für solche Überlegungen, sage ich mir. Keine Ablenkungen mehr. Auf dem Weg zur Metro sehe ich einen Obdachlosen, der einen Fensterwischer in der Hand hat. In dem Moment, in dem unsere Blicke sich begegnen, wird mir klar, dass ich ein weiteres Schnäppchen vom Wunschzettel zu erwarten habe.

»Morgen, Morgen, Morgen«, sagt er und hebt den Fensterwischer. Er trägt eine grüne, tarnfarbene Armeehose und hat den ungepflegtesten schwarzen Bart, den ich je gesehen habe. Aus der Tasche hängt ihm eine alte Windex-Spraydose, gefüllt mit milchig-grauem Wasser. Als er näher kommt, sehe ich, dass er auch ein abgetragenes Sweatshirt der juristischen Fakultät von Harvard anhat. Das Einzige in D. C. »Wo's dein Porsche?

Wo's dein Porsche? Wo's dein Porsche?«, singt er und fällt neben mir in Gleichschritt.

Ich habe den Kerl schon irgendwo gesehen. Ich denke, es war auf dem Dupont Circle, als Künstlerviertel und unter anderem Heimat der Obdachlosen bekannt. »Tut mir leid, aber ich fahre keinen Porsche«, erkläre ich ihm. »Heute gibt's nur mich und die Metro.«

»Nein, nein, nein. Du doch nicht, du nicht. So feine Schuhe gehören ins Auto.«

»Nicht heute. Wirklich nicht.«

»Wo's dein Porsche? Wo ...«

»Ich hab dir doch gesagt ...«

»... 's dein Porsche? Wo's dein Porsche?«

Er hört offensichtlich nicht zu. Mehr als anderthalb Blocks bleibt er an meiner Seite und fährt mit seinem Fensterwischer auf meiner imaginären Windschutzscheibe hin und her. Um ihn loszuwerden, greife ich in die Tasche und hole eine Dollarnote heraus.

»Ahhh, so gefällt's mir«, sagt der Fensterwischer-Mann. »*Mr. Porsche.*«

Ich gebe ihm den Dollar, und er lässt endlich den Fensterwischer sinken.

»Ihr Wechselgeld, Sir«, sagt er und zieht etwas aus der Tasche. »Vaughn sagt, Sie müssen mit ihm reden«, flüstert er. »Versuchen Sie's im Holocaust Museum, Montag ein Uhr. Und bringen Sie den schwarzen Typen vom Münzfernsprecher nicht mit.«

»Wie bitte?«

Lächelnd schiebt er mir etwas in die Hand. Ein zusammengefaltetes Stück Papier. »Was ist das?«

Ich bekomme keine Antwort. Er ist schon weitergegangen. Hinter mir sehe ich, wie er sich einem fast kahlköpfigen Mann im Nadelstreifenanzug nähert. »Wo ist dein Porsche?«, fragt er und hebt den Fensterwischer.

Ich wende mich wieder dem Stück Papier zu und falte es auseinander. Es ist leer. Diente wohl nur als Ablenkung.

Über die Schulter zurückblickend, halte ich Ausschau nach dem Fensterwischer-Mann. Zu spät. Er ist weg.

Ich werfe den Aktenkoffer auf meinen Schreibtisch und kontrolliere das Display meines Bürotelefons. Vier neue Nachrichten. Ich drücke auf den Knopf, um zu sehen, von wem sie sind, aber alle vier kommen von extern. Wer es auch sein mag, sie scheinen wild darauf zu sein, sich mit mir in Verbindung zu setzen. Das Telefon klingelt und ich zucke erschrocken zurück. Die Anrufer-ID sagt *Ruf von auswärts*.

So schnell ich kann, greife ich nach dem Hörer. »Hallo?«

»Michael«, flüstert leise eine weibliche Stimme.

»Nora? Bist du's …?«

»Hast du das Bartlett-Zitat gesehen?«, unterbricht sie mich. Ich antworte nicht.

»Du hast es gesehen, nicht wahr?«, wiederholt sie. Ihre Stimme zittert, und ich kenne diesen Ton. Ich habe ihn an dem Tag in der Kegelbahn gehört. Sie macht sich Sorgen um ihren Dad.

»Was hat Trey dazu gesagt?«, fragt sie.

»Trey? Wen interessiert schon, was Trey gesagt hat. Wie geht es dir?«

»Ich verstehe nicht«, erwidert sie nach einer Pause. Sie ist verwirrt.

»Wie geht es dir? Bist du okay? Ich meine, ich will deinen Dad nicht kränken, aber du bist es schließlich, die Prügel bezieht.«

Wieder eine Pause. Sie dauert diesmal ein bisschen länger. »Es geht mir gut … Ja, mir geht's gut.« Auf einmal klingt ihre Stimme anders, beinahe glücklich. »Und wie geht es dir?«, fragt sie.

»Mach dir um mich keine Sorgen. Und jetzt, was hast du da über Bartletts Zitat gesagt?«

»Nichts … nichts … Nur das Übliche.«

»Ich hab gedacht, du wolltest reden …«

»Nein. Nicht mehr«, sagt sie mit einem Lachen. »Hör mal, ich muss jetzt wirklich los.«

»Also reden wir später?«

»Ja«, gurrt sie. »Auf jeden Fall.«

Als ich nach dem Gespräch mit Nora auflege, bin ich für Simons wöchentliches Meeting schon zu spät dran. Ich sause aus meinem Büro und steuere direkt den Westflügel an. »Hallo, Phil«, sage ich, als ich am Pult meines liebsten Secret-Service-Beamten vorbeirenne.

Er schießt von seinem Stuhl in die Höhe und packt mich am Arm.

»Was ist denn ...«

»Ich muss Ihre ID sehen«, erklärt er mit eisiger Stimme.

»Machen Sie Witze? Sie wissen doch, ich bin ...«

»Sofort, Michael.«

Ich ziehe meinen Arm weg, bleibe aber ganz ruhig. Greife nach der ID, die ich sonst um den Hals hängen habe, und stelle dann fest, dass sie in der Brusttasche meines Hemdes steckt. An sich kein Unglück. Er hat mich noch nie angehalten.

Er wirft einen flüchtigen Blick darauf und lässt mich passieren. »Danke«, murmelt er.

»Kein Problem.« Er ist nur vorsichtig, sage ich mir. Als ich zum Aufzug gehe, vermute ich, er werde es wiedergutmachen, indem er die Aufzugtür für mich öffnet. Ich schaue zu ihm hinüber, doch er schert sich nicht um mich. Ich tue so, als merkte ich es nicht und drücke auf den Rufknopf. Es fängt an, sich herumzusprechen. Das wird ein beschissener Tag.

Ich schleiche mich in Simons überfülltes Büro und halte mich im Hintergrund. Alle sind an ihren gewohnten Plätzen, wie ich sehe: Simon am Kopfende des Tisches, Lamb in seinem Lieblingssessel, Julian so weit vorn wie nur möglich, und Pam ...aber halt! Pam sitzt auf der Couch. Als unsere Blicke sich treffen, erwarte ich, dass sie mit den Schultern zuckt oder mir zublinzelt – auf irgendeine Weise zu verstehen gibt, wie lächerlich sie diese neue ›Machtstellung‹ selbst findet. Sie tut nichts dergleichen. Lehnt sich nur zurück. Wenigstens eine, die in der Welt vorankommt.

Wie es aussieht, sind wir noch immer rundum an der Reihe. Jetzt ist Julian dran.

»… und sie lassen sich, was den verschärften Schadensersatz anbelangt, noch immer nicht umstimmen. Sie wissen, wie eigensinnig Terrills Leute sind – sitzen bis an den Hals in ihrer eigenen Scheiße und weigern sich trotzdem, sie zu riechen. Ich sage, werfen wir es der Presse vor und spielen ihr den Inhalt des Vertrags zu. Gut oder schlecht, damit erzwingen wir zumindest eine Entscheidung.«

»Ich bin heute Nachmittag mit Terrill auf einer Konferenzleitung telefonisch zusammengeschaltet. Sehen wir mal, wo wir danach stehen«, schlägt Simon vor. »Und jetzt erzählen Sie mir, was das Justizministerium wegen der uneingeschränkten Lauschangriffe zu sagen hatte.«

»Sie bestehen noch immer darauf – wollen die Helden auf Hartsons Kriminal-Schaubühne sein.« Während er mit seiner Erklärung fortfährt, grinst Julian verstohlen, aber hämisch zu mir herüber. Anmaßender Fatzke. Das ist mein Thema.

»Sie haben dieses Projekt mir übertragen«, sage ich nach dem Meeting zu Simon. »Ich habe wochenlang daran gearbeitet und Sie …«

»Ich verstehe, dass Sie verärgert sind«, unterbricht er mich.

»Natürlich bin ich verärgert – Sie haben es mir entrissen und an den Obervampir verfüttert. Sie wissen, dass Julian der Sache den Garaus machen wird.«

Simon legt mir leicht die Hand auf die Schulter. Es ist seine passiv-aggressive Art, mich zu beruhigen. Bei mir bewirkt es nur, dass ich ihm einen Stein in die Zähne rammen möchte.

»Ist es wegen der Untersuchung?«, frage ich schließlich.

Er heuchelt Besorgnis, aber er hat seinen Punkt gemacht: Leg dich weiter mit mir an, und ich nehme dir dein ganzes Leben. Ein erbärmliches Stück nach dem anderen. Das Traurige daran ist, dass er es wirklich tun kann.

»Michael, Sie stehen jetzt unter großem Druck, und das Thema der uneingeschränkten Lauschangriffe wird diesen Druck noch verstärken. Glauben Sie mir, ich mache mir wirklich Sorgen um Sie. Bis die Sache sich gelegt hat, sollten Sie sich nicht zu viel aufhalsen.«

»Ich bin sicher, ich schaffe es.«

»Davon bin ich überzeugt«, entgegnet er und genießt es offensichtlich, zuzusehen, wie ich mich krümme. »Und außerdem ist gerade ein neuer Fall hereingekommen. Es geht um eine Frau, die künstlich befruchtet wurde, nachdem …«

»Hab ich gelesen. Der Spermien-Fall.«

»Genau der«, sagt er mit rabenschwarzem Grinsen. »Sie können sich den Papierkram bei Judy abholen – die Sache müsste schnell zu schaffen sein. Und da Bartletts Augenmerk neuerdings auf die Familie gerichtet ist, könnte das zu etwas Großem werden.«

Jetzt spielt er mit mir. Ich sehe das Funkeln in seinen Augen – er genießt jeden Augenblick.

»Ich fange sofort damit an«, sage ich, Begeisterung heuchelnd. Die Genugtuung gönne ich ihm nicht.

»Sicher, dass Sie okay sind?«, fragt er und berührt wieder meine Schulter.

Lächelnd sehe ich ihm fest in die Augen. »Mir ist es nie besser gegangen.« Auf dem Weg zur Tür konzentriere ich mich auf mein Montags-Treffen mit Vaughn und frage mich, ob es nicht um mehr geht als um ein hohes Tier in einer Schwulenbar. Was immer Simon verbirgt, er erhöht langsam den Einsatz.

Wieder in meinem Büro, sehe ich noch immer Simons durchtriebenes Grinsen vor mir. Wenn es jemals einen Punkt gegeben hat, an dem ich ihn als Opfer sah, ist das längst vorbei. Tatsächlich ängstigt mich das am meisten, selbst wenn Simon erpresst wurde, macht ihm das, was er getan hat, zu viel Spaß. Mich lässt das vermuten, dass noch mehr kommt.

Allerdings muss ich zugeben, dass er in einem recht hat: Seit Ausbruch dieser Krise gleicht meine Arbeit der eines Hinterbänklers. Auf meinem Anrufbeantworter häufen sich die unbeantworteten Anrufe, meine E-Mails habe ich seit einer Woche nicht gelesen, und mein Schreibtisch mit den Bergen von Papier ist offiziell zum Briefkorb für eingehende Post geworden.

Ich bin nicht in der Stimmung, Ordnung zu schaffen, und zum Reden habe ich schon gar keine Lust, also gehe ich ins Internet und sehe mir meine E-Mails an. Die endlose Liste von Nachrichten überfliegend, entdecke ich, dass eine von meinem Dad stammt. Ich hatte fast vergessen, dass sie im eingeschränkten Vollzug Zugang zu einem Terminal gestatten. Ich klicke die Nachricht an und lese: *Wann kommst du mich besuchen?* Da hat er den Nagel auf den Kopf getroffen, es ist länger als einen Monat her. Jedes Mal, wenn ich bei ihm war, verlasse ich ihn voller Schuldbewusstsein und deprimiert. Aber er ist nun einmal mein Vater. Ich schreibe rasch eine Antwort: *Ich versuche es dieses Wochenende.*

Nachdem ich über dreißig verschiedene Versionen der wöchentlichen, monatlichen und stündlichen Zeitpläne gelöscht habe, entdecke ich eine zwei Tage alte Nachricht von jemand mit einer Absenderadresse in der *Washington Post*. Ich nehme an, es hat etwas mit dem Zensus oder einem meiner anderen Themen zu tun. Aber die Nachricht lautet: *Mr. Garrick, wenn Sie ein bisschen Zeit erübrigen könnten, wäre ich daran interessiert, mit Ihnen über Caroline Penzler zu sprechen. Natürlich können wir es vertraulich behandeln. Wenn Sie mir helfen wollen, geben Sie mir bitte Bescheid.* Unterschrieben ist die Nachricht: *Inez Cotigliano, Redaktion Washington Post.*

Ich bekomme große Augen, und das Atmen fällt mir schwer.

Im Hinblick auf Carolines Verbindung zu unserem Büro samt allen Insassen ist es kein Schock, dass jemand anfing, in meine Richtung zu schauen. Aber eben nicht irgendjemand auf einer konspirativen zwielichtigen Website. Hier handelt es sich um die *Washington Post*.

Ich versuche das Zittern meiner Hände zu unterdrücken und begebe mich in sichere Gewässer. Pam ist die Expertin für alles, was Caroline betrifft. Ich flitze zur Tür und reiße sie auf. Im Vorraum jedoch sitzt zu meiner Überraschung Pam an dem gewöhnlich unbesetzten Schreibtisch direkt vor meiner Tür. An diesem Schreibtisch, auf dem sonst unsere Kaffeemaschine und Berge ausgemusterter Zeitschriften behelfsmäßig untergebracht sind, hat, solange ich mich erinnern kann, nie jemand gesessen.

»Was machst du …«

»Frag nicht«, sagt sie und knallt den Hörer auf. »Ich telefoniere gerade mit dem Büro des Vizepräsidenten und plötzlich ist mein Telefon tot. Ohne Erklärung, ohne Grund. Jetzt quatschen sie etwas über Reparaturarbeiten, mit denen sie im Rückstand sind, also sitze ich bis morgen hier draußen fest. Zu allem anderen kapiere ich nicht einmal die Hälfte von diesem neuen Zeug – sie hätten sich jemand anders aussuchen sollen –, ausgeschlossen, dass ich imstande bin, es zu schaffen.« Der kleine Schreibtisch vor ihr ist mit roten Ordnern und den bei Studenten und Juristen so beliebten gelben Schreibblocks übersät. Pam dreht sich nicht um, doch ich brauche die tiefen Ringe unter ihren Augen nicht zu sehen, um zu wissen, dass sie müde und überfordert ist. Sogar ihr blondes Haar, das stets besonders ordentlich und gepflegt ist, hat sich gelöst und steht wild in die Höhe. In Carolines gewaltige Fußstapfen zu treten und ihre Schuhe auszufüllen, ist schwierig. Und wie Trey gesagt hat, neue Schuhe drücken.

»Weißt du, was das Schlimmste ist?«, fragt sie, ohne auf eine Antwort zu warten. »Alle diese Nominierten sind gleich. Egal, ob einer Botschafter, Unterstaatssekretär oder Mitglied des verdammten Kabinetts werden will – neun von zehn dieser Leute betrügen ihre Ehepartner oder machen eine Therapie. Und lass dir noch was sagen: Keiner, ich wiederhole – keiner in dieser ganzen Regierung zahlt seine Steuern. ›*Uups, die Haushälterin hab ich ganz vergessen. Ich schwöre, ich hab's nicht gewusst.*‹ Und so einer soll den IRS (Internal Revenue Service) leiten, um Himmels willen!«

Wütend fährt Pam herum und sieht mich endlich an. »Und was willst du?«, fragt sie.

»Nun, ich …«

»Ach, wenn ich's recht überlege – kann es nicht bis später warten? Ich möchte zuerst das Zeug hier erledigen.«

»Klar«, sage ich und betrachte ihren behelfsmäßigen Schreibtisch. Neben dem Stapel roter Ordner fällt mir ein Manilaumschlag mit der Aufschrift *FOIA – Caroline Penzler* auf. Ich erkenne das Akronym, das für *Freedom of Information Act* steht, und frage: »Von wem ist das FOIA-Ersuchen?«

»Von dieser Reporterin von der *Post*. Inez Sowieso.«

»Cotigliano?«

»Richtig«, sagt Pam.

Die Farbe weicht mir aus dem Gesicht. Ich packe den Umschlag und reiße das mehrseitige Memo heraus. »Wann hast du das bekommen?«

»Ich – ich denke gestern …«

»Warum hast du mir nichts davon gesagt?«, brülle ich. Bevor sie antworten kann, sehe ich die Titelkolumne auf dem internen Memo:

AN: Das gesamte Personal des Counsel-Büros.

VON: Edgar V. Simon, Counsel des Präsidenten.

Da die Presse so schnell Interesse zeigt, wette ich, dass er dieses Memo persönlich verfasst hat. Ich blättere weiter, und wie ich sehe, hat er sogar Inez' aktuelles Ersuchen um Dokumente mit einbezogen. Sie versucht Personalakten, Gerichtsakten, interne Memos, Ethik-Memos in die Hände zu kriegen – jedes staatliche Dokument, das irgendwie mit Caroline zusammenhängt. Zum Glück sind Mitteilungen aus dem Counsel-Büro gewöhnlich vor der Enthüllung durch die FOIA geschützt. Dann entdecke ich den letzten Punkt auf Inez' Liste, und mir bleibt das Herz stehen. Da steht es schwarz auf weiß – die leichteste Sache, um sie der Presse zu übermitteln – WAVES-Berichte. Vom 4. September. Dem Tag, an dem ich Caroline tot aufgefunden habe.

»Michael, bevor du ...«

Es ist zu spät. Dadurch, dass Inez diese Berichte angefordert hat, hat sie die Zündschnur bereits in Brand gesetzt. Wir können hinauszögern, so lange wir wollen, aber es ist nur eine Frage der Zeit, bis die ganze Welt sieht, dass ich einen Mann, der wegen Mord angeklagt gewesen war, in das Gebäude eingeschleust habe. Was bedeutet, dass es nicht mehr heißt, *falls* die Berichte veröffentlicht werden; es ist nur noch eine Frage des *Wann*.

Unfähig zu sprechen, schiebe ich die Hand in meinen leeren Briefkorb und frage mich, wohin meine Kopie des Memos verschwunden ist. Dann sehe ich Pam an.

»Tut mir leid«, sagt Pam. »Ich hab gedacht, du weißt es.«

»Was nicht der Fall ist, wie du siehst.« Ich werfe das Memo auf ihren Schreibtisch und gehe zur Tür. »Wohin willst du?«

»Raus«, sage ich. »Mir ist eben etwas eingefallen, das ich tun muss.«

»Setz sie nicht unter Druck«, sagt Nora am anderen Ende der Leitung. »Klingt, als hätte die Arbeit sie wie eine Lawine überrollt.«

»Davon bin ich überzeugt, aber sie sollte wissen, wie wichtig das für mich ist.«

»Ist sie verpflichtet, dich jetzt ihre Post lesen zu lassen, und zwar alle? Komm schon, Michael, als sie das Memo bekam, hat sie bestimmt angenommen, du hättest es auch gekriegt.«

Das ist haargenau die gleiche Reaktion wie eben bei Trey, doch um ehrlich zu sein, habe ich eine andere Meinung erhofft. »Du verstehst nicht«, füge ich hinzu. »Es geht nicht nur darum, dass sie mir nichts gesagt hat. Sondern … seit sie angefangen hat, die Erfolgsleiter hinaufzuklettern, ist sie ein anderer Mensch.«

»Das riecht nach einem leichten Anfall von Eifersucht.«

»Ich bin nicht eifersüchtig.« In der Telefonzelle gegenüber vom OEOB stehend, ertappe ich mich dabei, dass ich den Fußgängerstrom genau beobachte und versuche, mich an das Foto zu erinnern, das ich von Vaughn gesehen habe.

»Hör zu, Schätzchen, du hörst dich allmählich geradezu mitleiderregend an. Ich meine, auch wenn du paranoid *bist* – mich von einem Münzfernsprecher aus anzurufen, geht zu weit. Komm schon. Hol mal tief Luft, kauf dir einen Dauerlutscher – tu irgendwas. Genauso isses mit der Reporterin von der *Post*. Kannst keine Berge mehr von Maulwurfshügeln unterscheiden, Baby.«

Ich weiß nicht, was entnervender ist – der Zwischenfall mit Pam oder die Tatsache, dass Nora plötzlich so tut, als gebe es keinen Grund zur Sorge. »Denkst du?«

»Natürlich. Hast du nie davon gehört, wie Bob Woodward für *The Brethren* recherchiert hat? Er hat dieses Buch über den Obersten Gerichtshof geschrieben, aber keiner der Angestellten wollte mit ihm darüber reden. Also verfasst er ein sechshundert Seiten langes Manuskript, das sich auf Hörensagen und Gerüchte stützt. Dann nimmt er das Manuskript, kopiert es ein paar Mal und lässt es im Gerichtshof zirkulieren. Innerhalb einer Woche ruft jeder Egomane im Gebäude ihn an, weist ihn auf die Ungenauigkeiten hin und korrigiert sie. Peng – Volltreffer.«

»Das ist nicht wahr. Wer hat dir das erzählt?«

»Bob Woodward.«

Ich mache auf *cool*. »Also stimmt es?«

»Es stimmt, dass ich mit Woodward gesprochen habe.«

»Und wie steht es mit dem anderen Teil? Dem Teil mit den Angestellten?«

»Er sagt, das sei Scheiße. Eine von Washingtons großen Mythen. Er hatte kein Problem damit, Quellen anzuzapfen. Schließlich heißt er Bob Woodward«, meint sie auflachend. »Diese andere Reporterin – die dir die E-Mail geschickt hat –, die fischt nur im Trüben. Das ganze FOIA-Ding ist nichts anderes als eine große Schnüffeltour. Uups, bleib dran – Saubermann …« Sie deckt den Hörer zu und ihre Stimme wird gedämpft – ich verstehe trotzdem, was sie sagt. »*Estoy charlando con un amigo. Puedes esperar un segundito?*«

»*Disculpe, señora. Solo venia para recojer la ropa sucia.*«

»*No te preocupes. No es gran cosa. Gracias, Lola.*« Dann wendet sie sich wieder mir zu und fragt: »Entschuldige, wo waren wir?«

»Du sprichst Spanisch?«

»Ich komme aus Miami, Paco. Denkst du, ich hätte Französischunterricht genommen?« Bevor ich antworten kann, sagt sie: »Reden wir jetzt von was anderem. Was machst du dieses Wochenende? Vielleicht können wir uns treffen.«

»Ich kann nicht. Hab meinem Dad einen Besuch versprochen.«

»Das ist nett von dir. Wo wohnt er? In Michigan?«

»Nicht direkt«, flüstere ich.

Ihr fällt auf, wie verändert meine Stimme klingt. »Was ist los?«

»N-nichts.«

»Warum machst du dann so zu? Komm, mir kannst du's doch erzählen. Was steckt dahinter?«

»Nichts«, behaupte ich und möchte das Thema wechseln. Nach ihrem Anruf heute Morgen bin ich zwar versucht, aber … nein – noch nicht. »Ich mache mir nur Sorgen wegen Simon.«

»Was hat er getan?« Ich erkläre ihr, dass er mich von dem

Lauschangriff-Fall abgezogen hat. Wie immer reagiert Nora sofort.

»Dieser Idiot – das kann er dir nicht antun!«

»Hat er aber schon.«

»Dann zwing ihn, es zu ändern. Häng dich an die Strippe. Erzähl's Onkel Larry.«

»Nora, ich werde nicht…«

»Lass dich nicht länger von den Leuten herumstoßen. Simon, das FBI, Vaughn – was sie auch sagen, du akzeptierst alles! Wenn das Essen kalt ist, schick's zurück.«

»Wenn du's zurückschickst, spuckt der Koch hinein.«

»Das ist nicht wahr.«

»Ich habe in der Highschool drei Jahre bei Sizzler Tische abgeräumt. Glaub mir, ich würde lieber das kalte Zeug essen.«

»Nun, ich nicht. Und wenn du Larry nicht anrufst, dann tu ich's. Genieße du nur dein kaltes Essen – ich rufe ihn sofort an.«

»Nora, nicht …«

Es ist zu spät. Sie hat aufgelegt.

Ich hänge ein und höre hinter mir ein rasches Klicken. Als ich mich umdrehe, sehe ich einen zerknitterten, pummeligen Mann mit einem dünnen Bart, der ganz offensichtlich von der beginnenden Stirnglatze ablenken soll. Klick, klick, klick. Eine schäbige grüne Fototasche hängt ihm von der Schulter. Er fotografiert das OEOB. Für einen Sekundenbruchteil jedoch – gerade als ich mich umdrehte – hätte ich schwören können, der Fotoapparat sei auf mich gerichtet gewesen.

Jetzt möchte ich nur schnell weg, kehre ihm den Rücken und trete vom Bordstein auf die Fahrbahn. Aber das Klicken höre ich noch immer. Nacheinander, in schneller Folge. Ich werfe einen letzten Blick auf den Fremden und richte mein Augenmerk auf seine Ausrüstung. Teleobjektiv. Teures Gerät. Kein üblicher D. C.-Tourist.

Ich mache kehrt und gehe auf dem Gehsteig langsam auf ihn zu. »Kenne ich Sie?«, frage ich.

Er lässt den Fotoapparat sinken und wirft mir einen scharfen Blick zu. »Kümmern Sie sich um Ihren eigenen Kram.«

»Also – was gibt's?«

Er antwortet nicht. Stattdessen dreht er sich um und rennt davon. Mir fällt auf, dass auf seiner Fototasche, mit schwarzem Markierstift geschrieben, etwas steht. *Wenn die Tasche gefunden wird, bitte 202-334-6000 anrufen.* Ich präge mir die Nummer ein, bleibe stehen und flitze zur Telefonzelle zurück. Schnell werfe ich ein paar Münzen ein, wähle und warte darauf, dass jemand sich meldet. »Komm schon …« Während es klingelt, sehe ich den Fremden aus meinem Blickfeld verschwinden.

»*Washington Post*«, meldet sich eine weibliche Stimme. »Wohin darf ich das Gespräch durchstellen?«

»Ich kann's einfach nicht glauben. Warum, zum Teufel, hat er …?«

»Beruhige dich, Michael«, sagt Trey am anderen Ende der Leitung. »Möglicherweise …«

»Er hat mich fotografiert, Trey! Ich hab's gesehen.«

»Bist du sicher, dass es nur um dich ging?«

»Als ich ihn danach fragte, ist er weggerannt. Sie wissen es, Trey. Irgendwie konzentrieren sie sich auf mich. Was bedeutet, dass sie nicht aufhören werden, in meinem Leben herumzuschnüffeln, bis sie entweder auf einen Sarg oder eine … O Gott!«

»Was?«, fragt Trey. »Was ist los?«

»Wenn sie rausfinden, was ich getan habe – werden sie ihn zerreißen.«

»Wen werden sie zerreißen?«

»Ich muss los. Ich rede später mit dir.«

»Aber was ist mit …«

Ich lege auf und wähle eine neue Nummer.

Zehn Digits später spreche ich mit Marlon Porigow, einem Mann mit tiefer Stimme, der die Besuchszeiten meines Vaters regelt. »Morgen wäre gut«, sagt er mit deutlichem Cajun-Dialekt. »Ich sorge dafür, dass er darauf vorbereitet ist.«

»Hat es in letzter Zeit Probleme gegeben? Geht es ihm gut?«, frage ich.

»Niemand lebt gern als Gefangener – aber er kommt zurecht. Wir kommen alle zurecht.«

»Das nehme ich an«, sage ich, und meine linke Hand umklammert die Armlehne meines Sessels. »Wir sehen uns morgen.«

»Bis morgen.«

Als er schon auflegen will, füge ich hinzu: »Und, Marlon, könnten Sie mir einen Gefallen tun?«

»Welchen?«

»Ich arbeite hier – an einem ziemlich wichtigen Fall. Einiges davon ist ein bisschen persönlich. Und da ich jetzt schon nervös bin, weil ich fürchte, die Presse ist zu dicht dran, wenn Sie …«

»Soll ich ihn noch genauer im Auge behalten?«

»Ja.« Ich sehe noch immer diesen Reporter die Straße entlangrennen. »Achten Sie nur darauf, dass niemand ihn zu sehen bekommt. Ein paar von diesen Kerlen können rücksichtslos sein.«

»Sie denken wirklich, jemand wird …«

»Ja«, unterbreche ich ihn. »Ich würde nicht darum bitten, wenn ich es nicht glaubte.«

Marlon kennt diesen Ton schon. »Sie stecken bis zu den Knien drin, nicht wahr?«

Ich antworte nicht.

»Nun, machen Sie sich keine Sorgen«, fährt er fort. »Essen, Dusche, Licht aus – ich sorge dafür, dass niemand in seine Nähe kommt.«

Ich lege auf, bin allein im Raum. Habe das Gefühl, dass die Ego-Wände näher rücken, mich umzingeln. Von Inez bis zu dem Fotografen schießt die Presse sich ein bisschen zu schnell ein. Und sie sind nicht allein. Simon, Vaughn, das FBI – sie alle fangen an, genauer hinzusehen. Auf mich.

SECHZEHNTES KAPITEL

Am Samstag ist der Morgenverkehr nach Virginia nicht annähernd so schlimm, wie ich dachte. Ich habe befürchtet, ich würde mich auf der 1-95 nur Stoßstange an Stoßstange vorwärts bewegen können. Doch das schlechte Wetter erlaubt es mir, ohne Staus nach Richmond zu brettern, nur den dunkelgrauen Himmel und Wolken vor Augen. Es ist einer dieser farblosen, trostlosen Tage, an denen man das Gefühl hat, es werde gleich anfangen zu regnen. Nein, nicht zu regnen. Zu schütten. Ein Tag, der auf die Menschen abschreckend wirkt.

Ich bleibe auf der äußersten linken Fahrspur der Autobahn und behalte den Rückspiegel im Auge, bis ich Washington weit hinter mir gelassen habe. Es ist länger als einen Monat her, seit ich ihn zum letzten Mal besucht habe, und ich möchte keinesfalls unerwünschte Gäste mitbringen. Fast eine halbe Stunde versuche ich mich im eintönigen, immer wiederkehrenden Anblick der mit Bäumen bestandenen Landschaft zu verlieren. Doch jeder unwillkürliche Gedanke führt mich zu Caroline zurück. Und zu Simon. Und zu Nora. Und zu dem Geld.

»Verdammt!«, schreie ich und hämmere mit der Faust aufs Steuer. Es gibt kein Entkommen. Ich schalte das Radio ein, finde eine gute, laute Musik mit viel Rhythmus und stelle auf volle Lautstärke. Den noch immer verhangenen Himmel ignorierend, öffne ich das Schiebedach. Der Wind tut meinem Gesicht gut. In den nächsten zwei Stunden werde ich alles in meiner Macht Stehende tun, um das Leben zu vergessen. Heute geht es um Familie.

Die letzte halbe Stunde auf der Autobahn fahre ich in einer Viererkolonne. Ich bin der Zweite, mit einem marineblauen Toyota vor, einem grünen Ford und einem braunen Suburban hinter mir. Das ist eine der wahren Freuden des Reisens – sich mit Fremden zusammenschließen, die mit gleicher Geschwindigkeit fahren. Eine gemeinsame Abwehr gegen die Polizeitechnik der Radarpistole.

Zwei Ausfahrten von meinem Ziel in Ashland, Virginia, entfernt, löse ich mich aus dem Konvoi und wechsle auf die rechte Spur. Aus den Augenwinkeln sehe ich, dass der braune Suburban folgt. Nur ein Zufall, sage ich mir. Vor mir taucht das Schild von Kings Dominion auf. Es hat mich immer zum Lachen gebracht, dass dieser Ort dem Aufenthaltsort meines Dads so nah ist. Ein Vergnügungspark ... so nah – so weit weg. Ich lasse die Ironie auf der Zunge zergehen und werfe rasch einen Blick in den Rückspiegel. Der Suburban ist noch immer hinter mir.

Wahrscheinlich wird er beim Vergnügungspark abbiegen – hier draußen gibt es sonst nicht viel zu sehen. Doch als wir uns der Ausfahrt nähern, setzt er keinen Blinker. Er wird nicht einmal langsamer. Er fährt nur dichter auf.

Ich schaue über die Schulter, um den Fahrer besser sehen zu können – und dann wird mein Hals trocken. Was, zum Teufel, macht *er* hier? Und wieso ist er allein? Ich reiße das Steuer nach rechts, fahre auf den Seitenstreifen und schleudere ihm eine Wolke aus Schotterstaub ins Gesicht. Wir sind nur ein paar Meter von der Ausfahrt nach Ashland entfernt, aber ich knalle den Fuß so fest auf die Bremse, wie ich nur kann. Der Suburban hinter mir ist blind vom Staub und näher denn je. Er hält mit einem Ruck an, doch seine vordere Stoßstange verbeißt sich kurz in meine.

Aus dem Wagen springend, stürze ich zur Fahrerseite des Suburban. »Was wollen Sie?«, schreie ich und bearbeite sein Fenster mit der Faust.

Harry wendet sich ab, meine Frage interessiert ihn nicht. Er sieht etwas im Fond des Wagens an. Nein, nicht etwas. Jemand.

Sie richtet sich auf, und ihr Lachen trifft mich wie ein Schlag. »Und du hast gesagt, *ich* fahre wie ein Psycho?«, fragt Nora und rückt ihre Baseballmütze zurecht. »Schätzchen, du verdienst den Kuchen, die Geschenke und die ganze verdammte Geburtstagsparty.«

»Was machst du hier?«

»Sei nicht sauer«, sagt Nora und steigt aus dem Suburban. »Ich wollte nur …«

»Du wolltest nur – was? Hinter mir herfahren? Mich von der Straße abdrängen?«

»Ich – ich wollte nur wissen, wohin du fährst«, flüstert sie und starrt auf ihre Füße.

»Was?«

»Du hast mir gesagt, du wolltest deinen Dad besuchen, aber irgendetwas an der Art, wie du es gesagt hast … Ich wollte mich nur überzeugen, dass du okay bist …«

Ich schaue zu Harry hinüber, sehe dann wieder Nora an. Sie lässt den Kopf hängen und kickt ein paar Steinchen im Staub herum. Sie zögert noch immer. Hat Angst, sich zu öffnen. Erinnert sich wohl, wie oft sie verletzt wurde. Bei allem, was vorgeht, was uns aneinander bindet – sie riskiert zu viel allein dadurch, dass sie hier ist. Aber sie ist trotzdem gekommen.

Als ich auf sie zugehe, weiß ich, dass Trey mir sagen würde, ich solle weglaufen. Er hat unrecht. Es gibt einige Dinge, für die man kämpfen muss – selbst wenn das bedeutet, alles zu verlieren. Gleichgültig, was die Leute sagen, leicht ist das nicht.

Langsam hebe ich ihr Kinn. »Ich bin froh, dass du hier bist.«

Sie muss unwillkürlich lächeln. »Du besuchst also wirklich deinen Dad?« Ich nicke.

»Kann ich ihn kennenlernen?«

»I-ich bin nicht sicher, dass das eine sehr gute Idee wäre.«

»Warum nicht?«

»Weil … Warum möchtest du ihn überhaupt kennenlernen?«

»Er ist dein Dad, nicht wahr?«

Sie sagt es so schnell, als gebe es keine andere Antwort. Doch das bedeutet nicht, dass es möglich wäre.

»Wenn du es nicht willst, würde ich es verstehen.«

Davon bin ich überzeugt – sie hat das Buch geschrieben, das Vorspiel und das Nachspiel dieses Stücks. Und vielleicht ist das ein Teil des Problems. Wieder sind wir bei der Furcht angelangt. Und der Loyalität. Die kann ich nicht verlangen, wenn ich nicht selbst bereit bin, sie zu geben. »Es macht dir also nichts aus, dass er …«

»Er ist dein Vater«, sagt sie. »Du brauchst ihn nicht zu verstecken.«

»Ich verstecke ihn nicht.«

»Ich möchte ihn kennenlernen, Michael.«

Die Bitte abzulehnen, ist schwer. »Okay, aber nur, wenn du …«

»Harry, ich fahre mit Michael!«, ruft sie. Bevor ich noch ein Wort sagen kann, läuft sie zu meinem Wagen und springt hinein.

»Tut mir leid wegen Ihrer Stoßstange«, sagt Harry zu mir, bevor er zu seinem Suburban zurückgeht. »Ich verfüge über ein Budget und kann das bezahlen, wenn Sie möchten.«

Ich spreche mit Harry, sehe aber noch immer Nora an. »Ich schätze … Was auch immer … *yeah*.«

Als er seine Tür öffnet, frage ich: »Sie müssen sie doch nicht auch weiterhin bewachen, oder?«

»Ich werde nicht mit hineinkommen, aber ich muss Ihnen folgen.«

»Das ist in Ordnung, nur sollten Sie eines beherzigen. Von meinem Dad müssen Sie sich ein bisschen fernhalten. Er mag keine Cops.«

Ich nehme die Ausfahrt Ashland; dann dauert es nicht mehr lange und wir sind im Pferdeland. Eine Minute folgen wir den doppelten gelben Markierungslinien auf der Route One; eine Linkskurve später fahren wir über Hügel und Täler auf Virginias malerischsten welligen Straßen. Verkehrsampeln werden zu grünen Bäumen und gelben Blumenstauden, Parkplätze zu offenen, üppigen Feldern.

Der Himmel ist noch bewölkt, aber der süße Duft hier draußen … Plötzlich haben wir den sonnigsten Tag.

»Ich möchte ja nicht meckern, aber, zum Teufel – zu welchem Ort fahren wir?«, fragt Nora.

Ich antworte nicht. Ich möchte, dass sie es selbst sieht.

Vor uns erstreckt sich das Gelände des *Heims*, unmittelbar neben einer Farm. Der Farmer war von der Nachbarschaft nicht besonders begeistert, als er jedoch erkannte, dass er nunmehr die Möglichkeit hatte, billige Arbeitskräfte zu bekommen, änderte er seine Meinung sehr schnell. Nachdem wir die Farm und die Felder voller Getreidegarben passiert haben, biege ich scharf links ab und fahre durch ein Tor in einem unauffälligen Zaun mit hölzernen Querbalken. Der Wagen holpert über einen Feldweg, der sich zum Haupteingang schlängelt.

Ich halte an und erwarte halb und halb, dass Nora sofort aus dem Wagen stürmt. Stattdessen bleibt sie, wo sie ist. »Bist du bereit?«, frage ich.

Sie nickt.

Ein wenig beruhigt steige ich aus und werfe die Wagentür zu. Nora kommt hinterher – vielleicht zum ersten Mal in ihrem Leben.

Das *Heim* ist ein einstöckiges, in den fünfziger Jahren erbautes Ranchhaus mit einer weit offen stehenden Fliegengittertür. Soweit die Sicherheit. Innen ist es ein normales Haus, abgesehen von den Wänden; gleich hinter der Tür sind sie mit Hinweisen für Fluchtwege im Brandfall und mit Staatslizenzen bepflastert. In der Küche lehnt, eine Zeitung vor sich ausgebreitet, ein schwerer schwarzlockiger Mann am Büfett. »Michael, Michael, Michael«, singt er mit seinem Cajun-Bass.

»Der weltberühmte Marlon.«

»Momma hat nur einen zustande gebracht.« Er wirft Nora einen raschen Blick zu und erkennt sie sofort. Natürlich ist er viel zu schlau, um sich von einer Baseballmütze täuschen zu lassen.

»Mmmmm-mmm, guck dir dat an. Was machen Sie so weit südlich?«

»Das gleiche, was ein Kreolen-Akzent so weit nördlich macht«, schießt sie mit einem Grinsen zurück.

Marlon bricht in donnerndes Gelächter aus. »Punkt für Sie, Schwester. Wird langsam Zeit, dass einer nicht Cajun sagt.«

Ich räuspere mich, bitte um Aufmerksamkeit. »Hm … wegen meines Vaters …«

»Hat schon den ganzen Morgen nach Ihnen gefragt«, entgegnet Marlon. »Und nur damit Sie's wissen, er hat rausgeschaut, seit Sie angerufen haben; aber keine Sorge, das ganze Haus hat seit Donnerstag keinen einzigen Besucher gesehen.«

»Wer war Donners…«

»Lass sein«, sagt Nora und beugt sich über meine Schulter. »Nur für ein paar Stunden.« Sie hat recht. Der heutige Tag soll der Familie gehören.

»Er wartet auf Sie«, fügt Marlon hinzu. »In seinem Zimmer.«

Nora macht den ersten Schritt. »Alles klar?«, fragt sie.

Meine Hände sind zu Fäusten geballt und ich bin wie erstarrt. Ich hätte sie nicht mitnehmen dürfen.

»Es ist okay«, sagt sie. Sie öffnet meine verkrampften Finger und nimmt meine Hand.

»Du kennst ihn nicht. Er ist nicht …«

»Hör auf, dich zu sorgen«, sagt sie und hebt mein Kinn. »Ich werde ihn gernhaben. Wirklich.«

Von der Zuversicht in ihrer Stimme ermutigt, gehe ich zögernd zur Tür.

SIEBZEHNTES KAPITEL

»Klopf, klopf«, sage ich, als ich das kleine Zimmer betrete. Zu meiner Linken steht ein Bett, ein eintüriger Schrank zu meiner Rechten. Mein Dad sitzt an einem Schreibtisch, der an der Wand gegenüber der Tür steht. »Jemand zu Hause?«

»Mickey!«, schreit mein Dad und lacht laut von einem Ohr

zum anderen. Er springt vom Sessel auf und stößt dabei eine Dose mit Markierstiften vom Schreibtisch. Was er nicht einmal merkt. Sieht nur mich.

Er packt mich, umarmt mich, drückt mich an sich und versucht mich hochzuheben.

»Vorsichtig, Dad. Ich bin jetzt schwerer.«

»Nie zu schwer – dafür.« Er hebt mich auf und dreht sich mit mir um die eigene Achse, setzt mich dann in der Mitte des Zimmers ab. »Du bist schwer«, sagt er leicht näselnd. »Und siehst auch müde aus.«

Da er mit dem Rücken zur Tür steht, entdeckt er Nora nicht, die auf der Schwelle wartet. Ich bücke mich und fange an, die Markierstifte vom Boden aufzuheben. »Woran arbeitest du?«, frage ich mit einem Blick auf die Zeitung auf dem Schreibtisch.

»Kreuzworträtsel.«

»Wirklich? Lass sehen.« Er nimmt die Zeitung und reicht sie mir. Es ist ein fertiges Kreuzworträtsel in der Version meines Vaters – er hat jedes leere Quadrat mit einer anderen Farbe ausgemalt.

»Wie findest du's?«

»Großartig«, sage ich und heuchle Begeisterung. »Dein Bestes bisher.«

»Wirklich?«, fragt er und lässt sein Lächeln strahlen. Es ist ein breites weißes Lächeln, das den Raum erhellt. Alle fünf Finger ausgestreckt, klemmt er die Stelle hinter dem Ohr zwischen Daumen und Zeigefinger ein, kippt dann die obere Hälfte des Ohrläppchens um und lässt sie wieder zurückschnellen. Als ich klein war, erinnerte mich das immer an eine Katze, die sich putzt. Ich liebte es.

»Wirst du Buchstaben einsetzen?«, fragt er.

»Nicht jetzt, Dad«, unterbreche ich. Ich klopfe ihm auf den Rücken und schiebe das Etikett seines Hemds in den Kragen zurück. Über seine Schulter hinweg lese ich Noras Gesichtsausdruck. Sie fängt endlich an zu begreifen. Jetzt weiß sie, wo meine Kindheit endete. »Dad, ich habe jemand mitgebracht, der dich kennenlernen will.« Ich zeige zur Tür und füge hinzu: »Meine Freundin Nora.«

Er dreht sich um, und sie mustern sich gegenseitig. Mit siebenundfünfzig Jahren lächelt er wie ein Zehnjähriger, und er sieht noch immer ungewöhnlich gut aus, hat einen zerzausten Schopf grauer Haare, die sich an den Schläfen kaum lichten. Er trägt sein liebstes T-Shirt – das mit dem Logo von Heinz Ketchup – und Khakishorts, die er sich viel zu hoch über den Bauch gezogen hat. An den Füßen hat er schwarze Socken und weiße Turnschuhe. Während er Nora beobachtet, beginnt er auf den Fußballen zu wippen. Zurück und vor, zurück und vor, zurück und vor.

Überraschung zeichnet sich auf Noras Gesicht ab. »Ich freu mich, Sie kennenzulernen, Mr. Garrick«, sagt sie und nimmt die Baseballmütze ab. Zum ersten Mal tut sie es in der Öffentlichkeit. Kein Verstecken mehr.

»Weißt du, wer sie ist?«, frage ich und genieße plötzlich die Szene.

»Er ist mein Babyjunge«, wendet er sich an Nora und legt stolz den Arm um mich. Als er die Worte sagt, wendet er den Blick von uns beiden ab. Seine stets weit geöffneten Augen richten sich auf die Zimmerecke, und seine Schultern sacken schwer nach vorn.

»Dad, ich habe dich etwas gefragt. Weißt du, wer sie ist?«

Sein Mund steht offen, als er sich ihr mit einem langen Seitenblick zuwendet. »Hübsches Mädchen mit kleinen Brüsten?«, sagt er verwirrt.

»Dad!«

»Ist sie nicht?«, fragt er einfältig, und seine Augen schweifen hastig ab.

»Eigentlich ist das nur ein Spitzname«, sagt sie und streckt ihm die Hand entgegen. »Ich bin Nora.«

»Frank«, stößt er grinsend hervor. »Frank Garrick.« Er wischt sich die Hand an seinem T-Shirt ab und reicht sie Nora.

Ich weiß, was sie denkt. Wie er mit offenem Mund dasteht, wie er immer in die Ferne starrt – es ist nicht das, was sie erwartet hat. Er zeigt leicht vorstehende Zähne, den Kopf reckt er nach oben. Er ist erwachsen, sieht aber eher aus wie ein zu groß geratenes Kind mit einem schlechten Geschmack in modischen Dingen.

»Dad, warum trägst du noch immer diese schwarzen Socken? Ich hab dir gesagt, sie sehen mit den Turnschuhen schrecklich aus.«

»Sie halten besser«, sagt er und zieht jede Socke so weit wie möglich hinauf. »Ist doch nichts Schlimmes dabei.«

»Ganz bestimmt nicht«, meint Nora. »Ich finde, Sie sehen gut aus.«

»Sie sagt, ich sehe gut aus«, wiederholt er, zurück und vor wippend. Ich beobachte die beiden; er steht direkt neben ihr – nimmt ganz ihren persönlichen Raum ein –, aber Nora weicht keinen Schritt.

Ich lächle sie an, doch sie wendet sich ab und schaut sich im Raum um. Über Dads Bett hängt ein gerahmtes Bild von Michigans speziellen Olympischen Spielen. Es ist die Momentaufnahme eines jungen Mannes beim Weitsprung. An der gegenüberliegenden Wand hängt eine Collage, die ich für ihn gemacht habe, als er in das Heim zog. Zusammengesetzt aus Bildern der letzten dreißig Jahre, sagt es ihm, dass ich immer da bin.

»Bist du das?«, fragt Nora, die Collage betrachtend.

»Welchen meinst du?«

»Runder Haarschnitt und pinkfarbenes Oxford-Hemd. Der kleine Proppen?«

»Das ist Mickey in seinem Großer-Junge-Hemd«, sagt mein Dad stolz. »Fort in die Schule. Fort in die Schule.«

In der Ecke betrachtet sie die leeren Heinz-Ketchup-Flaschen, die auf Bücherborden, den Fenstersimsen, auf dem Beistelltisch neben dem Bett und auf jedem freien Platz im Zimmer aufgereiht sind. Mein Dad folgt ihren Blicken und strahlt. Ich sehe ihn eindringlich an. Er kann ihr die Ketchup-Flaschen später zeigen. Nicht jetzt.

Sein Bett neben dem Bücherschrank ist gemacht, aber auf seinem Schreibtisch herrscht unbeschreibliche Unordnung. Auf dem Durcheinander steht ein gerahmtes Hochzeitsfoto. Nora greift danach.

Sofort beginnt mein Dad, den Mittelfinger gegen den Daumen zu schnippen. Schnipp, schnipp, schnipp, schnipp. »Das ist meine Frau. Phyllis, Phyllis, Phyllis«, wiederholt er, als er sieht, dass Nora das Foto in die Hand nimmt. Mein Dad im Smoking sieht jung und schlank aus; meine Mom im Hochzeitskleid übergewichtig und scheu.

»Sie ist sehr hübsch«, sagt Nora.

»Sie ist schön, ich sehe gut aus«, sagt er. Schnipp, schnipp, schnipp. »Hier ist Michael mit dem Präsidenten. Dem richtigen.« Er reicht Nora ein Foto von mir und ihrem Dad.

»Mann«, sagt sie. »Und Michael hat es Ihnen geschenkt?«
»Ich hab Ihnen doch gesagt – er ist mein Junge.«

Nach einer raschen Partie Mau-Mau gehen wir zum Lunch in den Garten hinter dem Haus. Die Reste unserer Truthahn- und Ketchup-Sandwichs vertilgend, sitzen wir zu dritt an einem alten hölzernen Picknicktisch. »Wollt ihr eine Überraschung zum Dessert?«, fragt mein Dad, als wir mit dem Essen fertig sind.

»Ich schon«, sagt Nora sofort.

»Michael, was ist mit …«

»Klar«, füge ich hinzu.

»Ist gebongt. Wartet hier.« Er schießt aus seinem Sessel in die Höhe und wirft fast seinen Teller hinunter.

»Wohin willst du?«, frage ich ihn, als er nicht die Richtung zum Haus einschlägt, sondern vom Haus wegläuft.

»Zum Nachbarn«, sagt er, ohne sich umzudrehen.

Ich behalte ihn im Auge, während er auf den Zaun zugeht, der die beiden Grundstücke trennt. »Sei vorsichtig!«, rufe ich.

Er winkt mir mit fuchtelnden Armen.

»Du machst dich wirklich verrückt wegen ihm, nicht wahr?«, fragt Nora.

Ich reiße ein Stück Rinde von meinem Brot ab und zerkrümle es in der Hand. »Ich kann nicht anders. Seit dieser Fotograf mich geknipst hat … Wenn sie so an mir interessiert sind, werden sie irgendwann auch hier auftauchen, das weißt du.«

»Und was ist so schrecklich daran?«

Sie denkt, ich schäme mich für ihn. Auch wenn es so ist, ich wünschte, es wäre so einfach. »Sag mir nicht, ich hätte keinen Grund, mich zu sorgen.«

»Vielleicht ist es nur ein Nervenkrieg. Vielleicht ist es Simons Art und Weise, dir klarzumachen, dass du schweigen sollst.«

»Und wie, wenn das nicht der Fall ist? Wenn die Presse schon von diesem Vaughn Wind bekommen hat?«

»Ich hab dir schon ein paar Mal gesagt, spiel nicht ›wie wenn‹. Du triffst dich am Montag mit Vaughn – und wirst es bald erfahren. Bis dahin sprechen wir mit Marlon und sagen ihm, er soll besonders gut aufpassen.«

»Aber wenn …« Ich unterbreche mich. »Vielleicht sollte ich ihn in die Stadt mitnehmen. Ich kann ihn bei mir unterbringen.«

»Eine beschissene Idee, das weißt du genau.«

»Hast du einen besseren Vorschlag?«

»Ich werde den Service bitten, hier draußen ein Auge auf ihn zu haben.«

»Würden sie das tun?«

»Sie sind der Secret Service. Sie würden Kugeln aus einer Maschinenpistole mit dem Mund auffangen, wenn sie dächten, wir wären dadurch sicher.«

»Du meinst, wenn sie dächten, du wärst sicher …«

»Der Becher der Wohltaten fließt über«, sagt sie, eine Braue hochziehend. »Wenn meinen Freunden etwas Verdächtiges zustößt, muss ich es melden. Sie schlagen eine Akte auf und schauen hinein. Das müsste genügen, um seine Sicherheit zu gewährleisten.«

Ich schiebe die Krümel auf meinem Teller zu einem ordentlichen Häufchen zusammen. »Danke, Nora. Das wäre großartig.« Aufblickend sehe ich, dass sie die Baseballmütze noch immer nicht aufgesetzt hat. »Das würde uns wirklich viel bedeuten.«

Sie nickt nur, steht auf, nimmt ihren leeren Teller und beginnt abzuräumen.

»Lass es«, sage ich. »Marlon möchte, dass das mein Vater tut. Das Ziel des Gruppenheims ist Unabhängigkeit.«

»Aber macht er nicht …« Nora hält inne.

»Was?«

»Nein, nichts, ich habe nur …« Wieder unterbricht sie sich. Sie hat ihr Leben lang auf der Empfängerseite gestanden. Dad fasziniert sie. Die Neugier bringt sie um.

»Er ist geistig zurückgeblieben«, sage ich. »Und keine Sorge, ich habe nichts dagegen, dass du fragst.«

Sie wendet den Blick ab, doch ihr Gesicht ist wie mit Blut übergossen. Sie errötet. So etwas bringt sie also aus der Fassung. »Seit wann leidet er daran?«

»Er ›leidet‹ nicht«, erkläre ich. »Er wurde mit verminderter Lernfähigkeit geboren – was bedeutet, dass er logische Zusammenhänge und schwierige Argumentationen nur langsam begreift. Das Positive ist, dass er hinsichtlich seiner Gefühle nie lügen wird. Es ist der Charme der Offenheit. Er meint, was er sagt.«

»Heißt das, dass ich kleine Brüste habe?«

Ich muss lachen. »Der Ausrutscher tut mir leid. Manchmal fordern seine gesellschaftlichen Manieren ihren Tribut.«

»Und deine Mom …?«

Da ist sie, die erste Frage, die jeder stellt. »Meine Mom war normal. Zumindest nach meinen Maßstäben.« »Ich verstehe nicht.«

»Schau dir das Hochzeitsfoto noch einmal an. Sie war eine dickliche Krankenschwester mit zwei Zentimeter starken Brillengläsern – eine von den traurigen, plumpen Frauen, die man nie zu sehen bekommt, weil sie nie ausgehen. Sie hat nur zu Hause gesessen und gelesen. Tonnen von Büchern. Lauter Phantasien. Als mein Dad mit einer Blaseninfektion ins Krankenhaus musste, hat sie ihn gepflegt. Peniswitze beiseite, er hat sie angebetet – konnte sie nicht oft genug sehen –, klingelte ständig, damit sie zu ihm kam. Seinen ›Schmetterling‹ nannte er sie. Das war alles, was sie brauchte. Zum ersten Mal sagte jemand, sie sei schön – und meinte das ernst.«

»Einige Leute würden das die wahre Liebe nennen.«

»Da geb ich dir recht. Meine Mutter liebte ihn so, wie er war, und er liebte sie wieder. Es war nie einseitig – langsam von Begriff sein bedeutet nicht, dass man gehirntot ist. Er ist ein liebevoller, fürsorglicher Mensch, und sie war diejenige, die er wählte. Gleichzeitig war sie sich über seine Behinderung völlig im Klaren. Und die Tatsache, dass sie für ihn sorgen konnte – genauso wie er es für sie tat –, nach all den Jahren des Alleinseins ... Nun, jeder möchte gebraucht werden.«

»Also war wohl sie es, die dich großgezogen hat.«

Nora sagt das mit aller Vorsicht. Was sie wirklich wissen möchte, ist: Wie bin ich so normal geworden?

»Was sie auch von sich selbst halten mochte, meine Mom hat ihr Ventil immer in mir gefunden. Nachdem ich sehr früh zu lesen anfing und sie fragte, ob wir eine Zeitung abonnieren könnten, hat sie alles in ihrer Macht Stehende getan, um mich zu fördern. Sie konnte einfach nicht glauben, dass sie und mein Dad ein Kind wie mich ...« Ich halte inne. »Sie war so schüchtern, fürchtete sich, in einem Kaufhaus mit dem Verkäufer zu sprechen, aber sie hätte mich nicht mehr lieben – oder unterstützen können.«

»Und sie hat alles ganz allein gemacht?«

»Ich weiß, du denkst, das sei unmöglich, aber es geschieht

ununterbrochen. Hast du vor ein paar Wochen das *New York Time Magazine* gelesen? Sie haben einen langen Artikel über Kinder geistig zurückgebliebener Eltern gebracht. Als ich jünger war, hatten wir eine Selbsthilfegruppe mit sechs Leuten, mit denen wir uns zweimal wöchentlich trafen – jetzt gibt es gesamttherapeutische Programme. Darüber hinaus bekamen wir ein wenig Hilfe von den Tanten und Onkeln meiner Mom aus Ohio, die ziemlich gut betucht waren. Schlimm für uns, sie alle waren ziemliche Blödmänner – die hier in der Gegend leben eingeschlossen. Sie haben versucht sie zu überreden, sich von meinem Dad scheiden zu lassen, aber sie hat ihnen klargemacht, sie sollten sich verpissen. Als sie das hörten, haben sie zu ihr das Gleiche gesagt. Dafür habe ich Mom am meisten respektiert, glaub ich. Mit dem sprichwörtlichen silbernen Löffel geboren, hat sie alles aufgegeben.«

»Und was hast du für einen Komplex? Mit nichts geboren, möchtest du jetzt alles?«

»Das ist besser als nichts.«

Sie sieht mich lange an, studiert meine Gesichtszüge. Mit den kurzen Fingernägeln zupft sie am Rand ihres Papptellers herum. Ich habe keine Ahnung, was sie denkt, aber ich weigere mich, etwas zu sagen. Stets habe ich daran geglaubt, dass Menschen sich schweigend nahekommen. Mentale Verdauung, hat jemand es genannt. Was zwischen den Worten geschieht. Endlich hört Nora auf zu zupfen. Etwas hat klick gemacht.

»Bist du in Ordnung?«, frage ich.

Sie wirft mir einen Blick zu, den ich noch nie gesehen habe. »Macht es dir manchmal etwas aus, dich um deinen Dad zu kümmern? Ich meine, empfindest du ihn manchmal als Last ... Oder dass es ... ich weiß nicht – über deine Kraft geht?«

Es ist das erste Mal, dass ich sie etwas so Kompliziertes sagen höre. Selbst der reine Gedanke fällt ihr nicht leicht. »Meine Mom hat mir oft gesagt, es gebe immer jemand, der es viel schlechter habe.«

»Das glaube ich auch«, sagt sie. »Es ist nur, dass manchmal – sogar hier herauszukommen … Das Heim muss dein halbes Gehalt verschlingen.«

»Tatsächlich ist es nur etwas mehr als ein Viertel – Medicaid übernimmt den Rest. Und selbst wenn sie's nicht täten, es geht nicht um das Geld. Hast du nicht gesehen, wie er ging, als er uns die Küche zeigte? Brust heraus, Lächeln von einem Ohr zum anderen. Hier draußen ist er stolz auf sich.«

»Und das genügt dir?«

Ich drehe mich zu den schwankenden Getreidegarben auf dem angrenzenden Feld um. »Nora, das vor allem war der Grund, warum Caroline sich meine Akte geholt hat.« Jetzt liegt es offen. Kein Bedauern. Nur Erleichterung.

»Was meinst du?«

»Meine Akte. Wir haben darauf gewartet, dass das FBI im Hinblick darauf keine Bedenken hat, aber es gibt einen Grund dafür, warum Caroline sie auf dem Schreibtisch hatte.«

»Ich hab gedacht, es gehe um das Medicaid-Dingsbums – da sie für deinen Dad bezahlen, damit er hier bleiben kann, war es ein Interessenskonflikt; du hättest dich nie mit der Überarbeitung und Neufassung beschäftigen dürfen.«

»Es steckt mehr dahinter«, sage ich.

Sie zuckt nicht zusammen. Es ist schwierig, jemand zu überraschen, der schon alles gesehen hat. »Raus damit«, sagt sie.

Ich beuge mich vor und schiebe die Ärmel bis an die Ellbogen hinauf. »Es war gleich nachdem ich im Büro angefangen hatte. Ich war eben erst nach Washington umgezogen und hatte für meinen Dad noch immer keinen Platz gefunden. Du musst das verstehen, ich wollte ihn nicht einfach irgendwo unterbringen – in Michigan hatte er einen der besten Plätze im Staat. Wie jetzt hier. Er war auf einer Farm, und sie haben dafür gesorgt, dass er sicher war und Anregungen hatte – und einen Job …«

»Ich fange an zu verstehen.«

»Glaub ich nicht. Es ist ja nicht so, als müsse man eine Tagespflege finden.«

»Was hast du gemacht?«

»Wenn ich ihn nicht hier untergebracht hätte, wäre er in eine Anstalt gesteckt worden, Nora. Dort kannst du ein normales Leben vergessen – er wäre verkümmert und gestorben.«

»Sag mir, was du getan hast, Michael.«

Ich bohre die Fingernägel in die Rillen des Holztischs. »Als ich im Counsel's Office anfing, habe ich auf dem Briefpapier des Weißen Hauses an den Präsidenten des Residential Services Program von Virginia geschrieben. Drei Telefongespräche später machte ich ihm klar, wenn er meinen Dad in ein privates Gruppenheim aufnehmen würde, könnten er und die ganze Gemeinde geistig Behinderter damit rechnen, ›einen Freund im Weißen Haus zu haben‹.«

Es bleibt lange still, nachdem ich geendet habe. Ich kann nur die Getreidegarben anstarren.

»Das war's?«, fragt sie und lacht.

»Nora, das ist ein klarer Machtmissbrauch. Ich habe meine Stellung benutzt, um …«

»Ja, du bist ein richtiges Ungeheuer – du hast gemauschelt, um deinem geistig zurückgebliebenen Vater zu helfen. Da hast du aber richtig die Sau rausgelassen. Zeig mir einen einzigen Menschen in ganz Amerika, der nicht dasselbe täte.«

»Caroline …«, sage ich tonlos.

»Sie ist dahintergekommen?«

»Natürlich ist sie dahintergekommen. Sie hat den Brief auf meinem Schreibtisch liegen sehen.«

»Beruhige dich«, sagt Nora. »Sie hat dich nicht gemeldet, oder?«

Nervös schüttle ich den Kopf. »Sie hat mich in ihr Büro zitiert, mir ein paar Fragen gestellt und mich dann weggeschickt. Hat gesagt, ich solle es für mich behalten. Deshalb hatte sie meine Akte. Das ist der einzige Grund, ich schwöre es.«

»Michael, das ist okay. Du brauchst dir deshalb keine Sorgen zu machen …«

»Wenn die Presse es erfährt…«

»Sie wird nicht …«

»Simon braucht Inez nur meine Akte zu geben – das genügt. Du weißt, was sie tun werden, Nora – und in einer Anstalt kann er nicht überle…«

»Michael …«

»Du verstehst nicht …«

»O doch, ich verstehe, sehr gut sogar.« Auf die Ellbogen gestützt, beugt sie sich vor und schaut mir fest in die Augen. »Ich an deiner Stelle hätte genau dasselbe getan. Mir ist egal, was für Fäden ich ziehen muss, um meinem Vater zu helfen, darauf kannst du deinen Arsch verwetten.«

»Aber wenn …«

»Niemand wird es je erfahren. Geheimnisse sind bei mir sicher, meine – und deine.«

Sie greift über den Tisch nach meiner Hand und öffnet meine Faust, Finger um Finger. Es ist heute das zweite Mal, dass sie das tut. Als ihre Fingernägel auf meinem Handteller kleine Kreise ziehen, werde ich ruhig.

»Wie ist das?«, fragt sie.

Die Fragen fallen ihr nicht leichter. Hinter ihr berührt die Sonne ihre Haarspitzen. Menschen warten manchmal ihr Leben lang und erleben nie einen Augenblick, der so schön ist. Ich will ihn nicht loslassen, beuge mich vor und schließe die Augen.

»Mickey-Mickey-Moo!«, ruft mein Dad so laut er kann.

Erschrocken zucke ich zusammen. Gelassen und mit viel mehr Haltung tut Nora das Gleiche. Sie lehnt sich zurück, blickt mir langsam über die Schulter. Der Augenblick ist dahin und hier kommt Daddy.

»Hab eine Überraschung!«, schreit er hinter mir.

»Wo haben Sie das her?«, platzt Nora lächelnd heraus und springt auf.

Auf der anderen Seite des Zauns steht mein Dad mit einem herrlichen schokoladenbraunen Pferd an einem Lederriemen.

»Wie schön!«, sagt Nora und quetscht sich zwischen den horizontalen Balken des Zauns durch. »Wie heißt sie?«

»Du wolltest ihn küssen, nicht wahr?«, erkundigt sich mein Dad, und seine Augen sind noch größer als sonst.

»Küssen – wen?«, fragt Nora und zeigt auf mich. »Ihn?« Mein Dad nickt heftig. »Keine Chance«, sagt sie.

»Ich denke, ihr seid ein Paar«, erwidert er kichernd.

»Sie sind sehr schlau.«

»Wollt ihr vielleicht heiraten?«

»Das weiß ich nicht, aber ich möchte nichts ausschließen …«

»Nora«, unterbreche ich sie. »Er weiß nicht …«

»Er macht das sehr gut.« Sie wendet sich wieder meinem Dad zu und sagt: »Sie haben einen guten Sohn aufgezogen, Mr. Garrick. Er ist der erste wirkliche Freund, den ich habe – seit einer ganzen Weile.«

Wie gebannt hängt er an jedem Wort von ihr. Plötzlich fangen seine Lippen an zu zittern. Er versteckt die Daumen in den Fäusten. Ich habe gewusst, dass das geschehen würde. Bevor Nora es überhaupt merkt, schießen ihm die Tränen in die Augen und er furcht zornig die Stirn.

»Was ist denn?«, fragt sie verwirrt.

Seine Stimme klingt wie der wütende Aufschrei eines kleinen Jungen. »Du willst mich bei der Hochzeit nicht dabeihaben, nicht wahr?«, schreit er. »Du wolltest es mir nicht einmal sagen!«

Nora weicht bei seinem Ausbruch zurück, streckt jedoch nach ein paar Sekunden die Hand aus. »Natürlich würden wir …«

»Lüg nicht!«, schreit er und schlägt mit dem Lederriemen nach ihrer Hand. Sein Gesicht ist feuerrot. »Ich hasse Lügen! Ich hasse Lügen!«

Nora macht noch einen Schritt auf ihn zu. »Sie brauchen nicht zu …«

»Ich tu, was ich will! Ich kann tun, was ich will!«, schreit er, und die Tränen strömen ihm über die Wangen. Wie ein Löwenbändiger holt er wieder mit dem Lederriemen nach ihr aus.

»Schlag sie nicht, Vater!«, schreie ich und rase zum Zaun. Damit wird Nora allein nicht fertig. Sie weicht nur zurück, als er wieder ausholt. Ich sehe ihr an, dass sie bestürzt, aber noch immer entschlossen ist, die Situation zu meistern. Sie zählt leise und trifft genau den richtigen Augenblick. Er holt mit dem Riemen weit aus, doch bevor er zuschlagen kann, stürzt sie vorwärts. Als ich eben über den Zaun springe, öffnet sie die Arme und zieht ihn an sich. Er will sich losreißen, doch sie hält ihn fest.

»Psssst«, flüstert sie, ihm den Rücken streichelnd.

Langsam hört er auf sich zu wehren, obwohl er noch immer am ganzen Körper zittert. »Wie kommt es, dass du …«

»Es ist okay, alles ist okay«, fährt sie fort und hält ihn weiterhin fest. »Natürlich bist du eingeladen.«

»G-ganz sicher?«, fragt er schluchzend.

Sie hebt sein Kinn und wischt ihm die Tränen ab. »Du bist sein Vater, nicht wahr? Du hast ihn gezeugt.«

»Ja, das habe ich«, sagt er stolz und bemüht sich, wieder zu Atem zu kommen. »Er ist von mir gekommen.« Alle fünf Finger ausgestreckt, zupft er mit dem Mittelfinger an seiner Nasenspitze. Wieder mutiger geworden, legt er die Arme um sie. Er schluchzt noch immer, doch das Funkeln in seinen Augen verrät, worum es ihm geht. Es sind Freudentränen. Er wollte nur dabei sein, dazugehören. Nicht ausgeschlossen werden.

Einen Augenblick später ist es vorbei. Noch immer in Noras Armen, presst er den Kopf an ihre Schulter, schaukelt zurück und vor. Zurück und vor, zurück und vor, zurück und vor. Sie hat alles gemeistert, und zum ersten Mal wird mir klar, dass das ihr Talent ist. Sich mit dem zu identifizieren, was jemand als Verlust empfindet. Das kennt und versteht sie. Ein Leben zu ergänzen, das unvollkommen ist.

»Ist das dein Pferd?«, fragt Nora endlich, weil sie merkt, dass mein Dad den Lederriemen des schokoladenbraunen Pferds nicht losgelassen hat.

»D-das ist Comet«, flüstert er. »Sie gehört nach nebenan – Mrs. Holt. Laura Holt. Die ist auch nett.«

»Sie erlaubt dir, dich um Comet zu kümmern?«

»Ich mache sie sauber, striegle sie, füttere sie«, sagt mein Dad, und seine Stimme wird vor Aufregung lauter. »Zuerst mit dem Striegel, dann mit der feinen Bürste, dann kommt die Hufpflege. Das ist mein Job. Ich habe einen Job.«

»Mann – einen Job und einen Sohn. Was brauchst du mehr?«

Er zuckt mit den Schultern und wendet den Blick ab. »Nichts, richtig?«

»Das stimmt«, sagt sie. »Überhaupt nichts.«

Als mein Wagen den Parkplatz verlässt und über den Feldweg holpert, halten Nora und ich je eine Hand aus dem Fenster. Wir winken meinem Vater zu, der stürmisch hinter uns mit den Armen fuchtelt. »Auf Wiedersehen, Dad!«, schreit er aus voller Lunge.

»Auf Wiedersehen, Sohn!«, antworte ich. Er hat diese Umkehrung in einem alten Film gesehen und sich sofort in sie verliebt. Seither ist es uns zur Gewohnheit geworden, uns so voneinander zu verabschieden.

Wieder auf den hügeligen Straßen Virginias, schaue ich prüfend in den Rückspiegel. Harry und der Suburban sind da, wie gehabt.

»Willst du wieder versuchen, ihn abzuhängen?«, fragt Nora, die meinem Blick gefolgt ist.

»Komisch ist das alles«, sage ich, als ich auf die Route 54 abbiege. Hinter mir beginnt die Sonne unterzugehen. Mir bleibt nichts anderes übrig als zu fragen: »Also, was denkst du?«

»Was gibt es da zu denken? Er ist wundervoll, Michael. Wundervoll wie sein Sohn.«

Sie ist niemand, der müßige Komplimente macht, daher glaube ich ihr. »Für dich ist also alles okay?«

»Keine Sorge – da ist nichts, dessen du dich schämen müsstest.«

»Ich schäme mich nicht. Ich – nur …«

»Was ist nur?«

»Ich schäme mich nicht«, wiederhole ich.

»Wem hast du noch von ihm erzählt? Trey? Pam? Sonst jemand?«

»Trey weiß es, und ich habe ihm gesagt, er dürfe es Pam erzählen, aber ich selbst habe nie mit ihr darüber gesprochen?«

»Ooooooh, sie muss fuchsteufelswild gewesen sein, als sie's erfuhr.«

»Warum sagst du das?«

»Machst du Witze? Die Liebe ihres Lebens vertraut sich ihr nicht an. Es muss ihr das kleine Herz gebrochen haben.«

»Die Liebe ihres Lebens?«

»Komm schon, mein Schöner, du brauchst keine Röntgenbrille, um das zu merken. Ich habe gesehen, wie sie bei der Beerdigung deine Hand hielt. Sie lechzt danach, dich *zu herzen und zu küssen*.«

»Du kennst sie nicht einmal.«

»Lass dir eins von mir sagen – ich bin ihrem Typ schon hundertmal begegnet. Kleinstädtisch, leicht zu durchschauen. Wenn du in ihr Schlafzimmer kommst, hat sie schon die Kleider für den nächsten Tag herausgelegt.«

»Zunächst einmal – das ist total falsch. Zweitens, es ist nicht wichtig. Wir sind nur Freunde. Und sehr gute Freunde, also hack nicht auf ihr herum.«

»Wenn ihr so gute Freunde seid, warum warst dann nicht du derjenige, der ihr von deinem Dad erzählt hat?«

»Weil ich im Allgemeinen so damit umgehe. Wann immer ich darüber spreche, werden die Leute verlegen und müssen plötzlich beweisen, dass sie Gefühle haben.« Die Augen starr auf die Überlandleitungsmasten an der Straße gerichtet, füge ich hinzu: »Es ist schwer zu erklären, aber es gibt Zeiten, in denen ich einfach loslassen möchte. Oder vielleicht alle bei den Köpfen packen und schreien: *Haut ab!* Ich meine, ja, es ist mein Leben, aber das heißt noch lange nicht, dass es zur öffentlichen Belustigung freigegeben ist. Ich weiß nicht, ob das einen Sinn ergibt, aber …«

Aus den Augenwinkeln erhasche ich einen flüchtigen Blick auf Nora. Manchmal bin ich ein solcher Idiot. Ich habe tatsächlich vergessen, mit wem ich rede. Sie ist Nora Hartson. Man braucht nur *USA Today* zu lesen, dann weiß man, nach wem sie genannt wurde, und dass sie an ihrem letzten Geburtstag mit dem Secret Service den Mount Rainier bestiegen hat. Sie wendet sich mir zu und hebt eine Braue – vertrau mir. Für Nora ergibt das alles einen perfekten Sinn.

»Hallo, Vance«, sagt Nora zum ersten Sicherheitsbeamten am Southeast Gate des Weißen Hauses.

»Guten Abend, Ms. Hartson.«

»Nora«, fordert sie. »Nora, Nora, Nora.«

Mit einem lauten Klicken schwingt das schwarze Metalltor auf. Er braucht meinen blauen Pass und meine Parkerlaubnis nicht zu sehen. Er braucht nur Nora zu sehen. »Danke, Vance!«, ruft sie, ihre Stimme klingt leichter und froher, als ich sie je zuvor gehört habe.

Vor dem South Portico des Gebäudes vorfahrend, fällt es mir schwer, mich zurückzuhalten. Es ist so anders als beim letzten Mal. Keine Panik, kein Verstecken, kein Posieren. Keine Angst. Ein paar Stunden lang – Simon, Caroline, das Geld – hat der ganze Alptraum seinen Schrei zu einem Flüstern gedämpft.

Vor der Markise des South Portico trete ich auf die Bremse.

»Was machst du?«, fragt sie.

»Soll ich dich nicht absetzen?«

»Ich schätze, ja«, sagt sie, und ihre Stimme verliert an Selbstsicherheit. Sie will schon aus dem Wagen steigen, hält jedoch inne. »Oder – du könntest mit hinaufkommen.«

Ich betrachte die schimmernde Fassade des Gebäudes, das auf dieser Welt das berühmteste ist. »Ist das dein Ernst?«

»Ich meine es immer ernst«, sagt sie, und ihre Selbstsicherheit kehrt zurück. »Oder hast du was anderes vor?«

Fragen wie diese kann man nicht beantworten. »Wo kann ich parken?«

Sie zeigt auf den weitläufigen South Lawn des Weißen Hauses. »Wo du willst.«

ACHTZEHNTES KAPITEL

»Schon mal hier gewesen?«, fragt Nora und marschiert auf den Südeingang unter der Markise zu. Wir gehen über den roten Teppich in den ovalen Diplomatie Reception Room, in dem Franklin Delano Roosevelt seine Kamingespräche führte.

»Ich bin nicht sicher – verwechsle es fast mit meinem Apartment und dem roten Teppich, der zu meinem Futon führt.«

»Das ist süß. Hab ich ja noch nie gehört.«

»*Noch nie?* Wie viele Typen hast du schon auf diese Tour mitgenommen?«

»Was für eine Tour meinst du?«

»Du weißt schon, *diese* Tour. Die Fass-mir-unter-den-Gürtel-Tour.«

Sie lacht. »Oh, du glaubst, dass du dorthin unterwegs bist?«

»Willst du mir erzählen, dass ich mich irre?«

»Nein, ich sage dir nur, dass du dich einer Täuschung hingibst. Du bekommst von mir eine Tasse Kaffee und dann einen Tritt in den Allerwertesten.«

»Mach, was du willst, aber mit müßigen Drohungen kannst du mir die Liebe nicht austreiben.«

»Wir werden sehen.«

»O ja, und ob wir das sehen werden.« Ich tue alles in meiner Macht Stehende, um das letzte Wort zu behalten. Sie regt sich nur auf, wenn das Ergebnis sich ihrer Kontrolle entzieht.

Durch den Dip Room stelze ich, Schultern schwingend, auf eine Art, die ihr beweisen soll, dass sie keine Chance hat. Es ist eine schlechte Lüge, einfach mitleiderregend. Als wir den Raum hinter uns gelassen haben, biegen wir scharf nach links in den Ground Floor Corridor ab. Auf der linken Seite des Korridors, jenseits des hellroten Teppichs, steht ein Sicherheitsbeamter. Ich erstarre. Nora lächelt.

»Und es ist dir so gut gegangen, bis jetzt, nicht wahr?«, neckt sie mich. »Hast den tollen Hecht gemimt und so.«

»Das ist nicht lustig«, flüstere ich. »Als ich das letzte Mal hier war, haben diese Typen …«

»Vergiss das letzte Mal«, flüstert sie mir ins Ohr. »In meiner Gesellschaft bist du mein Gast.« Aus nächster Nähe wirft sie mir eine spöttische Kusshand zu.

Es ist erstaunlich, wie sie es fertigbringt, mich in den schlimmsten Augenblicken anzutörnen.

Als wir an dem Sicherheitsbeamten vorbeikommen, blickt er kaum auf. Er murmelt nur drei Worte in sein Walkie-Talkie. »Shadow plus eins.«

Als der Korridor hinter uns liegt, können wir entweder den Aufzug oder die Treppe nehmen. Da ich weiß, dass auf dem nächsten Treppenabsatz zwei weitere Sicherheitsbeamte warten, gehe ich zum Aufzug. Nora flitzt zur Treppe und ist im nächsten Moment verschwunden. Allein zurückgelassen, habe ich keine Wahl und laufe kopfschüttelnd hinter ihr her.

Auf dem nächsten Treppenabsatz warten wie üblich die beiden uniformierten Beamten. Das letzte Mal haben sie mich aufgehalten. Als ich diesmal um die Ecke biege, treten sie beiseite, um mir Platz zu machen.

Zwei Stufen auf einmal nehmend, hole ich Nora ein. Beim nächsten Absatz verlässt sie die Treppe und ich folge ihr in den

Hauptkorridor der Residenz. Wie der Ground Floor Corridor ist auch er geräumig, mit Türen auf beiden Seiten. Der Unterschied liegt allein im Dekor. In einem warmen Blassgelb gestrichen, mit eingebauten Bücherschränken, einem halben Dutzend Ölbilder an den Wänden und vielen Antiquitäten aus dem 18. und 19. Jahrhundert ist das keine Touristenattraktion. Es ist ein Heim.

Während ich durch den Korridor schlendere, betrachte ich die Gemälde. Das erste ist ein Stillleben mit Äpfeln und Birnen. ›Cézanne-Kopie‹, plärre ich um ein Haar. Dann sehe ich die Signatur am unteren Bildrand. Cézanne.

»Hab ich auf einem Flohmarkt gekauft«, sagt Nora.

Ich nicke. Dem Cézanne gegenüber hängt ein abstrakter de Kooning. Zeit, das Tempo herauszunehmen. Ich hole tief Atem und kehre in meine eigene Zone zurück.

»Soll ich dich schnell mal rumführen?«, fragt Nora.

Ich tu so, als überlegte ich. »Wenn du willst«, sage ich nach einer Pause mit einem Schulterzucken.

Sie weiß, dass ich bluffe, doch ihr Lächeln beweist mir, dass sie meine Mühe zu schätzen weiß. Auf halbem Weg durch den Korridor bleiben wir vor einem leuchtend gelben ovalen Raum stehen.

»Der Yellow Oval Room«, platze ich heraus.

»Wie hast du das erraten?«

»Jahre des Quellenstudiums … Und was macht man mit einem solchen Raum?«, frage ich. »Ist er nur zur Show da oder was?«

»Diese ganze Etage ist hauptsächlich gesellschaftlichen Anlässen vorbehalten – nach einem Staatsdinner, für Cocktailpartys, um Senatoren in den Hintern zu kriechen – solchen Unsinn eben. Die Leute kommen gern hierher, weil sie den Truman-Balkon lieben – fühlen sich wichtig, wenn sie draußen stehen und die Säulen berühren.«

»Können wir mal rausgehen?«

»Wenn du den Touristen spielen willst ...«

Sie lässt die Herausforderung in der Luft hängen. Mann, sie kennt die Knöpfe, auf die sie bei mir drücken muss. Aber die Genugtuung soll sie nicht haben.

»Das ist Chelseas altes Schlafzimmer«, sagt sie und zeigt auf die Tür gegenüber vom Yellow Oval. »Wir haben einen Trainingsraum draus gemacht.«

»Und wo ist dein Zimmer?«

»Warum? Sticht dich der Hafer?«

Wieder gebe ich ihr nicht nach. Ich zeige auf die Tür am Ende des Korridors. »Was ist dahinter?«

»Das Schlafzimmer meiner Eltern.«

»Wirklich?«

»Ja«, sagt sie, meine Reaktion beobachtend. »Wirklich.«

Verdammt. Das ist ein Minuspunkt für mich. Ich hätte es besser wissen müssen. Ihre Eltern sind immer *offlimits*.

Am Ende des Korridors biegt sie um eine Ecke und bleibt vor der Wand zu ihrer Linken stehen. Ich gehe an ihr vorbei und stehe vor Lincolns Schlafzimmer. »Also, wann kriegen wir endlich diesen Kaffee?«, frage ich.

»Sofort.« Sie fummelt mit etwas an der Wand, doch ich kann nicht sagen, was es ist. »Die Kitchenette liegt eine Etage höher.«

Ich trete näher und sehe jetzt, dass sie die Finger in einen schmalen Spalt in der Wand zwängt und heftig zieht. Schwungvoll öffnet sich die Wand und zum Vorschein kommt eine geheime Wendeltreppe. Nora blickt lächelnd auf. »Wir können die Treppe auf dieser Seite des Hauses nehmen.«

»Pass auf«, sagt Nora, »denn das ist der beste Teil.« Sie läuft eine steile, mit Teppich belegte Rampe hinauf und führt mich in einen Raum direkt über dem Yellow Oval. »*Voilà*«, sagt sie mit einer Verneigung. »Das Solarium.«

Einem kleinen Gewächshaus ähnelnd, bestehen die Außenwände des Solariums aus grün getöntem Glas. Drinnen geben einem Korbmöbel und ein Kartentisch mit Glasplatte das Gefühl einer gemütlichen Höhle in Palm Beach. Linker Hand ist die Kitchenette, rechts stehen ein dick gepolstertes Sofa und ein großer Fernseher. Über den Raum verteilt sind Dutzende Familienfotos.

Ganz weit rechts steht ein kleiner Bücherschrank mit kunsthandwerklichen Gegenständen, die aussehen, als seien sie selbst gemacht. Ein purpurfarbenes und blaues Vogelhaus, das aussieht wie von einer Siebtklässlerin gearbeitet – auf der Seite die Initialen N. H. in abblätterndem Orange. Es gibt da auch einen Schwan oder eine Ente aus Pappmaché – was es wirklich ist, kann man nicht so recht erkennen –, einen Keramikaschenbecher oder eine Untertasse und ein flaches Stück braun bemalten Holzes mit fünfzig oder mehr herausragenden Nägeln, die die Initialen N. H. bilden. Damit die Buchstaben auch deutlich werden, sind die Nagelköpfe gelb bemalt. Auf dem untersten Bord entdecke ich sogar ein paar Pokale – einen für Fußball, einen für Feldhockey. Alles in allem kann man die Entstehung der Gegenstände von der ersten bis zur siebenten oder achten Klasse verfolgen. Danach gibt es nichts mehr.

Nora Hartson war zwölf Jahre alt, als ihr Vater erklärte, er kandidiere für das Amt des Gouverneurs. Sechste Klasse. Müsste ich sie datieren, würde ich sagen, dass aus diesem Jahr die Schwan-Ente stammt. Danach, ich wette, kam das Vogelhaus. Und dann endet ihre Kindheit.

»Komm, du verpasst das Beste«, sagt sie und winkt mich an das riesige Fenster.

Als ich den Raum durchquere, sehe ich auf dem Fernseher den Videorecorder. »Darf ich dich etwas fragen?«, sage ich, als ich neben ihr stehe.

»Wenn es um die Geschichte des Hauses geht, weiß ich wirklich nicht …«

»Was ist dein Lieblingsfilm?«, platze ich heraus.

»Wie?«

»Dein Lieblingsfilm – ganz einfache Frage.«

Ohne zu überlegen, sagt sie: »*Annie Hall.*«

»Wirklich?«

»Nein.« Sie lacht. Nach dem heutigen Tag ist es nicht leicht, zu lügen.

»Also – welcher ist es?«

Sie blickt aus dem Fenster, als ob es um eine große Sache ginge. »*Mondsüchtig*«, erwidert sie endlich.

»Der alte Cher–Film?«, frage ich verwirrt. »Ist das nicht eine Liebesgeschichte?«

Kopfschüttelnd wirft sie mir einen langen Blick zu. »Was du über Frauen nicht weißt … ist eine ganze Menge.«

»Aber ich …«

»Genieß nur die Aussicht«, sagt sie und zeigt auf das Fenster. Ich tue ihr den Gefallen, und sie fügt hinzu: »Na, was denkste?«

»Schlägt den Truman-Balkon um Längen«, sage ich und presse die Stirn an das Glas. Von hier habe ich ungehindert Ausblick auf den Southern Lawn und das Washington Monument.

»Warte nur, bis du es direkt vor dir siehst.« Sie öffnet die Tür in der rechten Ecke und geht hinaus.

Der Balkon hier oben ist klein, und obwohl er wie ein riesiges C um das ganze Solarium herumläuft, hat er nur ein weißes Betongeländer zum Schutz. Als ich hinauskomme, beugt Nora sich weit darüber. »Zeit für ein bisschen Spaß – loslassen und fliegen!« Den Bauch an das Geländer pressend, breitet sie die Arme weit aus und lehnt sich so weit hinaus, dass ihre Füße nicht mehr den Boden berühren.

»Nora!«, schreie ich auf und packe ihre Fußknöchel.

Sie lässt sich zurückfallen und grinst. »Leidest du an Höhenangst?«

Bevor ich noch etwas sagen kann, läuft sie los, flitzt über den langen, geschwungenen Balkon. Ich versuche sie zu fassen, doch sie schlüpft mir durch die Hände, biegt um die Ecke und verschwindet. Ich versuche sie einzuholen und bemühe mich, während ich zum anderen Ende des Balkons renne, nicht über das Geländer zu schauen. Doch als ich um die Ecke biege, ist Nora nirgends zu sehen. Unbeirrt laufe ich weiter, nehme an, dass sie durch eine andere Tür geschlüpft und ins Solarium zurückgegangen ist. Allerdings gibt es da ein Problem. Auf dieser Seite des Balkons ist keine Tür. An der Ecke stehe ich gewissermaßen vor einer Sackgasse, es geht nicht weiter. Nora ist weg.

»Nora!«, rufe ich. Es gibt nicht viele Verstecke. Der Balkon schließt hier bündig mit der Hausmauer ab.

Ich presse die Hände gegen die Mauer, suche mit den Fingernägeln nach einem Spalt. Vielleicht ist hier noch eine Geheimtür. Aber schon nach ein paar Sekunden weiß ich, dass das nicht der Fall ist. Nervös schaue ich über den Rand des Geländers. Sie würde es doch nicht wagen … Ich stürze vorwärts und umklammere mit beiden Händen das Geländer. »Nora!«, rufe ich, während ich mit den Augen den Boden absuche. »Wo bist …«

»Pssst, sei leise.«

Ich fahre herum und suche die Stimme. »Ein bisschen höher, Sherlock.«

Ich schaue hinauf und habe sie endlich gefunden. Sie sitzt auf dem Dach des Gebäudes und lässt die Beine herunterbaumeln. Sie ist tief genug, und ich kann ihre schwingenden Beine berühren, aber alles andere ist außer Reichweite.

»Wie bist du dort hinaufgekommen?«

»Heißt das, du willst mir Gesellschaft leisten?«

»Sag mir nur, wie du hinaufgekommen bist.«

Sie zeigt mit dem Fuß. »Siehst du die Stelle, wo das Geländer mit der Mauer zusammenstößt? Dort stellst du dich drauf und ziehst dich hoch.«

Ich werfe einen raschen Blick auf das Betongeländer und schaue dann zu Nora hinauf. »Hast du den Verstand verloren? Das ist Wahnsinn.«

»Für einige ist es Wahnsinn. Für andere Spaß.«

»Komm herunter, ich verspreche dir, es wird mehr Spaß machen.«

»Nein, nein, nein«, sagt sie, mit einem Finger wackelnd. »Wenn du was willst, musst du es dir holen.«

Ich werfe noch einen Blick auf das Geländer. Eigentlich ist es nicht sehr hoch bis zum Dach – es ist nur meine Furcht, die ich nicht überwinden kann.

»Du bist nur ein paar Zoll vom Gipfel entfernt«, singt Nora. »Denk an den Lohn.«

Das ist es. Die Furcht besiegt. Ich setze mich rittlings auf das Geländer und halte mich an der Mauer fest, um das Gleichgewicht nicht zu verlieren. Schau nicht hinunter, schau nicht hinunter, schau nicht hinunter, sage ich mir. Langsam, vorsichtig versuche ich mich auf die Füße zu stellen. Zuerst ein Knie, dann das andere. Als das Schwindelgefühl einsetzt, presse ich die Wange an die Mauer und meine Finger huschen über den Marmor wie erschrockene Spinnen. Was für eine blödsinnige Art zu sterben.

»Steh auf, du bist fast da«, sagt Nora.

Nur noch ein paar Zoll. Auf dem Geländer balancierend und an die Mauer gelehnt, tasten meine Hände nach dem Dach. Nach ein paar Sekunden umklammere ich die marmorne Zierleiste und kralle mich fest mit allem, was mir an Kraft geblieben ist. Dann stehe ich langsam auf. Nora ist nicht mehr außer Reichweite. Mit einem Hüpfer schiebe ich mich rasch hinauf – und bin oben.

Als ich mich auf dem Sims zurechtsetze, höre ich Nora leise applaudieren. Ihre Beine baumeln noch immer über den Rand, den Oberkörper versteckt sie hinter einem Marmoraufbau, der wie ein Abzugsrohr aussieht.

»Was machst du …«

»Pssst«, flüstert sie und zeigt auf die andere Seite des Dachs. Als sie mich zu sich winkt, wird mir klar, wessen Blicken sie zu entgehen versucht. Auf der anderen Seite des Dachs steht ein

Mann mit dunkler Baseballmütze und dunkelblauem Drillich-anzug. Im Mondlicht sehe ich die Umrisse seines Gewehrs mit Zielfernrohr, das über seiner Schulter hängt. Ein Präzisions-schütze gegen Heckenschützen – eine gesetzlich operierende Version von Rambo.

»Bist du sicher, dass nichts passiert?«

»Keine Sorge«, sagt Nora. »Sie sind harmlos.«

»Harmlos? Der Kerl kann mich mit einer Rolle Tesafilm und einem Textmarker umbringen. Ich meine, was ist, wenn er uns für Spione hält?«

»Dann wird er uns mit Klebeband verschnüren und leuchtend gelb anstreichen.«

»Nora ...«

»Entspann dich ...« Sie stöhnt, ahmt mein Gejammere nach. »Er weiß, wer wir sind. Als ich heraufkam, ist er zur anderen Ecke abgehauen. Wenn wir leise sind, wird er uns nicht einmal melden.«

Ich bemühe mich, erleichtert zu tun, kauere neben ihr und lehne mich an den marmornen Luftabzug.

»Noch immer besorgt?«, fragt sie, als ihre Schulter die meine berührt.

»Nein«, sage ich, ihre Berührung genießend. »Aber ich warne dich – wenn ich erschossen werde, musst du mich rächen.«

»Ich denke, es wird dir nichts passieren. Noch nie hat jemand auf mich geschossen, wenn ich hier oben war.«

»Natürlich nicht – du bist das Kronjuwel. Ich bin die Übungs-zielscheibe.«

»Das stimmt nicht. Sie werden nicht ohne guten Grund auf dich schießen.«

»Und was wäre ein guter Grund?«

»Das weißt du doch«, sagt sie und wendet sich mir zu. »Ein Attentat auf das Gebäude, Bedrohung meiner Eltern, Angriff auf einen der Präsidentensprösslinge ...«

»Warte, warte, warte – definiere das Wort ›Angriff‹ ...«

»Oh, das ist schwierig«, sagt sie, und ihre Hand huscht mir über die Brust. »Ich denke, es ist eins von diesen ›Du-weißt-es-wenn-du-es-siehst‹-Dingen.«

»Wie Pornografie?«

»Das ist gar keine so schlechte Parallele«, meint sie.

Ich lege ihr die Hand auf die Hüfte. »Erfüllt das den Tatbestand?«

»Wofür? Pornografie oder Angriff?«

Ich sehe ihr unendlich lange in die Augen. »Beides.«

Das scheint ihr zu gefallen.

»Also, erfüllt es den Tatbestand?«, wiederhole ich.

Sie senkt nicht die Augen. »Schwer zu sagen.«

Ich lasse meine Hand ein wenig höher gleiten, langsam zu ihrem lose hängenden Hemd. Als ich mich darunterschleiche, greifen meine Finger unter den Bund ihrer Jeans und berühren den Rand ihrer Unterwäsche. Ihre Haut ist so fest, dass ich schlucken muss. So vorsichtig wie möglich taste ich mich höher.

»Nicht dort«, sagt sie und packt meine Hand.

»Tut mir leid, ich wollte nicht …«

»Keine Angst«, erwidert sie und lächelt mich an. Sie zeigt auf ihre Lippen und fügt hinzu: »Fang nur ein bisschen höher an.«

Als ich mich zu ihr hinüberbeugen will, sehe ich, dass sie etwas aus dem Mund nimmt.

»Alles okay?«, frage ich.

»Nehme nur meinen Kaugummi raus.« Sie greift in die Tasche und holt ein winziges Stück Papier heraus, wendet mir den Rücken zu, packt ihren Kaugummi ein und steckt einen neuen Streifen in den Mund.

»Willst du deine Zahnspange auch rausnehmen?«, brummle ich vor mich hin.

Nora sieht mich an und lutscht an ihrem Zeigefinger. Als sie ihn aus dem Mund herauszieht, tut sie es mit einem knallenden Kusslaut. »Versuchst du's wieder?«

Ich weiß keine einzige Antwort, die ihr gerecht würde. Stattdessen sitze ich einen Augenblick nur da und genieße.

Für Nora ist ein Augenblick zu lang. Mit einer flinken Bewegung rollt sie sich herüber, setzt sich rittlings auf meine Beine, zieht mich an sich und lässt ihre Zunge zwischen meine Lippen gleiten. Sofort stürzt alles wieder auf mich ein. Während der letzten zwei Wochen habe ich von ihrem Duft geträumt. Es ist eine bittere Süße – fast narkotisch. Als wir uns küssen, schiebt sie mir den Kaugummi in den Mund. Meine Freundin in der fünften Klasse hat das immer getan. Ich will kauen, doch das Ding fühlt sich an, als sei es noch in Papier eingewickelt. Überrumpelt, fange ich an zu husten und lasse sie los. Es ist zu fest. Nicht imstande, den Gummi mit der Zunge vom Papier zu lösen, schiebe ich mir zwei Finger weit in den Mund, aber bevor ich den Streifen herausholen kann, ist er weg, versehentlich geschluckt.

»Bist du okay?«, fragt sie.

»Ich denk schon – es ist nur … Ich war nicht darauf gefasst.«

»Keine Sorge«, sagt sie mit einem süßen Lachen. »Ich hab nichts dagegen, noch einmal anzufangen.« Wieder beugt sie sich vor und lässt ihre Zunge zwischen meine Lippen gleiten. Meine Finger wühlen in ihren Haaren. Ihre Küsse werden fordernder. Ich brauche ein paar Minuten, um mich wieder in Entdeckerlaune zu versetzen, aber endlich gleiten meine Hände über den Rücken ihres Hemds, und ich taste nach ihrem BH. Sie trägt keinen. In ihrem Kuss verloren, fühle ich, wie die Zeit verschwindet. Es können fünfzehn Minuten sein oder fünfzig – aber wir fangen an zu brennen.

Noch immer auf mir sitzend, stößt sie mich zurück und schiebt die Hände unter mein Hemd. Anders als sie, wehre ich mich nicht. Ich stütze mich nur auf die Ellbogen und schließe die Augen. Ihre kurz geschnittenen Fingernägel bohren sich auf beiden Seiten meiner Brust höher und hinter meine Schultern. Wo sie mit gespreizten Beinen auf mir sitzt, spüre ich ihre Hitze. Zuerst ist es ein langsamer Rhythmus, ein fast unsichtbares

Reiben. Allmählich wird sie schneller. Dann ist in einer Sekunde alles vorbei.

Mir ist schwindlig und mir wird plötzlich übel. Ich versuche das Husten und trockene Würgen zu unterdrücken, doch die ganze Welt blinkt plötzlich und erlischt, blinkt und erlischt. Als ich aufblicke, fängt alles an nach rechts wegzurutschen. Am gelben Himmel werden aus einem Flugzeug vier. Das Washington Monument sieht aus wie ein Schwanenhals.

»Was ist los?«, frage ich, höre aber keinen Laut. Nur statisches Knistern.

Ich bemühe mich, bei Bewusstsein zu bleiben und taumle zum Rand des Daches. Es ist gar nicht mehr hoch. Nur ein kleiner Schritt hinunter. Ich will ihn machen, aber etwas zieht mich zurück. Zurück an den Luftabzug. Es tut weh, aber es schmerzt nicht. Ich sinke auf meinem Platz zusammen und es fällt mir schwer, den Kopf hochzuhalten. Mein Hals zieht sich ständig zusammen, als sei er aus Traubengelee. Weit hinten im Hals kitzelt mich noch immer der verschluckte Kaugummi. Wie lange ist das her? Zwanzig Minuten? Dreißig? Die Statik wird lauter. Unfähig den Kopf aufrecht zu halten, lasse ich ihn an den Aufbau knallen. Ich schaue zu Nora hinüber, aber sie lacht nur. Ihr Mund ist weit offen, und sie lacht. Lacht. Ein Mund voller Zähne. Voller Giftzähne.

»Miststück«, murmle ich, als die Welt schwarz wird. Sie hat mich betäubt.

NEUNZEHNTES KAPITEL

»Michael, bist du okay?«, fragt Nora, als ich mühsam die Augen öffne. »Kannst du mich hören?« Als ich nicht antworte, wiederholt sie die erste Frage: »Bist du okay?« Je häufiger sie es sagt, umso weniger klingt es wie eine Frage und umso mehr wie ein Befehl.

Blinzelnd kehre ich langsam ins Bewusstsein zurück und versuche zu ergründen, wie ich in dieses Bett gekommen bin. Ich nehme den kalten Waschlappen von meiner Stirn und sehe mich schnell um. Der antike Schrank und die eingebauten Bücherregale sagen mir, dass ich nicht im Krankenhaus liege. Das Princeton Diplom an der Wand gegenüber verrät mir den Rest. Noras Zimmer.

»Wie geht es dir?« Ihre Stimme überschlägt sich vor Sorge.

»Beschissen«, antworte ich und setze mich im Bett auf. »Was, zum Teufel, ist passiert?« Bevor sie antworten kann, schwappt vom Hinterkopf her wie eine Welle ein heftiges Schwindelgefühl über mich. Alles dreht sich, und ich schließe die Augen und beiße die Zähne zusammen. Ich sehe nur Grau, dann wird mein Blick wieder klar.

»Michael, bist du …«

»Es geht mir gut«, erkläre ich, als ich spüre, dass das Schwindelgefühl nachlässt. Meine Hände ballen sich langsam zu Fäusten. »Was, zum Teufel, hast du mir in den Mund geschoben, Nora?«

»Es tut mir so leid …«

»Sag es mir einfach, Nora.«

»Ich hätte dir so was nicht antun dürfen.«

»Hör mit deinen beschissenen Entschuldigungen auf! Ich hab das Papier um den Kaugummi gespürt.«

Von meinem Ausbruch überrascht, weicht sie zurück ans Fußende des Bettes. »Ich schwöre, es war keine Absicht, du solltest nicht umkippen«, sagt sie mit einer Stimme, die kaum lauter ist als ein Flüstern. »Ich wollte nicht, dass das geschieht.«

»Sag mir einfach, was es war.«

Sie starrt auf die grellweiße Bettdecke hinunter und antwortet nicht. Sie kann mir kaum ins Gesicht sehen.

»Verdammt, Nora, sag mir, was es …«

»Acid«, flüstert sie schließlich. »Nur eine einzige Tablette.«

»*Nur eine* … Hast du völlig den Verstand verloren? Ist dir überhaupt klar, was du da getan hast?«

»Bitte sei nicht sauer, Michael – ich wollte nicht …«

»Du hast mir das Zeug in den Mund gesteckt, Nora! Es ist nicht von selbst reingekommen.«

»Ich weiß – und es tut mir so leid, dass ich dir das angetan habe. Ich hätte dein Vertrauen nicht so missbrauchen dürfen … Besonders nicht nach dem heutigen Tag … Ich dachte nur …« Ihre Stimme wird schwächer und verstummt dann ganz.

»Du hast nur *was* gedacht? Ich möchte deine verdrehte Logik hören.«

»Ich weiß nicht … Ich habe mir vorgestellt … du weißt doch, da draußen – während wir herumalberten – ich dachte, es wäre ein Riesenspaß …«

»Spaß? Das hältst du für Spaß? Mich gegen meinen Willen mit Drogen zu betäuben?«

»Glaub mir, Michael, wenn dir nicht schlecht geworden wäre, hättest du deinen Spaß gehabt. Es ist nicht wie normaler Sex – es ist ein lebensveränderndes Ereignis.«

»Da hast du verdammt recht. Es verändert das Leben, ich falle vom Dach runter, ich sterbe! Ich hätte tot sein können!«

»Aber du bist nicht tot. Als du zu dicht am Rand warst, hab ich dich zurückgerissen. Und als dir schlecht wurde, hab ich dich von dem Wächter runterbringen lassen. Ich wollte dich nur in Sicherheit wissen.«

»In Sicherheit!? Nora, und was passiert, wenn ich zum Drogentest vorgeladen werde? Hast du auch nur eine einzige Minute daran gedacht? Sie führen beim Personal noch immer Stichproben durch. Was mach ich dann?«

Sie bekommt ganz schmale Augen. »Geht es bei dir immer nur darum, wie etwas sich auf deinen Job auswirken könnte?«

Die Bettdecke beiseite werfend, schließe ich fest die Augen gegen das Schwindelgefühl, das mir in den Kopf schießt, humple aus dem Bett und schnappe meine Hose von der Lehne eines antiken Stuhls.

»Wohin gehst du?«, fragt sie, als ich die Hose anziehe.

Schwankend schlüpfe ich ohne zu antworten in die Schuhe. Sie stellt sich mit einem Sprung vor mich hin, nimmt an, ich würde aufhören. Sie irrt sich. Die Schultern senkend wie einen Rammbock, will ich sie beiseite stoßen. Sie bleibt unbeirrt stehen. Ich sage mir, ich sollte sie umrennen. Sollte ihr eine Lektion erteilen. Keine Rücksicht nehmen. Aber kurz vor dem Zusammenprall halte ich inne. »Geh mir aus dem Weg!«, knurre ich.

»Komm schon, Michael, was soll ich denn noch sagen? Es tut mir leid. Es tut mir so leid, was passiert ist. Du musst schlechten Stoff erwischt haben oder so, sonst hätte es nicht so schnell gewirkt.«

»Ganz offensichtlich war's schlechter Stoff! Aber das ist nicht der beschissene Punkt!«

»Ich versuche mich zu entschuldigen – warum regst du dich so auf?«

»Du willst wissen, warum?«, brülle ich. »Weil ich's noch immer nicht kapiere! Es geht nicht um das Acid – es geht nicht einmal um Vertrauen – es geht darum, dass du ein 1A Psycho bist! Überleg dir jede beschissene Erklärung, die dir einfällt, es platziert dich trotzdem in eine ganz neue Liga!«

»Wag du ja nicht, über mich zu urteilen!«

»Warum nicht? Du betäubst mich mit Drogen. Ich urteile über dich. Das ist das Geringste, womit ich mich revanchieren kann.«

Sie fängt an zu kochen. »Du weißt nicht, wie es ist, Arschloch – verglichen mit mir, hast du's leicht gehabt.«

»Oh, jetzt bist du also Expertin für meine ganze Kindheit?«

»Ich habe deinen Dad kennengelernt, konnte mir ein Bild machen«, erklärt sie. »Er ist zurückgeblieben. Es ist frustrierend. Damit hat es sich.«

Am liebsten würde ich ihr jetzt ins Gesicht schlagen. »Du denkst wirklich, es ist so einfach, nicht wahr?«

»Ich wollte nicht …«

»Nein, nein, nein, mach jetzt keinen Rückzieher«, unterbreche ich sie. »Du hast *Rain Man* gesehen – klar, das war Autismus, aber du weißt, wie das läuft. Ich wünschte, du hättest mehr als nur ein paar Stunden mit dem lieben alten Dad verbringen können. Dann hättest du die wahren Höhepunkte erlebt – zum Beispiel wenn er seine Medikamente durcheinanderbringt und du ihn daran hindern musst, seine Zunge zu verschlucken. Oder wie damals, in der vierten Klasse, als er weglief, weil er erkannte hatte, dass ich klüger bin als er. Oder als er einen Monat lang in die Hosen geschissen hat, weil er Angst hatte, im Stich gelassen zu werden, wenn ich aufs College gehe. Oder wie ein mieser kleiner Drecksack namens Charlie Stupac ihn davon überzeugte, dass es okay ist, fremde Autos zu nehmen, wenn man nur verspricht, sie zurückzubringen. Vertreten von einem ahnungslosen Pflichtverteidiger, kann mein Dad dir demonstrieren, wie gut unser Rechtssystem funktioniert. O ja, du hast heute alles kapiert.«

»Hör mal, es tut mir leid, dass dein Dad nicht in Ordnung ist. Und es tut mir leid, dass deine Mom weglief …«

»Sie ist nicht weggelaufen – sie ist weggegangen, weil sie sich behandeln lassen musste. Und als die Behandlung nicht anschlug, ist sie gestorben. Drei Monate nachdem sie in die Klinik gegangen war. Sie versuchte uns den Schmerz zu ersparen, wir sollten nicht mit ansehen, wie sie verfiel, sie hatte Angst, das würde mich behindern. Jetzt versuch das einem Mann mit einem IQ von sechsundsechzig klarzumachen. Oder noch besser, versuch ihn vor allem in der Welt zu beschützen, an der er zu zerbrechen droht.«

»Michael, ich weiß, es war schwer …«

»Nein. Du weißt es nicht. Du hast keine Ahnung, wie es ist. Deine Eltern sind beide am Leben. Alle sind gesund. Außer der Wiederwahl hast du keine einzige Sorge.«

»Das stimmt nicht.«

»O ja, richtig, ich habe deine geheimen Ängste vergessen: die Staatsdinner, die Treffen mit allen großen Tieren, den Besuch des Colleges deiner Wahl ...«

»Hör auf, Michael.«

»... nicht zu vergessen die vielen Redakteure, Reporter und sogar Johnny Public und Suzy Creamcheese, die sich bei dir einschmeicheln wollen – alle Leute eben, die die Präsidententochter lieben ...«

»Ich hab gesagt, hör auf!«

»Oh, oh, jetzt wird sie wütend. Ruft den Service. Schickt ihrem Dad ein Memo. Wenn sie in der Öffentlichkeit einen Anfall kriegt, gibt es eine schlechte Presse ...«

»Hör zu, Dummkopf ...«

»Wir können sogar fluchen? Na, wenn das die Nation erfährt! Das ist wirklich so schlimm, wie's nur sein kann, nicht wahr, Nora? Eine überregionale schlechte Presse!«

»Du kennst mich nicht, verdammt!«

»Weißt du überhaupt noch, was ein schlechter Tag ist? Ich spreche nicht von schlechter Presse – ich spreche von einem schlechten Tag. Es gibt da wirklich einen Unterschied.« Sie sieht aus, als sei sie kurz davor auszurasten, also packe ich noch etwas drauf. »Aber du hast keine schlechten Tage mehr, nicht wahr? O Mann, die Tochter des Präsidenten zu sein! Sag mir, wie ist es, wenn alles für einen getan wird. Kannst du kochen? Kannst du putzen? Wäschst du deine Wäsche selbst?«

Ihre Augen füllen sich mit Tränen. Ich beachte es nicht. Was jetzt passiert, hat sie selbst herausgefordert.

»Komm schon, Nora, sei nicht schüchtern. Sag es mir. Unterschreibst du deine Schecks selbst? Oder bezahlst du deine Rechnungen selbst? Oder machst du auch nur deine ...«

»*Du willst einen schlechten Tag?*«, explodiert sie endlich. »*Hier hast du deinen beschissenen schlechten Tag!*« Sie hebt ihr Hemd und zeigt mir eine fünfzehn Zentimeter lange Narbe, die bis hinunter zum Nabel verläuft und noch immer rot ist, wo die Stiche waren.

Sprachlos bringe ich keine einzige Silbe heraus. Deshalb durfte ich sie also dort nicht berühren.

Sie lässt das Hemd wieder fallen und bricht endlich zusammen. Ihr Gesicht verzieht sich in lautlosem Schluchzen und die Tränen strömen ihr über die Wangen. Es ist das erste Mal, dass ich Nora weinen sehe.

»D-du w-w-weißt gar nichts«, schluchzt sie und taumelt auf mich zu. Ich verschränke die Arme und setze meine finsterste, herzloseste Miene auf.

»Michael …«

Sie möchte, dass ich die Arme ausbreite, sie an mich ziehe. Genauso wie sie es mit meinem Dad gemacht hat. Ich schließe die Augen. Und dann, ohne zu überlegen, strecke ich die Hände aus und nehme sie in die Arme. »Wein nicht«, flüstere ich. »Du musst nicht weinen.«

»I-ich schwöre, ich wollte dir nicht wehtun«, sagt sie, noch immer unkontrollierbar schluchzend.

»Pssst, ich weiß.« Als sie gegen mich fällt, fühle ich, dass das kleine Mädchen zurückkehrt. »Es ist okay«, sage ich. »Es ist okay.«

Eine ganze Minute verstreicht, ehe sie ein weiteres Wort sagt. Sie holt tief Atem und ich spüre, dass sie sich von mir löst. Dann trocknet sie sich so schnell wie möglich die Augen.

»Willst du's mir erzählen?«, frage ich.

Sie zögert. Das ist ihr Instinkt. »Silvester, im vergangenen Jahr«, sagt sie endlich und setzt sich aufs Bett. »Ich hab gelesen, dass es eine sichere Sache ist, sich in den Magen zu stechen, wenn man sich umbringen will, also wollte ich es selbst testen. Unnötig zu sagen, dass es nicht leicht ist, die richtige Stelle zu treffen.«

Ich bin wie erstarrt, weiß nicht, wie ich reagieren soll. »Ich versteh nicht«, stammle ich schließlich. »Haben Sie dich nicht ins Krankenhaus gebracht?«

»Vergiss nicht, wo wir sind, Michael. Die Ärzte meines Dads sind rund um die Uhr hier – und sie machen alle Hausbesuche.« Sie lässt mir Zeit zu begreifen und klopft dann auf ihre Matratze. »Ich musste nicht einmal mein Zimmer verlassen.«

»Aber um sicherzugehen, dass es niemand erfuhr …«

»O bitte. Sie haben den Krebs meines Vaters zehn Monate lang vertuscht – und da denkst du, sie können den Selbstmordversuch seiner Junkietochter nicht verheimlichen?«

Mir gefällt nicht, wie sie das sagt. »Du bist kein Junkie, Nora.«

»Das sagt der Typ, den ich eben noch mit Drogen abfüllen wollte?«

»Du weißt, was ich meine.«

»Ich bin dir für deine Ansicht dankbar, aber du verfügst nur über die halbe Information.« Sie zupft am Spitzenbesatz des Kissenüberzugs und fragt: »Hast du eine Ahnung, warum ich zu Hause bin?«

»Verzeihung?«

»Die Frage ist kein Trick. Ich habe das College im Juni abgeschlossen. Jetzt ist September. Was tu ich noch hier?«

»Ich habe gedacht, du wartest auf Nachricht von den Universitäten.«

Wortlos geht sie zu ihrem Schreibtisch und holt aus der obersten Schublade einen ganzen Stoß Papiere. Sie kommt zum Bett zurück und wirft sie auf die Matratze. Ich setze mich neben sie und blättere sie durch. Penn. Wash U. Columbia. Michigan. Alles in allem vierzehn Briefe. Und jeder einzelne die Zulassung. »Kapier ich nicht«, sage ich endlich.

»Tja, das hängt davon ab, wem du glauben willst. Entweder weiß ich noch nicht, für welche Uni ich mich entscheiden soll, oder meine Eltern befürchten, ich könnte es noch einmal versuchen. Was hältst du für wahrscheinlicher?«

Es ist nicht schwierig, sich das auszurechnen. Die einzige Frage ist: Was mache ich jetzt? Mit hochgezogenen Schultern auf dem Bettrand hockend, wartet Nora auf meine Reaktion. Sie bemüht sich, mich nicht anzusehen, doch sie kann nicht anders. Sie fürchtet, ich werde gehen. Und die Art, wie sie mit der Kante ihres bloßen Fußes immer und immer wieder über den Teppich reibt, verrät, dass es nicht das erste Mal wäre, dass jemand sie verlässt.

Ich nehme die Briefe und werfe sie auf den Boden. »Sag mir die Wahrheit, Nora – wo sind deine anderen Drogen?«

»Ich habe keine …«

»*Letzte Gelegenheit!*«, brülle ich.

Wortlos blickte sie auf Briefe hinunter, dann hinüber zu der einen Spalt geöffneten Schranktür. Ihre Stimme klingt schwach, geschlagen. »Auf dem Boden steht eine Dose mit Tennisbällen. Der Stoff ist im mittleren Ball.«

Ich gehe zum Schrank, die Dose ist schnell gefunden. Ich leere sie aus und lasse die beiden anderen Bälle fallen. Dann nehme ich den mittleren Ball und drücke fest. Die Naht ist aufgeschlitzt, und er klafft auf, als öffne ein Fisch sein Maul. Drinnen ist ein braunes Medikamentenfläschchen – zuunterst sind ein paar Pillen und darüber etwas, das wie eine Rolle aus sieben oder acht Marken mit lächelnden gelben Gesichtern aussieht. Das ist das Acid.

»Was sind das für Pillen?«, frage ich.

»Nur ein paar Ecstasy – aber sie sind alt. Habe sie seit Monaten nicht mehr genommen.«

»Monaten oder Wochen?«

»Monaten – wenigstens drei … Nichts seit dem Abschlussexamen. Ich schwör's, Michael.«

Ich starre auf das Fläschchen im Ball, lockere den Griff und der Schlitz schließt sich langsam. Dann umklammere ich den Ball mit der Faust und strecke sie Nora entgegen. »Das war's«, sage ich. »Keine Spielchen mehr. Von nun an entscheidest du ganz allein. Wenn du in der Klapsmühle enden willst, dann ohne mich. Aber wenn du einen Freund brauchst« – ich halte inne und stecke den Ball in die Tasche –, »bin ich da, um dir zu helfen, Nora. Du brauchst nicht allein zu sein, doch wenn du dir mein Vertrauen verdienen willst, dann solltest du das hier zuerst auf die Reihe kriegen.«

Sie sieht mich benommen an. »Du gehst also nicht?«

Wieder sehe ich vor mir, wie sie meinen Dad in den Armen hält. »Noch nicht – nicht jetzt.« Als sie meine Worte allmählich begreift, erwarte ich, sie lächeln zu sehen. Stattdessen runzelt sie bekümmert die Stirn. »Stimmt etwas nicht?«, frage ich.

Sie sieht mich an, das Kinn an die Brust gedrückt, der Blick völlig verloren. »Ich kapier's nicht. Wieso tust du so nett?«

Vom Ende des Bettes gehe ich auf sie zu. »Hast du's noch nicht begriffen, Nora? Ich tu nicht nur so.«

Sie hebt den Kopf, kann sich nicht beherrschen. Ihr steigen Tränen in die Augen, und ihr Lächeln erscheint. Ihr echtes Lächeln.

Ich beuge mich vor und küsse sie leicht auf die Stirn. »Ich will dir nur eines sagen – wenn du noch irgendwann einmal so etwas tust ...«

»Es wird nie wieder vorkommen. Ich verspreche es ...«

»Ich meine es ernst, Nora. Wenn ich noch irgendwelche Drogen sehe, informiere ich die Presse höchstpersönlich.«

Sie sieht mir fest in die Augen. »Ich schwöre bei meinem Leben – du hast mein Wort.«

ZWANZIGSTES KAPITEL

In meinen Träumen bin ich manchmal wirklich klein. Fünfzehn Zentimeter hoch. Simon streckt die Hand nach unten aus, und ich trete auf seine Handfläche. Er hebt mich an seine gesprungenen Lippen und flüstert mir in die Ohren, die nicht größer sind als die einer Barbiepuppe: »Alles kommt in Ordnung, Michael – ich verspreche dir, es kommt in Ordnung.« Langsam wird seine Stimme so laut wie eine heulende Sirene. »Wein nicht, Michael, nur Babys weinen!« Dann brüllt er plötzlich, seine Stimme donnert, und sein heißer Atem schleudert mich nach hinten: *»Verdammt, Michael, warum hast du nicht zugehört! Du hättest nur zuhören müssen!«*

Durch die Stille erschreckt, fahre ich im Bett hoch. Mein Körper ist mit kaltem Schweiß bedeckt – so kalt, dass mich fröstelt. Die Weckuhr sagt mir, dass es erst vier Uhr dreißig morgens ist, also lege ich mich zurück und versuche mich in die Gedanken an Nora zu verlieren. Ich denke nicht an die Drogen und nicht an die Narbe. Sondern an die wirkliche Nora. An die Nora unter der Oberfläche; oder vielmehr an die Nora, die ich unter der Oberfläche vermute. Gestern Abend, was war das alles … und der Tag – mein Gott – das Dach allein werde ich für den Rest meines Lebens nicht los. Weder NASCAR-Fahrer noch Fallschirmjäger, nicht einmal – nicht einmal Piraten erleben so Aufregendes. Oder so große Angst.

Ich merke, dass ich meine Laken umklammere, und versuche meinen besten Einschlaftrick; ich rücke die Dinge ins rechte Licht. Was auch passiert, ich bin noch gesund und mein Dad auch, und ich habe Trey und Nora – und Simon und Adenauer und Vaughn, den ich noch nicht durchschaue. Etwas in mir befürchtet, dass er versucht, mir die Schuld in die Schuhe zu schieben, aber wenn er mit Simon unter einer Decke steckt … und jetzt vor dem FBI davonläuft – Feind meines Feindes und all das. Falls Simon ihn über den Tisch gezogen hat, wird er mir vielleicht etwas anbieten. Wie dem auch sei, in ein paar Stunden habe ich die Antwort. Heute ist der Tag, an dem wir uns treffen sollen. Irgendwo im Holocaust-Museum.

Nachdem ich zwanzig Minuten die Stuckdecke angestarrt habe, wird mir klar, dass ich nicht mehr einschlafen werde. Ich werfe die Laken zurück und marschiere zur Kaffeemaschine. Als Kaffeeduft meine kleine Kochnische erfüllt, nehme ich aus meinem Aktenkoffer einen Plan des Museums. Fünf Stockwerke Ausstellungsräume, eine Bibliothek für Forschung und Recherche, zwei Theatersäle, ein Lernzentrum ... Wie soll ich den Typen jemals finden?

Hinter mir höre ich ein Geräusch an der Tür. Es ist leise, man kann es leicht überhören – wie ein Pochen. Oder ein dumpfer Schlag. »Hallo?«, rufe ich. Das Geräusch verstummt. Im Flur höre ich gedämpfte Schritte, die sich entfernen. Ich lasse den Plan fallen, fliege zur Tür, öffne die Schlösser und reiße die Tür auf. Wieder ein dumpfer Schlag. Und noch einer. Mit einem Satz bin ich auf dem Flur, möchte meinen Feind sehen. Finde aber nur einen Jungen im Teenageralter, der die ersten Tageszeitungen ausliefert. Er springt erschrocken zurück und lässt um ein Haar den Armvoll Zeitungen fallen.

»*Cono!*«, flucht er auf Spanisch.

»Tut mir leid«, flüstere ich. »Meine Schuld.« Ich hebe meine Zeitung auf, schleiche mich in mein Apartment zurück und schließe die Tür.

Nervös will ich den ersten Teil der Zeitung überblättern und hoffe, mich in die Tagesneuigkeiten vertiefen zu können. Aber als ich die erste Seite umdrehe, fällt ein kleiner weißer Briefumschlag auf den Boden. Er enthält eine handgeschriebene Notiz: *Register der Überlebenden. Zweiter Stock.*

Hastig bücke ich mich nach dem Gebäudeplan, der noch auf dem Linoleumboden liegt. Endlich ein genauer Treffpunkt.

Dumm ist er nicht, denke ich. Es ist ein kleiner Raum in einer entlegenen Ecke des Museums. Er wird jeden sehen, der kommt und geht. Das Treffen ist erst um eins, aber ich schaue trotzdem auf die Uhr. Noch sieben Stunden.

Ich stürze aus meinem Büro in den Westflügel hinüber. Früher habe ich mir etwas darauf eingebildet, dass ich zu den Sitzungen mit Simon immer pünktlich kam, doch in letzter Zeit scheine ich einfach nicht rechtzeitig dort sein zu können. Zwar ist es leicht, das auf Vergesslichkeit zu schieben, doch jetzt muss ich vor meinem Unterbewusstsein den Hut ziehen, das darauf aus ist, den Sitzungen aus dem Weg zu gehen.

Im Westflügel sitzt Phil wie üblich am Schreibtisch des Sicherheitsdienstes und kontrolliert die Leute. Sobald ich ihn sehe, präsentiere ich ihm meine ID und senke den Kopf. Mir geht es nicht einmal darum, dass er den Aufzug für mich ruft – es ist mir nur verhasst, wenn er so tut, als kenne er mich nicht.

»Hallo, Michael«, sagt er, als ich vorbeigehe.

»H-hallo«, antworte ich. »Hey.«

»Stabssitzung heute?«

Bevor ich antworten kann, greift er unter den Schreibtisch, und ich komme wieder in den Genuss meines liebsten Privilegs. Zu meiner Linken öffnet sich die Aufzugstür und ich steige ein. Ich weiß nicht, was ihn veranlasst hat umzudenken, doch als die Tür sich lautlos schließt, bin ich glücklich über das neuerliche Entgegenkommen.

Als ich Simons Büro betrete, erwarte ich, dass die Sitzung längst begonnen hat. Stattdessen stehen die meisten noch beieinander und tauschen Geschichten und Klatsch aus. Der leere Sessel am Kopfende des Tisches verrät mir, warum das so ist.

Ich sehe mich rasch um und entdecke Pam auf dem für sie schon gewohnten Platz auf der Couch. Seit sie befördert wurde, ist sie praktisch verschwunden. »Du gehörst jetzt ganz richtig zu den Bossen, wie?«

»Wie meinst du das?«, fragt sie, Ahnungslosigkeit heuchelnd. Das ist im Weißen Haus eine klassische Demonstration der Macht: Gib nie einen Vorteil zu.

Kopfschüttelnd gehe ich zu einem leeren Sitz im Hintergrund. »Ich durchschaue dich, Frau – du kannst niemand täuschen.«

»Ich täusche dich!«, ruft sie. Ihre Zeit des Herunterspielens ist vorbei.

Ich will ihr eine Antwort zurufen, aber da geht die Tür auf. Im

Raum wird es still, und dann quasselt man weiter. Es ist nicht Simon – nur ein weiterer Kollege – ein WASP (weißer angelsächsischer Protestant), teure Schuhe, Yalekrawatte und Clip, der vor kurzem zu uns gestoßen ist, nachdem er am Supreme Court den Schriftführer gemacht hat. Ich hasse ihn. Pam sagt, er sei nett.

Als er hereinkommt, ist das Büro gedrängt voll. Nur neben mir ist noch ein Platz frei. Er schaut sich schnell um, sieht direkt mich an. Ich rutsche mit meinem Stuhl ein Stückchen zur Seite, damit er Platz hat. Aber er geht weiter nach hinten, geht direkt an mir vorbei zur Ecke und lehnt sich dort an einen Bücherschrank. Er steht lieber. Ich werfe einen Blick zu Pam hinüber, aber sie hat nur Augen und Ohren für ihre neuen Kumpel auf der Couch. Niemand hat für ein sinkendes Schiff etwas übrig.

Da ich niemand habe, mit dem ich reden könnte, warte ich, bis die Tür wieder aufgeht, Simon eintritt und alles verstummt. Als unsere Blicke sich begegnen, wende ich mich ab. Er nicht. Stattdessen kommt er schnurstracks auf mich zu, knallt mir einen dicken Ordner vor die Brust und knurrt: »Willkommen zurück.«

Ich schaue auf den Ordner hinunter und dann alle anderen im Raum an. Irgendetwas stimmt nicht. Er ist zu *clever*, um vor versammelter Mannschaft die Beherrschung zu verlieren.

»Sie haben darum gejammert, jetzt haben Sie's wieder«, fügt er hinzu.

»Ich weiß nicht einmal, was …«

Er macht kehrt und entfernt sich. »Sie stimmen Mittwoch darüber ab. Viel Spaß.«

Verwirrt lese ich das Etikett auf dem Ordner: *Uneingeschränkte und willkürliche Lauschangriffe.* Im Ordner meine alten Recherchen. Ich glaube es nicht – ich habe den Fall wieder.

Aufblickend suche ich nach einem freundlichen Gesicht, mit dem ich die Neuigkeit teilen kann, aber nur eine einzige Person schaut in meine Richtung. Die Person, die direkt hinter Simon hereingekommen ist. Lawrence Lamb. Er lächelt mir herzlich zu und nickt leicht. Mehr braucht er nicht zu sagen. Das geht auf Noras Rechnung.

»Sind Sie sicher, dass Simon damit einverstanden ist?«

»Er hätte Ihnen den Fall gar nicht entziehen dürfen«, sagt Lamb sachlich, als wir zu seinem Büro gehen. Er bewegt sich mit der Energie eines Mannes, der stets sehr gefragt ist, schafft es aber, nie gestresst oder gehetzt auszusehen. Wie der doppelte Windsorknoten seiner Krawatte und das Hemd mit Manschettenknöpfen ist er selbst auch immer auf Hochglanz poliert; der Typ Mann, der noch nach einem Vierstundenflug auf dem Flugplatz wie aus dem Ei gepellt aussieht.

Hinter ihm hertrottend, bin ich völlig durcheinander. »Aber was, wenn Simon ...«

»Hören Sie auf, sich zu sorgen, Michael. Es ist Ihr Fall. Feiern Sie.«

Ich gehe am Schreibtisch seiner Sekretärin vorbei und mir wird klar, dass er recht hat. Die Sache ist einfach die, dass alte Gewohnheiten nur schwer sterben. In seinem Büro nehme ich vor seinem Schreibtisch Platz.

»Ich weiß nicht, was Sie getan haben, aber was es auch war, Nora ist glücklich«, erklärt er. »Allein dafür haben Sie drei Wünsche frei.«

»Ist das mein Erster?«

»Wenn er es ist, haben Sie noch zwei.« Er schlägt einen Aktenordner auf, der vor ihm auf dem Schreibtisch liegt, und reicht mir zwei Dokumente. Das erste ist ein einseitiges Memo des FBI. »Sie haben am Freitag zwei weitere Leute überprüft und drei weitere übers Wochenende«, sagt er. »Alle sind bereits Ernannte und alle anscheinend unschuldig – macht zusammen zehn. Nur noch fünf Verdächtige übrig.«

»Bis zu mir sind sie also noch nicht vorgedrungen?«

»Die Besten zuletzt«, sagt er und poliert seine Lesebrille mit einem monogrammverzierten Taschentuch. »Es dürfte jetzt nicht mehr lange dauern.«

»Könnte man nicht im Voraus einen Blick auf diese fünf letzten Namen werfen? Gibt es eine Möglichkeit?«

»Warum wollen Sie … ? Oh, ich verstehe«, unterbricht er sich selbst. »Die Namen, die noch auf der Liste stehen – sie könnten uns verraten, wer potentiell noch in die Sache verwickelt war.«

»Wenn Caroline ihre Akten hatte, kannte sie ihre Geheimnisse.«

»Nicht schlecht gedacht«, stimmt Lamb zu. »Ich werde ein bisschen herumtelefonieren und will sehen, was ich tun kann.« Als er sich eine Notiz macht, klingelt das Telefon und er hebt schnell ab. »Larry hier«, meldet er sich. »Ja, er ist bei mir. Ich hab's kapiert, hab dich auch schon die ersten fünfzehn Male gehört.« Es folgt eine kurze Pause. »Schrei mich nicht an! Hast du gehört? Schluss damit!« Nach einer raschen Verabschiedung legt er auf und wendet sich mir zu. »Nora lässt grüßen.«

Es ist unwirklich – Nora sagt etwas und plötzlich stehe ich ganz oben auf Lambs Tanzkarte. Erstaunlich, was ein Dutzend Sommer gemeinsamen Herumplanschens fertigbringen.

Ich durchblättere hastig das zweite Dokument, einen fünfzig Seiten umfassenden Computerausdruck. »Ist das Wunsch Nummer drei?«

»Hängt davon ab, wie Sie ›Wunsch‹ definieren. Was Sie in der Hand halten, ist der offizielle WAVES-Bericht über den Tag, an dem Caroline ermordet wurde. Diesem Bericht zufolge wurde Patrick Vaughn genau um 9 Uhr 02 als unbedenklich in das Gebäude eingeschleust.«

»Von mir.«

»Von Ihnen. Und um 10 Uhr 05 ist er wieder gegangen. Sie wissen, wie es funktioniert, Michael – sobald er eine Termin-ID um den Hals hängen hatte, konnte er eine ganze Stunde lang ungehindert im ganzen OEOB herumspazieren. Und laut Secret Service kam das Ersuchen, ihn einzulassen, an diesem

Morgen kurz nach Ihrem Eintreffen um 8 Uhr 04 von einem hausinternen Telefon.«

»Aber ich habe nie …«

»Ich sage ja nicht, dass dieses Ersuchen von Ihnen kam, ich sage nur, was in dem Bericht steht.«

Unbehaglich auf meinem Platz hin und her rutschend, spiele ich die Fakten noch einmal in meinem Kopf durch. »Also hat Simon sofort, nachdem ich gekommen war, angerufen.«

»Wahrscheinlich hat man Sie beim Betreten des Gebäudes beobachtet. Erinnern Sie sich, jemand auf dem Flur gesehen zu haben?«

Ich überlege. »Die Einzige, die ich getroffen habe, war Pam, die mir wegen der vorverlegten Sitzung Bescheid gesagt hat.«

»Pam, wie? Nun ja, ich schätze, Simon hätte das allein gar nicht bewerkstelligen können.«

»Warten Sie einen Moment – Pam würde nie …«

»Ich behaupte nicht, dass sie daran beteiligt ist – Ich sage nur, seien Sie vorsichtig. Sie tanzen auf gefährlichem Grund.«

»Was meinen Sie damit?«

Er hält einen Moment inne. Es gibt etwas, das er nicht ausspricht.

»Ist alles okay?«, frage ich.

»Sagen Sie – haben Sie je von einer Reporterin der *Post* namens Inez Cotigliano gehört?«

»Die das FOIA-Ersuchen gestellt hat?«

Lamb wirft mir einen raschen Blick zu. »Woher wissen Sie das?«

»Pam hatte eine Kopie.«

Er richtet sich im Sessel auf und notiert sich das schnell im Geist.

»Ist etwas falsch daran?«

Er ignoriert die Frage.

»Hätte sie die Kopie nicht haben dürfen?«

»Michael, wir haben vier Tage gebraucht, um diese WAVES-Berichte zu überprüfen und festzustellen, dass Sie Vaughn in das

Gebäude eingelassen haben. Laut Secret Service hat Inez schon einen Tag nach Carolines Tod nach diesen Berichten gefragt. Einen Tag. Als ob sie es gewusst oder jemand es ihr gesagt hätte.«

»Sie denken also, Pam …«

»Ich sage nur, Sie sollen sich vorsehen. Wenn Inez auch nur halb so ehrgeizig ist wie sie mir zu sein scheint, wird es nicht lange dauern, bis sie Vaughn findet. Oder Sie.«

Mir dreht sich der Magen um. Meine Zeit wird knapp. »Wie lange hab ich noch?«

»Tja, da gibt es ein Problem«, sagt Lamb, und seine ruhige Stimme verrät zum ersten Mal Unbehagen. »Sie vergessen, dass es nicht nur um Sie geht.« Innehaltend wirft er mir den gleichen besorgten Blick zu wie vorher.

»Ist etwas passiert?«, frage ich.

Er fährt sich mit der Hand über das erst vor kurzem rasierte Kinn. »Sie haben mich angerufen, Michael. Sie haben mich zweimal angerufen.«

»Wer? Die Reporterin?«

»Das FBI«, sagt er kalt.

Ich sage kein Wort.

»Ihr Freund Adenauer wollte wissen, ob Nora Drogen nimmt.«

»Wie haben sie …«

»Kommen Sie schon, Sohn, das FBI weiß, dass Sie Vaughn ins Gebäude eingeschleust haben und dass Sie sich regelmäßig mit Nora treffen … Jetzt wollen sie nur noch das letzte Stück des Dreiecks.«

»Aber sie kennt Vaughn doch gar nicht.«

»Das ist nicht die Frage!«, sagt er, die Stimme erhebend.

Doch ebenso schnell räuspert und beruhigt er sich. Familie macht immer emotional. »Sagen Sie mir die Wahrheit, Michael. Nimmt Nora Drogen?« Ich verstumme.

Er bleibt ganz still. Ich habe ihn schon die gleiche Taktik anwenden sehen – es ist ein alter Anwaltstrick –, je länger du selbst schweigst, umso eher redet der andere.

Ich lehne mich auf dem Stuhl zurück und versuche unbeeindruckt auszusehen. Nimmt sie Drogen? »Nicht mehr«, sage ich, ohne mit der Wimper zu zucken.

Er nickt vor sich hin. Das ist keine Antwort, über die man diskutieren kann, und um ehrlich zu sein, ich glaube, dass er es liebend gern tun würde. Es gibt einen Grund, warum sich im Weißen Haus niemand schriftliche Notizen macht. Kommt es zu Vorladungen unter Strafandrohung und Befragungen durch das FBI, ist es am besten, wenn man so wenig wie möglich weiß.

»Was werden Sie also dem FBI sagen?«, frage ich schließlich.

»Dasselbe, was ich ihnen das letzte Mal gesagt habe: Dass sie, obwohl sie ganz scharf darauf sind, den größten Fisch im Teich zu fangen, verdammt auf der Hut sein sollen, bevor sie anfangen, die Chefs zu beschuldigen.«

Die Chefs. Die Einzigen hier, die es wert sind, geschützt zu werden. »Ich nehme an, das erledigt einen Teil des Problems.«

»Einen Teil des ...? Michael, haben Sie mir zugehört? Wir haben einen Amtsinhaber, der bei einer Kampagne zur Wiederwahl nur neun Punkte Vorsprung hat – einer Kampagne, bei der, so jämmerlich es klingt, die Eskapaden und Abenteuer *seiner* Tochter – *Ihrer* Freundin – die alles entscheidenden Themen sind. Darüber hinaus rückt uns das FBI immer näher auf den Pelz und ist scharf darauf, das große Wild zur Strecke zu bringen. Wenn Sie also in die Fänge dieser Untersuchung geraten und nur die leichteste Andeutung machen, dass Nora darin verwickelt sein könnte ... Lassen Sie es mich so sagen – Sie wollen Bartlett doch nicht diese Munition liefern?«

»Ich würde nie ein Wort sagen.«

»Ich behaupte nicht, dass Sie es tun würden. Ich möchte nur sicher sein, dass Sie die Konsequenzen verstehen.« Er beugt sich über den Schreibtisch und sieht mich fest an. Dann wendet er den Blick ab, kann die Pose nicht beibehalten. Aus seiner Stimme klingt nicht nur Unbehagen. Nach zwei Anrufen des FBI ist es Angst.

Ich spüre die Zwei-Tonnen-Last, die er eben auf meine Schultern abgeladen hat, und wiederhole meine ursprüngliche Frage: »Wie lange, denken Sie, haben wir noch?«

»Das hängt davon ab, wie hartnäckig diese Reporterin Inez ist. Wenn sie eine Informationsquelle hat, würde ich sagen, dass Sie bis Ende der Woche Zeit haben. Wenn sie keine ... Nun, wir tun unser Bestes, Zeit zu gewinnen.«

Ende der Woche? O Gott.

»Sind Sie okay?«, fragt er.

Ich nicke und rapple mich hoch.

»Sind Sie sicher?« Der Ton, in dem er das sagt, überrumpelt mich. Er macht sich tatsächlich Sorgen um mich.

»Ich bin schon in Ordnung«, versichere ich ihm.

Er glaubt mir nicht, doch es gibt nichts mehr zu sagen. Das hindert ihn natürlich nicht daran, es zu versuchen. »Wenn es Ihnen ein Trost ist, Michael, sie hat Sie gern. Wäre das nicht der Fall, würden Sie das Entscheidungs-Memo nicht präsentieren.«

»Was meinen Sie damit?«

»Das Memo über die uneingeschränkten und willkürlichen Lauschangriffe. Haben Sie die Liste nicht gesehen?«

Ich schlage den Ordner auf und schau selbst nach. Und tatsächlich – neben dem Wort ›Teilnehmer‹ stehen meine Initialen. Das breite Grinsen, das mir die heißen Wangen verzieht, erinnert mich daran, wie viel Zeit seit meinem letzten Lächeln verstrichen ist. Ich schreibe das Memo nicht nur selbst. Zum ersten Mal halte ich ein Plädoyer vor dem Präsidenten.

Als ich wieder mein Büro betrete, bin ich in Schweiß gebadet. Falls Lamb recht hat, ist es nur noch eine Angelegenheit von Tagen. Die Jagd hat begonnen. Wenn ich nicht schneller bei Vaughn und dem Geld bin als Inez ... Instinktiv werfe ich einen Blick auf die Wanduhr. Nicht mehr viel Zeit. Glücklicherweise habe ich etwas, um mir die Zeit zu vertreiben.

Mein Ego redet mir ständig ein, es sei das Allergrößte, das mir je widerfahren ist, aber im tiefsten Innern weiß ich, dass ich völlig unvorbereitet bin. In zwei Tagen werde ich dem Präsidenten an seinem Schreibtisch gegenübersitzen. Und das Einzige, was mir zu sagen einfällt, ist: »Was für ein hübsches Büro.«

Ich schalte den Computer ein und greife nach dem Lauschangriff-Ordner, doch bevor ich ihn öffnen kann, klingelt das Telefon.

»Michael hier«, melde ich mich.

»Hallo, Mr. Super-Anwalt. Hier ist mein Rückruf.«

Ich erkenne den herablassenden Ton sofort. Officer Rayford von der D. C.-Polizei. »Wie geht's, wie steht's?«, sage ich und bemühe mich, fröhlich und unbeschwert zu klingen.

»Überspannen Sie den Bogen nicht, Junge. Ich bin nicht in der Stimmung. Wenn Sie Ihr Geld wiederhaben wollen, dann habe ich eine neue Telefonnummer für Sie.«

Ich notiere mir die Nummer in einer Ecke des Ordners. »Ist das die Property Division?«

»In Ihren feuchten Träumen. Ich habe es an die Financial Investigations weitergegeben. Jetzt sind Sie der Pickel auf *deren* Arsch.«

»Ich verstehe nicht.«

»Solange es verdächtiges Geld ist, haben wir das Recht, es einzubehalten – und spätnachts mit zehn Tausendern in bar herumzufahren ist noch immer verdächtig.«

»Also, was muss ich jetzt tun?«

»Nur beweisen, dass es Ihnen gehört. Bankkonto, gutgeschriebene Schecks, Versicherungspolice – Sie müssen ihnen zeigen, woher es kam.«

»Aber was, wenn …«

»Ich will's nicht hören. Soweit es mich betrifft, ist es nicht mehr mein Problem, sondern das einer anderen Behörde.« Damit legt er auf.

Langsam den Hörer sinken lassend, bin ich wieder bei Inez. Wenn Simon will, kann er sie auf das Geld ansetzen. Das ist seine Trumpfkarte. Die meine ist, so Gott will, ein Drogendealer namens Patrick Vaughn. Auf die Uhr schauend sehe ich, dass es beinahe Zeit ist.

Ich nehme meine Jacke vom Kleiderständer und gehe zur Tür. Als ich das Vorzimmer betrete, bin ich überrascht, Pam noch immer an dem kleinen Schreibtisch vor meinem Büro sitzen zu sehen. »Telefon wieder kaputt?«

»Frag nicht«, sagt sie, als ich hinter ihr vorbeigehe. »Wohin des Wegs?«

»Nur rüber zu Trey.«

»Alles in Ordnung?«

»Ja, ja. Will nur einen Kaffee schnorren und vielleicht ein paar Erdnüsse aus den Automaten klauen.«

»Amüsier dich«, sagt sie, als die Tür hinter mir zufällt.

»Hast du eine Sekunde für mich?«, frage ich, als ich den Kopf in Treys Büro stecke.

»Gutes Timing«, sagt er und legt den Telefonhörer auf. »Komm rein.«

Ich bleibe an der Tür stehen und mache eine Geste in Richtung seiner beiden Bürokollegen. Den Rest weiß er. »Willst du 'ne Runde drehen?«, fragt er.

»Das wäre das Beste.«

Ohne einen Augenblick zu zögern, folgt Trey mir zur Tür hinaus. Wir nehmen die Treppe zum zweiten Stock. Im Flur kleben meine Augen förmlich an dem schachbrettartigen schwarzweißen Marmorboden. Im OEOB ist das Leben immer ein Schachspiel.

»Was geht vor?«, fragen wir gleichzeitig.

»Du zuerst«, sagt er.

Mit gespielt gleichgültiger Miene schaue ich über die Schulter zurück. »Ich wollte mich nur vergewissern, dass mit Vaughn alles klappt.«

»Keine Sorge, wir haben alles, was wir brauchen: Stützstrümpfe, Heftpflaster …«

Er versucht mich aufzuheitern, doch es gelingt ihm nicht.

»Ist doch okay, wenn du nervös bist«, fügt er hinzu und legt mir die Hand auf die Schulter.

»Mit der Nervosität werde ich fertig – ich beginne mich nur zu fragen, ob es überhaupt eine gute Idee ist, die Sache durchzuziehen.«

»Du willst dich also nicht mehr mit ihm treffen?«

»Das ist es nicht – es ist nur …. Nach Adenauers Bild in der Zeitung und der Art, wie er Lamb unter Druck setzt… Ich denke, das FBI bereitet sich darauf vor, zuzuschlagen.«

»Und selbst wenn, ich sehe kaum eine Alternative«, meint er. »Du ergreifst jede nur erdenkliche Vorsichtsmaßnahme – und solange du vorsichtig bist, müsste es okay sein.«

»Aber siehst du nicht … es ist nicht so einfach. Wenn das FBI mich jetzt nach Vaughn fragt, kann ich ihnen in die Augen sehen und sagen, wir kennen uns nicht. Zum Teufel, ich kann, wenn nötig, sogar einen Lügendetektor-Test machen. Aber wenn wir uns treffen … Trey, wenn das FBI mich so genau beobachtet wie ich denke – und mich mit Vaughn reden sieht –, kann ich meine ganze Verteidigung die Toilette hinunterspülen.«

Am Ende des Flurs angelangt, verstummen wir. Wenn man seine Runden dreht, spricht man erst wieder, nachdem man gesehen hat, wer hinter der nächsten Ecke wartet. Als wir um die Ecke biegen, stehen nur am anderen Ende des Ganges ein paar Leute. Niemand in der Nähe. »Es ist offensichtlich nicht die beste Situation«, erwidert Trey. »Aber seien wir ehrlich, Michael, wie sonst willst du zu Antworten kommen? Im Augenblick kennst du ungefähr ein Drittel der Geschichte. Sobald du über das zweite Drittel Bescheid weißt, kannst du dir wahrscheinlich ausrechnen, was vorgeht. Aber von wem willst du dieses zweite Drittel erfahren? Von Simon? Dir bleibt nur Vaughn.«

»Und wenn er mich in eine Falle lockt?«

»Wenn er nichts anderes wollte, als dich in die Pfanne zu hauen, wäre er längst zur Polizei gegangen. Ich sage dir, wenn er sich mit dir treffen will, hat er dir etwas anzubieten.«

»Ja, dass er mich dem FBI ausliefert und dafür eine geringere Strafe bekommt.«

»Das glaube ich nicht, Michael – es ergibt keinen Sinn. Wenn Simon und Vaughn tatsächlich zusammengearbeitet und deinen Namen benutzt hätten, um Vaughn einzuschleusen, warum sollte Vaughn – wenn er in das Gebäude kam – seinen Namen mit der einzigen Person verknüpfen, von der er weiß, dass sie stark mordverdächtig ist?«

Trey sieht mich an und lässt mir Zeit, die Frage zu analysieren. »Du denkst, dass man auch Vaughn angeschmiert hat?«, frage ich.

»Er mag kein Heiliger sein, aber es gibt offensichtlich etwas, das uns entgangen ist.«

Im Gehen fahre ich mit den Fingerspitzen die Wand entlang. »Also ist die einzige Möglichkeit, mich zu retten …«

»… mit den Wölfen zu heulen«, sagt Trey nickend. »Alles hat seinen Preis.«

»Das ist es ja, was mir Sorgen macht.«

»Mir auch«, sagt Trey. »Mir auch – aber solange du den Mund hältst, dürfte dir nichts passieren.«

Langsam biegen wir um eine nächste Ecke im Flur.

»Bitte sag mir, dass du den Mund gehalten hast«, fügt er hinzu.

»Das habe ich.«

»Du hast Pam also nichts gesagt?«

»Korrekt.«

»Und du hast Lamb nichts gesagt?«

»Korrekt.«

»Und du hast Nora nichts gesagt?«

Ich warte eine Millionstelsekunde zu lange.

»Ich kann nicht glauben, dass du's Nora gesagt hast!«, knurrt er und reibt sich den Kopf. »Verdammt, Junge, was hast du dir dabei gedacht?«

»Keine Sorge – sie wird nichts ausplaudern. Es würde die Dinge nur schlimmer für sie machen. Außerdem versteht sie sich auf solches Zeug. Sie ist voller Geheimnisse.«

»Ja, Scheiße! Sie ist voller Geheimnisse. Das ist der Punkt. Schweigen – gut. Voller Geheimnisse – schlecht.«

»Warum spielst du so verrückt, wenn es um sie geht?«

»Weil ich der Einzige bin, der noch mitten in der Wirklichkeit steht – während du in den Präsidentengemächern über Hochdero Präsidententochter Titten in Verzückung gerätst. Und je tiefer ich grabe, umso weniger gefällt mir, was ich sehe.«

»Was meinst du mit ›graben‹?«

»Weißt du, mit wem ich telefoniert habe, als du reinkamst? Mit Benny Steiger. Das ist der Typ, der mit dem Spiegel unter deinen Wagen schaut, wenn du zum Southwest Gate hereinkommst. Ich habe vergangenes Jahr seine Schwester am 4. Juli hereingeschmuggelt, und da er mir seither was schuldig ist, hab ich mir gedacht, er könnte sich revanchieren. Erinnerst du dich an die erste Nacht, als ihr hinter Simon hergefahren seid, du und Nora? Ich habe Benny gebeten, ein bisschen in den Protokollen der Wache zu stöbern. Er sagt, Nora ist in dieser Nacht allein nach Hause gekommen. Zu Fuß.«

»Ich habe sie abgesetzt. Na und?«

»Na und – da hast du verdammt recht. Als ihr auf eurer kleinen Schnitzeljagd dem Secret Service ausgebüxt seid, hast du dein Alibi verloren.«

»Was redest du da?«

»Ich rede über den einzigen und leichtesten Weg, mit dem Nora ihren Hintern bedeckt halten kann. Wenn sie will, gibt es absolut nichts, das sie daran hindert zu sagen, dass sie, nachdem ihr den Secret Service verloren hattet, aus deinem Wagen ausgestiegen ist. Dann seid ihr beide eurer Wege gegangen.«

»Warum sollte sie das tun?«

»Denk nach, Michael. Wer kann deine Geschichte bestätigen, wenn dein Wort gegen das von Simon steht? Nora, richtig? Das einzige Problem ist, dass es schlecht für Daddy wäre. So kurz vor der Wiederwahl wird sie ihn dieser Gefahr nicht aussetzen wollen – zumal wir kaum einen Wimpernschlag vorn liegen, mit einer beachtlichen Fehlerzahl auf dem Konto. Doch wenn sie nicht dabei war, als Simon das Geld hinterlegte – keine Probleme mehr. Du und Simon, ihr könnt euch gegenseitig die Augen auskratzen. Aber natürlich frisst er dich bei einem solchen Kampf mit Haut und Haaren.«

»Was ist mit dem Cop, der uns angehalten hat? Er hat uns gesehen.«

»Komm schon, Mann, du hast selbst gesagt, dass er so getan hat, als kenne er sie nicht. Er ist der Letzte, auf den ich an deiner Stelle zählen würde.«

»Aber dass Nora all das absichtlich getan haben soll …«

»Lös mir dieses Rätsel, Batman: Warum hast du sie vorher abgesetzt und bist nicht mit ihr durch das Southeast Gate gefahren?«

»Sie hat gemeint, der Service würde fuchsteufelswild auf uns sein, und deshalb sollte ich lieber …«

»Dingdingding! Ich glaube, wir haben einen Gewinner! Noras Vorschlag. Noras Plan. Seit dem Moment, in dem du mit dem Geld erwischt wurdest, hat es in ihrem Gehirn zu brodeln angefangen, wie sie sich heraushalten könnte.« Da wir gerade um eine nächste Ecke biegen, gibt er mir Gelegenheit, das Argument zu verinnerlichen. »Ich will nicht behaupten, dass sie darauf aus ist, dich in die Pfanne zu hauen. Doch ich behaupte, sie hat nur die Nummer eins im Auge. Das soll dein Liebesleben nicht schmälern, aber vielleicht wäre es gut für dich, dasselbe zu tun.«

»Also sollte ich, obwohl noch gar nicht feststeht, dass es Mord war, Nora fallenlassen und mich stellen?«

»Das ist keine so schlechte Idee. Wenn es zu einer Krise kommt, ist es immer am besten, den Stier bei den Hörnern zu packen.«

Ich bleibe stehen und denke über das nach, was er sagt. Ich

brauche nur aufzugeben. Mich selbst. Nora. Alles. Meine Mutter hat es mir anders beigebracht. Und mein Dad auch. »Ich kann nicht. Es ist nicht richtig. Sie würde mir das nicht antun – und ich kann es ihr nicht antun.«

»Kannst es ihr nicht … Himmel, Michael, erzähl mir bitte nicht, dass du verl…«

»Ich bin nicht in sie verliebt«, behaupte ich. »Es ist nur nicht die richtige Zeit. Wie du gesagt hast, das Treffen findet heute Nachmittag statt. Ich bin zu nah dran.«

»Zu nah an wem?«, ruft Trey, als ich auf die Treppe zusteuere. »An Vaughn oder Nora?«

Ich lasse die Frage in der Luft hängen. Darauf möchte ich nicht antworten.

Als ich vom Weißen Haus zum Holocaust-Museum gehe, scheint die Sonne, die Feuchtigkeit ist verschwunden, und der Himmel ist strahlend blau. Ich hasse die Ruhe vor dem Sturm. Dennoch ist es ein vollkommener Tag für einen langen Lunch, und genau das habe ich in meine Unterhaltung mit Simons Sekretärin wie beiläufig eingestreut.

Judys Aussage nach ist Simon bei einem Luncheon oben auf dem Hill im Büro von Senator McNider. Um ganz sicherzugehen, habe ich angerufen und es mir bestätigen lassen. Dann habe ich das Gleiche bei Adenauer getan. Als seine Sekretärin mir nicht sagen wollte, wo er ist, machte ich ihr klar, dass ich eine wichtige Information für ihn hätte und um halb zwei noch einmal anrufen würde. In einer halben Stunde von jetzt an. Ich weiß nicht, ob es klappen wird, aber es muss ihn nur in seinem Tagesablauf ein wenig bremsen, mehr ist nicht nötig. Ihn am Telefon festhalten. Und weit weg von mir.

Doch trotz allen Planens zittert meine Hand, als ich in der Tasche das lose Kleingeld durch die Finger gleiten lasse. Jeder Blick, der länger auf mir ruht, kommt von einem Reporter; jede Person, an der ich vorbeikomme, gehört zum FBI. Der Zehn-

Minuten-Weg ist ein absoluter Alptraum. Dann bin ich am Holocaust-Museum.

»Ich habe eine Reservierung«, sage ich zu der Frau am Ticketpult beim Eingang. Sie hat winzige braune Augen und eine riesige braune Brille, die ihre schlimmsten Gesichtszüge betont.

»Ihr Name?«, fragt sie.

»Tony Manero.«

»Hier haben wir's schon«, sagt sie und reicht mir eine Eintrittskarte. Einlasszeit: ein Uhr. In zwei Minuten.

Ich wende mich ab und sehe mich forschend in der Lobby um. Die Einzigen, die nicht verdächtig aussehen, sind zwei Mütter, die mit ihren Kindern herumschreien. Als ich auf den Lift zugehe, kopiere ich Noras besten Trick und ziehe mir die Baseballmütze tief in die Stirn.

Vor den Lifttüren drängt sich eine kleine Touristengruppe, die es kaum erwarten kann, dass es losgeht. Ich halte mich im Hintergrund und beobachte die Menge. Während wir warten, kommen hinter mir noch mehr Leute dazu. Ich stelle mich auf die Zehenspitzen, um einen besseren Überblick zu haben. Es dürfte nicht so lange dauern, bis geöffnet wird. Etwas stimmt nicht.

Die Leute um mich herum werden unruhig. Niemand schiebt, aber die Ellbogenfreiheit nimmt ab. Ein dicker Mann in blauer Windjacke stößt mich an, und ich reiße den Arm weg, wobei ich zufällig ein junges Mädchen hinter mir ramme. »Entschuldigung«, sage ich zu ihr.

»Nichts passiert«, entgegnet sie leise. Ihr Dad nickt verlegen. Ebenso die Frau neben dem Mädchen. Es sind zu viele Leute, um sie im Auge zu behalten. Der Raum wird eng.

Das Schlimmste ist, dass sie noch immer Leute ins Museum einlassen. Wir werden vorwärts geschoben wie eine menschliche Flut. Verzweifelt suche ich in der Menge, betrachte jedes Gesicht. Es ist zu viel. Ich verbrenne. Das Atmen fällt mir immer schwerer. Die rohen Ziegelwände rücken näher und umzingeln mich. Ich versuche mich auf die dunkle, stählerne Lifttür und die herausragenden grauen Bolzen zu konzentrieren, als ob mir das Erleichterung bringen könnte.

Endlich klingelt es und der Lift kommt. Er ist so schwerfällig wie alle anderen und der Liftführer sagt mehr als unpassend: »Willkommen im Holocaust-Museum.«

EINUNDZWANZIGSTES KAPITEL

»Können Sie mir sagen, wie ich in die Registratur der Überlebenden komme?«

»Die ist gleich um die Ecke«, sagt ein Mann mit einem Namensschildchen. »Erste Tür rechts.«

Als ich auf den Raum zugehe, sehe ich mich rasch nach Vaughn um. Das Foto aus der Verbrecherkartei, das ich gesehen habe, war ein paar Jahre alt, doch ich weiß, nach wem ich Ausschau halte. Kleines, dünnes Bärtchen. Glatt zurückgekämmtes Haar. Keine Ahnung, warum er dieses Museum ausgesucht hat. Wenn er sich wirklich wegen des FBI sorgt, ist das kein sicheres Versteck für uns – und genau davor fürchte ich mich.

Überzeugt, dass er nicht vor dem Raum steht, öffne ich die Glastür und betrete die Registratur der Überlebenden. Zuerst suche ich die Decke ab. Keine Überwachungskamera in Sicht. Gut. Als Nächstes überprüfe ich die Wände. Und da ist er, in der hinteren rechten Ecke. Der Grund, warum Vaughn diesen Raum gewählt hat: ein Notausgang für den Brandfall. Wenn alles zur Hölle geht, hat er einen Ausweg – was bedeutet, dass er sich entweder meinetwegen sorgt oder dass es ein Teil seines Deals mit den Behörden ist.

Der Raum selbst ist von bescheidener Größe und durch Trennwände abgeteilt. Er enthält acht dem gegenwärtigen Stand der Technik entsprechende Computer, die Zugang zum Verzeichnis des Museums haben, in dem mehr als siebzigtausend

Überlebende des Holocaust registriert sind. Bei fast jedem Terminal drängen sich zwei oder drei Leute vor dem Bildschirm und suchen nach den Namen geliebter Menschen. Nicht ein einziger von ihnen blickt auf, als ich nach hinten gehe. Ich sehe mich im restlichen Raum um und sage mir, dass es eine gute Idee war, Trey im Büro zurückzulassen. Wir hätten ihn irgendwie tarnen können, doch nachdem er in der Telefonzelle entdeckt worden war, schien es uns das Risiko nicht wert zu sein.

Ich setze mich vor ein leeres Computer-Terminal und warte. Zwanzig Minuten lang lasse ich die Tür nicht aus den Augen. Wer auch hereinkommt, wer hinausgeht, ich strecke den Kopf über die Trennwände, analysiere jeden. Vielleicht will er nicht, dass ich so auffalle, sage ich mir schließlich. Meine Taktik ändernd, starre ich auf den Bildschirm und höre den Stimmen der Leute um mich herum zu.

»Ich habe dir gesagt, sie hat in Polen gelebt.«

»Mit einem K, nicht mit Ch.«

»Das ist deine Urgroßmutter.«

In einem Museum, das dem Andenken von sechs Millionen getöteter Menschen gewidmet wurde, ist dieser kleine Raum den wenigen Glücklichen vorbehalten, die am Leben blieben. Kein schlechter Ort.

»Ich hasse diesen Raum«, knurre ich eine Viertelstunde später. Der feige Mistkerl wird sich nie zeigen. Ich unterdrücke meine Enttäuschung, stehe auf und sehe mich noch einmal schnell um. Inzwischen haben die Touristen schon zum fünften Mal gewechselt. Nur noch einer der ursprünglichen Besucher ist da, und das bin ich.

Um die Hauptgruppe der Tische herumwandernd, werfe ich einen Blick auf die Wanduhr. Vaughn hat sich schon über eine halbe Stunde verspätet. Er hat mich versetzt. Doch wenn ich vorhabe, weiter zu warten, ist es am besten, wenn ich nicht auffalle und tue, was all die anderen Fremden im Raum tun. Ich sehe mich um und stelle fest, dass ich der Einzige bin, der auf den Beinen ist. Alle anderen sehen völlig gleich aus – Kugelschreiber in der Hand, die Augen auf den Bildschirm gerichtet, tun sie nichts anderes als Namen eingeben …

O Mann!

Ich sause zum Terminal zurück, setze mich und tippe dreizehn Buchstaben in die Registratur der Überlebenden:

V-A-U-G-H-N, P-A-T-R-I-C-K

Auf dem Bildschirm teilt der Computer mir mit: *Suche nach Hinweisen.*

Das ist es. Das ist der eigentliche Grund, warum er diesen Raum ausgesucht hat.

Tut uns leid, keine Hinweise gefunden.

Was? Das ist nicht möglich. V-A-U-G-H-N, P.

Tut uns leid, keine Hinweise gefunden.

V-A-U-G-H-N.

Wieder beginnt der Computer zu suchen. Und wieder bekomme ich dasselbe Resultat. *Tut uns leid, keine Hinweise.*

Das kann nicht sein. Überzeugt, auf der richtigen Spur zu sein, gebe ich jeden Namen ein, der mir einfällt.

G-A-R-R-I-C-K, M-I-C-H-A-E-L

H-A-R-T-S-O-N, N-O-R-A

S-I-M-O-N, E-D-G-A-R

Als ich fertig bin, bekomme ich Tonnen von Hinweisen. Wien, Österreich. Kaunas, Litauen. Gyöngyös, Ungarn. Sogar Highland Park, Illinois. Aber nichts bringt mich Vaughn näher. Verärgert schiebe ich die Tastatur zur Seite und lasse mich im Sessel zurückfallen. Ich bin nahe dran, Schluss zu machen, als jemand mir die Hand auf die Schulter legt.

Ich fahre herum und falle fast vom Sessel. Hinter mir steht eine Frau mit olivfarbener Haut und welligem schwarzem Haar. Sie trägt ein prall sitzendes schwarzes T-Shirt mit dem Wort ›Perv‹ in weißen Lettern und ausgeblichene Jeans, die ihr lose an den Hüften hängen.

»Machen wir, dass wir hier rauskommen, Michael«, sagt sie mit zittriger Stimme.

»Woher wissen Sie …?«

»Frag nicht, was offensichtlich ist – es wird nicht helfen.« Als ich aufstehe, sieht sie sich im Raum um und klickt nervös mit den langen Nägeln ihrer Mittelfinger gegen die Daumen. Zweimal reibt sie sich die Nase, ist nicht imstande, ruhig zu bleiben.

»Wann kommt er …?«

»Heute nicht«, stößt sie hervor und schiebt mich von hinten direkt zur Tür. »Machen wir, dass wir heil hier rauskommen.«

Wortlos renne ich los. Sie zieht an meinem Hemdrücken, um mich zu bremsen.

»Nur Idioten rennen«, flüstert sie.

Ich stoße die Glastür auf und warte, bis wir wieder mitten unter der Menge sind. Scharf links abbiegend, laufen wir die breite Treppe zur Haupthalle hinunter.

»Er kommt also nicht?«, frage ich.

Sie rennt und dreht den Kopf in alle Richtungen. Späht über ihre Schulter, über meine, über das Treppengeländer. Sie kann nicht anders. »Seit Dienstag haben sie das Haus seiner Exfreundin überwacht«, erklärt sie. »Und Vaughn mag sie nicht einmal.«

»Ich verstehe nicht.«

»Das bringt nichts«, stammelt sie. »Nicht hier.«

»Also wann sollen wir uns …«

Sie legt mir eine verschwitzte Hand auf die Schulter und zieht mich an sich. »National Zoo. Mittwoch ein Uhr.« Damit lässt sie mich los und rennt weiter vor mir her.

»Ist es wirklich so schlimm?«, frage ich.

Sie bleibt stehen und dreht sich um. »Machst du Witze?«, fragt sie und streicht sich eine schwarze Locke aus der Stirn. »Um ihm Angst einzujagen, ist einiges nötig, das weißt du doch.«

Ich halte mich am Geländer fest, um nicht zusammenzusacken.

»Und du hast sie einfach gehen lassen?«, fragt Nora mit großen, ungläubigen Augen.

»Was hätte ich deiner Meinung nach tun sollen? Sie packen und festhalten und einen fairen Handel verlangen?«

»Nun ja, packen nicht gerade, aber allmählich müsstest du was tun.«

Ich stehe auf, durchquere Noras Schlafzimmer und lehne mich an die Vorderkante ihres antiken Schreibtischs. Links von mir entdecke ich eine handgeschriebene Notiz, unterschrieben von Carol Lorenson, dem Administrator der Treuhandbank, die das gesamte Vermögen der Hartsons verwaltet. *Wöchentlicher Zuschuss – zweite Septemberwoche.* Neben dem Zettel ein paar Zwanzigdollarscheine. »Du verstehst nicht«, sage ich.

»Was gibt es da zu verstehen. Du hattest sie – du hast sie laufen lassen.«

»Sie ist nicht der Beelzebub«, schieße ich zurück. »Sie hat sogar noch mehr Angst als ich und hörte sich an, als stehe sie kurz vor einem Herzanfall.«

»Oh, komm schon, Michael. Diese Frau kennt den Typen, den du suchst – den Kerl, den niemand findet. Nimm's mir nicht übel, aber du hättest Treys Begleitung nicht ausschlagen dürfen – er hätte ihr zumindest nachgehen können.«

»Begreifst du nicht, Nora? Das FBI ist ganz wild darauf, dich über ihn dranzukriegen – sie wurde bestimmt verfolgt. Außerdem dulde ich nicht, dass jemand wegen dieser Sache verletzt wird.«

»*Jemand?* Wer ist Jemand?«

Ich antworte nicht.

»Okay, dann mal los«, sagt sie und ihr Gesicht leuchtet auf. »Was verbirgst du?«

»Ich möchte nicht mehr darüber sprechen.«

»Hat es etwas damit zu tun, dass du keine Unterstützung mitgenommen hast? Hast du deshalb so geschwitzt?«

Wieder antworte ich nicht.

»Das ist es, nicht wahr? Du hast Trey nicht mitgenommen, weil du ihm nicht traust – du denkst, dass er mit ...«

»Trey arbeitet mit niemand zusammen«, erkläre ich nachdrücklich. »Aber wenn ich ihn mitgenommen hätte, wäre auch er in Gefahr gewesen.«

Über diese Erklärung ziemlich verwirrt, hebt Nora eine Braue. »Also hast du beschlossen, keine Unterstützung mitzunehmen, obwohl du wusstest, dass du sie brauchst?«

Ich schweige weiterhin.

»Und das hast du nur getan, um einen Mitarbeiter zu schützen?«

»Er ist kein Mitarbeiter, er ist ein Freund.«

»Ich habe nicht versucht zu ... Ich habe nur gemeint ...«

Sie unterbricht sich. »Aber wie, wenn Trey ...« Wieder hält sie inne. Sie bemüht sich, nicht zu urteilen, und wendet den Blick ab; dann sieht sie mich wieder an. Schließlich fragt sie: »Du würdest wegen eines Freundes wirklich darauf verzichten, mit Vaughn zu reden?«

»Du denkst, es gibt eine andere Wahl?«

Jetzt antwortet Nora nicht. Sie sitzt nur da, den Mund leicht geöffnet, die Stirn gekraust. Doch langsam fangen ihre Lippen an sich zu verziehen. Ein Grinsen. Ein Lächeln. Breit.

»Was ist?«, frage ich.

Sie springt auf und geht zur Tür.

»Wohin gehst du?«

Sie winkt mir mit dem Zeigefinger, näher zu kommen. Sekunden später ist sie auf dem Flur. Ich direkt hinter ihr. Eine schnelle Wendung nach links bringt sie vor eine geschlossene Tür am anderen Ende des Flurs in der dritten Etage.

Als wir eintreten, denke ich: *Dieser kleine Raum ist hässlich.* Mit dem schwarzen Resopalschrank und den mit einem Muster aus Musikinstrumenten verzierten, mehr als kitschigen Vorhängen kann man ihn nur als Dollywood-Graceland-Monstrosität bezeichnen.

An der Wand hängen einige Bilder mit Autogrammen berühmter Musiker und in einer Glasvitrine wird Clintons Saxofon aufbewahrt. Aus irgendeinem Grund gibt es auch ein mit Teppich belegtes einen Meter breites, mit einem Geländer versehenes Podium, das die ganze Breite des Raumes einnimmt. Ich vermute, es soll eine winzige Bühne sein. Das Musikzimmer – in dem Clinton übte.

Schon will ich Nora fragen, was sie hier will, als sie den schwarzen Schrank öffnet. Er enthält eine bildschöne, auf Hochglanz polierte Geige und einen Bogen. Die Bühne als Sitz benutzend, hüpft sie hinauf, lässt die Beine baumeln und legt die Geige an die Schulter. Sie setzt den Bogen auf die A-Saite, stimmt kurz und blickt dann zu mir auf.

Seit wann kann sie …

Mit einer eleganten Armbewegung lässt sie den Bogen über die Saiten gleiten, und ein perfekter Ton erfüllt den Raum. Mit der Unterseite des Kinns hält Nora das Instrument fest, schließt die Augen, beugt sich leicht vor und fängt an zu spielen. Es ist eine langsame Melodie – ich erinnere mich, sie einmal bei einer Hochzeit gehört zu haben.

»Wann hast du gelernt, Geige zu spielen?«, frage ich.

Wie vorher antwortet sie mit der Melodie. Sie lässt die Augen geschlossen, presst das Kinn fest auf das Instrument. Sie möchte nur, dass ich zuhöre, aber trotz der Ruhe, die mir die Musik bringt, kann ich das Gefühl nicht abschütteln, dass mir etwas entgangen ist. Vor Hartsons Wahl wurde ich – wie das ganze Land – geradezu gewaltsam mit jeder Einzelheit aus dem Leben der Präsidentenfamilie gefüttert. Jedem Detail aus Noras Leben. Man erfuhr, warum sie nach Princeton ging, dass sie Erdnussbutter liebt, den Namen ihrer Katze, sogar den der Bands, die sie gern hört. Aber niemand erwähnte die Geige. Mir kommt es vor wie ein gigantisches Geheimnis, das niemand …

Ihr Kinn bleibt gesenkt, doch zum ersten Mal blickt Nora in meine Richtung – und grinst. Ich erstarre. Bei allem, was sie tut, wohin sie auch geht, es ist das Einzige, über das sie noch Kontrolle hat. Ihr einziges Geheimnis. Mit einem leichten Nicken sagt sie mir den Rest. Sie spielt nicht nur. Sie spielt für mich.

Plötzlich leicht benommen, setze ich mich in einen in der Nähe stehenden Sessel. »Wann hast du angefangen?«, frage ich, während sie weiterspielt.

»Ich spiele schon mein Leben lang«, antwortet sie, keine Note versäumend. »Als mein Dad Gouverneur wurde, war es mir irgendwie peinlich, also hat er versprochen, nichts davon zu sagen. Und als ich älter wurde – nun …« Sie unterbricht sich, denkt nach. »Man muss sich etwas bewahren.«

Da ich ihr so nahe bin, treffen die Schwingungen meine Brust und stoßen mich fast zurück. Ich beuge mich vor. »Warum Geige?«

»Willst du behaupten, du hast nicht darüber nachgedacht, als du *Devil Went Down to Georgia* hörtest?«

Ich lache laut auf. Ihre Finger tanzen über die Saiten, zerren die Musik aus ihrer Ruhe. Langsam wird sie lauter, verliert jedoch nie ihre Leichtigkeit.

Mit einem letzten, zarten Strich zieht Nora den Bogen über die A-Saite. Dann sieht sie mich an, wartet auf meine Reaktion. Ihre Augen sind vor Nervosität ganz groß. Nicht einmal das ist leicht für sie. Doch sobald sie mein Grinsen sieht, kann sie nicht anders. Sie stellt sich auf die Zehenspitzen und hüpft auf den Fußballen auf und nieder. Und obwohl sie ihr Lächeln mit den Fingern verdeckt, erhellen ihre leuchtenden Augen den Raum; sogar die Dollywood-Vorhänge sehen jetzt wie Kunst aus der Renaissance aus. Diese schönen, strahlenden Augen – so klar, dass ich mich praktisch in ihnen spiegeln kann. Ich habe mich die anderen Male immer geirrt – dies ist das erste Mal, dass ich sie wirklich glücklich sehe.

Ich springe auf und applaudiere so laut ich kann. Sie wird rot und verneigt sich spöttisch. Dann wird der Applaus lauter. »Bravo!«, ruft jemand hinter mir, draußen auf dem Flur.

Ich fahre herum. Nora schaut mir über die Schulter. In dem Moment, in dem ich sie entdecke, vervierfacht sich der Applaus. Fünf Männer – alle in konventionellen blauen Anzügen mit unerträglich vernünftigen Krawatten. Angeführt von Friedsam, einem der ersten Adjutanten des Präsidenten. Die vier anderen sind seine Untergebenen. Sie müssen hier oben gewesen sein, um Hartson zu informieren, der gern nach dem Lunch Treffen im Solarium anberaumt. Ihren zufriedenen Gesichtern nach zu schließen, gehört Lauschen zu einer der Sondervergünstigungen ihres Jobs.

»Das war großartig«, sagt Friedsam zu Nora. »Ich wusste gar nicht, dass Sie spielen.«

Ich drehe mich um, weil ich ihre Reaktion sehen will. Es ist schon zu spät. Sie zwingt sich zu einem Lächeln, aber es täuscht niemand. Sie hat die Zähne zusammengebissen. In ihren Augen funkeln Tränen. Die Geige am Hals packend, stürmt sie an mir vorbei zur Tür. Friedsam und die weißen Jungs teilen sich vor ihr wie das Rote Meer. Ich renne hinter ihr her, dränge mich zu Friedsam durch. »Ein Wort darüber – zu irgendwem – und ich sorge dafür, dass Hartson erfährt, dass Sie's waren«, zische ich ihm im Vorübergehen zu.

Nora durch den Flur hinterherjagend, gehe ich zurück ins Schlafzimmer. In der Residenz gibt es keine Sicherheitsbeamten, was bedeutet, dass ich rennen kann. Als ich am Solarium vorbeikomme, befehle ich mir, nicht zu schauen. Aber wie ein moderner Orpheus kann ich nicht anders. Ich werfe einen Blick nach links und sehe den Präsidenten, in Papieren blätternd, vor dem breiten Fenster sitzen. Er kehrt mir den Rücken zu und … Verdammt, was, zum Teufel, ist los mit mir?

Bevor er sich zu mir umdreht, öffne ich die Tür von Noras Schlafzimmer und trete ein. Sie sitzt am Schreibtisch und starrt die Wand an. Regelmäßig, wie ein menschliches Metronom, schlägt sie gedankenlos mit dem Bogen gegen die Schreibtischkante.

»Wie geht's?«

»Was glaubst du?«, fragt sie, ohne aufzublicken.

»Wenn du dich dann besser fühlst – mir hat das Lied wirklich gefallen.«

»Bemüh dich nicht. Selbst ein Tier weiß, dass es in einem Zoo ist, wenn die Besucher auftauchen, um zu gaffen.«

»Also bist du jetzt im Zoo?«

»Diese Musik war für dich bestimmt, Michael. Nicht für sie. Wenn sie reinkommen und mich sehen, ist es als ob sie ...« Sie unterbricht sich, beißt die Zähne zusammen. »*Verdammt!*«, schreit sie auf; beim nächsten Schlag gegen die Schreibtischkante bricht der Bogen in zwei Teile, und obwohl er noch vom Rosshaar zusammengehalten wird, knallt die obere Hälfte gegen einen silbernen Bleistiftbehälter, stößt ihn um, und der Inhalt fliegt in alle Richtungen davon.

Es bleibt lange still zwischen uns. Schließlich frage ich: »Und – keine Zugabe drin?«

Nora muss unwillkürlich lachen. »Du denkst, du bist ein richtiger Witzbold, wie?«

»Wenn du mit einem Talent geboren wirst ...«

»Sag mir nichts über Talente.«

Ich gehe zu ihr, werfe den zerbrochenen Bogen beiseite und nehme ihre Hände in meine. Doch als ich mich bücke, um sie auf die Stirn zu küssen, wird mir klar, dass ich es falsch verstanden habe. Es ist nicht so, dass sie sich mit dem identifiziert, was sie als Verlust empfindet. Nora Hartson identifiziert sich mit dem, was zerstört wird. Deshalb kann sie einen überfüllten Raum betreten und die einzige andere Person finden, die allein ist. So hat sie mich gefunden. Sie hat die Verletzung erkannt; hat sich selbst erkannt.

»Bitte, Nora, lass dir das nicht von ihnen antun. Ich habe Friedsam schon gesagt, wenn was rauskommt, nagle ich ihn an den Zehen fest.«

Sie blickt auf. »Das hast du getan?«

»Nora, vor zwei Wochen wurde ich mit zehntausend Dollar im Handschuhfach angehalten. Am nächsten Tag wurde eine Frau, mit der ich kurz vorher gestritten hatte, tot in ihrem Büro aufgefunden. Drei Tage später erfahre ich, dass ich an dem Tag, an dem sie starb, einen polizeibekannten Killer ins Gebäude eingeschleust habe. Heute Vormittag habe ich zwei Stunden damit verbracht, auf diesen mutmaßlichen Killer zu warten, der sich mit mir treffen wollte, und wurde schließlich versetzt. Dann hast du heute Nachmittag, zum ersten Mal seit dieser Scheißsturm losbrach, dieses Lied für mich gespielt und drei ganze Minuten – ich weiß, es ist Klischee, aber es stimmt –, drei Minuten lang hat all das nicht mehr existiert, Nora. Nichts davon.«

Sie beobachtet mich sehr genau, weiß aber nichts zu sagen. Langsam wischt sie sich über den Hals, als schwitze sie. Dann zeigt sie schließlich auf den zerbrochenen Bogen, der auf dem Schreibtisch liegt. »Wenn du willst – ich habe noch einen im Schrank. Ich kann, äh … Ich kenne viele Lieder.«

Am nächsten Morgen ist mein Schlaf so leicht, dass ich höre, wie nacheinander die vier Zeitungen geliefert werden. Zwischendurch kehren meine Gedanken immer wieder zu Vaughn zurück. Als die vierte aufklatscht, werfe ich die Decke zurück, sprinte zur Tür und hole meine Morgenlektüre herein. Einen Teil nach dem anderen schlage ich auf und schüttle ihn aus, um zu sehen, ob vielleicht etwas herausfällt. Neunzehn Teile später habe ich nur von Druckerschwärze verfärbte Finger. Ich nehme an, es bleibt bei morgen im Zoo.

Während ich darauf warte, dass Trey anruft, entdecke ich das Foto auf der Titelseite des *Herald*. Ein Schnappschuss von Harton am Rednerpult während seiner Rede in Detroit. Nichts, worüber man eine E-Mail nach Hause schicken müsste – außer der Tatsache, dass das Publikum nur aus fünf oder sechs Leuten besteht. Die restlichen Plätze sind leer. *Ein Versuch, Anschluss zu finden*, plärrt die Schlagzeile. Dafür wird jemand seinen Job verlieren.

Eine Minute später nehme ich nach dem ersten Läuten Treys Anruf entgegen. »Gibt's was?«, fragt er und wüsste natürlich gern, ob ich etwas von Vaughn gehört habe.

»Nichts«, sage ich. »Was geht drüben vor?«

»Oh, nur das Übliche. Ich nehme an, du hast unser Harakiri auf der Titelseite gesehen?«

Ich schaue das Foto von Hartson und die leeren Sitze an. »Wie ist das überhaupt …«

»Das ganze Ding ist Scheiße – auf der linken und rechten Seite des Fotos waren dreihundert Leute, und die leeren Sitze waren für die Marschkapelle reserviert, die im Begriff war, Platz zu nehmen – der *Herald* hat das Foto nur wegen der Wirkung beschnitten. Wir verlangen für morgen eine Richtigstellung – klar, eine vierzeilige Entschuldigung auf Seite 2A begraben ist viel wirkungsvoller als ein Vierfarbbild auf Seite eins.«

»Ich nehme an, die Zahlen sind nicht berauschend?«

»Sieben Punkte, Michael. Mehr nicht. Das ist unser Vorsprung. Nimm noch zwei weg – und genau das wird passieren, wenn das Foto über die Ticker geht –, dann haben wir offiziell keinen Spielraum mehr. Willkommen in der Mittelmäßigkeit. Genieß deinen Aufenthalt.«

»Was ist mit der Story in *Vanity Fair*? Gibt es dazu überhaupt keine Reaktionen?«

»Oh, hast du das noch nicht gehört? Gestern in Kalifornien – ausgerechnet in Kalifornien – hat Bartlett offenbar sein *Erste Familie/Familie zuerst-Zitat* in einem religiösen Radiosender verkündet. Die Anrufer haben's geschluckt.«

»Ich wusste gar nicht, dass es in Kalifornien noch so etwas wie Religion gibt.«

Langes Schweigen am anderen Ende der Leitung. Das muss er wohl erst verdauen.

»Ich vermute, du planst etwas Drastisches?«, füge ich hinzu.

»Du solltest hören, was hier los ist. Gestern Abend wurde es so schlimm, dass jemand tatsächlich vorgeschlagen hat, die ganze Präsidentenfamilie zu einem gemeinsamen Interview live zur Primetime ins Fernsehen zu holen.«

»Und was hat man beschlossen?«

»Ein Primetime-Live-Interview mit allen gleichzeitig. Wenn Amerika sich wirklich sorgt, ob Nora außer Kontrolle geraten ist oder die Hartsons schlechte Eltern sind, kann man nur dagegen angehen, indem man beweist, dass die Leute nicht recht haben. Zeig ihnen die ganze Familie, bau ein paar Mal *Ah, Dad* ein und bete, dass dann alles wieder gut wird.«

»Ist es wirklich so leicht?«, frage ich lachend. »Dann, nehme ich an, hast du wohl mit diesem allzu durchsichtigen Versuch der öffentlichen Anbiederung nichts zu tun.«

»Machst du Witze? Ich stehe mitten im Ring – mein Boss und ich sind dafür verantwortlich.«

»*Was?*«

»Ich weiß nicht, was du so komisch findest, Michael. Da gibt es nichts zu lachen. Wir sind in jedem Schlüsselstaat, Kalifornien, Texas, Illinois, auf dem Tiefpunkt angelangt ... Wenn wir nicht anfangen, ein paar Unentschlossene zu bekehren, sind wir unsere Jobs los.«

Mir wird eiskalt, als er das sagt. »Du denkst wirklich ...«

»Michael, kein amtierender Präsident hat jemals ein Interview mit seiner ganzen Familie gleichzeitig gegeben. Warum, glaubst du, machen wir es? Aus demselben Grund, aus dem Lamb dich gebeten hat, Stillschweigen zu bewahren. So steht es – wenn die Zahlen sich nicht ändern, müssen Nora und die Ihren ins sonnige Florida zurück ...«

»Sag mir nur, mit wem du's machst ...«

»*Dateline*«, platzt er heraus. »Ich habe sechzig Minuten vorgeschlagen, aber alle haben gemeint, das sei zu sehr Clinton. Außerdem, die First Lady mag Samantha Stulberg – sie hat nach der Amtseinführung eine hübsche Sache mit ihr gemacht.«

»Und wann soll das alles stattfinden?«

»Acht Uhr morgens, an diesem Dienstag, der, zu unserem Glück, zufällig der fünfzigste Geburtstag der First Lady ist.«

»Du verschwendest keine Zeit.«

»Das können wir uns nicht leisten. Und nichts für ungut, Junge, du dir ebenso wenig.«

Es ist kaum sieben Uhr morgens, als ich die Tür von Raum 170 öffne. Die Dunkelheit im Vorzimmer sagt mir, dass ich der Erste bin. Mit einem Becher Kaffee in einer Hand und meinem Aktenkoffer in der anderen knipse ich mit dem Ellbogen das Licht an und beginne einen neuen von Neonlicht erhellten Tag. Ich zähle das dreimalige Flackern, bevor das Licht richtig brennt. Inzwischen schalte ich den Alarm aus, nehme die Post aus dem Briefkasten und erreiche die Tür zu meinem Büro.

Ich gehe zum Schreibtisch, schaue aus dem Fenster und genieße den Ausblick. Von der Sonne bestrahlt, glänzt das Weiße Haus im Morgenlicht. Das Bild kommt direkt aus dem Archiv der Presse. Grüne Bäume. Rote Geranien. Schimmernder Marmor. Einen herrlichen Augenblick ist die ganze Welt in Ordnung. Dann klopft es leise an meiner Tür.

»Komm rein!«, rufe ich, weil ich annehme, es sei Pam. »Darf ich mich setzen?«, fragt eine Männerstimme. Ich fahre herum. Agent Adenauer.

Er schließt die Tür und reicht mir seine Hand. »Keine Sorge«, sagt er mit einem herzlichen Lächeln. »Ich bin's nur.«

ZWEIUNDZWANZIGSTES KAPITEL

»Was machen Sie hier?«

»Bin eben vom Fischen zurückgekommen«, sagt Adenauer in seiner leicht gedehnten südlichen Sprechweise. »Drei-Tages-Trip zur Chesapeake. Mann, das war vielleicht atemberaubend ... Dahin müssen Sie unbedingt auch mal.« Mit seinem billigen Anzug und der verspielten Keith-Haring-Krawatte scheint er wirklich aufrichtig freundlich zu sein. Als wollte er helfen.

»Setzen Sie sich«, sage ich.

Er nickt mir zu. »Ich verspreche, ich mach's ganz schnell.« Er lässt sich nieder und erklärt: »Während ich mich durch den ganzen Mist durcharbeite, ist da nur eine Sache, mit der ich nicht klarkomme.« Er hält einen Moment inne. »Was geht zwischen Ihnen und Simon vor?«

Diesen Ton habe ich schon gehört – es ist keine Beschuldigung. Er macht sich Sorgen um mich. Dennoch spiele ich den Ahnungslosen. »Wie soll ich die Frage verstehen?«

»Als wir das letzte Mal miteinander sprachen, haben Sie vorgeschlagen, wir sollten Simons Bankkonten überprüfen. Simon hat gesagt, wir sollten uns mal die Ihren ansehen.«

Ich spüre es bis in die Lenden. Die Regeln fangen an sich zu ändern. Die ganze Zeit habe ich gedacht, Simon werde es geheim halten. Aber jetzt beginnt unsere Vereinbarung zu bröckeln. Und je mehr ich dagegen ankämpfe, umso mehr wird Simon mit dem Finger auf mich zeigen. Er ist nicht auf meinen Job aus. Er will mein Leben.

»Versuchen Sie nicht, es allein zu machen, Michael – wir können Ihnen dabei helfen.«

»Was haben Sie in seinen Bankkonten entdeckt?«

»Nicht viel. Er hat in letzter Zeit ein paar Aktien verkauft, sagt aber, das Geld sei für die Renovierung seiner Küche bestimmt.«

»Vielleicht lügt er.«

»Vielleicht auch nicht.« Wenn ich es mir auch nicht anmerken lasse, Adenauer weiß, dass ich mich winde. Er hofft, mir weiterzuhelfen und fügt hinzu: »Eins will ich Ihnen aber sagen – wenn Sie ein interessantes Konto sehen wollen, sollten Sie sich das von Caroline anschauen. Für eine Frau mit bescheidenem

Einkommen hatte sie Geld in Hülle und Fülle. Über fünfhunderttausend, um genau zu sein – fünfzig davon in ihrem Apartment in einer Tamponschachtel versteckt.«

Jetzt kommen wir weiter. »Also war Caroline die Erpresserin?«

»Sagen Sie's mir«, meint er.

»Was soll das wieder heißen?«

»Wir haben auch Ihr Konto überprüft, Michael. Verzeihen Sie, wenn ich das sage, aber es sieht ein bisschen dünn aus.«

»Das kommt daher, dass ein Viertel meines Gehalts jeden Monat direkt an meinen Dad geht – beziehungsweise an das Heim, in dem er lebt. Prüfen Sie es nach, Sie werden es sehen.«

Er streicht über die ganze Länge seiner Krawatte und sieht fast gekränkt aus. Es macht ihm keinen Spaß, auf Knöpfe zu drücken. »Bitte, Michael, ich versuche nur zu helfen. Was ist mit der Familie Ihrer Mom? Hat sie nicht ein bisschen Geld? Wie steht's mit ihr – vierzig Warenhäuser landesweit?«

»Mit der Familie meiner Mom spreche ich nicht. Niemals.«

Er beugt sich im Sessel vor und lächelt finster. »Nicht einmal in einer Notlage?«

Der Anwalt in mir ist sofort auf der Hut. »In welcher Notlage?«

»Ich weiß nicht – zum Beispiel wenn Ihr Dad in Schwierigkeiten wäre? Wenn Caroline drauf und dran war, den Mund aufzumachen und ihn in eine dieser Weißmantel-Institutionen zu schicken. Wenn sie vierzigtausend dafür verlangt hätte, dass sie den Mund hält? Hätten Sie dann die Verwandten zu Hilfe gerufen?«

»Nein.« Mein Magen dreht sich um, als mir klar wird, worauf er zusteuert. Vergiss Simon – *ich* bin der Verdächtige. Ich versuche meinen Arsch zu retten und füge hinzu: »Woher nehmen Sie übrigens vierzig Tausender? Ich hab gedacht, Sie hätten nur dreißig gefunden?«

Er streicht unaufhörlich über seine Krawatte. »Könnte beides sein, schätze ich«, antwortet er.

Ich hasse diesen Ton in seiner Stimme. Er hat etwas. »Was ist Ihr Punkt?«, frage ich.

»Kein Punkt – nur eine Hypothese. Sehen Sie, als wir die dreißigtausend aus Carolines Safe nachprüften, haben wir gemerkt, dass sie fortlaufend nummeriert waren. Das einzige Problem ist, ungefähr in der Hälfte wurden ein paar Zahlen übersprungen. Aufgrund der Zahlenreihe vermuten wir, dass es noch einmal zehntausend geben könnte, die nicht aufgetaucht sind. Sie wissen nicht zufällig etwas darüber?«

Hinter dem Schreibtisch klopfe ich mit dem Fuß nervös auf den Teppich. »Vielleicht hat der Banker einfach die Bündel geschnappt und dabei durcheinandergebracht.«

»Oder die zehn zusätzlichen Tausender wurden benutzt, um Vaughn zu bezahlen. Das ist eine naheliegende Transaktion – das Geld des Opfers zu nehmen. Das Problem ist nur, dass einer von euch das falsche Bündel erwischt hat.«

»*Einer von uns?*«

Er fährt sich mit der Zunge über die Innenseite der Unterlippe. Jetzt amüsiert er sich. »Und wie läuft es denn zwischen Ihnen und Nora? Vertragt ihr euch noch immer?«

»Besser denn je«, antworte ich.

»Das ist gut – denn mit einer Frau in ihrer Position fest zusammen zu sein, das belastet eine Beziehung sehr. Und wenn Probleme auftauchen? Sie können sich an niemand von außerhalb wenden, müssen allein mit ihnen fertig werden. Ich meine, das ist der einzige Weg, sie glücklich zu machen, richtig?«

Ist das seine Theorie? Dass ich Caroline für Nora getötet habe?

»Ich bin nicht hier, um jemand zu beschuldigen, Michael. Aber wenn Caroline herausgefunden hätte, dass jemand aus der Präsidentenfamilie Drogen konsumiert – und dieser Jemand

Zugang zu einer Person wie Vaughn hatte –, wäre es leicht gewesen, Sie zu bitten, ihn einzuschleusen, oder?«

»Wenn Sie mich weiterhin nur schikanieren wollen ...«

»Tatsächlich versuche ich Sie zu beschützen. Und wenn Sie uns helfen würden, wären Sie vielleicht auch fähig, das einzusehen.«

Lamb hatte in einem recht. Sosehr sie auch hinter mir her sind, ich bin nur der Köder für den großen Fisch.

»Sie liebt sie nicht«, fährt er fort. »Für Leute wie sie sind wir alle nur Wörterbücher – nützlich, wenn man sie braucht, aber man nimmt, was gerade zur Hand ist.«

Er sagt ›wir‹, damit ich mich wohlfühle. Ich nehme es ihm keine Sekunde lang ab. »Sie wissen offensichtlich gar nichts über sie.«

»Sind Sie da sicher?«

Ich blicke auf. Er blinzelt nicht.

»Wir haben schon zweimal miteinander gesprochen. Einmal am Telefon. Einmal in der Residenz. Tatsächlich hat sie mir vielleicht schon einen Schubs in Ihre Richtung gegeben.«

Ich weiß, dass das eine Lüge ist. »Das würde sie nie tun.«

»Sie würde sich nicht retten wollen? Jeder ist sich selbst der Nächste, Michael. Und wenn Sie die Umstände bedenken – wenn sie untergeht, geht ihr beide unter. Das gehört gewissermaßen zur Säuberung. Aber wenn *Sie* untergehen – wenn *Sie* der Schuldige sind – passiert ihr gar nichts.« Er wartet ab, damit es sich mir ins Gehirn brennen kann. »Ich weiß, Sie wollen ihr nicht wehtun, aber es gibt nur eine Möglichkeit für Sie, sich selbst zu helfen ... wenn Sie uns zum Beispiel Vaughn bringen könnten ...«

»Wie oft müssen Sie es noch hören? Ich habe nichts getan und ich kenne Vaughn nicht.«

Adenauer schnippt eine winzige Fussel vom Knie seiner Slacks. Der lockere Englischlehrer ist längst verschwunden. »Sie hatten also nie Kontakt miteinander?«

»So ist es.«

»Sie lügen mich doch nicht an, oder?«

Ich kann ihm entweder über das Treffen von heute Vormittag berichten oder ich kann es darauf ankommen lassen. Noch bin ich nicht bereit, aufzugeben. »Ich habe den Typen in meinem ganzen Leben noch nicht gesehen und auch nie mit ihm gesprochen.«

Er schüttelt den Kopf. »Michael, ich will Ihnen einen Rat geben«, sagt er und das klingt wieder besorgt. »Ich kenne Vaughns Psycho-Profil bis zum letzten Mückenstich. Was immer er mit Nora hat – die beiden würden Sie in einer Sekunde verkaufen.«

Ich zwinge meine Beine, mit dem Zittern aufzuhören, und hole im Geist tief Atem. Lass dich von ihm nicht fertig machen. »Ich weiß, was im WAVES-Report steht, aber ich schwöre Ihnen, ich habe ihn nicht reingelassen.« Ich hoffe, die Zügel an mich reißen und das Thema in meinem Sinn wechseln zu können. »Und was ist mit der genauen Todesursache? Haben Sie schon Carolines Ergebnisse?«

»Ich dachte, Sie hätten gesagt, es sei ein Herzinfarkt gewesen.«

Der Mann gibt nie auf. »Sie wissen, was ich meine – ist der toxische Bericht schon vom Labor gekommen?«

Er neigt den Kopf gerade so viel zur Seite, dass ich seine hochgezogene Braue sehen kann. »Ich weiß nicht. Habe schon länger nicht nachgefragt.«

Das ist eine offensichtliche Lüge, und er möchte, dass ich eines weiß: Er verrät es mir nicht. Nicht solange ich nicht kooperiere. Und schon gar nicht, wenn er selbst so nah dran ist.

»Sind Sie sicher, dass Sie mir nicht sagen wollen, was wirklich passiert ist?«, fragt er und spielt wieder den Lehrer.

Ich weigere mich zu antworten.

»Bitte, Michael. Was es auch ist, wir sind bereit, mit Ihnen zu kooperieren.«

Es ist ein verlockendes Angebot – aber es ist keine Garantie.

Außerdem, wenn Vaughn sich zeigt – dann ist das nicht nur der schnellste Weg, zu beweisen, dass Simon der Übeltäter ist, es ist auch der beste Weg, Nora zu schützen. Und mich selbst. Noch immer stumm, wende ich mich von Adenauer ab.

»Sie haben die Wahl«, sagt er. »Wir treffen uns Freitag.«

Ich zögere. »Was ist am Freitag?«

»Kommen Sie, Junge, denken Sie, wir sitzen nur herum und warten auf Sie? Wenn ich in den nächsten drei Tagen nichts von Ihnen höre, mache ich Sie und Vaughn publik. Das wird mehr als genug sein, um Nora aus der Reserve zu locken. Freitag, Michael. Dann lernt Amerika Sie kennen.«

»Hat er das ernst gemeint?«, fragt Trey durchs Telefon.

Ich starre den Fernseher in meinem Büro an und antworte nicht. Auf dem Bildschirm ist nur mein Spiegelbild zu sehen, nichts sonst.

»Michael, ich hab dich was gefragt: War es Adenauer ernst damit?«

»Wie?«

»Hat er …«

»Ich – ich denke schon«, sage ich schließlich. »Ich meine, seit wann spricht das FBI leere Drohungen aus?«

Es dauert eine Sekunde, ehe Trey antwortet. Er weiß, was ich durchmache, doch das heißt nicht, dass er sich zurückhalten wird. »Das darfst du nicht auf die leichte Schulter nehmen«, warnt er. »Wenn auch nur ein winziger Hinweis auf das, was geschehen ist, an die Öffentlichkeit dringt …«

»Ich weiß, Trey. Glaub mir, ich weiß es – du liest mir die Abstimmungsergebnisse jeden Morgen vor –, aber was soll ich tun? Gestern sagst du, ich soll mich stellen, damit Nora mich nicht begräbt. Heute jammerst du, dass ich ganz allein die Präsidentschaft auf dem Gewissen habe, wenn irgendetwas herauskommt. Unabänderlich ist nur eins, dass ich so oder so beschissen dran bin.«

»Ich wollte nicht …«

»Ich kann nicht mehr tun, als nach der Wahrheit zu suchen – Vaughn finden und herausbekommen, ob er einen Einblick in das hat, was wirklich geschehen ist. Wenn das nicht funktioniert …« Ich halte inne, nicht imstande, den Satz zu beenden.

Er gibt mir ein paar Sekunden, damit ich mich beruhigen kann. »Was ist mit Simons finanziellen Offenlegungs-Formularen?«, fragt er endlich, noch immer entschlossen, zu helfen.

»Ich dachte, wir wollten sie uns ansehen, um festzustellen, woher er das Geld hat.«

»Adenauer sagt, mit seinen Bankkonten sei alles in Ordnung.«

»Und du glaubst ihm das?«

»Was soll ich denn sonst tun? Ich habe das Gesuch vor über einer Woche eingereicht – die Antwort müsste jetzt eigentlich jeden Tag kommen.«

»Ich sage es dir höchst ungern, aber ›eigentlich jeden Tag‹ reicht nicht. Du hast nur noch drei Tage. An deiner Stelle würde ich den ganz netten Jungen mimen und mit Nora ein längst fälliges Gespräch führen.«

Stumm starre ich weiterhin auf den Fernseher und lasse mir den Vorschlag durch den Kopf gehen. Trey hat schon recht. Trotzdem, wenn Vaughn auftaucht – wenn er von Simon auch über den Tisch gezogen wurde … Das ist die Tür zu einer brandneuen Realität. Vielleicht war Vaughn derjenige, mit dem Simon sich in der Bar getroffen hat. Simon hätte sich das Geld ausleihen können. Vielleicht erscheint die Abbuchung deshalb nicht auf seinen Bankkonten.

»Also, was sagste?«, fragt Trey.

Ich schüttle den Kopf, obwohl er es nicht sehen kann. »Morgen treffe ich mich mit Vaughn«, sage ich zögernd. »Hinterher kann ich noch immer mit Nora reden.«

An der langen Pause erkenne ich, dass Trey nicht einverstanden ist.

»Was?«, frage ich. »Ich hab gedacht, du willst, dass ich mich mit Vaughn treffe.«

»Das will ich auch.«

»Wo liegt das Problem?«

Wieder folgt eine Pause. Dann: »Ich weiß, es fällt dir schwer, das zu akzeptieren, Michael, aber vergiss nicht, dass du manchmal auf dich selbst aufpassen solltest.«

Es dauert eine gute halbe Stunde, ehe ich mich wieder auf das Briefing konzentrieren kann. Die Lauschangriffs-Akte liegt aufgeschlagen vor mir und der Schreibtisch verschwindet förmlich unter Gesetzeskommentaren, Op-ed-Artikeln*, wissenschaftlichen Studien und Ergebnissen aktueller Meinungsumfragen. Ich habe die letzten zwei Monate damit verbracht, mir alles Erdenkliche über dieses Thema anzueignen. Jetzt muss ich herausfinden, wie ich mein Wissen vermitteln kann. Nein, nicht nur vermitteln, wie es sich dem Führer der freien Welt vermitteln lässt.

Zwei Stunden später arbeite ich noch immer an meiner Einleitung. Das ist keine High-School-Debatte mit Mr. Irgendwer. Es ist das Oval Office mit Ted Hartson. Präsident Hartson. Mit einem Wörterbuch an der Seite schreibe ich den ersten Satz zum siebzehnten Mal um. Jedes Wort muss genau richtig sein. So weit bin ich noch nicht.

Erster Satz. Achtzehnter Versuch.

Ich arbeite die Mittagspause durch und treffe den Kern der Sache. Klar, wir sind dazu ausgebildet, einen unvoreingenommenen Standpunkt vorzutragen, aber seien wir ehrlich: Auch im Weißen Haus hat jeder eine eigene Meinung.

Im Wesentlichen brauche ich nicht lange, um für den Präsidenten eine Liste von Gründen zusammenzustellen, warum er uneingeschränkte und willkürliche Lauschangriffe ablehnen

---

* In vielen amerikanischen Zeitungen Artikel auf der Seite gegenüber dem Leitartikel, meist interessante aktuelle Themen behandelnd.

und nicht zulassen sollte. Das ist der leichte Teil. Der schwierige Teil ist der, den Präsidenten davon zu überzeugen, dass ich recht habe. Besonders im Wahljahr.

Um fünf Uhr mache ich meine einzige Pause: zehn Minuten, um in den West Wing zu flitzen und mir aus dem Kasino eine Portion ganz frischer Pommes frites zu holen. Während der nächsten vier Stunden überfliege ich Hunderte von Kriminalfällen und suche mir die aus, die am besten geeignet sind, meinen Standpunkt zu untermauern. Es wird ein sehr langer Abend werden, doch wenn alles ruhig bleibt, müsste ich es eigentlich hinbekommen.

»Schokoriegel! Wer möchte Schokoriegel?«, ruft Trey, die Tür aufreißend. »Rate mal, was eben in die Verkaufsautomaten aufgenommen wurde?« Bevor ich antworten kann, fügt er hinzu: »Cup-cakes. (Kleine Rührkuchen in Papierförmchen.) Ich hab sie unten entdeckt – unsere Kindheit hinter Glas. Für fünfundsiebzig Cent können wir sie uns zurückholen.«

»Also, es ist jetzt wirklich ungünstig …«

»Ich verstehe – du stehst knietief drin. Dann lass mich dir wenigstens erzählen …«

»Ich kann nicht …«

»*Kann nicht* gibt's nicht. Außerdem, es ist wich…«

»Verdammt, Trey, kapierst du denn nie was?« Darüber ist er nicht gerade erfreut. Wortlos macht er kehrt und geht zur Tür.

»Trey …«?

Er macht die Tür auf. »Komm schon, Trey …«

Im letzten Moment bleibt er stehen. »Hör zu, du Ass, ich brauche deine Entschuldigung nicht – der einzige Grund, warum ich gekommen bin, ist der, dass deine Lieblingsreporterin von der *Post* uns eben wegen der WAVES-Berichte angerufen hat. Adenauer mag ja bis Freitag warten, aber Inez nutzt jeden Pressevorteil, den sie hat. Also egal, wie wild du auf einen Schulterschluss mit dem Präsidenten bist, du solltest wissen, dass die Uhr tickt – und die Explosion vielleicht viel früher kommt als du denkst.« Er macht auf dem Absatz kehrt und wirft die Tür hinter sich zu.

Ich weiß, dass er recht hat. Nach Adenauers Zeitrechnung habe ich nur noch zwei Tage. Aber mit allem, was sonst los ist, muss dies bis morgen warten. Bis nach dem Präsidenten und bis nach Vaughn.

Um acht Uhr abends sagt mir mein brüllender Magen, dass ich Hunger habe; der ziehende Schmerz in der Lendenwirbelsäule, dass ich zu lange gesessen habe, und die Vibration meines Piepsers, dass jemand anruft.

Ich ziehe ihn blitzschnell aus dem Gürtel und sehe mir die Nachricht an: *Notfall. Wir treffen uns im Kino.*

Während ich lese, spüre ich, wie mir das Blut aus dem Gesicht weicht. Was es auch ist, es kann nicht gut sein. Ich rase los, ohne zu denken.

In drei Minuten renne ich in einem irren Tempo durch den Ground Floor Corridor. Am anderen Ende des Flurs passiere ich eine letzte Tür, hetze durch den kleinen Bereich, in dem für die Teilnehmer an den Führungen Bücher über das Weiße Haus verkauft werden, und sehe die überlebensgroße Büste von Abraham Lincoln. Tagsüber ist der Flur meist voller Besuchergruppen, die sich die architektonischen Pläne und die Fotoreihe der Berühmtheiten ansehen, die an der linken Wand hängen. Besucher und Gäste finden das meist sehr interessant. Ich frage mich, wie sie reagieren würden, wenn sie wüssten, dass sich auf der anderen Seite der Wand das Privatkino des Präsidenten befindet.

Mir mit der Hand über die Stirn fahrend, hoffe ich, dass niemand merkt, wie ich schwitze. Als ich auf den Sicherheitsbeamten zugehe, der in der Nähe postiert ist, zeige ich auf mein Ziel. »Ich soll mich hier mit …«

»Sie ist drin«, sagt er.

Ich reiße die Tür auf und sprinte hinein. Im Raum riecht es schwach nach Popcorn.

Nora sitzt in der ersten Reihe des leeren, einundfünfzig Sitze fassenden Kinos. Die Füße hat sie über die Armlehne ihres Sessels gehängt, und auf ihrem Schoß liegt ein großer Beutel Popcorn.

»Auf eine Überraschung gefasst?«, fragt sie und wendet sich mir zu.

Ich weiß nicht, ob ich verärgert oder erleichtert bin.

»Erstens, hör auf so deprimiert dreinzuschauen, setz dich einfach«, sagt sie und klopft auf den Sitz neben ihr.

Verblüfft gehe ich nach vorn. Es gibt neun Reihen traditioneller Kinositze, aber die erste Reihe besteht aus vier ledernen La-Z-Boy-Lehnsesseln. Die besten Plätze im Haus. Ich nehme den zu Noras Linken.

»Warum hast du mir die Nach...«

»Jetzt mach mal, Frankie!«, ruft sie in dem Moment, in dem ich mich setze.

Langsam gehen die Lichter aus, und das flackernde Surren des Projektors erfüllt die Luft. Die Wände sind mit dunkel orangefarbenen Stoffen mit beigefarbenen Vogelmotiven aus der *Soul-Train-Ära* bespannt; wie vom Musikzimmer wäre Elvis auch von diesem Raum begeistert gewesen.

Als der Vorspann über die Leinwand flimmert, stelle ich fest, dass wir den neuen Film von Terence Landaw sehen. Er kommt erst in einem Monat in die Kinos, aber die *Motion Picture Association* sorgt dafür, dass das Weiße Haus Kopien der heißesten neuen Filme vorab erhält. Unterschwellige Beeinflussung.

»Gibt es einen Grund, warum wir ...«

»Pssst«, zischt sie mit einem übermütigen Grinsen.

Während des restlichen Vorspanns bleibe ich still und überlege. Nora stopft sich Popcorn in den Mund. Bei den ersten Szenen streckt sie die Hand aus und kitzelt das Haar auf meinem Unterarm.

Ich schaue zu ihr hinüber – sie starrt auf die Leinwand, ein faszinierter Filmzombie.

»Nora, hast du eine Ahnung, woran ich gerade arbeite?«

»Psssst …«

»Nix psssst – du hast gesagt, es sei ein Notfall.«

»Klar hab ich das«, entgegnet sie und kitzelt wieder meinen Arm. »Wärst du sonst gekommen?«

Ich schüttle den Kopf und versuche aufzustehen. Doch bevor ich es geschafft habe, umklammert sie wie ein kleines Mädchen meinen Bizeps. »Komm, Michael, nur die erste halbe Stunde. Eine schnelle mentale Pause. Dann lasse ich unterbrechen, und wir sehen uns den Film morgen zu Ende an.«

Ich möchte ihr sagen, dass man im Kino einen Film nicht unterbrechen kann, dann erinnere ich mich, mit wem ich spreche.

»Es wird dir Spaß machen«, verspricht sie. »Nur noch zehn Minuten.«

Es ist schwierig, gegen zehn Minuten etwas einzuwenden. »Zehn«, sage ich drohend.

»Fünfzehn, Maximum. Jetzt sei still, ich hasse es, den Anfang zu verpassen.«

Ich blicke zur Leinwand hinauf und denke noch immer an das Entscheidungs-Memo. Seit zwei Jahren mache ich Gesetzesanalysen zu den heißesten politischen und einschneidendsten Maßnahmen des Präsidenten – alle sehr aufregend, doch keine einzige war so aufregend wie die zehn Minuten im Dunkeln mit Nora Hartson. Ich lehne mich auf dem Sitz zurück und verschränke die Finger mit den ihren. Bei allem, was passiert, ist dies genau das, was wir brauchen. Einen schönen, ruhigen Moment allein, in dem wir endlich Atem holen und entspan…

»Nora …?«, flüstert jemand. Hinter uns bohrt sich ein weißer Lichtstrahl durch die Dunkelheit.

Wir drehen uns beide um und sind überrascht, Wesley Dodds vor uns zu sehen, den Stabschef des Präsidenten. Sein Kopf und sein dünner Hals sind bereits im Raum, und dann folgt sein ganzer Körper.

»Raus!«, schreit Nora.

Wie die meisten großen Tiere gehorcht auch Wesley nicht. Er kommt direkt nach vorn zur ersten Reihe. »Ich entschuldige mich, aber in der Lobby stehen der Präsident von IBM und ein Dutzend Chefs anderer großer Firmen und warten auf die geplante Aufführung.«

Nora sieht ihn nicht einmal an. »Tut mir leid.«

Er zieht eine Braue hoch.

»Es tut mir leid«, wiederholt sie. »Zu verstehen wie: *Tut mir leid, dass Sie eine Enttäuschung erleben müssen*. Oder noch besser: *Tut mir leid, aber Sie stören mich*.«

Er ist zu *hypersmart*, um mit der Tochter des Chefs einen Streit anzufangen, also wirft er nur seinen Rang in die Waagschale! »Frankie, machen Sie Licht.«

Der Projektor bleibt surrend stehen und die Lichter gehen an. Nora und ich legen die Hände über die Augen, um uns an die Helligkeit zu gewöhnen. Sie ist die Erste, die aufspringt. Das Popcorn fliegt in alle Richtungen.

»Was, zum Teufel, tun Sie?«, schreit sie.

»Ich habe es Ihnen schon gesagt, wir haben eine Veranstaltung mit hochkarätigen Managern, die alle draußen warten. Sie wissen doch, welche Jahreszeit wir haben.«

»Führen Sie sie in Lincolns Schlafzim…«

»Das habe ich schon getan«, antwortet er. »Und wenn Sie sich dann besser fühlen – wir haben das Kino bereits vor einem Monat reserviert.« Er merkt, dass der Disput zu hitzig wird, und nimmt sich zurück. »Ich bitte Sie, nicht zu gehen, Nora – es wäre sogar besser, wenn Sie blieben. Dann können die Leute erzählen, sie hätten sich mit der Töchter des Präsidenten einen Film ange…«

»Machen Sie, dass Sie rauskommen. Dies ist mein Haus.«

»Das weiß ich. Aber wenn Sie wollen, dass es weitere vier Jahre Ihr Haus bleibt, sollten Sie jetzt lieber Platz machen. Verstehen Sie, was ich sage?«

Zum ersten Mal antwortet Nora nicht.

»Vergiss es«, sage ich und lege ihr die Hand auf die Schulter. »Es ist keine so große …«

»Halt den Mund!«, faucht sie und reißt sich los.

»Lassen Sie zurücklaufen, Frankie!«, ruft Wesley.

»Wagen Sie …«

»Es ist vorbei«, warnt Wesley. »Zwingen Sie mich nicht, Ihren Dad anzurufen.« Oh, Scheiße!

Sie bekommt ganz schmale Augen. Wesley rührt sich nicht. Sie holt aus, und ich schwöre zu Gott, ich denke, sie ist nahe dran, ihm eine zu scheuern. Dann erscheint wie aus dem Nichts ein teuflisches Grinsen auf ihrem Gesicht. Sie stößt ein heiseres, kehliges Gackern aus. Wir haben ernsthafte Schwierigkeiten. Bevor ich auch nur etwas fragen kann, packt sie ihre Tasche und rast zur Tür.

Im Flur wimmelt eine Gruppe fünfzig- bis sechzigjähriger Männer durcheinander und betrachtet die Schwarzweiß-Fotografien an der Wand. Sie rennt an ihnen vorbei, ehe sie reagieren können. Doch sie wissen alle, wen sie gesehen haben. Obwohl sie versuchen, gelassen zu tun, haben sie große Augen bekommen, stoßen sich gegenseitig mit den Ellbogen an und blinzeln sich die Botschaft zu. *Haben Sie gesehn? Das war … Sie wissen schon, wer.*

Es ist erstaunlich. Sogar die Mächtigsten … hier drin sind sie nur Kinder in einem Schulhof. Und soviel ich sehe, gilt die erste Schulhofregel noch immer: Es gibt immer jemand, der größer ist.

Nur wenige Meter hinter ihr schlängle ich mich zum Ground Floor Corridor durch. »Nora!«, rufe ich. Sie antwortet nicht. Es ist wie an jenem ersten Abend mit dem Service. Sie hält für niemand an.

Mit heftig seitlich schwingenden Armen marschiert sie auf das Ende des mit rotem Teppich belegten Korridors zu. Ich nehme an, sie will in die Residenz hinauf, doch sie biegt nicht zur

Treppe ab. Sie geht einfach weiter – schnurgerade den Korridor entlang, durch den Palm Room und im Freien die West Colonnade entlang. Kurz bevor sie die Tür zum Westflügel erreicht, biegt sie scharf links ab und weicht einem dunkel gekleideten Agenten aus. »O nein«, murmle ich vor mich hin und sehe ihr nach, als sie die Betonterrasse vor dem Westflügel überquert. Es gibt nur einen Ort, den sie auf diesem Weg erreicht. Den Hintereingang des Oval Office. Direkt nach ganz oben will sie.

Da ich weiß, dass auf diesem Weg niemand hineinkann, trete ich auf die Bremse. Falls es noch einen Zweifel gäbe, wirft der Agent mir einen Blick zu, der meine Vermutung bestätigt – Nora ist die einzige Ausnahme. An einer der riesigen weißen Säulen lehnend, die zum Westflügel führen, beobachte ich den Rest von hier aus.

Etwa fünfzig Meter weiter bleibt Nora, ohne zurückzublicken, vor einer hohen Terrassentür stehen, presst die Nase an die Glasscheibe und späht ins Oval Office. Wäre sie jemand anders, hätte man sie bereits erschossen.

Das Licht, das nach draußen fällt, beleuchtet sie wie ein wütendes Glühwürmchen. Sie klopft laut an die Scheibe, um auf sich aufmerksam zu machen, und greift dann zum Türknauf. Aber in dem Moment, in dem sie die Tür öffnet, ändert sich ihr ganzes Verhalten. Ihre Schultern lockern sich und sie öffnet die Fäuste. Dann, anstatt einzutreten, winkt sie ihm, herauszukommen. Der Präsident ist nicht allein.

Dennoch, wenn seine Tochter ruft …

Der Präsident betritt die Terrasse und schließt die Tür hinter sich. Er ist gut dreißig Zentimeter größer als Nora, was es ihm erlaubt, sich väterlich-einschüchternd über sie zu neigen. An der Art, wie er die Arme kreuzt, sieht man, dass ihm die Störung ungelegen kommt.

Als ihr das klar wird, ändert Nora rasch ihre Taktik und erklärt mit anmutigen Gesten, was sie will. Sie wirkt nicht hektisch – nicht einmal verärgert –, ihre Bewegungen sind maßvoll, beherrscht. Es ist, als beobachtete ich eine andere Frau. Sie blickt kaum auf, während sie mit ihm spricht. Alles ist verhalten.

Während er zuhört, legt er eine Hand ans Kinn und stützt sich mit dem Ellbogen auf den Arm, der vor seiner Taille liegt. Mit dem Rosengarten vorn und den beiden im Hintergrund muss ich unwillkürlich an die vielen Schwarzweiß-Fotografien von John und Bobby Kennedy denken, die auf genau demselben Platz ihre berühmten Diskussionen hatten.

Als Nächstes schüttelt Hartson den Kopf und legt Nora liebevoll die Hand auf die Schulter. Das werde ich nie vergessen, solange ich lebe. Die Art, wie sie sich verständigen – die Art, wie er sie tröstet, indem er ihr den Rücken streichelt. Ein Arm über ihrer Schulter. Alles Machtgehabe ist aus dieser Silhouette verschwunden – dort stehen nur ein Vater und seine Tochter. Es *tut mir leid*, sagt seine Körpersprache, während er ihr weiter den Rücken streichelt. *So ist es nun einmal, und es ist wie es ist.*

Bevor Nora widersprechen kann, öffnet der Präsident die Tür des Büros und winkt jemand heraus. Ich kann nicht sehen, wer es ist, aber Hartson macht die beiden schnell miteinander bekannt. »Das ist meine Tochter Nora.« Sie strafft sich, ihr Leben lang zur Wahlkampfetikette erzogen. Der Präsident weiß, was er tut. Nun, da ein Gast in der Nähe ist, kann Nora nichts mehr sagen.

Als sie sich abwendet, blickt der Präsident in meine Richtung. Ich weiche rasch hinter eine weiße Säule zurück. Mein Auftritt kommt erst morgen.

»Scheiße, soll ihn doch der Teufel holen!«, schreit Nora, während wir außer Hörweite durch den leeren Ground Floor Corridor zurückrennen.

»Vergiss es einfach«, sage ich, mit ihr Schritt haltend, noch einmal. »Sollen sie doch ihr Quatschfest haben.«

»Du kapierst es nicht, stimmt's?«, fragt sie, als wir an den

Buchhändlern vorübergehen und uns der überlebensgroßen Lincoln-Büste vor dem Kino nähern. »Ich hatte wirklich Spaß. Endlich einmal hatte ich ein bisschen Spaß.«

»Den wir morgen nachholen. Wir wollten ohnehin nur noch zehn Minuten bleiben.«

»Das ist nicht der Punkt. Es waren *unsere* zehn Minuten. Nicht die ihren. Ich habe den Film herausgesucht und Popcorn machen lassen und habe dir die Nachricht geschickt und dann …« Ihre Stimme beginnt zu versagen. Sie reibt sich heftig die Nase, doch ihre Hände zittern. »Das soll ein Heim sein, Michael. Ein richtiges beschissenes Heim – aber es ist immer wie im Musikzimmer« – sie wischt sich über die Augen –, »immer eine Show.« Sich auf die Lippe beißend, bemüht sie sich, die Tränen zu unterdrücken. Ihre feuchten Augen sagen mir, dass es ihr nicht gelingen wird. »So sollte es nicht sein. Als wir hierherkamen, haben alle nur von den Sondervergünstigungen geredet. *Oh, Sie bekommen Sondervergünstigungen. Warten Sie nur, bis Sie die Vergünstigungen sehen!* Nun, ich warte noch immer. Wo sind sie, Michael? Wo?« Sie schaut hinter sich, als erwarte sie, sie körperlich zu sehen. Das Einzige, was sie sieht, ist ein uniformierter Sicherheitsbeamter, der vor dem Kino an seinem Kontrollpunkt sitzt und uns entgegenblickt.

»Was?«, schreit sie ihn an. »Darf ich jetzt nicht einmal in meinem eigenen Haus weinen?« Wieder bricht ihre Stimme. Man braucht keinen Gehirnklempner, um zu sehen, dass ein Zusammenbruch bevorsteht.

Ich frage den Sicherheitsmann mit Blick und Geste, ob wir ein paar Sekunden für uns haben könnten. Er meint, er könne ja ein bisschen Pause machen, und verschwindet hinter der Ecke. Wenigstens hat einer in diesem Haus Verstand.

Nora, die darauf wartet, dass er verschwindet, ist kurz davor, durchzudrehen. So habe ich sie nicht mehr gesehen, seit sie mir die Narbe gezeigt hat. Ihre Brust hebt und senkt sich, ihr Kinn zittert. Sie kann es kaum erwarten, es endlich auszusprechen –

mir zu sagen, wie es wirklich ist. Es geht nicht um *sie*. Es geht um *hier* ... Dennoch, sie atmet so tief wie möglich ein und schnieft alles wieder in sich hinein. Einige Dinge sind zu tief eingewurzelt.

Sie putzt sich die Nase mit der Hand, lässt sich gegen die Wand fallen und lehnt sich mit den Schultern an einen weißen Metallkasten, der aussieht, als enthalte er eines der Nottelefone des Secret Service.

»Willst du darüber reden?«, frage ich.

Sie schüttelt den Kopf, will mich nicht ansehen. Ständig wiederholt sie diese Bewegung. Nein, nein, nein, nein. Ihr Atem ist feucht – Speichel durch zusammengebissene Zähne –, und mit jedem Kopfschütteln wird die Bewegung schneller, unnachgiebiger. Nach wenigen Sekunden ist es zu viel. Noch immer an der Wand lehnend, hebt sie die linke Hand und trommelt mit der Faust auf den Putz. »Verdammt!«, schreit sie. Das einzelne Wort hallt im Korridor wider, und ihre aus Zorn geborene Verzweiflung verwandelt sich erneut in Zorn.

»Nora ...«

Es ist zu spät. Mit einer raschen Bewegung ihrer Hüften stößt sie sich von der Mauer und vom Telefonkasten ab. Es folgt ein leises Geräusch, als reiße etwas, und sie bleibt stehen. Ihr Hemd ist an einer scharfen Kante des Metallkastens hängen geblieben. »Hurensohn ...« Wütend über die Verzögerung hebt sie die Schultern und wieder reißt etwas. Von ihrer Schulter bis zur Achselhöhle sieht man durch das Loch in der Bluse den Träger ihres schwarzen Spitzen-BHs. »Beruhige dich, Nora ...«

»*Dreckskerl!*« Sie fährt herum, holt mit dem Arm aus und versetzt der Seite des Metallkastens einen Hieb. Noch einen. Und noch einen. Ich trete hinter sie und nehme sie so fest ich kann in die Arme.

»Bitte, Nora ... Der Sicherheitsbeamte kommt jeden Moment zurück ...«

Sie wehrt sich gegen mich, schwingt ihren linken Ellbogen

herum und trifft mich am Kinn. Ich lockere den Griff und sie windet sich heraus. Tollwütig vor Zorn hebt sie beide Fäuste und verpasst dem Metallkasten einen tödlichen Schlag. Beim nächsten heftigen Hieb springt die Tür des kleinen Kastens auf. Er enthält kein Telefon. Nur eine Pistole. Glänzend und schwarz.

Nora und ich erstarren, gleichermaßen überrascht.

»Was zum …«

»Vorrat für den Notfall«, vermutet sie.

Ich trete ein paar Schritte zurück und sehe mich im Korridor um, der hier eine Biegung macht. Der Sicherheitsmann ist nicht zu sehen.

Nora ist alles einerlei. Ohne auch nur hinzusehen, greift sie mit aufleuchtenden Augen in den Kasten.

»Nora, nicht …«

Sie packt die Pistole und nimmt sie aus ihrem Versteck.

DREIUNDZWANZIGSTES KAPITEL

»Was, zum Teufel, machst du da?«

»Ich möchte sie mir nur ansehen«, antwortet sie und bewundert die Waffe in ihrer Hand.

Ein Stück weiter oben im Flur, hinter der Ecke, fällt eine Tür zu. Die Schuhe des Sicherheitsmannes klicken über den Marmorboden.

»Leg sie zurück, Nora. Sofort.«

Sie zeigt auf das Kino und wirft mir eines ihrer finstersten Lächeln zu. »Während du sie in Schach hältst, drücke ich ab. Wir können sie alle killen, weißt du.«

»Das ist nicht lustig. Leg sie zurück.«

»Komm schon – Bonnie und Clyde – du und ich. Was sagste dazu?«

Es macht ihr einen solchen Spaß. »Nora …«

Bevor ich zu Ende sprechen kann, wirft sie die Waffe in die Luft. Mir zu. Als mir klar wird, was passiert, hängen meine Arme wie Bleigewichte herunter. Ich strenge mich an, sie zu heben und erwische die Waffe mit den Fingerspitzen wie ein Kind, das mit heißen Kartoffeln spielt. Mir bleiben kaum drei Sekunden. Oh, Scheiße. Meine Fingerabdrücke. Der Sicherheitsbeamte kommt immer näher, und so schnell ich kann werfe ich die Waffe wieder Nora zu …

Nein! Was, wenn sie nicht …

Sie fängt sie lachend auf. Ich kann kaum atmen, gehe um die Ecke herum und sehe den Sicherheitsbeamten. Er ist kaum zehn Meter entfernt.

»Keine Psychospiele mehr, Nora!«, zische ich und bemühe mich zu flüstern. »Du hast noch drei Sekunden, um sie zurück-zulegen.«

»Was hast du gesagt?«

Ich ignoriere ihre Frage. »Eins …«

Sie stützt die Hände in die Hüften. »Drohst du mir?«

Der Sicherheitsbeamte ist jetzt höchstens drei Meter weit weg. »Nein … Ich würde dir nie drohen … Komm schon, Nora … Nicht jetzt. Bitte leg sie zurück.«

Ich wirble herum, als der Sicherheitsmann um die Ecke biegt. Hinter mir höre ich Nora laut genug husten, um das Geräusch der zuschlagenden Metalltür zu übertönen.

»Alles okay?«, fragt mich der Beamte.

Ich drehe mich um und sehe Nora an. Sie steht direkt vor dem Metallkasten, verdeckt ihn mit ihrem Körper. Der Sicherheits-mann ist viel zu sehr damit beschäftigt, ihren BH anzustarren, der durch den Riss in ihrem Hemd noch immer zu sehen ist.

»Tut mir leid«, sagt sie lachend und zieht den Ärmel hinauf, um ihre Schulter zu bedecken. Gespielt geziert legt sie mir dann den Arm um die Taille. »Das passiert, wenn sie dich im Kino aus der Knutschecke rauswerfen.« Bevor ich protestieren kann, fügt sie hinzu: »Wir machen oben weiter.«

»Gute Idee«, sagt der Sicherheitsmann trocken. Ohne einen zweiten Blick an uns zu verschwenden, kehrt er an seinen Posten hinter dem Schreibtisch zurück.

Als wir durch den Ground Floor Corridor zurückgehen, liegt Noras Arm noch immer um meiner Taille. Dann schiebt sie den Daumen unter meinen Gürtel. »Also, was ist aufregender – das oder die Arbeit an einem Entscheidungs-Memo?«

Überzeugt, dass niemand uns hören kann, mache ich mich hastig los. »Warum musstest du das tun?«

»Was tun?«, spottet sie.

»Du weißt schon, die …« Nein, lass dich nicht mit ihr darauf ein. Ich hole tief Atem. »Sag mir nur, dass du sie zurückgelegt hast.«

Sie blickt auf und lacht. Instinktiv mache ich einen Schritt zurück. Nachdem sie vier Jahre lang mit Königen und königlichen Hoheiten gespeist hat, fasziniert sie nur noch das Risiko – nimm dir, was du liebst, und riskier, es zu verlieren. Licht und Dunkelheit im selben Atemzug.

Doch jetzt – die Stimmungen beginnen zu schnell zu wechseln.

»Komm schon, Michael«, neckt sie mich. »Warum denkst du, ich würde …«

»Nora, jetzt wird nicht mehr gespielt. Beantworte mir meine Frage. Sag mir, dass du sie zurückgelegt hast.«

Wir erreichen den Eingang, durch den man hinauf in die Residenz gelangt, und sie stößt mich mit einer schnellen Bewegung aus dem Handgelenk heraus zurück. »Warum gehst du nicht ein bisschen arbeiten? Du stehst offensichtlich unter Stress.«

»Nora …«

»Entspann dich«, singt sie. Sie macht kehrt und geht auf die Treppe zu. »Was sollte ich damit machen? Sie in meinem Schlüpfer verstecken?«

»Das musst du wissen!«, rufe ich.

Sie bleibt stehen und blickt über die Schulter zurück. Das Lachen, das Lächeln – sie sind verschwunden. »Ich hab gedacht, darüber wären wir hinaus, Michael.« Unsere Blicke treffen sich, halten sich fest, und sie reibt mir unter die Nase: »Ich würde nie etwas vor dir verstecken, Michael.«

Ich nicke und weiß, dass sie sich endlich wieder unter Kontrolle hat. »Danke – mehr wollte ich nicht hören.«

Als ich Viertel vor vier Uhr morgens endlich fertig bin, sind meine Augen verquollen und ich sehe fürchterlich aus. Außer während einer Zwanzigminutenpause zum Abendessen und einem zehn Minuten dauernden Bußgang zum Stabssekretär, den ich um Terminverlängerung bitten musste, habe ich fast acht Stunden ununterbrochen in meinem Sessel gesessen. Ein neuer persönlicher Rekord. Doch während der Laserdrucker summend die Früchte meiner Arbeit ausspuckt, stelle ich fest, dass ich merkwürdig hellwach bin. Unschlüssig, was tun, und nicht in Stimmung, nach Hause zu gehen, überfliege ich meine noch immer ungeöffnete Post. Das meiste ist Standardkram: Zeitungsausschnitte, Sitzungstermine, Einladungen zu Abschiedspartys. Doch ganz zuunterst im Stapel liegt ein hauseigener Briefumschlag mit einer bekannten Handschrift. Diese kindlich-runde Kursivschrift würde ich überall erkennen.

Ich öffne den Umschlag und finde eine handgeschriebene Notiz und einen mit Tesafilm befestigten einzelnen Schlüssel. *Wenn du fertig bist – Raum 11. Glückwunsch.* Am Ende der Seite ein Herz und der Buchstabe N. Als ich den Schlüssel ablöse, muss ich unwillkürlich lachen. Raum 11. Das ist sogar noch besser als ein Parkplatz hinter dem Tor. Das Schild an der Tür von Raum 11 hat die Aufschrift *Athletic-Unit*, doch jeder weiß, es ist viel mehr als das. Von Bob Haldeman während der Nixon-Ära erbaut und nur den allergrößten großen Tieren vorbehalten, ist der Senior-Staff-Exercise-Raum der exklusivste private Sportsaal im Land. Tatsächlich haben weniger als fünfzig Leute die Schlüssel. An einem durchschnittlichen Tag würde ich abgeschlachtet, wenn ich den Fuß hineinsetzte. Aber um vier Uhr morgens, verzweifelt nach einer Dusche verlangend und am Vortag meines bedeutendsten beruflichen Augenblicks, nehme ich meine Chance wahr.

Mit einem letzten Blick in den verlassenen Flur schiebe ich den Schlüssel ins Schloss. Die Tür öffnet sich lautlos. »Putzkolonne!«, rufe ich, um ganz sicher zu gehen. »Jemand hier?« Keine Antwort. Drinnen ist der Rundgang schnell beendet. Es gibt da einen zerbeulten Stair-Master, ein altmodisches Trimmrad, ein zerbrochenes Tretrad und einen seltsamen Stapel rostiger Gewichte. Der Raum ist ein Drecksloch. Trotzdem würde ich für einen regulären Dauerpass glatt jemand umbringen.

Nach einem schnellen Training auf dem Trimmrad und fünfzehn Minuten in der Sauna stehe ich unter der Dusche und lasse das heiße Wasser auf mich herunterprasseln. Jedes Mal wenn ich mich an die Temperatur gewöhnt habe, drehe ich sie ein bisschen höher. Mit geschlossenen Augen, die Handteller fest an die Fliesen gepresst, verliere ich mich im Dampf und bin völlig entspannt. So müsste jeder Tag anfangen.

Wieder in meinem Büro, lege ich mich auf die Couch, aber einschlafen kann ich nicht. Es sind jetzt noch weniger als vier Stunden und das Testosteron allein arbeitet in mir wie ein Doppelpack Vivarin. Alles, woran ich denken kann, ist mein Einleitungssatz.

Wie geht es Ihnen, Mr. President?

Sir, wie geht es Ihnen?

President Hartson, wie geht es Ihnen?

Dad! Wie wär's mit einem Darlehen?

Um halb sieben, als die orangefarbene Sonne den Morgenhimmel aufreißt, trifft per E-Mail die neueste Version des präsidialen Zeitplans ein.

9.30 bis 9.45 – Briefing – Oval Office. Vortragender: Michael Garrick.

Meine fünfzehn Ruhmesminuten.

Draußen beginnen Gärtner mit der Rasenpflege und die Reporter der Morgenkonferenz erscheinen im Pressezimmer. Auf der anderen Seite des eisernen Tores posiert eine Familie von Frühaufstehern für ein Instamatik-Foto. Der grelle Blitz ihrer Kamera trifft mich ins Auge. Es wird ein großer Tag.

VIERUNDZWANZIGSTES KAPITEL

»Nervös?«, fragt Lamb, der mich scharf beobachtet. Ich sitze, die Handflächen auf die Knie pressend, ganz still vor seinem Schreibtisch.

»Überhaupt nicht«, antworte ich.

Er grinst über die Lüge, lässt sie aber unwidersprochen.

»Ich bin dankbar, dass Sie jetzt noch mit mir sprechen«, füge ich so schnell ich kann hinzu. Es ist die Untertreibung des Jahres. Im OEOB gibt es genügend Mitarbeiter, die für eine private Lektion mit dem bestgekleideten alten Profi des Weißen Hauses töten würden.

»Der Anfang ist immer das schwerste. Danach kommt alles ganz natürlich.«

Ich weiß, dass ich zuhören sollte, aber mein Gehirn übt nur meine ersten Sätze – *Guten Morgen, Mr. President. Guten Morgen, Mr. President. Guten Mor…*

»Vergessen Sie nur eines nicht«, fährt Lamb fort. »Begrüßen Sie den Präsidenten nicht, wenn Sie reinkommen. Sie treten ein … er blickt auf … Sie fangen an. Alles andere wäre Zeitverschwendung, und Zeit hat er nicht, wie wir alle wissen.«

Ich nicke, als wäre mir das längst bekannt.

»Und lassen Sie sich von seinen Reaktionen nicht abschrecken. Die erste Antwort, die er gibt, wird immer provokativ sein – er wird schreien, er wird brüllen: ›Warum machen wir das so?‹«

»Ich verstehe nicht …«

»Das ist sein Ventil«, erklärt Lamb. »Auf diese Weise macht er sich Luft. Er weiß, dass es immer ein Kompromiss sein wird, aber er muss jedem – auch sich selbst – zeigen, dass noch immer er die Hand am moralischen Kompass hat.«

Er nickt, wie üblich. »Vergessen Sie ja nicht, warum Sie dort sind.«

Wieder verstehe ich nicht.

»Michael, es gibt drei Arten von Ratschlägen: den legalen, den moralischen und den politischen Ratschlag. Was Sie tun können, was Sie tun möchten und was Sie tun sollten. Sie mögen in Ersterem ausgebildet sein, aber er wird alle drei einfordern. Mit anderen Worten, Sie können nicht reingehen und sagen: ›Verbieten Sie die Lauschangriffe, das ist das Richtige.‹«

Ich presse noch immer ängstlich die Hände auf die Knie. »Aber wie, wenn es richtig ist, es zu tun?«

»Ich sage nur, verlassen Sie sich auf keinen Sieg – mein Instinkt sagt mir, mit dieser Sache kann man Stimmen fangen.«

Das gefällt mir nicht. Wenn Lamb es sagt, ist es die Wahrheit. »Habe ich eine Chance, ihn vom Gegenteil zu überzeugen?«

»Das wird die Zeit lehren«, sagt Lamb. »Aber ich würde nicht darauf wetten.«

Da es nichts mehr zu sagen gibt, stehe ich auf, um das Büro zu verlassen.

»Übrigens«, fügt er hinzu, »ich habe mit Adenauers Stellvertreter telefoniert und treffe mich im Lauf des Tages mit ihm, hoffe also, dass ich die endgültige Liste aller Verdächtigen bis heute Nachmittag in Händen habe – spätestens morgen früh.«

»Das ist großartig«, sage ich und versuche mich zu konzentrieren. Schon will ich wieder zum Oval Office umschalten, als mir klar wird, dass ich ihm noch etwas sagen sollte. »Ich hatte ein weiteres Treffen mit dem FBI.«

»Ich weiß«, entgegnet er müde. Er stützt beide Ellbogen auf den Schreibtisch. »Danke, dass Sie mich auf dem Laufenden halten.«

Solche Augenblicke sind es, in denen Lawrence Lamb, mit

noch schwereren Tränensäcken als sonst unter den Augen, zu erkennen gibt, dass er alt wird.

»Es steht nicht gut, nicht wahr?«, frage ich.

»Sie fangen an, Theorien zu entwickeln – das erkenne ich an der Art, in der Sie Ihre Fragen stellen.«

»Mir haben sie Frist bis Freitag gegeben.«

Lamb blickt auf. Das hat er nicht gewusst. »Ich sorge dafür, dass wir morgen die Liste haben.« Bevor ich noch danke sagen kann, fügt er hinzu: »Michael, sind Sie sicher, dass Nora Vaughn nicht kennt?«

»Ich glaube nicht ...«

»Keine Vermutungen bitte!«, schreit er. »Glauben oder wissen Sie?«

»Ich – ich glaube«, wiederhole ich und bin mir bewusst, dass ich die richtige Antwort in ein paar Stunden haben werde. Es ist die panikartige Frage eines Mannes, der nie in Panik gerät. Aber nicht einmal Lawrence Lamb kann Nora vorhersehen.

Fünfzehn Minuten früher als nötig gehe ich zum Westflügel hinüber, und obwohl ich weiß, dass man es als schlechten Stil ansieht, zu früh zu kommen, ist es mir völlig egal.

Einen zolldicken Ordner mit schweißfeuchter Hand umklammernd, betrete ich das kleine Wartezimmer vor dem Oval Office. »Ich bin Michael Garrick«, sage ich stolz, als ich auf Barbara Sandbergs Schreibtisch zugehe. »Der Präsident erwartet mich.«

Sie verdreht die Augen über meinen Enthusiasmus. Als Hartsons persönliche Sekretärin hört sie das tagtäglich. »Das erste Mal?«, fragt sie.

Das ist ein billiger Seitenhieb, aber ich weiß jetzt, wer hier der Boss ist. Als kleine, sachliche New Yorkerin, die mit Begeisterung am Bügel ihrer Lesebrille lutscht, ist Barbara Sandberg schon seit seiner Senatorenzeit in Florida beim Präsidenten. »Ja«, antworte ich mit einem gezwungenen Lachen. »Hat er wohl Zeit für mich?«

»Nur keine Aufregung«, sagt sie, freundlicher werdend. »Sie werden es überleben. Setzen Sie sich; Ethan wird Sie rufen, wenn er bereit ist. Nehmen Sie sich eine Karamelle, wenn Sie wollen. Das beruhigt.«

Ich bin nicht hungrig, nehme aber trotzdem einen Zahnstocher und hole mir aus der Schale auf Barbares Schreibtisch ein Stück Karamelle. Davon habe ich seit zwei Jahren gehört. *Oh, Sie müssen Barbaras Karamellen kosten. Sie sind unvergleichlich.* Die großen Tiere prahlen so in Kurzform mit ihrem Besuch beim Präsidenten. Wir Außenseiter reißen darüber Arschkriecherwitze auf niedrigstem Niveau. Als ich mich jedoch in einem der Ohrensessel niederlasse, kenne ich endlich den Geschmack. Die Karamellen – sie sind überwältigend.

Fünf Minuten später kämpfe ich gegen einen von den Karamellen strohtrockenen Mund an und tue alles in meiner Macht Stehende, nicht auf meine Uhr zu sehen. Das Einzige, das mich beruhigt, ist die vergrößerte Fotografie über Barbaras Schreibtisch – ein spektakuläres Bild des Präsidenten an dem Abend, an dem er die Wahl gewann. Auf einer Bühne in Coconut Grove, Florida, hat er die First Lady zu seiner Rechten und seinen Sohn und Nora zur Linken. Während die Sekunden ticken, ist sie es, auf die ich mich konzentriere. Nora. Sie ist mitten in einem Schrei erstarrt, mit einem wilden Lächeln im Gesicht, einen Arm in die Luft gestreckt, den anderen um den Hals ihres Bruders geschlungen. Es ist ein Siegesschrei – kein Schmerz, keine Trauer, nur echte, großäugige Euphorie. Sie hatte keine Ahnung, was ihr bevorstand, ebenso wenig wie ich.

»Noch Karamellen?«, fragt Barbara. Da ich sonst nichts zu tun habe, stehe ich auf und steuere auf ihren Schreibtisch zu. Bevor ich ihn jedoch erreiche, schaut sie mir über die Schulter und lächelt. Jemand ist hereingekommen.

Ich drehe mich gerade rechtzeitig um, um zu sehen, wie er vor mich hin tritt. Er schaut auf die andere Seite, aber diese Körperhaltung würde ich überall erkennen. Simon.

»Hallo, Süße«, sagt er und schnappt sich eine Karamelle aus dem Glas. »Stimmt's mit der Zeit?«

»Es ist fast so weit«, antwortet Barbara. »Dürfte nicht mehr lange dauern.«

»Guten Morgen, Michael«, sagt er und setzt sich in meinen Sessel.

Ich habe ein Gefühl, als hätte mir jemand einen Hieb vor die Brust versetzt. Ein Krake aus Wut kriecht mir schon über die Schultern.

»Ach, kommen Sie«, reagiert er auf meinen Gesichtsausdruck. »Sie haben doch nicht wirklich gedacht, Sie könnten das allein machen, oder?«

Bevor ich antworten kann, knallt er mir einen Schnellhefter vor die Brust. Er enthält, was schon vorab an den Präsidenten gegangen ist: eine Kopie meines Entscheidungs-Memos mit der Zusammenfassung des Stabssekretärs obenauf. Unter meinem Memo entdecke ich etwas anderes. Das Originalschreiben, das ich, Simon betreffend, an das Office of Government Ethics gerichtet hatte. Ich kann's nicht glauben – deshalb habe ich nie die Offenlegungs-Formulare erhalten, die ich angefordert hatte. Der Brief hat das Gebäude nicht einmal verlassen.

»Im zweiten Absatz ist ein Tippfehler«, sagt Simon und mustert mich eingehend. »Ich hab' gedacht, sie wollten es vielleicht wiederhaben.«

Wie, zum Teufel, hat er …

Hinter mir wird die Tür des Oval Office geöffnet. »Er erwartet Sie«, verkündet Barbara. »Gehen Sie hinein.«

Simon schiebt sich an mir vorbei und steuert direkt die Tür an. Ich folge ihm mit dem Gefühl, mich gleich übergeben zu müssen.

»Wie war's?«, fragt Pam, als ich vor ihrem Schreibtisch stehe.

»Ich weiß nicht, irgendwie ein bisschen …«

Ihr Telefon klingelt und unterbricht meine Gedanken. »Warte einen Moment«, sagt sie und nimmt ab. »Pam hier. Ja. Nein, ich weiß. Sie bekommen es nächste Woche. Großartig. Danke.« Sie legt auf und sieht wieder mich an. »'tschuldige – du hast gerade gesagt...«

»Es ist schwer zu beschreiben. Als Simon auftauchte, dachte ...«

Wieder unterbricht mich ihr Telefon.

»Lassen wir's läuten«, sagt sie.

Ich will schon fortfahren, als ich sehe, wie sie die Anrufer-ID anstarrt. Ich kenne diesen Ausdruck von Panik in ihrem Gesicht. Das ist ein wichtiger Anruf.

»Ist schon okay«, sage ich. »Nimm ab.«

»Es dauert nur eine Minute«, verspricht sie, als sie den Hörer abhebt. »Pam hier. Ja, ich ... Was? Nein – wird er nicht. Ich verspreche es – er wird nicht.« Es folgt eine lange Pause, während der sie zuhört. Das wird länger als eine Minute dauern.

»Ich komme später wieder«, flüstere ich.

»Tut mir wirklich leid«, flüstert sie, den Hörer mit der Hand zudeckend.

»Keine Sorge, es ist nicht schlimm.« Ich verlasse Pams Büro und versuche mir einzureden, das sei die Wahrheit.

Ich durchquere das Vorzimmer und beschließe, Trey anzurufen, der wahrscheinlich noch sauer auf mich ist. An der Türklinke meines Büros hängt eine weiße Fruit-of-the-Loom-Herrenunterhose. Darüber eine mit Laserdrucker fabrizierte Notiz:

Willkommen daheim, Brief(ing)-Meister!
Schmetterlingsküsschen,
Dein bewundernder Fan

Ich nehme die Unterhose ab und öffne die Tür. Drinnen wird es noch schlimmer. Auf meinem Sessel liegen, meine Couch bedecken, von den Lampen und allen Bilderrahmen hängen – Herrenunterhosen. Überall. Boxershorts, Herrenslips, sogar ein kleiner seidener Herrentanga. Und als Krönung des Ganzen ist auf meinem Schreibtisch mit Suspensorien das Wort *Mike* ausgelegt.

»Heil dem Meisteranwalt!«, ruft Trey aus seinem Versteck hinter der Tür. Er fällt auf die Knie und verneigt sich zu meinen Füßen. »Was sagst du nun, Meister des Briefing?«

»Es ist unglaublich«, sage ich, seine Mühe bewundernd. »Sie sind sogar in deine Schubladen geschlüpft«, sagt er stolz. »Verstehst du? Schlüpfen – Schlüpfer.«

»Hab's kapiert«, keuche ich, noch drei Stück von meinem Sessel entfernt. »Woher hast du das ganze Zeug überhaupt?«

»Sie gehören mir.«

»Widerlich!«, sage ich und schleudere sie durch den Raum.

»Glaubst du denn, dass ich so viel Unterzeug für einen einmaligen Benutzer kaufe? Humor hat seinen Preis, Junge.« Er schnuppert zweimal in die Luft. »Und den bezahlst du jetzt.«

Ich muss zugeben, genau das habe ich gebraucht. »Danke, Trey.«

»Ja, ja, ja, jetzt erzähl mal, wie ist es gegangen? Hast du für das Foto eine gute Figur gemacht?«

»Was für ein Foto?«

»O bitte, Michael – ich bin es. Du weißt, dass sie bei deinem ersten Besuch ein Foto von dir machen. Mir ist egal, wie verängstigt du bist, hier schielen doch alle immer mit einem Auge auf die Kamera. Immer.«

Ich erlaube mir ein ganz schwaches Grinsen.

»Ich hab's gewusst.« Trey lacht. »Du bist überschaubarer als ein Bankkalender. Was hast du gemacht? Steifes Kinn? Geblinzelt?«

»Machst du Witze? Ich habe die schweren Waffen aufgefahren – steifes Kinn, geschürzte Lippen, und ich habe auf das Memo gezeigt, nur um die Schüler-Lehrer-Dynamik zu festigen.«

»Nett.« Trey nickt. »Hat das alle im Hinblick auf die Lauschangriffe überzeugt?«

»Lass es mich so sagen: Du kennst das Gefühl kurz bevor du zum Haarschneiden gehst? Wenn du eines Morgens aufwachst und plötzlich statt deiner Haare eine Bademate auf dem Kopf hast? Und es von Tag zu Tag schlimmer wird? Aber dann, an dem Tag, an dem du dir die Haare schneiden lassen willst, wachst du auf, und wie durch ein Wunder sieht dein Haar plötzlich großartig aus. Verstehst du, was ich sagen will? Als seien deine Ängste absolut überflüssig gewesen?« Trey nickt, als ich um der Wirkung willen eine Pause mache. »Nun, *heute war's nicht so!*«, schreie ich aus voller Lunge. »Mein Haar hat den ganzen Tag beschissen ausgeschaut!«

»So schlimm kann es nicht gewesen sein«, sagt Trey lachend.

»Nein, es war schlimmer als schlimm. Es war furchtbar. Tragisch. So tragisch, dass es fast poetisch wirkte.«

»Poesie ist gut. Jeder hört gern ein gutes rhythmisches Couplet.«

»Du warst nicht da, Trey. Ich war schon allein nervös genug – dass Simon auftauchte, hätte ich nicht gebraucht. Und als er mir mein Gesuch um Information in den Hals rammte … Der Mistkerl hat es aufgehoben, um mich aus dem Konzept zu bringen. Deshalb haben wir seine Unterlagen nicht bekommen; irgendwoher hat er gewusst, was vorgeht. Danach war ich total durcheinander. Jedes Mal wenn der Präsident mich etwas fragte, hatte ich das Gefühl, ich könnte ihn nur dämlich anblinzeln.«

»Glaub mir, so fühlt sich jeder, der vor dem Präsidenten steht.«

»Das ist nicht …«

»Es stimmt aber. In dem Moment, in dem er den Raum betritt – bam! –, wird jeder zum Bettnässer.«

Ich bin noch nicht überzeugt, doch ich muss lächeln. »Wenn du das sagst.«

»Du weißt, dass es die Wahrheit ist. Um den Präsidenten herum ist nichts klein – und wenn er eine Frage stellt, musst du die

Antwort haben. Jetzt erzähl, was sonst noch passiert ist. Hast du irgendwas *Cooles* stibitzen können? Bleistifte? Kugelschreiber? T-Shirts mit der Aufschrift *Präsidiale Power fließt durch meine Adern*?«

»Nein, nichts von alledem«, sage ich und setze mich. »Nur die hier …« Ich greife in die Tasche und hole ein Paar Manschettenknöpfe mit dem Präsidentensiegel heraus.

»Erzähl mir nicht, er …«

»Hat sie direkt aus seinen Hemdsärmeln genommen ich denke, es war seine Art, mich zu beruhigen.«

»Dich zu beruhigen. Du Dussel, du hast eben *Grand Poobah*-Manschettenknöpfe gekriegt. Ihm muss gefallen haben, was du zu sagen hattest.«

»Das werden wir sehen, wenn er seine Entscheidung getroffen hat …«

Das Klingeln des Telefons unterbricht mich. Die Anrufer-ID sagt mir: Ruf von extern. Das könnte es sein.

»Willst du nicht abnehmen?«, fragt Trey.

»Hier ist Michael«, melde ich mich.

»Also, hat er dich nach uns gefragt?«, sagt Nora lachend.

»Was meinst du?«

»Mein Dad – hat er dich gefragt, ob du mich schon richtig befummelt hast?«

»Er hat sich entschieden, das auszulassen«, entgegne ich und frage mich noch immer, woher Simon von meinem Ersuchen erfahren hat. »Wahrscheinlich hatte er schon Grund genug, mich zu hassen.«

»Ich bin sicher, du hast es gut gemacht. Er hat dir die Manschettenknöpfe gegeben, nicht wahr?«

»Woher weißt du …«

»Wenn einer nicht ein totaler Wichser ist, gibt er sie jedem bei seinem ersten Briefing. Er hat Dutzende in seinem Schreibtisch. Nixon hat es genauso gemacht. Damit deine Kinder was zu bestaunen haben.«

Ich packe die Manschettenknöpfe und schiebe sie wieder in die Tasche. Unsicher, was ich sonst sagen soll, bin ich erleichtert, als ich das kleine rote Licht aufblinken sehe, das mir anzeigt, dass jemand mich erreichen möchte. »Sekunde«, sage ich zu Nora und schalte auf die andere Leitung, ohne einen Blick auf die ID des Anrufers zu werfen. Mein Fehler. »Hier ist Michael.«

»Guter Job war das heute«, sagt eine selbstgefällige Stimme. Simon.

»D-danke.«

»Ich meine es ernst, Michael. Anfangs bist du gestolpert, aber jetzt, denke ich, hast du deine Lektion gelernt. Hab ich recht?«

Er fragt mich, ob ich schweigen werde. Nachdem ich gehört habe, dass er Adenauer auf mich angesetzt hat, ist es offensichtlich, welche Alternative ich habe. Etwas weiß er aber trotzdem nicht. Wenn ihm klar wäre, dass ich mich mit Vaughn treffen will, hätte er das zu erkennen gegeben. Was eines von zwei Dingen bedeutet: Vaughn hat wirklich etwas anzubieten – oder er stellt mir eine verdammt raffinierte Falle. »J-ja«, stottere ich. »Ich habe meine Lektion gelernt.«

»Gut. Dann reden wir über die Lauschangriffe.«

»Bleiben Sie eine Sekunde dran.« Ein Knopfdruck bringt mich zu Nora zurück. »Hör zu, ich hab's eilig – das ist Simon.«

»Was will …«

Zu spät. Ich bin weg. »Was ist mit den Lauschangriffen?«, frage ich, als ich wieder bei Simon in der Leitung bin.

»Es war recht interessant«, antwortet er. »Als Sie weg waren, bin ich in den Roosevelt-Raum hinübergegangen, wo die vorläufige Abstimmung stattfand. Das Problem war – das FBI, die Justiz, sogar die Jungs von der Politik waren alle gegen uns.«

Mir ist verhasst, wie er das sagt. »Also, was ist passiert?«

»Genau das, was ich gesagt habe.« Er bezieht sich auf den Stabschef und erklärt: »Als Wesley die Stimmen gezählt hat, schaut er mich an und erklärt: ›Sieben zu zwei. Sie verlieren.‹ Voller Stolz auf sich geht er zu Hartson, um ihm das Ergebnis mitzuteilen. Zehn Minuten später kommt er zurück, sieht mich an und sagt: ›Ich habe eben mit dem Präsidenten gesprochen. Das Ergebnis lautet jetzt sieben zu *drei*. Sie gewinnen‹«

Ich brauche eine Minute, ehe ich begreife. Dann plötzlich trifft es mich wie ein Schlag. »Ich habe gewonnen?«

»*Wir* haben gewonnen«, antwortet Simon. »Hartson hat es entschieden. Betrachten Sie es als Geschenk.« Das Nächste, das ich höre, ist ein Klicken. Er ist weg.

»Du hast gewonnen?«, fragt Trey.

Ich bin noch sprachlos.

»Komm schon, Michael, ich gebe dir dreißig Sekunden …«

Verdammt, die Zeit. Ich schaue auf meine Uhr, rase zur Tür und rufe Trey über die Schulter zu. »Wir haben gewonnen! Hartson hat es durchgedrückt!«

»Und wohin willst du jetzt? Siegesfeier?«

»Vaughn. Ich bin schon zu spät dran.«

Trey steht auf und läuft mir nach. »Und du willst bestimmt nicht, dass ich …«

»Nein. Das FBI …«

Trey kneift die Augen zusammen.

»Was denn?«, frage ich. »Denkst du jetzt etwa, ich sollte nicht gehen?«

»Nein, aber nach dem, was im Museum passiert ist, denke ich, du solltest Rückendeckung haben.«

»Ich bedanke mich für dein Angebot, aber … nein – auf keinen Fall.« Ich will ihn nicht gefährden. Als ich die Worte sage, überzieht sein Gesicht ein verärgerter, fast verletzter Ausdruck. Ich kenne ihn lange genug, um zu wissen, was er denkt. »Du glaubst, ich bin größenwahnsinnig geworden, nicht wahr?«

»Du willst wissen, was ich denke?« Er schlägt mit der flachen Hand auf den Schreibtisch; dann nach einer schnellen Drehung, mit den Knöcheln. Dann wieder mit der Handfläche. Und wieder mit den Knöcheln. Handfläche, Knöchel, Handfläche, Knöchel, Handfläche, Knöchel. »Fisch auf dem Trockenen.«

»Danke für die großartige Pantomime, aber mir passiert schon nichts.«

»Wie, wenn es ein Hinterhalt ist? Du bist ganz allein dort draußen.«

»Es ist kein Hinterhalt«, behaupte ich, als ich die Tür öffne. »Ich habe in dieser Sache ein gutes Gefühl.«

Ich renne die Stufen des OEOB hinunter und schwimme gegen den stetigen Strom von Mitarbeitern an, die vom Lunch zurückkommen. Vor dem Tor schlängle ich mich durch die Menge zur 17th Street. Um auf die Metro zu warten, habe ich keine Zeit. »Taxi!«, rufe ich und strecke den Arm in die Luft. Die ersten beiden Taxis fahren vorbei, und ich springe winkend auf die Fahrbahn.

Ein smaragdgrüner Wagen hupt und hält direkt vor mir an. Als ich eben einsteigen will, höre ich jemand meinen Namen rufen.

»Michael?«

Aufblickend sehe ich eine Frau mit kohlschwarzem Haar auf mich zukommen. Ich betrachte die ID, die sie um den Hals hängen hat. Das macht jeder instinktiv als Erstes. Was ich sehe, gefällt mir nicht. Ihre ID hat einen dunkelbraunen Hintergrund. Presse.

»Sie sind Michael Garrick, nicht wahr?«, fragt sie.

»Und Sie sind …«

»Inez Cotigliano«, entgegnet sie und streckt die Hand aus. »Ich habe mich mit Ihnen in Verbindung gesetzt …«

»Ich habe Ihre Nachricht bekommen. Und Ihre E-Mail.«

»Aber Sie haben noch nicht geantwortet«, sagt sie neckend. »Was mich verletzt.«

»Nehmen Sie's nicht persönlich. Ich hatte viel zu tun.«

»Das habe ich gehört. Ihr Briefing stand heute auf dem Programm. Wie ging's?«

Typisch Reporterin – nichts als Fragen. Ich beschließe, ihr

typisches Weißes Haus zu geben – nichts, absolut nichts. »Ich will nicht unhöflich sein, doch Sie kennen die Vorschrift – rufen Sie das Pressebüro an.«

Ich schließe die Tür des Taxis und Inez lehnt sich ins Fenster. Sie presst ein Klemmbrett und einen Aktenordner an die Brust. »WAVES«, sagt sie. Sie schaut hinunter, um zu sehen, wohin ich starre. Dann grinst sie. »Es war mir ernst mit dem, was ich sagte, Michael. Wir sind noch interessiert. Und auf diese Weise können Sie Ihre Seite der Geschichte darlegen.«

Ich bin nicht *so* dumm. »Wenn Sie jemand wollen, der Ihnen eine gute Quote verschafft, wetten Sie auf das falsche Pferd.«

»Würden Sie sich leichter tun, wenn eine kleine Finanzspritze dabei wäre?«

»Seit wann bezahlt die *Post* für Storys?«

»Tut sie nicht«, schießt sie zurück. »Das ist nur unter uns – betrachten Sie es als meine Art, danke zu sagen.«

»Sie kapieren es nicht, wie?«, frage ich kopfschüttelnd. »Ein paar Dinge lassen sich nicht kaufen.«

In sich hineinlachend antwortet sie: »Was Sie nicht sagen«, während das Taxi zu rollen beginnt. »Obwohl ich da nicht so sicher wäre.«

Zehn Minuten später bin ich von Kindern umringt. Dicken, stillen, weinenden, sogar eins in einem flaschengrünen Trainingsanzug ist dabei, das heftig an seinem Schritt herumzupft. Direkt in der Connecticut Avenue und Ruheplatz von Hsing-Hsing, Nixons weltberühmtem Panda, ist der National Zoo eine der besten städtischen Attraktionen für die ganze Familie. Und einer der ungeeignetsten Orte für ein konspiratives Treffen. Die von Bänken gesäumte Betonpromenade entlanggehend, die zum öffentlichen Eingang des Zoos führt, bin ich ein dunkler Nadelstreifenanzug inmitten eines Regenbogens aus Zöpfen und Camcordern. Stünde ich in Flammen, könnte ich nicht mehr auffallen. Vielleicht war das Vaughns Hoffnung – wenn das FBI hier ist, wird es ihm genauso schwerfallen, sich zu verstecken. Mit dieser Theorie im Kopf halte ich nach Leuten ohne Kinder Ausschau. Beim Eiswagen stehen zwei junge Erwachsene. Und eine einzelne Frau steigt aus einem Taxi.

»Popcooorn!«, schreit jemand hinter mir. Erschrocken fahre ich herum. Vor mir steht ein etwa achtzehnjähriger Junge mit zwei rot und weiß gestreiften Schachteln in jeder Hand. »Popcoooorn!«, verkündet er und zieht die letzte Silbe jammernd in die Länge.

»Nein, danke«, sage ich.

Nicht entmutigt, geht er zum nächsten Touristen. »Popcoooorn …!«

Um seiner Stimme zu entkommen und auch um einen besseren Überblick über das Gelände zu haben, gehe ich zu einer der hölzernen Bänke. Schon will ich mich setzen, als ich ein kleines rot-weißes Schild entdecke: DIESER TEIL WIRD VON ÜBERWACHUNGSKAMERAS KONTROLLIERT. Instinktiv schaue ich in die Bäume hinauf und versuche die Kameras zu entdecken. Ich sehe sie nicht. Aber da sind sie jedenfalls. Beobachten mich. Beobachten uns. Vaughn, wo du auch bist, ich bete zu Gott, dass du weißt, was du tust.

Eine halbe Stunde später sitze ich auf derselben hölzernen Bank und beobachte die Menge. Man braucht nicht lange, um das Muster zu erkennen. Familie rein, Familie raus. Familie rein, Familie raus. Aber bei dem stetig wechselnden Menschenstrom bleibt unabänderlich eins: »Popcoooorn … Popcoooorn!« Immer und immer wieder. Der Refrain ist nervtötend. »Popcoooorn … Popcoooo …«

»Ich nehme eins«, sagt eine tiefe Stimme. Ich sehe auf, aber er blickt in die andere Richtung – ein hoch gewachsener Mann in dunklen Jeans und einem leuchtend roten Polohemd. Er reicht dem Jungen einen Dollar und nimmt sich eine Schachtel Popcorn. Ohne noch ein Wort zu sagen, rückt er seine Sonnenbrille zurecht und geht auf eine Bank am anderen Ende der Promenade zu. Ich weiß nicht recht, was es ist – vielleicht die Tatsache, dass er allein ist, vielleicht meine eigene Verrücktheit –, irgendetwas sagt mir, ich sollte ihn beobachten. Doch als ich eben einen ersten richtigen Blick auf ihn werfen konnte, stellt sich jemand vor mich hin und versperrt mir die Aussicht.

»Popcoooorn!«, verkündet der Junge und hält mir eine rotweiße Schachtel vors Gesicht.

»Aus dem Weg!«, fauche ich ihn an.

Er beachtet mich nicht. »Popcoooorn!«, fährt er fort. »Peeeee Vaughn.«

Ich stutze. »Was hast du eben gesagt?«

»Popcoooorn …!

Als er zur Seite tritt, werfe ich rasch einen Blick auf die Bank am anderen Ende der Promenade. Der Mann im roten Hemd ist nicht mehr da. Ich wende mich wieder dem Jungen zu. »War das …?«

Er hält mir seine letzte rotweiße Schachtel entgegen. »Popcoooorn. Pop …«

»Ich nehm sie.« Einen Dollar reicher ist der Junge weitergegangen, und ich bin auf meiner Bank allein. Ich bin versucht, hinter mich zu schauen, doch es ist wichtiger, ruhig zu scheinen. So beiläufig wie möglich öffne ich die Schachtel. Sie enthält sehr wenig Popcorn, dafür aber eine handschriftliche Notiz, die an der Seite klebt. Ich kann sie nur lesen, wenn ich die Schachtel schräg halte. *Four P's Pub. Drei Blocks nördlich. Direkt neben dem Uptown.«*

Ich mache die Schachtel zu und kann mich meiner instinktiven Unruhe nicht erwehren. Kontrolliere automatisch, wer mich beobachtet. Doch so weit ich sehen kann, ist niemand da. Ein rascher Blick die Promenade hinauf und hinunter – alles ist normal. Familie rein, Familie raus. Familie rein, Familie raus. Während die Parade des Lächelns weiterzieht, gehe ich zur Connecticut zurück und komme am Popcorn-Wagen vorbei.

»Popcooooorn!« Der Junge hat seinen Vorrat frisch aufgefüllt und gönnt mir keinen zweiten Blick. Stattdessen wirft er sich wieder ins Gewühl. Und ich marschiere drei Blocks die Straße hinauf.

Ich halte mich auf der schattigen Seite der Connecticut Avenue und versuche so schnell wie möglich zu gehen. Bei diesem Tempo dürfte es mir nicht schwerfallen, eventuelle Verfolger zu entdecken. Dennoch schweifen meine Augen von jedem geparkten Wagen zu jedem Baum und in jeden Hauseingang. Alles sieht verdächtig aus. Eine junge Frau mit einem schwarzen Labrador joggt auf mich zu. Als sie mit mir auf gleicher Höhe ist, trete ich auf die Fahrbahn und blicke in die andere Richtung. Ich gehe kein Risiko ein – solange ich den Kopf gesenkt halte, kann sie mich nicht identifizieren. Als sie vorüber ist, begebe ich mich wieder auf meine alte Fährte.

In der Ferne sehe ich schon das rote Neonschild des Uptown, des größten altmodischen Filmtheaters der Stadt und populärsten Wahrzeichens der Umgebung. Zu seiner Linken kämpfen ein halbes Dutzend Restaurants und Läden um Aufmerksamkeit. Durch das Uptown zur Bedeutungslosigkeit verkümmert, gönnt man ihnen kaum jemals einen zweiten Blick. Heute aber springt mir eines ins Auge: *Ireland's four Provinces Restaurant and Pub.*

Unter dem schäbig gewordenen grünen und roten Schild werfe ich schnell einen Blick den Block hinauf. Alles in Ordnung – keine Khakis und Polohemden in Sicht; keiner der in der Nähe parkenden Wagen hat eine Regierungsplakette. Ich streife sogar das Dach des Uptown mit den Blicken. Soviel ich sehe, fotografiert niemand. Auf den Eingang zugehend, weiß ich, es ist so weit. Zeit, Vaughn zu treffen.

Als ich die Tür öffne, prallt mir Bargeruch ins Gesicht. Er erinnert mich sofort an meinen ersten Abend mit Nora. Drinnen sieht es aus wie in einem richtigen irischen Pub. Sechzehn

bis zwanzig Tische, ein paar gerahmte irische Embleme in Buntglas und eine alte Bar aus Eichenholz an der hinteren Wand. Zu
meiner Überraschung ist das Lokal knallvoll. Ein Typ trägt die
Uniform eines Briefträgers. Ein anderer wurde von FedEx ein-
gekleidet. Mir gefällt es hier. Lauter Einheimische, keine Touristen.

»Setzen Sie sich an die Bar«, sagt eine Kellnerin zu mir, als sie
vorbeiflitzt. »Ich habe gleich einen freien Tisch.«

Ihrem Hinweis folgend, lasse ich mich auf einem Barhocker
nieder und mustere die Lunchgäste. Nichts allzu Verdächtiges.

»Wie geht's?«, fragt mich der Barmann, während er zwei
Sodas einschenkt.

»Okay«, sage ich. »Und Ihnen?«

Bevor er antworten kann, höre ich, wie am anderen Ende rechts
von mir knarrend eine Tür geöffnet wird. Ein muskulöser Typ in
einem schwarzen T-Shirt kommt aus der Herrentoilette. Er hat
eine breite Neandertalerstirn, die einen sofort an Darwin und
seine Theorie denken lässt. Auf die Boxergebnisse seiner zusammengefalteten Zeitung konzentriert, scheint der Mann zu erschrecken, als er aufblickt und mich sieht. »Was starrste so, Blöd-
mann?«, blafft er mich mit einem starken Brooklyn-Akzent an.

»Tu ich gar nicht, nein«, antworte ich. »Nein.«

Er zuckt mit den Schultern und geht an seinen Ecktisch zurück. »Wo, zum Teufel, ist mein Sandwich?«, fragt er die Kellnerin.

»Mach mich ja nicht an«, warnt sie. »Das gibt's hier nicht.«

Überzeugt, dass die Kellnerin in sein Essen spucken wird,
überlasse ich ihn seinen Boxergebnissen. Doch als ich eben weg-
sehen will, wirft er die zusammengefaltete Zeitung auf den
Tisch. Sie prallt mit einem ungewöhnlich dumpfen Ton auf. In
der Zeitung ist etwas versteckt. Eine Spitze reicht ein Stückchen über den Rand. Es sieht aus wie ein dicker schwarzer Markierstift. Oder die Spitze einer Walkie-Talkie-Antenne … Mir
läuft es eiskalt den Rücken hinunter. Der Typ ist vom FBI.

So schnell ich kann wende ich den Blick ab und tu so, als hätte ich nichts gesehen. Genau in diesem Augenblick schwingt die Eingangstür auf, und wie ein Blitz schießt ein Sonnenstrahl in die dunkle Bar. Als die Tür zufällt, steht dort ein Mensch. Der Typ im roten Hemd, der das Popcorn gekauft hat. Die Sonnenbrille verrät ihn. Noch mehr FBI. Jede Minute kann jetzt Vaughn durch die Eingangstür kommen. Und in dem Moment, in dem er es tut, wird jeder anwesende Agent über uns herfallen.

Meine Gedanken rasen. Der Typ im roten Hemd kommt auf mich zu. Ob ich will oder nicht, ich muss dieses Treffen verhindern. So schnell ich kann hüpfe ich vom Hocker und laufe zur Tür. Der Agent mit dem Walkie-Talkie steht gleichzeitig auf, sein Tisch rutscht quietschend über den bierfleckigen Fußboden. Einer vor mir, einer zu meiner Rechten. Beide bewegen sich langsam vorwärts, für den Fall, dass ich renne. Egal wie schnell ich bin, ich werde sie, ohne sie abzulenken, nicht abschütteln können. Ich zeige auf den Agenten mit dem Walkie-Talkie. »FBI! Er ist vom FBI!«, schreie ich mit voller Lunge. Ich nehme an, dass Vaughn zuhört.

Instinktiv tut der Agent genau das, was ich gehofft habe, dass er es tun würde. Er zieht seine Waffe. Mehr ist nicht nötig. Sofort bricht Chaos aus. Alle schreien. Beide Agenten werden von der Menge behindert, die wie wahnsinnig zur Tür stürzt. Schon will ich mitrennen, da packt mich jemand am Hemdkragen, und bevor ich merke, was mit mir geschieht, schleudert er mich durch die Pendeltür in die Küche. Vor dem Kühlschrank krache ich zu Boden. Als ich mich wieder aufrapple, werfe ich einen kurzen Blick auf meinen Angreifer. Es ist der Barmann. »Was wollen …«

Er packt mich am Knoten meiner Krawatte und zerrt mich in den Hintergrund der Küche. Ich versuche mich zu wehren, kann aber mein Gleichgewicht nicht halten. Mit den Armen um mich schlagend, werfe ich von jeder Anrichte Töpfe und Pfannen auf den Boden. »Tut mir leid, Junge«, sagt er. Mit einer raschen Fußbewegung stößt er die Hintertür auf und schiebt mich in die schmale Gasse hinter dem Restaurant.

Auf der anderen Seite wird die Tür des Nebengebäudes geöffnet. »Hier rein!«, ruft jemand mit einem Boston-Akzent. Noch immer nach Atem ringend, hinke ich hinein. Ich komme in einen schmutzigen grauen Flur, der den Charme eines unfertigen Kellers ausstrahlt. Von oben blinkt eine Neonlampe. Im Hintergrund höre ich zwei Leute reden. Wie in einem Film. Am anderen Ende des Flurs ist eine Metalltür. Wenn ich richtig vermute, bin ich im Uptown, und zwar im Flur des Notausgangs.

Ich lehne mich an die Wand und lasse mich langsam zu Boden sinken.

»Macht's Spaß?«, fragt der Mann mit dem Boston-Akzent.

Als ich ihn sehe, erkenne ich ihn sofort nach dem Foto aus der Verbrecherkartei. Endlich. Vaughn.

Er zieht eine Pistole und presst mir den Lauf in die Mitte der Stirn. »Du hast genau drei Sekunden Zeit, um mir zu sagen, warum du Caroline Penzler umgebracht hast.«

FÜNFUNDZWANZIGSTES KAPITEL

»Was geht hier vor, zum Teufel?«, frage ich. »Eins …«

»Hast du sie nicht alle?«

»Zwei.«

»Ich hab sie nicht umgebracht!«, schreie ich, als er den Hahn spannt. »Ich schwör's, ich hab sie nicht umgebracht. Warum solltest du …«

»*Drei!*«, brüllt er. »Tut mir leid, Michael.«

Seine Finger straffen sich, und ich kneife die Augen zu.

»Ich war's nicht! Ich war's nicht! Ich war's nicht!«, schreie ich.

Er drückt ab, doch es kommt kein Schuss. Nur ein hohles Klicken. Ich öffne die Augen. Die Pistole war nicht geladen.

Vaughn steht über mir, studiert meine Reaktion.

»Hast du den Verstand verloren?«, brülle ich keuchend. Der Schweiß läuft mir über das Gesicht.

»Musste es selber sehen«, sagt er und steckt die Pistole in den Hosengürtel.

»*Was* selbst sehen?«

Er antwortet nicht, aber was es auch für ein Test sein sollte, ich habe ihn bestanden. Denke ich.

Anders als auf dem Verbrecherfoto hat Vaughn jetzt kein Bärtchen und keine angeklatschten Haare mehr. Heute ist er modisch bis in die Fingerspitzen. Scharfer Haarschnitt, Halbschuhe von Gucci und ein leicht zerknittertes, sonst aber erstklassiges Seidenhemd. Auch seine Hose sieht teuer aus, ist aber ebenfalls viel zu zerdrückt. Als sei sie zu lange getragen worden. Oder als habe er darin geschlafen.

»Entschuldige, dass ich so aussehe«, sagt er, als sei nichts geschehen. Er tippt auf seine Kleidung und zeigt mir lachend die Zähne. »Ist ein bisschen eng geworden, seit ich – unterwegs bin.«

»Meinst du nicht eher, dass du auf der Flucht bist?«, frage ich.

»Du hast es erfasst«, pflichtet er mir bei. »Wieso kommst du so spät?«

»Sprich mit deinen Popcorn-Kunden. Diese Kids haben mich eine halbe Stunde warten lassen.«

»Nein, nein, nein, ich verkaufe nicht an Kids«, sagt er in seinem starken Boston-Akzent. »Niemals.«

»Oh, dann bist du also einer der rücksichtsvollen, kinderfreundlichen Dealer?«

»Hör zu, Kleiner, wenn ein kleines Collegemädchen sich Pappis Geld in die Nase pfeifen will, kratzt mich das keine Sekunde. Nach all den Jahren, in denen diese Kids mit ihren Friedenspfeifen unsere Gegend unsicher gemacht haben, sind wir quitt, glaube ich.«

»Du bist ein wahrer Menschenfreund.«

»Scheiße, Mann, du arbeitest im Weißen Haus. Wer, glaubst du, streut mehr Gift unter die Leute, ich oder du?«

Ich antworte nicht.

»Macht keinen Spaß, jetzt beurteilt zu werden, wie?«, fragt Vaughn. »Und wenn du jetzt Pluspunkte zählst, bist du derjenige, der sich bei mir bedanken müsste.«

»Mich bei dir bedanken?«, frage ich. »Wofür sollte ich mich bei dir bedanken? Dafür, dass du mir die Schuld in die Schuhe geschoben, dich unter meinem Namen eingeschlichen, Caroline Penzler getötet und alles so gedreht hast, als sei ich es gewesen, der ...«

»Halt an, *pretty boy*. Diesen Scheiß kannst du mir nicht anhängen.«

»Willst du behaupten, du seist gar nicht im Gebäude gewesen?«

»Das will ich nicht, ich war da. Bin eine Stunde lang in den Korridoren rumgelaufen. Aber ich war nicht mal mit dem kleinen Finger in der Nähe der Frau.«

»Was redest du da?«

»Biste jetzt taub? Hör mal zu: Ich weiß keinen Schwanz über diese Lady. Hab sie nie im Leben gesehn.«

»Was ist mit Simon? Hast du ihn mal kennengelernt?«

»Simon wer?«

»Jetzt mach aber mal halb lang, Vaughn, du weißt, wer das ist.«

»Du nennst mich einen Lügner?«

Ich halte einen Augenblick inne. Dann: »Ich sage nur ...«

»Du sagst nur, dass ich Scheiße rede. Ich hör's in deinem Hals. Lass du dir lieber 'ne neue Brille anpassen, Junge, ich versuch mich nur ein bisschen mit dir zu unterhalten.«

»Aha, zuerst hältst du mir eine Knarre an den Kopf und jetzt willst du mich einwickeln und spielst den großen Interviewer?«

»Dein Ton gefällt mir nicht.«

»Ich habe keinen besonderen Ton. Ich weiß nur, dass du mich seit zwei Wochen hinter dir herhecheln lässt. Holocaust-Museum, Zeitungsjungen, Männer mit Fensterwischern – ich hab sie satt, diese Spielchen Spion versus Spion. Also lass den harten Typen sein und sag mir, was, zum Teufel, vorgeht ...«

Er packt mich an der Hemdbrust und knallt mich gegen die Betonmauer. »Was, hab ich gesagt, sollst du mit deiner Stimme nicht machen? Was, Junge? Was hab ich dir gesagt?«

»Du magst es nicht, wenn ich laut werde.«

»Verdammt, ich mag es nicht!«, schreit er mir ins Gesicht. »Du denkst, es geht nur um dich? Scheiße, Junge, wenigstens schläfst du noch in deinem eigenen Apartment – ich bin auf der D. C.-Unterschlupf-Tour.«

»Wie du dich bettest, so liegst du.«

»Ich habe mir dieses verdammte Bett nicht gemacht. Man hat mich hineingeschmissen.« Er lässt mein Hemd los und tritt einen Schritt zurück. »Genauso wie dich.«

Ich suche in seinen Augen nach einer Lüge. Er weiß, dass ich sie nicht sehe. »Dir ist es ernst damit, nicht wahr?«

»Würde ich so rumschleichen, wenn's mir nicht ernst wäre? Die Mistkerle vom FBI haben Abfall aus meinem Leben gemacht, mein Geschäft ruiniert ... Ich bin diesem Kerl, diesem Simon nie im Leben begegnet.«

Unsicher, wie ich reagieren soll, wende ich den Blick ab.

»Was?«, fragt er. »Du denkst, ich bluffe auch da?«

Unwillkürlich zögere ich. »Um ehrlich zu sein, ich weiß nicht, was ich denken soll.«

»Tja, Wunderknabe, dann sind wir schon zwei.«

Ich werfe einen zweiten Blick auf sein zerknittertes Hemd und die zerdrückte Hose. Es gibt Dinge, die man nicht verbergen kann. »Du hast also nicht versucht, mir etwas anzuhängen?«

Er schüttelt den Kopf und stützt die Hände in die Hüften. »Sehe ich für dich wie Jack Ruby aus? Ich bin nur aus einem einzigen Grund in dieses Gebäude gegangen, nämlich weil mein

Freund Morty was anderes zu tun hatte. Er hatte was im Süd-
osten auf der Pfanne und hat mich gebeten, ihm einen Gefallen
zu tun.«

»Und Morty arbeitet für dich?«

»Nee, er ist ein – wie soll ich sagen? – ein unabhängiger Auf-
tragnehmer.«

»Ein Drogendealer.«

»Er handelt mit Pharmaka. Jedenfalls hat er mich gebeten, für
ihn was vorbeizubringen – ich hatte grad nichts am Laufen, also
hab ich ihm gesagt, ich mach's. Aber als ich dann rausfand,
wohin ich sollte, hab ich fast selber einen Herzinfarkt gekriegt,
du weißt, was ich meine? Ich meine, das ist einfach idiotisch,
direkt neben dem Weißen Haus.«

»Gemacht hast du's trotzdem?«

»Morty ist mit drei Tausendern in bar rübergekommen. Für
das Geld würde ich sogar Hartson einen Tritt in seinen großen
weißen Arsch geben. Außerdem hat Morty gesagt, du wärst
einer von seinen ergiebigsten Dukateneseln.«

»Ich bin dem Kerl in meinem ganzen Leben noch nie begegnet …«

»Ich sage dir nur, was er gesagt hat. Er hat mir erzählt, du bist
so 'n präsidialer Senkrechtstarter mit einer Vorliebe für den weißen Stoff – und dass du total durchdrehst, wenn du deinen
wöchentlichen Besuch nicht kriegst. Wie Morty mir erklärte,
müsste ich nur zu dem Schreibtisch vorn gehen und deinen
Namen nennen. Nachdem du mich für unbedenklich erklärt
hattest, sollte ich in den zweiten Stock raufgehen und in den
Korridoren rumlaufen, bis du mich gefunden hättest – er hat
gesagt, du hast einen so engen Stundenplan, dass du keine genauen Zeiten einhalten kannst – präsidialen Scheiß und so weiter. Als ich das hörte, hätte ich gleich wissen müssen, dass die
Kacke am Dampfen war.«

»Was ist mit der Person, die für dich die Unbedenklichkeits-
erklärung abgab? Wer war das?«

»Ich hab gedacht, du bist es gewesen.«

»Ich war es nicht!«, betone ich. »Man hat am Telefon nur meinen Namen benutzt …«

»Entspann dich, Kleiner – ich gebe nur wieder, was passiert ist. Ich sagte dem Wachmann, dass wir eine Unterredung hätten und deshalb ein Gästepass für mich deponiert sei. Im Rückblick war das offensichtlich nicht meine beste Stunde.«

Ich nicke und denke plötzlich an meinen Dad. »Du hast also eine ganze Stunde damit verbracht, im Korridor deine Runden zu drehen?«

»Dafür war ich bezahlt worden. Als du nicht aufgekreuzt bist, bin ich wieder gegangen. Als Nächstes hör ich dann, dass diese Caroline tot ist und dass das FBI in meiner Gegend rumschnüffelt und meine Nachbarn belästigt. Meine Cousine von gegenüber sagt, sie hätten zwei Namen erwähnt – den der Frau, die eben gestorben war, und den irgendeines Idioten namens Michael Garrick. Sobald ich das hörte, war ich weg – es hat geradezu galaktisch nach Scheiße gerochen.«

Ich beschatte die Augen mit der Hand, massiere mir die Schläfen und lasse alles in mich eindringen. Es war nicht Vaughn, den ich mit Simon in der Bar gesehen habe, es muss dieser Morty gewesen sein. Mit ihm hat Simon gearbeitet.

»Du hast wirklich gedacht, ich hätte sie umgebracht, nicht wahr?«, fragt Vaughn.

Ich bleibe stumm.

»Is' schon okay«, sagt er. »Ich bin nicht beleidigt. Hab ja dasselbe von dir gedacht.«

»Was?«

»Du hast mich gehört. Ich hab gedacht, du und Morty, ihr hättet das eingefädelt. Ich geh rein – du bringst Caroline um … und ich bin der Prügelknabe.«

Am liebsten würde ich lachen. »Ich hab dir schon gesagt, ich habe niemand getötet. Du hast alles durcheinandergebracht.«

»Warum buchstabierst du's dann nicht für mich?«

Ich denke eine Sekunde darüber nach, entschließe mich dann jedoch, nicht zu antworten.

»Du solltest mich lieber nicht reizen«, sagt Vaughn. »Hast du dir das im Ernst so vorgestellt? Du kannst meine Seite hören, aber ich die deine nicht?«

Wieder bleibe ich still.

»Hör zu, Garrick, meine Jungs sind ein galaktisches Risiko eingegangen, um an dich ranzukommen – darum solltest du mir wenigstens sagen, wie du in die Sache reingeraten bist.«

»Warum? Damit du es gegen mich verwenden kannst? Nichts für ungut, aber für eine Woche habe ich genug Dämlichkeit erlebt.«

»Bist du noch immer damit zugange? Denn wenn das der Fall ist, fängt deine Dämlichkeit eben erst an.«

»Was soll denn das heißen?«

»Du hast das große Gehirn – benutz es. Warum hätte ich so viel Zeit aufgewendet, dir auf die Spur zu kommen, wenn ich der durch und durch miese Kerl wäre?«

»Machst du Witze? Um mir die Schuld in die Schuhe zu schieben, natürlich.«

Er schaut sich in dem leeren Korridor um, in dem wir stehen. »Siehst du hier jemanden, der dir die Schuld in die Schuhe schieben will?«

»Das beweist gar nichts.«

»Okay, du willst also einen Beweis. Wie war's damit? Wenn ich ins OEOB gekommen wäre, um jemanden umzubringen, wäre ich dann wohl idiotisch genug gewesen, meinen richtigen Namen zu nennen?«

»Für einen Drogendeal hast du ihn genannt, oder?«

Er verdreht die Augen. »Das ist was anderes, das weißt du.«

»Nicht für mich ...«

»Bleib mir mit diesem legalen Scheiß vom Leib!«, schreit er, wütend über meine herausfordernde Antwort. »Wenn ich jemanden plattmachen will, dann mache ich ihn platt. Das gehört zum Job. Aber ich sag dir jetzt und hier, diesen Mord hab ich nicht begangen.«

»Und das soll mich überzeugen?«

»Was, zum Teufel, willst du sonst noch …?« Er unterbricht sich und presst die Kiefer zusammen. Mindestens eine ganze Minute steht er da und schmort. Sucht nach einer überzeugenden Erklärung. Schließlich blickt er auf. »Beantworte mir das, Kleiner: Wenn ich sie umgebracht hätte und es dir in die Schuhe schieben wollte, warum sollte ich meinen Namen mit dem einzigen Typen zusammenspannen, der anfängt, wie der Hauptverdächtige auszusehen?«

Da ist sie, die Frage, die mich hierhergeführt hat. »Ich warte – oh yeah –, steh einfach nur hier rum und warte.«

Das Problem ist, dass ich trotz der neuen Informationen keine einzige gute Antwort finde.

»Du weißt, ich bin auf dem richtigen Weg. Du weißt es.«

Wieder bleibe ich ihm die Antwort schuldig.

»Erzähl mir, was passiert ist – ich komme bestimmt dahinter, was los ist«, bietet er mir plötzlich freundlich an. »Hatte es etwas mit diesem Simon zu tun? Weil – wer es auch war – sie haben ihre Scheiße gekannt und gewusst, wem sie sie anhängen wollten. Uns beiden.«

Ich sehe mir Vaughn noch einmal genau an. Der Mann ist gerissen, und obwohl ich es nur ungern zugebe – er könnte recht haben. »Wenn ich es dir erzähle …«

»Wem sollte ich es wohl weitersagen? Der Polizei? Mach dir nicht ins Hemd – deine Geheimnisse sind sicher.«

»Ja, vielleicht.« Ich setze alles auf eine Karte und berichte ihm in den nächsten zehn Minuten, was geschehen ist, wie ich Simon in der Bar entdeckt und das Geld gefunden habe und dass Adenauer mir bis Freitag einen letzten Termin gesetzt hat. Nora lasse ich aus allem raus. Als ich geendet habe, stößt Vaughn ein tiefes, donnerndes Lachen aus.

»Verdammt, Junge«, sagt er und bedeckt seine schimmernden weißen Zähne. »Und da hab ich gedacht, ich sitze in der Scheiße.«

»Es ist nicht komisch – es ist mein Arsch, auf den sie's abgesehen haben.«

»Der meine auch«, sagt er. »Der meine auch.«

Damit trifft er den Nagel auf den Kopf. Seit einer Woche hatte ich angenommen, Vaughn sei das fehlende Teilchen. Dass alles einen Sinn ergeben würde, wenn wir uns endlich träfen. Aber nachdem ich mir seine Geschichte angehört habe … Ich kann mir nicht helfen, aber mich überkommt das Gefühl, ich bin wieder da, wo ich angefangen habe.

»Also, was machen wir jetzt?«, fragt er.

Mir ist bewusst, dass ich weniger als achtundvierzig Stunden habe, ehe alles publik wird. Ich lehne mich wieder an die Mauer und spüre abermals, wie ich zu Boden gleite. »Ich habe keine Ahnung.«

»Nö-ö, so geht das nicht«, sagt er, sieht mich an und weiß, was in mir vorgeht. »Du kannst es dir nicht leisten, jetzt zusammenzubrechen.«

Er hat recht. Reiß dich zusammen. Ich stoße mich von der Wand ab und taste herum; irgendwo muss ich den Fuß in die Tür bekommen. Irgendwo muss ein Spalt sein.

»Was ist mit deinem Kumpel Morty? Er ist derjenige, der uns da reingeritten hat.«

»Morty war in letzter Zeit nicht sehr gesprächig.«

»Wie meinst du das?«

»Seine Nachbarn haben es vergangene Woche gerochen. Als der Hausverwalter die Tür eintrat, haben sie Morty mit dem Gesicht nach unten auf seinem weißen Zottelteppich gefunden. Die Kehle mit einer Klaviersaite aufgeschlitzt.«

Ich sehe Vaughn nervös an. »Du hast doch nicht …«

»Hältst du mich für ein solches Arschloch?«

»Ich hab nicht gemeint …«

»Natürlich hast du – der Gedanke hat dich wie 'n Blitz getroffen. *Klar, der ist dämlich genug, diesen Trick mit der Klaviersaite ein zweites Mal anzuwenden.* Als wär ich ein dussliges Stück Straßendreck unter deinen Ivy-League-Sohlen.«

»Ich war an einer staatlichen Schule.«

»Mir egal, wo du warst«, schießt er zurück. »Im Gegensatz zu dir schert mich das wenig.«

»Was willst du …«

»Ich habe mich nach dir erkundigt, Michael – vergiss nicht, woher du kommst.«

»Ich weiß nicht, worüber du sprichst.«

»Ich hab dir von deinem ersten Wort an zugehört.«

»Du hast mir eine Pistole an den Kopf gehalten.«

»Ich hab dich weder über Simon ausgequetscht noch über Caroline ausgefragt. Hab nur kurz in deine verängstigten Augen geschaut und gewusst, du sagst die Wahrheit. Ich mag zwar keiner deiner superintelligenten Kumpel sein – aber wenn ich verrückt genug bin, mir reinzuziehn, was du mir verkaufst, erwarte ich, dass du dich revanchierst und im Zweifelsfall zu meinen Gunsten entscheidest.«

»Ich habe nicht versucht, über dich zu urteilen, Vaughn, es ist nur die Art, wie du …« Ich unterbreche mich. Einmal im Fettnäpfchen reicht mir. »Warum versuchen wir nicht rauszufinden, was geschehen ist?«

»Yeah … Richtig.« Er wendet sich ab und schiebt die Hände in die Taschen. Und in diesem Moment begreife ich plötzlich, was er denkt. Es steht nicht in seinen Augen. Man erkennt es an seiner schlaffen Haltung und an den zusammengepressten Kiefern. Er würde es nie sagen – er muss an seine Rolle als knallharter Typ denken. Aber ich habe in letzter Zeit genug Angst gesehen und durchschaue ihn. Wenn sie ihn schnappen, werden sie auf ihm herumtrampeln, das weiß er. Er hat keinen gerissenen Anwalt, der ihn beschützt. Er hat nichts als das zerknitterte Hemd, das er am Leib trägt.

»Und wo bleiben wir dabei?«

»Mit meinem kleinen Stinkefinger im Auge von dem, der das gemacht hat, wer es auch war. Sobald wir diesen Miesling finden, gebe ich ihnen …«

»… den garantierten Beweis, dass du der Killer bist, für den sie dich halten? Nimm's mir nicht übel, aber gönn dir eine Verschnaufpause. Wir brauchen bessere Beweise«, knurre ich.

»Wo war eigentlich dieser Simon, als Caroline den Löffel abgegeben hat? Sind da irgendwelche Löcher?«

Die Frage überrascht mich. »Sein Alibi? Ich – ich weiß nicht.«

»Wie meinst du das, du weißt es nicht?«

»Ich habe mir nie die Mühe gemacht, zu fragen. Bis jetzt dachte ich doch, du wärst der Mörder. Ich hab gemeint, Simon hätte es ausgeheckt und hätte dich die Drecksarbeit machen lassen.«

»Aber wenn ich's nicht war …«

»Das ist keine schlechte Idee«, sage ich aufgeregt. »Wir sollten herausfinden, wo er war.«

»Und mit wem zusammen.«

»Du denkst, jemand hat ihm geholfen?«, frage ich.

»Weiß ich nicht. Aber woher sollte Mr. Anwalt-des-Präsidenten seine hiesigen Drogendealer kennen?«

Darauf gibt es eine einfache Antwort, aber ich will sie nicht glauben. Trotzdem kann ich nicht so tun, als gebe es diese Erklärung nicht. Im Hintergrund wird die Musik lauter. Der Film geht zu Ende, ich habe nicht mehr viel Zeit. Ich drehe mich zu Vaughn um, bevor ich es mir selbst ausreden kann. »Darf ich dich zu einem Thema was fragen, das nichts damit zu tun hat?«

»Schieß los.«

»Hast du jemals einem Mitglied der Präsidentenfamilie Drogen verkauft?«

Er hebt eine Braue gerade hoch genug, um mich zu beunruhigen. »Warum?«

Schon weiß ich, dass ich in Schwierigkeiten bin. »Beantworte nur meine Frage.«

»Persönlich bin ich Nora nie begegnet, aber ich habe gehört, was man so über sie flüstert. Soll 'ne verrückte kleine Schlampe sein.«

Unter der Metalltür wird es hell; im Kinosaal sind die Lichter angegangen.

»Das ist unser Stichwort«, sagt Vaughn. »Raus mit den Massen.« Während wir auf die Tür zusteuern, fügt er hinzu: »Du meinst, dass sie bei der Sache irgendwie mitspielt?«

»Nein. Nein, durchaus nicht.«

Er nickt. Aus irgendeinem Grund lässt er mir das durchgehen. Als er vor mir hermarschiert, fällt mir sein gockelhaft stolzierender Gang auf.

»Du denkst wirklich, wir haben eine Chance?«, frage ich.

»Glaub mir, die großen Jungs spielen nicht gern *Rock'em-sock-'em**. Haben viel zu viel Angst, das Gesicht zu verlieren.«

»Und wir nicht?«

»Nicht mehr. Sie sind es, die etwas zu verlieren haben.« Er geht schneller und fügt hinzu: »Das ist genauso wie bei einem rivalisierenden Krieg von Drogendealern oder Gangs um Gebietsgrenzen – willst du gewinnen, musst du kämpfen.«

Ich straffe die Schultern und strecke die Brust heraus. Schon viel zu lange habe ich mir alles gefallen lassen, ohne mich zu wehren.

»Die arschkriecherischen Bürokraten denken, sie können mich auf die Straße schmeißen«, fügt Vaughn hinzu, als wir das Kino betreten. »Es ist so, wie mein Granddad immer sagte: Wenn du auf den König schießen willst, bring ihn am besten gleich um.«

»Wie meinen Sie das, ich soll es beweisen?«, frage ich am späten Donnerstagnachmittag.

»Genau so, wie ich es gesagt habe«, erklärt mir der Detective am anderen Ende der Leitung. »Zeigen Sie mir eine Quittung,

---

* Rock-'em-sock-'em Robot. Kampfspiel auf der Playstation.

einen Bankauszug, ein Aktienzertifikat – irgendetwas, das beweist, dass das Geld Ihnen gehört.«

»Das habe ich schon mit dem Cop durchgehechelt, der es beschlagnahmt hat. Es sind meine persönlichen Ersparnisse – für die habe ich keine Quittung.«

»Sie sollten aber eine finden. Sonst ist das Geld futsch.«

Er ist so kurz angebunden, dass ich daraus schließe, dies ist einer von ein paar hundert Fällen, mit denen er am liebsten nichts zu tun hätte. Was bedeutet, dass mir von dieser Seite her mindestens eine Woche lang nichts droht, wenn ich ihn ein paar Tage hinhalten kann. »Jetzt, da ich darüber nachdenke, gibt es für mich vielleicht doch eine Möglichkeit, den Beweis zu führen.«

»Warum überrascht mich das nicht?«

»Ich muss nur meine Unterlagen durchsehen«, sage ich, als Trey hereinkommt. »Ich rufe Sie nächste Woche an.

»Wie steht es mit der Hinhaltetaktik?«, fragt Trey, als ich auflege.

»Das ist keine Hinhaltetaktik. Ich schinde ein bisschen Zeit. Ein großer Unterschied.«

»Das kannst du Nixon erzählen.«

»Was soll ich deiner Meinung nach tun, Trey? Da ist einerseits Inez, die die Leute für Storys bezahlt, andrerseits das FBI, das mir droht, mich morgen an die Öffentlichkeit zu zerren. Wenn man mich mit dem Geld festnagelt – ich stecke zwischen einem Drogendealer und Nora wie zwischen Baum und Borke. Sie werden mich zusammen mit Simons Version der Story begraben.«

»Und Noras Version? Vergiss nicht, dass ihr euch getrennt habt, nachdem ihr den Secret Service abgeschüttelt hattet. Deshalb ist sie an diesem Abend allein nach Hause gekommen.«

Ich brenne ihm meinen zornigsten Blick in die Stirn.

Auch wenn ich weiß, dass er mir nur zu helfen versucht, das ist nicht die richtige Zeit dafür. »Erzähl mir nur, was Simons Sekretärin gesagt hat.«

»Noch mehr schlechte Neuigkeiten. Ihrem Terminkalender nach hat Simon an dem Tag, an dem Caroline starb, nach der Stabssitzung den Rest des Vormittags im Oval verbracht.« Er spürt meine Reaktion und fügt hinzu: »Ich weiß. Selbst wenn man wollte, ein besseres Alibi könnte es nicht geben.«

»Das ist nicht möglich! Gibt es keine Möglichkeit, es zu überprüfen?«

»Ich verstehe nicht ganz, was du meinst.«

»Nur weil Judy sagt, er war im Oval, heißt das noch lange nicht, dass er tatsächlich dort war. Ich meine, als ich meinen Termin hatte, habe ich zwanzig Minuten herumgestanden, bevor ich hineingebeten wurde.«

»Ich kann die Sekretärin des Präsidenten anrufen«, schlägt Trey vor. »Als ›Pförtnerin‹ führt sie genau Buch darüber, wann die Leute reingehen.«

»Ich erinnere mich, dass sie sich etwas notiert hat, als ich aufgerufen wurde.«

»Dann wird es das Beste sein, ich überprüfe es.« Um keine Zeit zu verlieren, greift Trey nach meinem Telefon, das jedoch zu läuten anfängt, als er abnehmen will.

Ich sehe mir die Anrufer-ID an. Ruf von extern. Ich setze auf Lamb. Er hat gesagt, dass er vielleicht etwas hat.

»Ich müsste das entgegennehmen«, sage ich.

»Gibt es hier ein anderes Telefon, von dem aus ich Barbara anrufen kann?«

»Im Vorzimmer«, sage ich und zeige auf den kleinen Schreibtisch, den Pam benutzt hat. Dann nehme ich mein Gespräch entgegen. »Michael hier.«

»Michael, hier spricht Lawrence.«

Mit den Lippen forme ich lautlos ›Lamb‹. Trey nickt und geht zum Apparat im Vorzimmer.

»Haben Sie etwas herausgefunden?«, frage ich Lamb.

»Ich habe mit dem FBI gesprochen«, beginnt er in seiner langsamen, methodischen Sprechweise. »Ich kann die Wäschestärke in seinem Hemd mit den Umschlagmanschetten praktisch rascheln hören. »Sie wollen die Liste der letzten fünf Akten noch immer nicht herausgeben ...«

Mein ganzer Körper sackt zusammen.

»Allerdings«, fährt er fort, »ich habe ihnen gesagt, wir hätten ein paar Sicherheitsprobleme bei der Zuweisung neuer Fälle und wären daher dankbar für eine Liste aller Leute, deren Akten Caroline in ihrem Büro hatte. Wie wir es besprochen haben, denke ich, ist das der beste Weg, herauszubekommen, wen sie erpresst hat – und wer daher sonst noch daran interessiert gewesen sein könnte, sie zu töten.«

»Und sind sie Ihnen entgegengekommen?«

»Sie haben mir die Liste gegeben.«

»Das ist großartig«, sage ich, und meine Stimme überschlägt sich.

»Das ist es«, antwortet Lamb. Sogar bei einem Erfolg ist er zu vorsichtig, um aufgeregt zu sein. »Die beiden ersten Namen waren genau die von uns erwarteten. Sie hatte Ihre Akte und die von Simon.«

»Ich habe es gewusst. Ich habe Ihnen gesagt, dass er ...«

»Aber es war der dritte Name auf der Liste, der mich total überrascht hat.«

»Der Dritte? Wer ist es?«

Er will antworten, als ich das laute Beep höre, mit dem sich jemand in die Leitung einschaltet. Aufblickend sehe ich, dass Trey im Vorzimmer eine Telefonnummer eingibt. »Uuups, Entschuldigung«, sagt er, und seine Stimme kommt durch den Hörer meines Telefons. Erstaunt blicke ich auf. Das Telefon im Vorzimmer sollte auf einer anderen Leitung sein.

»Michael, ist alles okay?«, fragt Lamb.

»Ja, ich habe mich nur auf das Tastenfeld gelehnt.« Ich bemühe mich, konzentriert zu bleiben, muss aber ständig daran denken, dass man das Telefon im Vorzimmer benutzt haben könnte, um meine Gespräche abzuhören.

»Zurück zu Carolines Akten«, beginnt Lamb. »Der dritte Name auf der Liste ...«

Es gibt nur eine Person, die dieses Telefon benutzt. Ein scharfer Schmerz fährt mir in den Nacken. Meine Beine sind schon taub. Bitte lass es nicht sie sein.

Lambs Stimme bestätigt meine Furcht so eindeutig wie möglich. »Die letzte Akte war die von – Pam Cooper.«

SECHSUNDZWANZIGSTES KAPITEL

»Was hat er gesagt?«, fragt Trey, nachdem ich aufgelegt habe.

»Ich glaub's nicht«, antworte ich, in meinem Sessel zusammensinkend.

»Was? Sag's mir.«

»Du hast ihn gehört. Wir waren alle auf derselben Leitung.«

»Ich meine, nachdem ich aufgelegt hatte.«

»Was gibt es da noch zu sagen? Caroline hatte Pams Akte.«

»Das glaube ich nicht.«

»Glaubst du, ich hab mir das ausgedacht?«

»Du nicht, vielleicht er ... Hat er gesagt, was drinsteht?«

Ich kann nur noch den Kopf schütteln. »Das FBI wollte die Akten nicht rausrücken. Nur die Namen der Leute.«

»Du denkst wirklich, Caroline hat Pam erpresst?«

»Kannst du dir einen anderen Grund vorstellen, warum Caroline ihre Akte gebraucht hätte?«

»Wie, wenn Pam mit einer Ethik-Frage befasst gewesen wäre? Hat sich Caroline nicht auch darum gekümmert?«

»Es ist egal, was sie gemacht hat – du hast das Telefon gesehen – Pam hat meine Gespräche abgehört.«

»Nur weil ihr beide auf einer Leitung wart, heißt das nicht ...«

»Trey, in der ganzen Zeit, in der wir uns dieses Büro geteilt haben, hat Pam nicht ein einziges Mal das Telefon im Vorzimmer benutzt. Und genau dann, als man anfängt, mich mit dem Mord an Caroline in Verbindung zu bringen, sitzt sie die ganze Zeit dran.«

»Aber glaubst du nicht, du hättest es inzwischen mitgekriegt, wenn sie dich wirklich abgehört hätte?«

»Nicht, wenn sie die entsprechende Taste gedrückt hält. Dann wäre es ihr möglich gewesen abzunehmen, und ich hätte keinen Ton gehört.« Ich springe auf und laufe zur Tür. »Ich wette, sie hat sogar das Klingelzeichen abgestellt, damit ich nicht mitbekam, wenn jemand …«

»Es ist abgestellt«, flüstert Trey und wendet sich ab.

»Was?«

»Ich hab's gecheckt, als ich auflegte. Das Klingelzeichen ist ausgeschaltet.«

»Hoffentlich bringt das was!«, ruft Nora, in mein Büro stürmend. Sie rennt an der Couch vorbei, aber ich lasse noch immer nicht die Tür aus den Augen.

Sie braucht nicht einmal zu fragen – sie weiß, wonach ich Ausschau halte. Nach dem Service.

»Sie kommen nicht«, sagt sie.

»Bist du sicher?«

»Was denkst du?«

»Also sind sie …«

»Sie folgen mir nur, wenn ich das Grundstück verlasse. Hier drin lassen Sie mich …« Sie verstummt, hat etwas über dem Kamin entdeckt. Die Ego-Wand. Verdammt. Schnurstracks geht sie auf das Foto zu, auf dem ich und ihr Dad zu sehen sind. Es ist das Gleiche, das ich meinem Dad gegeben habe, aber dieses ist signiert.

»Was gibt's?«, frage ich.

Sie betrachtet das Foto, antwortet nicht.

»Nora, kannst du nicht …«

»Er muss sehr gut gelaunt gewesen sein … Die Unterschrift ist echt.«

»Ich bin begeistert – kannst du jetzt eine Sekunde aufhören?«
Meine Bitte ignorierend, ist sie viel zu sehr damit beschäftigt, sich in meinem Büro umzusehen. Das Verrückte ist, dass eine fremde Umgebung die meisten Menschen einschüchtert. Nora nicht, sie blüht auf. »Also hier geschieht alles, wie? Hier reißt du dir den Arsch auf für eine Unterschrift auf einem Hochglanzfoto …«

»*Nora!*«

Grinsend blickt sie auf, genießt meinen Ausbruch. »Ich zieh dich doch nur auf, Michael.«

»Das ist nicht die richtige Zeit.«

Sie kennt diesen Ton. »Hör zu, es tut mir leid … Sag mir nur, um was es geht. Wo brennt es?«

Rasch berichte ich ihr alles, was mit Pam und den Akten passiert ist. Wie immer ist sie mit ihrem Urteil schnell bei der Hand.

»Ich habe es dir gesagt«, erklärt sie und lässt sich auf der Schreibtischkante nieder. »Ich hab's dir gleich gesagt. So ist es hier nun einmal. Hier gibt es nur Rivalität.«

»Das hat mit Rivalität nichts zu tun.«

»Dann ignorierst du jetzt also die Tatsache, dass Carolines Tod eine Riesenbeförderung für Pam mit sich gebracht hat?«

»Das ist doch nur vorläufig. Nach der Wahl wird jemand Neues eingestellt.«

»Du denkst also, sie wurde erpresst? Dass sie Caroline umbrachte, um zu vertuschen, was in ihrer Akte steht?«

Ich antworte nicht.

»Gib dem Hund einen Knochen«, sagt Nora. »Und vergessen wir nicht Vaughns Akte. Hat Pam dir nicht versprochen, sie werde sie dir besorgen? Soweit ich weiß, hast du sie noch immer nicht.«

»Ich brauche sie nicht. Lamb hat mir die nötigen Hinweise gegeben; Vaughn hat mir den Rest erzählt.«

»Das ändert nichts an den Tatsachen. Pam hat es versprochen. Getan hat sie nichts.«

»Könntest du das bitte lassen?«

Sie schlägt die Beine übereinander und schüttelt den Kopf. »Wenn du sie beschuldigst, ist das also in Ordnung. Wenn ich es tue, ist es schlecht. Läuft das so …?«

»Ich möchte nicht darüber reden«, unterbreche ich sie, lauter werdend. Ein paar Sekunden sitzen wir verlegen schweigend da. Ich betrachte den Umschlag, der auf ihren Knien liegt. Endlich sage ich: »Hast du die Information bekommen?«

»Was glaubst du?«, fragt sie und lässt den Umschlag an ihren Fingerspitzen baumeln.

Ich schnappe ihn mir und reiße ihn auf. Er enthält eine vierseitige Kopie aus dem Terminkalender des Oval Office. Als Trey um dieselbe Information gebeten hatte, zog er eine Niete. Unbeirrt haben wir größeres Geschütz in Stellung gebracht. Zehn Minuten später war Barbara nur allzu glücklich, Noras Bitte zu erfüllen.

»Was hast du ihr gesagt?«, frage ich, in den Seiten blätternd.

»Ich habe ihr gesagt, wir denken, Simon sei ein Mörder und wir wollten wissen, ob er wirklich im Oval Office war, als Caroline starb.«

»Das ist herrlich.«

»Ich brauchte überhaupt nichts zu sagen – hab ihr nur erklärt, es sei privat. Bevor ich noch ein weiteres Wort über die Lippen brachte, hatte ich die Kopien in der Hand.«

Die vier Seiten decken die vier Stunden von acht Uhr morgens bis zum Mittag von Carolines Todestag ab. Eine Seite für jede Stunde. Wenn man sie so ansieht, sind sie ein wahrer Marathon.

8.06 – Terrill geht hinein; 8.09 – Pratt geht hinein; 8.10 McNider geht hinein; 8.16 – Terrill kommt heraus; 8.19 – Pratt und McNider kommen heraus; 8.20 bis 8.28 Telefongespräche; 8.29 – Alan S. geht hinein; 8.41 – Alan S. kommt heraus. So geht es den ganzen Vormittag. Hartson muss nirgends hingehen; sie kommen alle zu ihm.

Zur nächsten Seite blätternd, finde ich schnell, was ich suche. *9.27 – Simon geht hinein.*

Ich fahre mit dem Zeigefinger die restliche Seite hinunter, suche die Eintragung, die mir sagt, wann Simon das Oval Office wieder verlassen hat. Mir wird das Herz schwer, als ich sie finde. *10.32 – Simon kommt heraus.* Verdammt. Ich habe die Leiche nicht später als um 10 Uhr 30 gefunden. Das bedeutet, er hat es. Das perfekt Alibi.

Nora sieht mich traurig an. »Tut mir leid«, sagt sie. Als ich nicht antworte, fragt sie hastig: »Obwohl das verdammt höllisch auf Pam hinweist, findest du nicht?«

»Kannst du nicht ein einziges Mal im Leben den Mund halten?«

Das gefällt ihr gar nicht. »Hör zu, Archie, nur weil Betty dich vergackeiert hat, heißt das nicht, dass du dich gegen Veronica scheiße benehmen darfst.« Bevor ich reagieren kann, ist sie schon unterwegs zur Tür.

»Nora, tut mir leid, dass ich dich angefaucht habe.«

Sie bleibt ungerührt.

»Bitte, Veronica, geh nicht. Ich kann doch nicht ohne dich.«

Sie bleibt stehen wie angewurzelt.

»Meinst du das wirklich?«, fragt sie überraschend ernst.

Ich nicke. »Ich könnte deine Hilfe wirklich brauchen.«

Zögernd kommt sie zum Schreibtisch zurück. Sie streicht mit den Fingern über die fotokopierten Seiten, studiert sie und sagt schließlich: »Hast du eine Ahnung, warum sie sich getroffen haben? Eine Stunde ist eine sehr lange Zeit für das Oval Office.«

Ich lächle dankbar. »Ich habe im alten Arbeitsplan nachgesehen – die ersten zwanzig Minuten waren für das Briefing einiger Leute vom Nationalen Sicherheitsdienst bestimmt. Die letzten vierzig waren als Zeremonie für ein paar große Tiere der höheren Anwaltschaft vorgesehen. Wahrscheinlich eine Art *Schmoozefest* für große Spender. Zeig ihnen das Oval, schick ihnen ein Bild mit Autogramm; und eine Woche später bitte sie um eine Spende.«

»Was es auch war, Simon war eine Stunde lang beschäftigt.«

»Ich weiß nicht. Es führen viele Türen ins Oval Office. Vielleicht hat Simon sich rausgeschlichen, ohne dass Barbara es mitgekriegt hat.«

»Oder vielleicht hat Pam …« Sie unterbricht sich, hat ihre Lektion gelernt. Auch so weiß sie, was ich denke. »Hast du sie schon danach gefragt?«

»Wen? Pam?«

»Nein, Nancy Reagan. Natürlich Pam.«

»Noch nicht. Ich habe einen Blick in ihr Büro geworfen, doch sie ist nicht da.«

»Dann beweg deinen Arsch und finde sie. Pieps sie an, schick ihr eine E-Mail. Du musst rauskriegen, was los ist.«

»Ich habe alles versucht. Sie antwortet nicht.«

»Ich wette, sie ist auf der Party.«

»Welcher Party?«

»Sechs Uhr im Rosengarten. Für meine Mom. Trey hat sie organisiert.«

Fast hätte ich es vergessen. Heute ist der fünfzigste Geburtstag der First Lady und das Live-Interview bei *Dateline*. »Du denkst wirklich, dass Pam dort sein könnte?«

»Machst du Witze? Jeder wird dort sein, absolut jeder. Pam natürlich auch.« Nora wirft einen Blick auf ihre Uhr und fügt hinzu: »Und ich sollte auch los.«

Sie zögert einen Augenblick. »Ist alles okay?«, frage ich.

»Ja. Alles bestens.«

Ich kenne diesen Ton. »Sag mir, was du denkst, Nora.«

Sie bleibt stumm.

Ich nehme ihre geballte Hand und öffne sie so sanft wie möglich. Das kann nichts mit der Party zu tun haben – solche Inszenierungen bewältigt sie lässig wie ein Profi. »Du bist wegen des Interviews nervös, nicht wahr?«

»Nein, Michael. Ich bin ganz verrückt danach, von diesem ganzen verdammten Land beurteilt zu werden. Ich liebe es, wenn zehntausend Briefe hereinfluten und mir sagen, dass ich nicht genug Make-up aufgetragen habe und mein Lippenstift zerlaufen ist. Und dass es live ausgestrahlt wird. Eine falsche Antwort, und das war's dann. Ich meine, meine Eltern wollten diesen ganzen Scheiß – ich wurde nur hineingeboren.«

Sie hält inne, um Atem zu schöpfen, und ich sage kein Wort. »Bitte, Michael, Sie schicken auch mir die Abstimmungszahlen. Es gibt einen Grund, warum sie die ganze Familie dort haben wollen.«

»Nora, das bedeutet nicht, dass du …«

»Was immer du sagen willst, Romeo, ich habe hundert Millionen Wähler, die nicht deiner Meinung sind. Und jede Stimme zählt.«

»Sie mag zählen, aber sie ist nicht wichtig. Das ist ein Unterschied.«

Sie blickt auf. »Das denkst du wirklich, nicht wahr?«

»Aber natürlich.«

»Ja, nun, so bist du eben.« Mit einem letzten Blick auf ihre Uhr stößt sie sich vom Schreibtisch ab und geht zur Tür. »Tortur oder nicht, ich muss dort sein. Das Pressebüro hat mich ersucht, ein Kleid anzuziehen. Sie haben Glück, wenn ich in der Unterwäsche komme.«

Hurrikan Nora braust aus dem Büro und lässt mich im Kielwasser der Stille allein. Dennoch, ich weiß, wo ich bin. Dort war ich schon oft und oft. Im Dröhnen absoluter Stille. Der Ruhe vor dem Sturm.

»Jemand da?«, rufe ich, als ich das Vorzimmer betrete. Niemand antwortet. Ich klopfe laut an Julians Tür. »Bist du da, Julian?« Noch immer nichts. An Pams Tür klopfe ich sogar noch lauter. »Pam, bist du drin?« Keine Antwort.

Überzeugt, allein zu sein, gehe ich auf die Tür zu, die vom

Vorzimmer in den Korridor führt. Mit einer kurzen, schnellen Drehung des Handgelenks schließe ich das Schloss über dem Türknauf. Laut schnappt der Sicherheitsriegel ein. Zwar haben wir alle drei Schlüssel, aber ein paar Sekunden Verzögerung gäbe es doch.

Als ich zu Pams Büro gehe, sage ich mir, dass dies kein Vertrauensbruch ist – nur eine notwendige Vorsichtsmaßnahme. Das ist nicht allzu rational gedacht, doch mehr habe ich nicht. »Pam, bist du da?«, rufe ich ein letztes Mal. Wieder bleibe ich ohne Antwort. Ich presse die verschwitzte Hand auf den Türknauf und stoße langsam die Bürotür auf. »Pam? Hallo?« Die Tür schlägt dumpf gegen die Wand. In der Luft hängt noch der Duft von Aprikosenshampoo.

Ich brauche nur hineinzugehen. Aber ich kann nicht. Es ist nicht richtig. Das hat Pam nicht verdient. Sie würde nie etwas tun, das mich verletzen könnte. Natürlich, wenn sie … wenn sie erpresst wurde und dann erkannte, dass meine Sache mit Nora ihr ein Alibi gab und einen leichten Ausweg zeigte – dann wäre ich in Schwierigkeiten. Schwierigkeiten, dem Ende meines Lebens gleichzusetzen. Tatsächlich ist das der beste Grund, hineinzugehen. Ich meine, ich will ja nichts wegnehmen. Möchte mich nur umsehen. Caroline hatte Pams Akte, und das bedeutet, dass sie etwas Großes zu verbergen hatte. Ich lasse mein Zögern an der Tür zurück und betrete ihr Büro.

Meine Augen gehen direkt zu der rotweißblauen Fahne über ihrem Schreibtisch. Meinen eigenen Arsch retten. Das ist amerikanische Art.

Auf ihren Schreibtisch zugehend, werfe ich schnell einen Blick zurück ins Vorzimmer. Ich bin noch allein.

Ich drehe mich wieder zum Schreibtisch um und das Herz beginnt mir gegen die Rippen zu hämmern. Die Stille ist überwältigend. Ich höre das Auf und Ab meines mühsamen Atems. Wie der stetige Gezeitenstrom eines Ozeans. Ein – und aus. Genauso wie in der ersten Nacht, in der ich Simon beobachtete.

Auf der anderen Seite des Flurs beginnt mein Telefon zu läuten. In Panik fahre ich herum, denke, es ist jemand an der Tür. Alles ist okay, sage ich mir, während es weiterklingelt. Lass dich nicht ablenken.

Ich versuche systematisch vorzugehen und ignoriere den Aktenstoß auf ihrem Schreibtisch. Sie ist zu schlau, um etwas offen liegen zu lassen. Glücklicherweise gibt es ein paar Dinge, die man nicht verstecken kann. Ich gehe an ihr Telefon, drücke auf die Call-Log-Taste und behalte das Digital-Display im Auge. In einer Sekunde habe ich Namen und Telefonnummern der letzten zweiundzwanzig Leute, die Pam angerufen haben.

Ich sehe die Liste durch, und das Erste, das mir auffällt, ist, wie viele Anrufe sie von extern hat. Entweder wird sie aus vielen Münztelefonen oder von vielen hohen Tieren angerufen. Beides ist nicht gut. Als ich mit der Liste durch bin, habe ich mindestens fünf Leute entdeckt, die ich nicht identifizieren kann. Ich suche nach einem Block und einem Kugelschreiber, um sie mir zu notieren. Aber noch ehe ich zu ihrem Bleistiftbehälter mit der Aufschrift *Frag mich nach meinen Enkelkindern* komme, höre ich in der Haupttür des Vorzimmers einen Schlüssel. Jemand ist dort. So schnell ich kann rase ich aus Pams Büro ins Vorzimmer und erreiche es in dem Moment, in dem die Haupttür aufgeht.

»Was ist los, zum Teufel?«, fragt Julian. »Warum hast du die Tür abgeschlossen?«

»Ni-nichts ist los«, sage ich außer Atem. »Ich räume nur das Vorzimmer auf.«

»Schon kapiert«, sagt er lachend. »Räumst wohl eher dich selber auf.«

Ich weigere mich, einen von Julians ältesten Witzen zur Kenntnis zu nehmen, der *mit sich wohl selber aufräumen* eine verhüllende Umschreibung für masturbieren beinhaltet. Er hat noch einige solcher Euphemismen auf Lager. Ich gebe ihm aber nie zu erkennen, dass ich sie verstehe.

»Hast du Pam gesehen?«, frage ich, nicht in der Stimmung, herumzualbern.

»Ja, sie ist zur Party der First Lady hinübergegangen.«

Ohne ein weiteres Wort steuere ich auf die Tür zu.

»Wohin willst du?«, fragt Julian.

»Mich im Rosengarten umsehen, ich muss mit Pam reden.«

»Davon bin ich überzeugt, Garrick«, sagt er mit einem zweideutigen Zwinkern. »Du tust, was du tun musst.«

»Wie?«

»Musst dich wohl selber im Rosengärtchen Pams umsehen …«

Von meinem Büro zum Rosengarten sind es fünf Minuten zu Fuß. Zwei Minuten, wenn ich renne. Durch den Westflügel sprintend, werfe ich einen Blick auf meine Uhr. Ich bin schon zwanzig Minuten zu spät dran. Doch wenn ich die von der Präsidentenfamilie garantierte Zeitverzögerung hinzurechne, müsste ich eigentlich pünktlich sein. Als ich die Tür zu West Colonnade aufstoße, erwarte ich, eine Menschenmenge zu sehen. Was ich vorfinde, ist ein Mob.

Es müssen mindestens zweihundert Menschen sein, die alle zum Podium am anderen Ende des Rosengartens drängen. Instinktiv fange ich an, nach ID-Dienstmarken zu suchen. Die meisten Leute haben eine orangefarbene – auf das OEOB beschränkt. Einige haben blaue. Und diejenigen, die ihre IDs in den Hemdentaschen verstecken, sind die Internen. Deshalb ist der Garten so voll. Alle sind eingeladen. Das Seltsame ist, sonst machen nicht einmal junge Mitarbeiter so viel Wesens um eine Veranstaltung.

Hinter mir höre ich eine Männerstimme sagen: »Mein Leben lang habe ich schon so Schlange gestanden.«

Ich stelle mich auf die Zehenspitzen und verdrehe den Hals, um über die Menge hinwegschauen zu können. Und da wird mir klar, dass dies keine Standard-Veranstaltung ist. Da der Vorsprung des Präsidenten schrumpft, sind die nächsten Stunden so etwas wie *grand slams*. Zuerst die Familienparty; dann das

Live-Interview. Sie zeigen Amerika ihr absolut schönstes Gesicht – und scheuen dabei weder Kosten noch Mühe.

Neben dem Podium steht das Objekt allgemeiner Aufmerksamkeit: ein riesiger, mit Vanilleeis und Zuckerguss in verschiedenen Farben glasierter Kuchen, auf dessen Oberfläche man das Profil der First Lady modelliert hat. Rechts neben dem Kuchen hält sich hinter einem langen Samtseil das Team von *Dateline* auf, das Material für das Intro von heute Abend sammelt. Vor dem Team stehen zwei Männer mit Kameras. Fotografen des Weißen Hauses. Verdammt, Trey ist skrupellos. Hol dir ein Stück Kuchen; lass dich mit Mickey und Minnie fotografieren. In den letzten Monaten vor der Wahl wollen sie, dass wir alle wie eine einzige Familie aussehen. Familie voran.

Die Fotografen ignorierend, dränge ich mich tiefer in die Menge. Ich muss Pam finden. Mit Ellbogenkraft arbeite ich mich, nach ihren blonden Haaren Ausschau haltend, durch Reihen von Kollegen.

Ohne Vorwarnung wird die Menge laut. Die Beifallrufe beginnen in der ersten Reihe und setzen sich nach hinten fort. Mit einem einzigen Schwung drängt die ganze Gruppe nach vorn. Klatscht. Schreit. Pfeift. Die Präsidentenfamilie ist da.

Mit dem Präsidenten zur Rechten, Nora und Christopher zur Linken begrüßt Susan Hartson die Menge, als sei sie über die zweihundert Leute auf ihrem Rasen erstaunt. Wie immer trennt sie ein Samtseil vom Personal, aber der Präsident schüttelt jede Hand, die darüber gereicht wird. Unter dem marineblauen Anzug, der Standard ist, trägt er ein hellblaues Hemd und eine rotgestreifte Krawatte; er sieht entspannter aus, als ich ihn jemals gesehen habe. Hinter ihm strahlt die First Lady mit angemessener Freude, gefolgt von Christopher, der wie sein Vater ein hellblaues Hemd anhat, aber ohne Krawatte. Nette Idee. Schließlich, als Letzte, Nora in einem geschmackvollen schwarzen Rock. Sie hält ein in rotweißblaues Papier verpacktes Geburtstagsgeschenk in den Händen. Als sie auf das Podium zugehen, fangen drei Fernsehteams, das von *Dateline* inbegriffen, den Augenblick ein. Es ist ein brillantes Ereignis. Alle – der Stab, die Hartsons, wir alle – sind eine große, glückliche Familie. Solange wir auf unserer Seite des Seils bleiben.

Ganz ohne musikalischen Anspruch singt eine Horde Angestellter des Weißen Hauses aus voller Kehle *Happy birthday*. Als wir mit dem Lied fertig sind, habe ich ungefähr ein Viertel der Menge durchpflügt. Noch immer keine Pam.

»Zeit für Geschenke«, verkündet der Präsident. Auf dieses Stichwort steigen Christopher und Nora auf das Podium. Ich bleibe stehen; das will ich sehen.

Mit einem täuschend echten Lächeln steht Nora vor uns. Vor einem Monat hätte ich diesem Lächeln geglaubt. Heute glaube ich ihm nicht mehr. Sie ist unglücklich dort oben.

Christopher streicht sich das dunkle Haar aus den Augen, geht mit dem Stolz des Heranwachsenden auf das Mikrofon zu und stellt es auf seine Größe ein. »Mom, wenn du zu uns kämst …«, sagt er. Als die First Lady näher kommt, beugt Nora sich verlegen zum Mikrofon hinunter. »Das ist ein Geschenk von mir, Chris und Dad«, beginnt sie. »Und da wir nicht wollten, dass du es zurückgibst, haben wir beschlossen, dass ich diejenige sein sollte, die es aussucht.« Die Menge lacht wie das Publikum bei einer Sitcom. »Auf jeden Fall ist es ein Geschenk von uns allen für dich.«

Nora nimmt die rotweißblaue Schachtel, von der ich weiß, dass sie sie nicht verpackt hat, und reicht sie ihrer Mutter. Während die First Lady das Papier entfernt, geschieht etwas. Noras Gesichtsausdruck verändert sich. Ihre Augen tanzen voll nervöser Erregung. Das ist kein Teil des Manuskripts … Jetzt sind sie nicht mehr Nora und die First Lady. Es ist ganz einfach eine Tochter, die ihrer Mom ein Geburtstagsgeschenk überreicht. Und so wie Nora auf den Absätzen wippt, wünscht sie sich nichts mehr auf der Welt, als dass Mom das Geschenk gefällt.

In dem Moment, in dem die Schachtel aufgemacht wird, johlt die Menge ooooh und aaaah. Die Fernsehcrews kommen näher für die Großaufnahme. In der Schachtel liegt ein mit winzigen Saphiren besetztes handgearbeitetes Goldarmband. Mrs. Hartson nimmt es heraus, und ihre erste Reaktion – das Erste, was sie tut – entspringt reinem Instinkt. In Zeitlupe dreht sie sich mit strahlendem Lächeln zur Kamera von *Dateline* um und sagt: »Danke, Nora und Chris. Ich liebe euch.«

Fast anderthalb Stunden später bin ich wieder in meinem Büro und dabei, den nächtlichen Poststapel zu sortieren. Ich habe Pam noch zweimal angepiepst. Sie hat nicht geantwortet. Inzwischen versuche ich die Migräne zu bekämpfen, die in meinem Kopf tobt, öffne die oberste Schreibtischschublade und fahnde in meiner Sammlung von Medikamenten nach Geeignetem. Ich schnappe mir ein Plastikfläschchen Tylenol und mühe mich mit dem kindersicheren Deckel ab. Nicht in der Laune, mir Wasser zu holen, werfe ich den Kopf zurück und schlucke die Tabletten so. Es ist ziemlich mühsam.

»Kommt, ihr Camper, es ist Zeit für ein Liedlein!«, schreit Trey und stößt meine Bürotür mit dem Fuß auf. »Buchstabiere, Annette! Wer ist der Leiter dieses Club, der nur für dich und mich da ist? T-R-E-Y-Y-Y Y-Y-Y-Y!«

»Kommst von den Hinweisen auf Disney nicht los, wie?«

»Nicht wenn sie so gut sind. Und, Junge, waltet in diesem Königreich nicht die reinste Magie? Hast du gesehen, wie gut alles ging? CNN hat schon gesendet. Und noch mehr gibt's in den Nachtsendungen. Nancie sagt Titelseiten voraus. Und in weniger als einer Stunde kommen wir live bei *Dateline*. Kann ich Besseres erwarten? Nein! Nein, Sir, kann ich nicht!«

»Trey, ich bin begeistert, dass du und die Geisterbeschwörer die halbe Nation einer Gehirnwäsche unterziehen konntet, aber bitte ...« Ich starre auf meinen Bleistiftbehälter und verliere mich in Gedanken. Alles ist unwichtig.

»Schau mich nicht so griesgrämig an«, schimpft er und lässt sich vor meinem Schreibtisch nieder. »Was ist los?«

»Es ist nur … Ich weiß nicht. Die ganze Veranstaltung hat bei mir einen schlechten Geschmack im Mund hinterlassen.«

»Das sollte sie – daran erkennt man, dass etwas gut ist! Je mehr Sirup, umso besser. Das schluckt Amerika zum Frühstück.«

»Es waren nicht nur die gefühlstriefenden Teile. Was daraus wurde, hat man gesehen, als sie das Geschenk bekam. Nora hat für ihre Mutter etwas Wunderhübsches. Und was macht die First Lady? Sie dankt der Kamera anstatt ihrer Tochter.«

»Ich schwöre dir, genau da hab ich geheult.«

»Es ist nicht lustig, Trey. Es ist mitleiderregend.«

»Könntest du bitte von deinem hohen Pferd runterkommen? Wir kennen beide den wahren Grund, warum du mies drauf bist.«

»Hör auf mir zu erzählen, wie ich mich fühle. Du bist nicht der Herr meiner Denkprozesse.«

Schweigend lehnt er sich im Sessel zurück und lässt mir eine Minute Zeit, mich zu beruhigen. »Lass es nicht an mir aus, Michael. Es ist nicht meine Schuld, dass du Pam nicht gefunden hast.«

»Oh, also bist nicht du derjenige, der zweihundert Möchtegerne hinter dem mit Vanilleeis glasierten Rattenfänger versammelt hat.«

»Es war keine Glasur, es war Zuckerguss, das ist ein Unterschied.«

»Das ist kein Unterschied.«

»Es könnte einer sein – wir kennen ihn nur nicht.«

»Hör auf rumzuspinnen, Trey! Du kotzt mich langsam an.«

Anstatt zurückzubrüllen, reibt er sich den Kopf. Es ist eine mittlere Reibung, mehr, um sich selbst zurückzuhalten. Ein schlechterer Freund ginge jetzt zur Tür. Trey bleibt da, wo er ist.

Endlich sehe ich ihn über den Schreibtisch hinweg an. »Ich wollte nicht …«

Er senkt den Blick und zieht etwas aus seinem Gürtel. Sein Piepser meldet sich.

»Was Wichtiges?«, frage ich.

»Eine Stunde bis *Dateline* – ich soll rüberkommen, um mir die Durchlaufprobe anzusehen.«

Ich nicke, er steht auf und geht zur Tür.

»Wenn ich zurück bin, setzen wir uns zusammen und denken nach«, bietet er mir an.

»Keine Sorge«, sage ich. »Ich werd schon wieder.«

An der Tür bleibt er stehen und dreht sich um. »Ich habe nie gesagt, dass du's nicht wirst.«

Ich piepse Pam noch zweimal an und gebe ihr eine halbe Stunde, sich zu melden. Sie meldet sich nicht. An diesem Punkt sollte ich Feierabend machen, doch stattdessen schalte ich CNN ein, um mir die Tagesnachrichten anzuschauen. Den ganzen Tag war die Hauptstory das *Dateline*-Interview, doch als das Bild jetzt deutlich wird, sehe ich vor mir einen Clip von Bartletts heutiger Kundgebung. Wo immer sie stattfindet, die Leute sind außer Rand und Band – springen, schreien, kreischen vor Begeisterung und schwenken hausgemachte Plakate. Dann wird eine Schrift eingeblendet. *Miami, Florida*, heißt es da, und ich falle fast aus dem Sessel. Hartsons Heimatstaat. Das ist ein tollkühner Zug von Bartlett, aber er scheint sich auszuzahlen. Nicht nur, dass die Konfrontation bei der Presse Beachtung findet – verglichen mit der letzten Woche ist seine Musik lauter, die Menge größer, und als die Moderatorin sagt: »Und hinterher ist er geblieben und hat noch fast eine Stunde lang Hände geschüttelt«, weiß ich, dass wir in Schwierigkeiten sind. Kandidaten bleiben nur, wenn die Akzeptanz gut ist.

Ich schalte den Fernseher aus und beschließe, in den Dip Room zu gehen, wo jetzt gleich Treys *Dateline-Opus* beginnt. Was immer Bartlett noch vorhat, das Interview heute Abend ist trotzdem das größte Spiel in der Stadt. Warum soll ich es also im Fernsehen anschauen, wenn Trey mich einschleusen und ich es live sehen kann? Außerdem wird Nora nach dem, was heute geschehen ist, jede Unterstützung brauchen.

Vom Westende des Ground Floor Corridors sehe ich, dass ich nicht der Einzige bin, der interessiert ist – schon hat sich eine kleine Schar von Mitarbeitern versammelt. Im Weißen Haus live zu senden, ist keine leichte Aufgabe und so, wie alle herumrennen, fühlt man sich wie im Zirkus. Den Hals reckend schaue ich dem Typen vor mir über die Schulter und werfe einen ersten Blick auf das Set.

Die Tapete – nordamerikanische Landschaften aus dem 19. Jahrhundert – bildet den heimelig-warmen Hintergrund für zwei Sofas und einen antiken Sessel. Aber das kalte Sofa mit der Holzlehne, das sonst im Dip Room steht, haben sie gegen zwei bequeme, üppig gepolsterte Sofas ausgetauscht, die, wenn meine Erinnerung mich nicht täuscht, aus der Residenz im zweiten Stock stammen. Es soll wie bei einer richtigen Familie aussehen. Niemand – nicht die Eltern, nicht die Kinder – sitzt allein.

Um das provisorische Wohnzimmer herum sind in einem weiten Halbkreis fünf Kameras aufgebaut. Hinter den Kameras auf der anderen Seite der unzähligen schwarzen Kabel, die im Zickzack den Boden bedecken, unterhalten sich der Präsident und Mrs. Hartson mit Samantha Stulberg und einer eleganten schwarz gekleideten Frau Ende dreißig, die einen Kopfhörer trägt. Die Produzentin. Hartson lacht herzlich – er äußert als letzte Bitte, man möge das Interview mit Weichzeichner aufnehmen. Ich werfe einen Blick auf meine Uhr und stelle fest, dass sie bis zur Sendung noch ganze zehn Minuten haben. Die Sache ist wichtig für ihn. Wäre sie es nicht, wäre er so früh noch nicht hier unten.

Im Hintergrund, mitten unter den Tonleuten, Kameramännern und Visagisten entdecke ich Trey. Ängstlich und fast panisch aussehend, geht er zu Noras Bruder Christopher hinüber, der seinen Platz auf dem Sofa eingenommen hat. Doch erst als

Trey ihm etwas ins Ohr flüstert, trifft es mich wie ein Schlag. Der Präsident, Mrs. Hartson, Christopher, ihr Stab, das Fernsehteam, die Produzentin, die Interviewerin, die Satellitenexperten ... Alle sind hier. Alle, nur Nora nicht.

Als er mit Christopher fertig ist, geht Trey übertrieben vorsichtig auf Zehenspitzen hinter die First Lady und tippt ihr auf die Schulter. Da er sie beiseite zieht, kann ich nicht hören, was er sagt. Doch das Gesicht der First Lady verrät alles. Für einen winzigen, kaum merklichen Sekundenbruchteil wird sie feuerrot vor Zorn, dann – ebenso schnell – kehrt ihr Lächeln zurück. Sie weiß, dass die Kameras auf sie gerichtet sind; auch die Handkamera eines Typen, der für die Lokalnachrichten filmt. Sie muss *cool* bleiben. Trotzdem lese ich ihr von den Lippen ab, als sie grollend sagt: »Suchen Sie sie.«

Den Kopf hoch haltend, verlässt Trey langsam den Raum, schiebt sich an uns vorbei. Kaum jemand beachtet ihn – alle beobachten POTUS – doch sobald Trey mich sieht, wirft er mir diesen Blick zu. Den Blick, der besagt: meine Angst ist so groß, dass ich bestimmt impotent werde. Ich verlasse meinen Platz in der Menge und gehe hinter ihm her. Er läuft immer schneller.

»Bitte sag mir, dass du weißt, wo sie ist«, flüstert er, noch immer im Eiltempo.

»Wann hast du sie das letzte Mal ...«

»Sie hat gesagt, sie wolle ins Bad. Seither hat sie niemand mehr gesehen.«

»Also ist sie aufs ...«

»Das war vor einer halben Stunde.«

Schweigend sehe ich Trey an. Als wir die Tür zur West Colonnade passieren, fängt er an zu laufen. »Hast du in ihrem Zimmer nachgeschaut?«, frage ich.

»Das hab ich telefonisch gemacht. Der Wachmann beim Lift hat gesagt, sie ist nicht hinaufgegangen.«

»Was ist mit dem Service? Hast du ihn verständigt?«

»Michael, ich versuche ein fünfzehn Mann starkes *Dateline-Team* und hundert Millionen Zuschauer zu überzeugen, dass Hartson und seine Familie Ozzie- und Harriet-Klone sind.* Sag ich dem Service Bescheid, gibt es eine Menschenjagd. Außerdem habe ich meinen Freund am Southeast Gate angerufen – er erklärt, dass Nora die Anlage nicht verlassen habe.«

»Was bedeutet, dass sie sich entweder im OEOB oder in den ersten beiden Stockwerken des Weißen Hauses selbst aufhält.«

»Schau einfach nach!«, zischt er. Seine Stirn ist mit Schweißperlen bedeckt.

Im Westflügel flitzt Trey zum Oval. Ich gehe weiter ins OEOB und sehe dabei auf meine Uhr. Noch acht Minuten. »Wie lange dauert die …?«

»Das Intro eine Minute, dreißig Sekunden der Vorspann und zwei Minuten lang kommt Filmmaterial von der Geburtstagsparty.« Seine Stimme zittert. »Michael, du kennst die Zahlen. Wenn das zu einer Krise führt …«

»Wir finden sie«, sage ich und fange an zu laufen. »Ich versprech's.«

SIEBENUNDZWANZIGSTES KAPITEL

Ich reiße die Tür zum Vorzimmer auf, sie knallt gegen die Wand. »Nora? Bist du da?« Keine Antwort.

Und jetzt die Tür zu meinem Büro. »Nora?« Wieder keine Antwort. Ich sehe nach. Couch, Schreibtisch, Kamin, Couch. Nirgends in Sicht. Noch sieben Minuten.

* Ozzie Nelson und seine Frau Harriet haben in den Fünfzigern und Sechzigern ein Programm gestaltet: *Die Abenteuer von Ozzie und Harriet*. Sie boten den Amerikanern das Bild einer absolut perfekten Familie.

Ich wirble herum, rase durch Julians und Pams Büros. »Nora?« Julians Büro ist leer. Auch das von Pam – obwohl bei ihr Licht brennt. Das bedeutet, dass sie noch … Nein, nicht jetzt. Wenn Nora nicht hier und auch nicht oben ist, wo könnte sie … Ja, vielleicht.

Ich laufe hinaus in den Korridor und im Eiltempo durch den Ausgang weiter zum West Exec; dort mit ein paar Sprüngen die Treppe hinunter. Aber nachdem ich mich auf dem Parkplatz an Simons Wagen vorbeigequetscht habe, renne ich nicht zum üblichen Eingang unter der Markise. Stattdessen schlängle ich mich zur Nordseite des Weißen Hauses, am Westflügel entlang, an der Küche vorbei und schlüpfe durch den Lieferanteneingang hinein. Dank meiner blauen ID lässt der Sicherheitsmann mich passieren und ich biege scharf links ab, hinunter zu dem einzigen Ort, an dem wir nie gestört wurden.

Ich greife nach dem Knauf der schweren Metalltür, die, wie ich weiß, abgeschlossen sein soll. Als ich den Knauf drehe, gibt er nach. Die Tür ist offen. Ich stoße sie auf und springe mit einem Satz hinein.

Rasch schweifen meine Augen über die ganze Länge der Bowlingbahn, die Pins, das Gestell mit den Kugeln. »Nora, bist du …«

Das Herz bleibt mir stehen. Ich mache einen Schritt zurück und stoße gegen die Tür. Dort. Auf dem Boden. Hinter dem Tisch des Anschreibers – ihre Beine ragen heraus, und ich sehe den Saum ihres Rocks. Ihr Körper regt sich nicht. O Gott!

»Nora!«

Ich rase um den Tisch herum, falle auf die Knie und nehme sie in die Arme. Aus ihrer Nase rinnen zwei dünne Blutfäden und sammeln sich auf ihrer Oberlippe. Ihr Gesicht ist weiß. »Nora!« Ich hebe ihren Kopf und schüttle sie. Sie stöhnt leise. Meiner Fähigkeiten zur Reanimierung nicht sicher, versetze ich ihr einen Schlag auf die Wange. Wieder. Und wieder. »Nora! Ich bin's!« Wie aus dem Nichts fängt sie an zu lachen – ein dunkles, kleines Kichern, bei dem es mir kalt den Rücken hinunterläuft. Sie schlägt mit den Armen wild durch die Luft, wirft sie über den Kopf und dann kracht ihr Handgelenk auf den polierten Boden. Bevor ich noch ein weiteres Wort sagen kann, verwandelt sich ihr Lachen in einen Husten. Ein nasses, abgehacktes Keuchen, das direkt aus ihren Lungen kommt.

»Komm schon, Nora, reiß dich zusammen.« Verzweifelt packe ich ihre Bluse über der Knopfleiste samt den BH-Trägern und ziehe sie in die Höhe. Sie fällt nach vorn, und wie eine Welle schießt klares Erbrochenes aus ihrem Mund über mein Hemd. Erschrocken lasse ich sie los, aber obwohl ihr Husten lauter wird, ist sie imstande, sich aus eigener Kraft aufzusetzen.

Ich wische die Speisereste von meiner Krawatte und sie blickt mit halb geschlossenen Augen zu mir auf; ihr Hals streckt sich und hängt unkontrolliert durch. Ihr ganzer Körper bewegt sich wie in Zeitlupe.

Sie beginnt zu sprechen, gibt aber nur wirres Zeug von sich. Nur Gemurmel und verwischte Wörter. Langsam kommt es wieder. »Dann ... ich bin nicht ... du musst ... Special K ... Nur 'n bisschen K ...«

Special K. Ketamin. Glückwunsch, *Rolling Stone*. Ich erinnere mich an den Artikel, als hätte ich ihn gestern gelesen. Schnupf es wie Kokain und je nachdem, wie viel du nimmst, bist du zwischen zehn und dreißig Minuten *out*.

»Wie viel hast du genommen, Nora?«

Sie antwortet nicht.

»Wie viel, Nora? Sag's mir!«

Nichts.

»Nora!«

In dem Moment sieht sie mich an, und zum ersten Mal merke ich an ihren Augen, dass sie mich erkennt. Zweimal blinzelnd, legt sie den Kopf auf die Seite. »Haben wir sie hereingelegt?«

»Wie viel hast du genommen?«

Sie schließt die Augen. »Nicht genug.«

Okay, das ist eine Reaktion – sie kommt zurück. Ich werfe einen Blick auf die Uhr – fünf Minuten bis zum Anfang, plus vier Minuten Intro. Ich rase zum Telefon, rufe die Telefonistin an und sage ihr, sie soll Trey mit einer Nachricht anpiepsen. Dann renne ich zu Nora zurück, helfe ihr auf die Beine.

»Lasch mi' in Ruh«, sagt sie und reißt sich los.

Ich packe sie bei den Schultern. »Wehr dich nicht gegen mich! Nicht jetzt!« Sie fällt fast um, und ich schiebe sie in den Sessel beim Tisch des Anschreibers und gebe ihr noch einen Schlag auf die Wange – nicht zu fest – ich will sie nicht verletzen, nur kräftig genug, um …

»Bitte hass mich nicht dafür, Michael. Bitte!«

»Ich will nicht darüber sprechen«, antworte ich heftig.

Auf dem Tisch des Anschreibers sehe ich ihre offene Handtasche. So schnell ich kann, kippe ich den Inhalt aus. Schlüssel, Papiertaschentücher und ein kleiner metallener Lippenstift, der jetzt auf dem leicht schrägen Tisch auf mich zurollt. Ich fange ihn auf, bevor er hinunterfällt. Sieht wie ein Lippenstift aus, aber … Ich ziehe die obere Hälfte der Hülse ab und sehe das weiße Pulver. Wie kann sie gleichzeitig so klug und so dumm sein? Ich finde keine Antwort, schraube das Röhrchen zu und schiebe es in die schmale Rinne, in der die Bleistifte liegen. Im Augenblick gibt es Wichtigeres zu erledigen.

Ich schnappe die Papiertaschentücher, spucke in eins und wische Nora damit das Gesicht ab wie jede Mutter es bei jedem Kind tut. Das Blut aus ihrer Nase ist frisch. Es lässt sich leicht abwischen. Mit der rechten Hand streife ich ihr das Haar aus dem Gesicht, aber es fällt sofort wieder nach vorn. Ich streife es erneut zur Seite und stecke es ihr hinters Ohr. Egal wie, Hauptsache es bleibt. Sobald das Haar aus dem Weg ist, hebe ich ihr Kinn an und bekomme einen besseren Überblick. Mit dem Rand meines Hemdsärmels tupfe ich die letzten Reste von Erbrochenem aus ihren Mundwinkeln. Ihre Lippen sind schlaff nach unten verzogen und daran merke ich, dass sie noch nicht da ist. Ihr übriges Äußeres ist, das stelle ich mit einem prüfenden Blick fest, jetzt recht annehmbar. Sie beugt sich vor, stützt die Ellbogen auf die Knie. Crash-Stellung. Mein Hemd ist noch immer voll von ihrem Erbrochenen. Sie ist sauber. Und *Dateline* wartet.

Ich renne wieder zum Telefon und bitte die Telefonistin noch einmal, Trey anzupiepsen. Sie sagt mir, sie habe die Nachricht durchgegeben, aber er habe sich noch nicht gemeldet. »Nora, steh auf!«, schreie ich, stürze zu ihr, packe sie bei den Handgelenken und versuche sie in die Höhe zu ziehen. Sie hilft mir nicht; will nur sitzen bleiben. »Los, komm schon!«, schreie ich und ziehe fester. »Steh auf!« Sie rührt sich nicht.

Ich gehe um den Tisch des Anschreibers herum, werfe mir meine Krawatte über die Schulter und schiebe Nora die Arme unter die Achseln; als der Hebegriff richtig sitzt, zerre ich so fest ich kann. Sie macht sich schwer wie eine Tote. In meinem Rücken reißt etwas, doch ich beachte es nicht. Klar, der Gedanke zu gehen und sie hier hängen zu lassen, ist verlockend. Vierzehn Schritte und du bist draußen. Aber Sache ist, wenn ich sie nicht in diese Show bringe, dann … Scheiße. Manchmal hasse ich mich selbst. Es ist eine verdammte Fernsehshow. Diese ganze Scheiße für eine Fernsehshow. »*Nora, um Himmels willen, steh auf!*«

Ein letzter Ruck, und sie steht. Wir können es noch schaffen, sage ich mir, aber in der Sekunde, in der ich sie aufrichte, geben ihre Beine unter ihr nach. Wir taumeln, haben völlig das Gleichgewicht verloren. Krachend landet sie wieder auf dem Boden – und ich mit ihr. Beide sitzen wir breit auf unseren Hintern.

Ich beobachte sie; wir atmen beide schwer. Trotzdem, bis hierher haben wir es geschafft; unser Atem kommt und geht in genau dem gleichen Rhythmus. Ich zwinge mich, langsamer zu atmen und halte sie in den nächsten dreißig Sekunden im Sitzen aufrecht, sehe wie die Farbe in ihr Gesicht zurückfließt. Ich habe keine andere Wahl – wenn wir hier rauswollen, braucht sie eine Minute Zeit. Langsam hebt sie den Kopf. »Es ist mir ernst, Michael – ich wollte das Versprechen nicht brechen, das ich dir gegeben habe.«

»Es ist also ganz von selbst passiert?«

»Du verstehst nicht …«

»Ich verstehe nicht? Du bist diejenige, die nicht…«

Bevor ich zu Ende sprechen kann, wird die Tür zur Kegelbahn aufgestoßen, und Trey kommt herein. Ich bin erleichtert, bis ich sehe, wer ihm folgt. Susan Hartson. Trotz des Hairsprays wippt ihr das hellbraune Haar zornig um die Schultern, und in der Neonbeleuchtung der Bowlingbahn kann auch die dicke Schminkschicht ihre scharfen Züge nicht mehr verbergen.

»Schafft sie es?«, faucht sie.

»Sie haben eben mit dem Intro angefangen«, sagt Trey zu mir und stürzt vorwärts. »Wir haben drei Minuten.«

Ich zerre Nora auf die Beine, aber sie ist noch immer aus dem Gleichgewicht. Ich fange sie auf und halte sie einen Moment. Die Arme um meinen Hals gelegt, lehnt sie an meiner Schulter. Sie braucht einen Moment und lehnt noch an mir, reißt sich aber schnell zusammen und richtet sich auf.

Gleichzeitig schiebt die First Lady Trey zur Seite und bleibt dicht vor ihrer Tochter stehen. Und vor mir. Wortlos leckt sie ihren Daumen ab und wischt verärgert die letzten Blutreste von Noras Nase.

»Tut mir leid, Mom«, sagt Nora. »Ich wollte nicht…«

»Halt den Mund. Nicht jetzt.«

Ich spüre, wie Nora sich versteift. Noch ein Atemzug, und sie steht allein. Unvermittelt hebt sie das Kinn und sieht ihrer Mutter in die Augen. »Ich bin bereit, Mom.«

Dem säuerlichen Geruch nachspürend, betrachtet die First Lady finster das Erbrochene auf meinem Hemd, dann hebt sie, ohne den Kopf zu bewegen, ruhig den Blick und sieht mir fest in die Augen. Ich weiß nicht, ob sie mir die Schuld gibt oder nur mein Gesicht betrachtet. Dann stößt sie hervor: »Denken Sie, sie schafft es?«

»Sie hat es jahrelang geschafft«, schieße ich zurück.

»Mrs. Hartson«, mischt Trey sich hastig ein, »wir können noch immer …«

»Sagen Sie ihnen, wir sind unterwegs«, sagt die First Lady, ohne ein einziges Mal den Blick von mir zu wenden.

Trey rennt zum Ausgang. Die First Lady wendet sich ihrer Tochter zu, nimmt ihren Arm und zieht sie zur Tür. Für Abschiede bleibt keine Zeit. Nora geht zuerst und Mrs. Hartson folgt ihr. Ich stehe einfach da.

Als sie fort sind, schaue ich hinter mich und sehe Noras Tasche auf dem Tisch des Anschreibers. Wie verdammt idiotisch das alles ist. Ich stopfe die Schlüssel und Papiertaschentücher wieder hinein, dann fällt mein Blick auf das silberne Metallröhrchen, das wie ein Lippenstift aussieht. Ich lasse es liegen. Jemand wird es finden. Gut – vielleicht ist das der beste Weg, ihr zu helfen. Eine volle Minute lang bewege ich mich nicht und spiele in Gedanken die Konsequenzen durch. Dies wäre kein Gerücht über irgendeine unwichtige Affäre in Princeton. Hier ginge es um Drogen im Weißen Haus. Mein Blick konzentriert sich auf das glänzende Metallröhrchen, das im Licht der Deckenlampen glänzt, die sich darin spiegeln. Es ist so glatt, so perfekt – in der konvexen Wölbung sehe ich ein verzerrtes Bild meiner selbst. Sehe mich. Alles liegt an mir. Ich muss nur die Kraft aufbringen, sie zu verletzen.

Richtig.

Wie ein kleines Kind, das Jacks spielt*, nehme ich Noras Röhrchen und stecke es tief in die Hosentasche; ich bete dabei, dass dies nicht der Moment ist, den ich mein Leben lang bereuen werde.

---

* Kinderspiel, bei dem das Kind versucht, kleine Metallgegenstände aufzuheben, während es mit einer Hand einen Gummiball springen lässt.

Ein schneller Stopp in der Herrentoilette, wo ich den Rest von Noras Special K im Waschbecken hinunterspüle, bevor ich endlich wieder in mein Büro zurückgehe. Während der ganzen nächsten Stunde kleben meine Augen förmlich an meinem kleinen Fernseher. Das Süßholzgeraspel der First Lady muss geholfen haben – Stulbergs Eröffnung hat gut zwei Minuten gedauert und Nora Zeit gegeben, sich ein anderes Kleid anzuziehen und ein bisschen Rouge auf die Wangen zu legen.

Wie erwartet, richten sich die meisten Fragen an den Präsidenten, aber Stulberg ist kein Dummy. Amerika liebt die Familie – deshalb geht die sechste Frage an Nora. Und die Siebente. Und die Zehnte. Und die Elfte. Und die Zwölfte. Bei jeder halte ich den Atem an. Doch was sie auch gefragt wird, ob es ihre Unentschlossenheit wegen des Studiums betrifft oder wie es ist, wieder ins Weiße Haus zu ziehen – Nora meistert es. Manchmal stottert sie, manchmal schiebt sie sich die Haare hinters Ohr, aber bei jeder Antwort bewahrt sie Haltung und lächelt. Sie lässt sich sogar einen Scherz darüber gefallen, dass man sie Erste Nassauerin nennt, ein subtiler Augenblick der Bescheidenheit, über den sich die ›Experten‹ der Talkshows am Sonntag vor Begeisterung selbst auf die Schulter klopfen werden.

Um neun Uhr ist es zu Ende, und ich bin ehrlich erstaunt. Irgendwie hat Nora es geschafft, wie immer – was bedeutet, dass jetzt jede Minute jemand …

»Was für einen Orden habe ich verdient?«, fragt Trey, als er mit Schwung meine Bürotür öffnet. »Purple Heart? Die Ehrenmedaille? Die große Tapferkeitsmedaille?«

»Was kriegt man, wenn man eins verpasst bekommt?«

»Das Purple Heart, wenn man verwundet wird.«

»Dann kriegst du das.«

»Fein. Danke. Du kriegst auch einen.« Beim Sofa angelangt, lässt Trey sich hineinfallen. Zwischen uns herrscht tödliche Stille. Wir wollen beide nicht reden.

Endlich gebe ich mutig nach. »Hat die First Lady etwas zu dir gesagt?«

Trey schüttelt den Kopf. »Als sei nie was passiert.«

»Und Nora?«

Als sie rausging, hat sie mir ein lautloses ›Danke‹ hingehaucht.« Er richtet sich auf, fügt hinzu: »Lass dir eins sagen, mein Freund – das Mädchen ist die Königin der Psychos, verstehst du, was ich meine?«

»Ich möchte nicht drüber reden.«

»Warum? Hast du auf einmal so viel zu tun?«

Es klopft laut an meiner Tür.

Ich werfe einen Blick zu Trey hinüber. »Wer ist da?«, rufe ich.

Die Tür geht auf, und eine vertraute Gestalt tritt ein. Mein Mund wird trocken.

Trey sieht meinen Gesichtsaudruck und dreht sich halb um.

»Hallo, Pam«, sagt er lässig.

»Gute Arbeit bei dem Interview«, antwortet sie. »Im Dip Room wird noch gefeiert. Sogar Hartson wirkt entspannt.«

Trey kann nicht anders, er strahlt. Ich sehe unentwegt Pam an. Sie hat keine Ahnung, was wir erlebt haben. Oder was wir wissen.

»Was tut sich?«, frage ich.

»Nichts«, antwortet sie. »Hast du übrigens die Online-Umfrage gesehen, die NBC gemeinsam mit dem *Herald* gemacht hat? Nach dem Interview haben sie hundert Fünftklässler gefragt, ob sie Nora Hartson sein möchten. Neunzehn haben ja gesagt, weil sie dann machen könnten, was sie wollten, ohne bestraft zu werden. Einundachtzig haben nein gesagt, weil es die Kopfschmerzen nicht lohne. Und da heißt es, unsere Bildungspolitik sei wirkungslos. Bitte – einundachtzig von hundert sind Einsteins.«

Ich vermeide es zu antworten und bleibe ruhig. »Trey, musst du Mrs. Hartson nicht zu dieser Spendengala fahren?«

»Nein.« Er hofft, bleiben und die Show sehen zu können.

Ich werfe ihm einen Blick zu. »Hast du kein Hobby oder irgendetwas, woran du jetzt arbeiten solltest?«

»Hobby?«, fragt er lachend. »Ich arbeite hier.«

Ich sehe ihn noch eindringlicher an.

»Fein, fein, ich bin schon weg.« Auf dem Weg zur Tür sagt er: »Nett, dich gesehen zu haben, Pam.«

Die Katze ist aus dem Sack. Sie weiß, dass etwas los ist.

»Was war denn das?«, fragt sie. Ich warte, bis Trey die Tür schließt. Er knallt sie zu, und wir sind allein. Und jetzt ...

ACHTUNDZWANZIGSTES KAPITEL

»Was gibt es?«, fragt Pam vor dem Schreibtisch stehend.

Ich weiß nicht, wie beginnen. »Bist du ... hast du jemals ...?«

»Spuck's aus, Michael.«

»Hast du meine Telefongespräche abgehört?«

Sie lässt ihre Aktenmappe zu Boden fallen. »Wie bitte?«

»Sag mir die Wahrheit, Pam – hast du mich abgehört?«

Anders als Nora explodiert sie nicht. Stattdessen tut sie verwirrt. »Wie könnte ich dich denn abhören?«

»Am Telefon, Pam – ich weiß, wie es funktioniert.«

»Was meinst du ... Welches Telefon?«

»Das Telefon im Vorzimmer.«

»Wovon redest du?«

Ich springe vom Schreibtisch auf und stürme durchs Vorzimmer in Pams Büro, nehme ihr Telefon und wähle meine Nummer. Zwei Apparate läuten gleichzeitig. Meiner in meinem Büro und der im Vorzimmer. »Es ist dieselbe Leitung!«, schreie ich. »Glaubst du wirklich, ich hätte nicht gemerkt, dass du die Klingel abgestellt hast?«

»Michael, ich schwöre bei meinem Leben, wenn diese Leitungen dieselben sind, ich habe es nicht gewusst. Du hast mich gesehen, wie ich dort draußen saß – nur um zu telefonieren.«

»Das ist es ja gerade.«

»Warte einen Moment«, sagt sie, allmählich verärgert. »Du denkst, ich habe alle deine Gespräche mitgehört? Dich richtiggehend ausgetrickst?«

»Sag du's mir. Du bist diejenige, die in der Leitung war.«

»In der …? Ich kann's nicht glauben, Michael. Nach allem, was wir … Wer hat dir das eingeredet? Nora?«

»Lass sie aus dem Spiel.«

»Sag mir nicht, was ich tun soll. Ungeachtet dieses Vorfalls mit Simon – die Welt ist nicht hinter dir her. Du kennst doch das System hier – es ist noch immer die Bundesregierung. Vielleicht sind bei der Reparatur die Leitungen durcheinandergeraten.«

»Und vielleicht war es schon die ganze Zeit so.«

»Sag das nicht dauernd!«

»Sag du mir die Wahrheit.«

»Das hab ich schon, verdammt!«

»Also das ist deine Erklärung? Die Leitungen waren getrennt, und bei der letzten Reparatur haben sie meine und deine zusammengelegt?«

»Ich weiß nicht, was ich noch sagen soll! Ich habe es nicht gewusst!«

»Und du hast mich nie abgehört?«

»Nie. Nicht ein einziges Mal!«

Zu beobachten wie sie zornig wird, macht es nicht einfacher. »Dann kann ich dich beim Wort nehmen?«

Sie macht ein paar Schritte auf mich zu. »Michael, ich bin's, mit der du redest.«

»Beantworte mir die Frage.«

Sie kann es noch immer nicht glauben. »Ich würde dich nie anlügen«, erklärt sie. »Niemals.«

»Bist du sicher?«

378

»Ich schwöre es.«

Was jetzt kommt, hat sie sich selbst zuzuschreiben. Ich sehe ihr fest in die Augen. »Warum hast du mir dann nicht erzählt, dass Caroline deine Akte hatte?«

Pam bleibt stehen wie erstarrt. Sie ist zu klug, um näher zu kommen.

»Komm schon, Pam, du bist jetzt ein großes Tier – wo bleibt deine ›Großes-Tier-Antwort‹?«

Sie weigert sich zu antworten, beißt nur die Zähne zusammen.

»Ich hab dich was gefragt.«

Noch immer nichts.

»Hast du gehört, was ich gesagt habe, Pam? Ich hab dich gefragt …«

»Wie hast du rausgefunden, dass Caroline sie hatte?« Ihre Stimme ist kaum lauter als ein Flüstern. »Sag mir, wer es dir erzählt hat.«

»Wer es mir erzählt hat, ist unwichtig. Ich …«

»Ich will es aber wissen!«, ruft sie fordernd. »Es war Nora, nicht wahr? Dauernd mischt sie sich ungefragt ein …«

»Nora hatte nichts damit zu tun. Und selbst wenn es so wäre, würde das nichts an den Tatsachen ändern. Also warum hatte Caroline deine Akte?«

Sie durchquert den Raum und lehnt sich an den kleinen Tisch, auf dem das Faxgerät steht. Vorgebeugt hält sie sich die Seite, als habe sie Magenschmerzen. Es ist eine seltsam vertikale, fötale Stellung.

»Ich habe gewusst, dass sie es war«, sagt sie. »Ich wusste es.«

»Du wusstest, wer was war?«

»Caroline. Sie war diejenige, die Zugang hatte. Ich wollte es nur nicht glauben.«

»Ich verstehe nicht. Was steht in der Akte?«

»Nichts steht in der Akte. So hat sie nicht gearbeitet.«

»Hör auf in Rätseln zu sprechen, Pam, und sag mir, was, zum Teufel, sie getan hat.«

»Ich nehme an, sie hat das Kleingedruckte auseinandergenommen. Darin war sie gut. Ich meine, es ist nicht so, wie es in deiner Akte steht: ›Sohn hat Fäden gezogen, um seinen geistig zurückgebliebenen Vater unterzubringen.‹ Sie hat wahrscheinlich nur gemerkt, dass dein Vater immer nur in Gruppenheimen gelebt hat. Nach ein paar Laufereien hatte sie alles beisammen, was sie brauchte.«

»Und was stand in deinem Kleingedruckten?«

»Dazu musst du verstehen, dass ich damals gerade anfing. Ich war noch …«

»Sag mir, was du getan hast.«

Sie hält inne und tippt sich mit dem Fingerknöchel ein paarmal auf die Wange. Buße. »Versprichst du mir, dass du's niemand sagen wirst?«

»Pam …« Sie müsste mich besser kennen.

Endlich fragt sie: »Weißt du noch, woran Caroline gearbeitet hat, als ich herkam?«

Ich denke ein paar Sekunden nach, schüttle dann den Kopf.

»Ich gebe dir einen Hinweis – als Blake seinen Rücktritt ankündigte …«

»… war Kuttler nominiert. Sie hat Blakes Sitz im Supreme Court übernommen.«

»Das ist das Eine«, sagt Pam. »Und du weißt, wie es ist, wenn ein Richter seinen Sitz aufgibt. Jeder Anwalt, der seine Nadelstreifen wert ist, fängt an zu denken, dass er vielleicht in Frage käme. Als der Vorsitzende Staff anfing, die Liste der Kandidaten durchzugehen, bekamen wir den Auftrag, sie zu überprüfen. Ungefähr um die gleiche Zeit erhielt ich die erste Rechnung für meinen Studienkredit. Bei einem Kredit von neunzigtausend Dollar waren das monatlich über tausend Dollar. Nimm dazu die Apartment-Miete für den laufenden und den letzten Monat, plus Sparvertrag, plus Raten für den Wagen, plus Versicherung, plus Kreditkarten-Schulden, plus der Tatsache, dass es einen Monat dauert, bis du deinen ersten Gehaltsscheck bekommst –

ich war insgesamt neun Tage hier und ging schon unter. Plötzlich setzt sich eine *Washington Post*-Reporterin namens Inez Cotigliano mit mir in Verbindung.«

»Das ist die Frau, die …«

»Ich weiß, wer sie ist, Michael. Sie war in meinem letzten Collegejahr meine Zimmernachbarin.«

»Dann bist du also diejenige, die …«

»Ich habe ihr nie etwas von dir erzählt. Das schwöre ich beim Leben meiner Mutter. Wir hatten einen einzigen Kontakt, und das war's. Glaub mir, es war mehr als genug.«

Ich verschränke die Arme. »Ich höre.«

»Da ich alle potentiellen Kandidaten für den Richtersessel überprüfte, versuchte Inez, wie jeder hungrige Reporter in der Stadt, herauszufinden, wer in die engere Wahl kommen würde.«

»Pam, sag mir bloß nicht, dass du …«

»Sie bot mir fünftausend Dollar. Dafür sollte ich ihr bestätigen, dass Kuttler an erster Stelle stand. Ich wusste nicht, was ich sonst tun sollte. Wenn die Gehaltsschecks erst einmal regelmäßig kamen, war ich fein raus, doch bis dahin waren es noch drei Wochen.«

Während sie ihre Geschichte erzählt, traut Pam sich nicht, mir ins Gesicht zu sehen.

»Also ist die *Post* mit Bargeld rübergekommen?«

»Die *Post*? Die hätten das nie zugelassen. Es kam alles aus Inez' eigener Tasche – sie war ganz wild darauf, es ganz groß aufzuziehen. Ihr Vater verwaltet in Connecticut irgendein Treuhandvermögen. Die Familie hat das Patent für Aspirin oder was ähnlich Lächerliches.«

»Das war eine vertrauliche Information.«

»Michael, sie ist am schlimmsten Tag meines Lebens aufgetaucht. Und wenn du dich anschließend besser fühlst – ich hatte ein so schrecklich schlechtes Gewissen, dass ich ihr das Geld zurückgegeben habe. Brauchte fast ein Jahr dazu.«

»Die Information hatte sie trotz …« Ich unterbreche mich.

Es ist so leicht zu verurteilen; man braucht nur nach dem Hammer zu greifen. Der einzige Haken ist, ich weiß, wie es ist, wenn man eins auf die Finger kriegt. »Muss für Inez ein großer Tag gewesen sein.«

»Ihre erste Story auf der Titelseite – zwar auf der unteren Hälfte der Seite, aber immerhin: *Hartson abgeschlagen auf drei; Kuttler führt.* Aber es zählte nicht. Der *Herald* hat sie um Nasenlänge geschlagen. Er hat am selben Tag die gleiche Story gebracht, was bedeutet, dass ich nicht die Einzige war, die nicht dichtgehalten hat.«

»Das ist pure Selbstbeschwichtigung, das weißt du.«

»Ich habe ihr nie etwas Konkretes gesagt. Habe ihr nur angedeutet, wer an erster Stelle steht.«

»Und was ist passiert? Caroline hat es rausgefunden?«

»Hat weniger als eine Woche dazu gebraucht«, sagt Pam. »Als sie in meiner Akte blätterte, hat sie vermutlich die Verbindung entdeckt. Inez Cotigliano. Nachbarin im College. Junge Reporterin. Sie hätte mich damals sofort feuern können, doch ihr Modus Operandi ist ein anderer – behalte die Leute mit Problemen in deiner Nähe und lass dich dafür bezahlen, dass du ihre Geheimnisse für dich behältst. Bevor man bis drei zählen kann, steckt man im Netz.«

»Was hat sie gemacht?«

Zum ersten Mal, seit wir angefangen haben zu reden, blickt Pam zu mir auf. Ihre Augen sind geweitet, sie fürchtet das Urteil.

»Was hat sie gemacht?«, wiederhole ich.

»Vier Tage nachdem die Story veröffentlicht worden war bekam ich einen anonymen Brief, in dem ich aufgefordert wurde, zehntausend Dollar zu zahlen. In zwei Raten. Im Abstand von sechs Monaten.« Sie sieht zittrig aus und setzt sich. »Ich konnte vier Tage nicht schlafen. Jedesmal wenn ich die Augen schloss ... Ich sage dir, ich seh es noch jetzt vor mir: Alles, wofür ich gearbeitet hatte, baumelte dicht vor meinen Augen. Es wurde so schlimm, dass ich anfing Blut zu husten. Doch am Ende – es gab keinen anderen Ausweg, ich konnte nicht wieder von vorn anfangen …« Sie bedeckt die Augen mit den Händen und reibt sich langsam kreisend die Stirn. »Ich habe das Geld in einem Amtrak-Schließfach in der Union Station hinterlegt.«

»Ich dachte, du hättest kein …«

»Habe meinen Wagen verkauft, meine Kredite nicht bezahlt und jede Kreditkarte, die ich finden konnte, bis zum Äußersten augeschöpft. Besser, Schulden zu haben, als ohne Karriere dazustehen.«

Sie sagt noch etwas, doch ich höre nicht zu. Wilde Wut kocht in meinem Schädel. Jeder Zeh verkrampft sich vor Zorn.

»Was ist?«, fragt sie, in meinem Gesicht lesend. »Du hast es gewusst«, knurre ich. »Du hast die ganze Zeit gewusst, dass sie eine Erpresserin ist!«

»Das ist nicht …«

»Du hast mich direkt zu ihr geschickt. Als ich am ersten Tag hier war, habe ich dich gefragt, ob man Caroline trauen dürfe. Du hast ja gesagt! Was, zum Teufel, hast du dir dabei gedacht?«

»Michael, beruhige dich!«

»Warum? Damit du mir noch mehr Lügen auftischen kannst? Oder mich an Inez verkaufen? Du hast mich belogen, Pam! Du hast mich wegen des Telefons belogen, du hast mich wegen der Akte belogen, und du hast mich Carolines wegen belogen. Denk einmal darüber nach – wäre ich an dem Tag nicht zu ihr gegangen, wäre nichts davon …« Wieder unterbreche ich mich und sehe Pam genau an. Den Kopf auf die Seite legend, beobachte ich, wie ihr Aussehen sich verändert. Sie weiß, was mir durch den Kopf geht.

»Halt mal einen Moment an«, sagt sie. »Du denkst doch nicht, ich …«

»Willst du mir sagen, dass ich mich irre?«

»Michael, spinnst du? Ich hab sie nicht umgebracht!«

»Das hast du gesagt, nicht ich.«

»Ich hätte so was nie getan! Nie! Ich schwöre – ich hab gedacht, sie sei meine Freundin.«

»Tatsächlich? Demnach erpressen alle deine Freundinnen dich um große Geldbeträge? Denn wenn das der Fall ist, ich könnte ein paar Tausender gut gebrauchen. In kleinen Scheinen natürlich.«

»Du bist ein Arschloch.«

»Nenn mich wie du willst – wenigstens presse ich kein Schweigegeld aus dir heraus. Ich meine, wenn das eine Freundin war, möchte ich deine Feinde nicht kennenlernen.«

»Ich hatte keine Feinde, jedenfalls bis jetzt nicht.«

»Was ist mit …«

»Verstehst du nicht, Michael? Hast du nicht zugehört? Alles, was ich hatte, waren ein Brief und eine Ortsangabe. Ich habe nicht gewusst, wer es war.«

»Aber du wusstest, dass Caroline Zugang zu den Akten hatte.«

»Das war nicht wichtig – sie war meine …« Sie unterbricht sich. »Als gehörte sie zu meiner Familie.«

Ich brauche einen Moment, um diese Information zu speichern. »Du hast sie also nie verdächtigt?«

»Ich habe eher dich verdächtigt.«

Was ich davon halten soll, weiß ich nicht recht.

»Außerdem«, fährt Pam fort, »man braucht keine FBI-Akten, um herauszufinden, dass Inez und ich miteinander in die Schule gegangen sind. Ich habe angenommen, jemand hat zwei und zwei zusammengezählt und dann auf eigene Faust recherchiert.«

»Nun, ist es dir nicht merkwürdig vorgekommen, dass Caroline, als sie tot aufgefunden wurde, dreißig Tausender im Safe und unsere Akten auf dem Schreibtisch hatte? Ich meine, wenn man nach einem Erpresser Ausschau hält …«

»Ich schwöre dir, da habe ich zum ersten Mal daran gedacht. Bis zu diesem Augenblick habe ich nicht mal eine Augenbraue hochgezogen.«

»Eine Augenbraue hochgezogen? Fehlte nur noch Blut an

ihren Fingerspitzen und ein Tattoo auf der Stirn, das sagt: *Für Bargeld tu ich alles.*«

»Mach dich nicht darüber lustig.«

»Dann hör du auf, dich idiotisch aufzuführen. Nachdem Caroline ermordet worden war, hast du gewusst, dass sie dich und andere erpresst hatte. Ich bin die ganze Zeit meinem eigenen Schwanz nachgejagt und du hast mir nie einen Hinweis gegeben. Kein einziges Mal!«

»Du hast es doch gewusst, Michael.«

»Hab ich nicht …«

»Hast du doch!«, schreit sie, wieder wütend. »Du hast es an dem Abend gesagt, als wir bei dir gegessen haben. Du hast dich gefragt, ob Simon erpresst wurde.«

»Und du hättest mir die Antwort geben können, *ja. Wahrscheinlich. Genau wie ich.* Stattdessen hast du mich weiter schmoren lassen.«

»Wie kannst du es wagen? Ich war vom ersten Moment an auf deiner Seite – seit die Sache angefangen hat!«

»Warum hast du mir nicht gesagt, was mit Inez los war?«

»*Weil ich nicht wollte, dass du es erfährst!*«, schreit sie, und ihre Stimme dröhnt durch mein Büro. »So! Ist es das, was du willst? Als es passierte, war ich tief beschämt – mir war kotzübel. Dann, als sei das, was ich getan hatte, nicht schlimm genug, demütigte Caroline mich mit dem furchtbarsten Augenblick meines Lebens. Gerade du solltest mich eigentlich besser verstehen als alle anderen – schmutzige Wäsche lässt man am besten im Schrank.«

»Trotzdem hast du Inez auf mich angesetzt.«

»Das glaubst du doch keine Sekunde lang wirklich?«

Sie hat recht, ich habe geblufft, um ihre Reaktion zu sehen. Soweit ich es beurteilen kann, ist sie o. k. »Du hast mit Inez also nie darüber gesprochen?«

»Sie hat mich angerufen – einen Tag nachdem es passiert war. Ich habe ihr sogar noch weniger gesagt als dem FBI. Glaub mir, hätte ich dich über den Tisch ziehen wollen, hätte ich es mir sehr leicht machen können.«

»Und wie das?«

Sie sieht mir ausdruckslos in die Augen. »Ich hätte ihnen von dir erzählt. Und von dem Geld. Und von Nora. Damit hätte ich mindestens zwanzigtausend verdient.« Da haben wir's. Guerilla-Ehrlichkeit. Wäre es nicht so irritierend, würde ich wahrscheinlich lachen.

»Du hast also wirklich nicht gewusst, dass es Caroline war, die das Geld von dir forderte?«, frage ich wieder.

»Ich glaube nicht, dass es irgendjemand wusste. Überleg doch – warum hätte Simon das Geld sonst im Wald hinterlegt? Hätte er gewusst, dass es Caroline ist, hätte er es ihr direkt geben können.«

Das ist keine üble Theorie. »Vielleicht hat er sie deshalb umgebracht. Als er zu ihr ging, um ihr seine beschissene Seite der Geschichte zu erzählen, muss sie eine abfällige Bemerkung gemacht haben, und er begriff, dass sie Miss Moneypenny war.«

»Aber sie deshalb zu töten? Nichts für ungut, aber was soll's. Sie weiß, dass er schwul ist. Wen interessiert's?«

»Simon bestimmt nicht. Wenn es ihm nicht egal wäre, hätte er sich nie ganz offen in einer Schwulenbar blicken lassen. Deshalb denke ich, es ist mehr als nur sein Schwulsein – vergiss nicht, Simon hat Frau und Kinder, drei, um genau zu sein. Was du auch denken magst, es kann noch immer ein Leben zerstören.«

Beide sitzen wir still da und nicken in schweigender Übereinstimmung. Endlich sagt Pam: »Ich glaube noch immer, dass Caroline etwas über Nora gewusst hat.«

»Darüber will ich nicht reden.«

Sie wartet eine Sekunde ab. »Und wäre sie nicht tot, hätte sie dich erpresst, darauf könnte ich wetten. Deshalb hat sie sich deine Akte geholt.«

»Wir werden es nie erfahren«, sage ich, froh, das Thema zu wechseln. »Das bleibt ihr Geheimnis.«

»Da wir gerade von Geheimnissen sprechen, was ist mit meinem?«, fragt Pam. »Hast du vor, mich hinzuhängen?«

»Du bist die neue *Königin der Moral*. Planst du, etwas gegen meinen Dad zu unternehmen?«

Wir sehen einander lange an und neigen dann mit verlegener Erleichterung den Kopf.

»Darf ich dir eine letzte Frage stellen?«, füge ich hinzu, als sie sich zum Gehen wendet. »Was ist eigentlich aus Vaughns FBI-Akte geworden? Du hast gesagt, du würdest sie uns besorgen.«

»Ich dachte, du hast sie von Lamb bekommen.«

»Hab ich auch. Ich möchte nur wissen, warum ich sie nicht von dir gekriegt habe.«

Von einer Sekunde zur anderen ist ihr Lächeln verschwunden. Sie runzelt die Brauen, und ihr Kinn sackt leicht nach unten vor Schmerz. Nein, nicht Schmerz. Traurigkeit. Enttäuschung. »Du denkst noch immer, ich … Nach allem, was wir eben …« Wieder erstirbt ihre Stimme.

»Was? Was hab ich gesagt?«

Sie antwortet mir nicht mehr. Sie stürmt zur Bürotür, bedeckt den Mund mit der Hand und kämpft gegen die Tränen an. »Ich hab mein Bestes versucht, Michael.«

Schon will ich ihr folgen, als das Läuten meines Telefons mich davon abhält. Das Klingeln kommt von meinem Apparat und von dem Apparat im Vorzimmer. Ich sehe mir die ID des Anrufers an. Ruf von extern. Ein paar Meter weiter greift Pam nach der Tür und macht sie auf. Gleich wird sie fort sein. Es ist eine schwere Entscheidung, aber ich treffe sie.

Ich nehme das Gespräch entgegen. »Michael hier.«

Hinter Pam fällt die Tür donnernd zu. Ich schließe die Augen gegen den Lärm.

»Bereit, dein Angstgesicht aufzusetzen?«, fragt eine aufgeregte Stimme am anderen Ende der Leitung.

Ich erkenne sie sofort. Vaughn. »Bist du verrückt?«, brülle ich.

»Sie brauchen achtzig Sekunden, um einen Anruf zurückzuverfolgen. Und dann finden sie nichts.«

»Ich hoffe, es ist wichtig.«

»Würde ich dich belästigen, wenn's das nicht wäre?«

Ich ignoriere die Frage. »Zwanzig Sekunden.«

Er kommt sofort auf den Punkt. »Ich hab also angefangen, meine Jungs nach deiner kleinen Freundin auszufragen – du weißt schon, die mit dem mächtigen Daddy.«

»Kapiert«, fauche ich.

»Hab zwei Leute gefunden, die sie kennen. Scheint, dass sie noch immer 'n kleines Ohren-, Nasen- und Halsproblem hat – mit Betonung auf Nase. Und Special K kauft sie massenhaft. Kumpel von meinem Kumpel Price sagt, das mögen sie am liebsten.«

»*Sie?* Wer sind *sie*?«

»Tja, weißte, da drückt der Schuh«, sagt er und seine Stimme wird ernst. »Sie ist zu schlau, um ihre Süßigkeiten selbst zu kaufen, also schickt sie ihren Freund.«

»Ihren Freund?«

»Deshalb hab ich dich ja angerufen. Ich denke, du bist an diesem Abend in der Bar mächtig reingefallen. Wie meine beste Quelle hier draußen sagt – und er schwört beim Leben seiner Cousine, dass es die Wahrheit ist …«

»Sag mir, wer es ist!«

Er knallt es mir direkt vor den Latz. »Es ist nicht leicht, das zu sagen, Michael. Sie pennt mit dem Alten. Deinem liebsten Boss.«

Simon. Ich will nicht … Ich kann nicht … Der Atem wird so schnell aus mir herausgepresst, dass ich fast das Telefon fallen lasse. Meine Arme werden taub und hängen schlaff herunter. Es kann nicht sein.

»Ich weiß«, sagt Vaughn. »Möchtest dir den Charmebolzen gern vornehmen, wie?« Bevor ich antworten kann, fügt er hinzu: »Mein Junge hat gesagt, als sie ihn das erste Mal trafen, hat er es für 'n Trick gehalten. Haben ihn beobachtet, waren besorgt, jemand könnte ihm folgen. Als der Deal über die Bühne ist, geht Simon zu seinem Wagen zurück und einer meiner Jungs, der auf der Lauer liegt … er schwört, dass er Nora sieht, die sich auf dem Beifahrersitz versteckt. Dicker Kuss auf die Lippen nach Sugardaddys Rückkehr. Dann fällt sie über ihn her. Und als sie auf die Rücksitze klettern – da ist vielleicht was los, Baby. Er besorgt es ihr gleich dort – vor den Seitenscheiben. Mein Junge sagt, sie ist auch ganz schön wild. Mag's, ihn in den …«

»Ich will es nicht hören.«

»Davon bin ich überzeugt, aber wenn sie dich leimt und dir die Würmer aus der Nase zieht, musst du doch wissen, wohin sie damit geht. Was bedeutet, dass wir uns lieber treffen sollten.«

»Was ist mit …«

»Zehn Sekunden«, unterbricht er mich. »Schreib's dir auf. Freitag in einer Woche. Sieben Uhr abends. Woodley Park Marriott – Warren Room. Hast du's?«

»Ja, ich …«

»Fünf Sekunden. Massenhaft Zeit.« »Aber wir …«

»Ich seh dich nächsten Freitag, Mickey. Es wird sich für dich lohnen.« Ein Klicken und er hat aufgelegt.

Ich bin allein im Vorzimmer und die Stille hämmert auf mich ein. Es ergibt keinen Sinn. Wenn sie … sie kann nicht. Ausgeschlossen. Ich balle die Hand zur Faust und trommle mit den Fingerknöcheln auf den Schreibtisch. Es kann nicht sein. Ich schlage härter zu. Und noch härter. Ich hämmere auf den Schreibtisch ein, bis meine Knöchel wund sind. Der mittlere fängt an zu bluten. Wie Noras Nase.

Nach Antworten suchend, lese ich meine Notiz noch einmal. Freitag in einer Woche. Sieben Uhr abends. Woodley Park Marriott. Warren Room. Noch immer kann ich die Übelkeit nicht abschütteln, die mich würgt, doch ich erinnere mich an das, was er mir gesagt hat, bevor wir uns im Uptown trennten. Zieh immer sieben ab. Sieben Tage, sieben Stunden. Mit einem Augenblinzeln wird aus sieben Uhr abends zwölf Uhr Mittag. Freitag in einer Woche wird dieser Freitag. Morgen. Morgen Mittag im Woodley Park Marriott.

Der Code war Vaughns Idee. Wenn das FBI uns bei unserem Treffen im Zoo so dicht auf den Fersen sein konnte, brauchen wir mehr als einen zweiten Popcorn-Verkäufer, um uns ein bisschen Alleinsein zu verschaffen. Ich nehme mir die paar Sekunden und notiere mir die revidierte Zeit. Dann stecke ich den Zettel in meine Tasche, gehe in mein Büro zurück und zu der einzigen Person, die meine Fragen beantworten kann.

Der Toaster teilt mir mit, dass Nora sich in der Residenz aufhält, aber ein rascher Anruf in ihrem Zimmer sagt mir etwas anderes. Schnell durchblättere ich meine Kopie des präsidialen Zeitplans und sehe, warum. In einer Viertelstunde bricht die Präsidentenfamilie auf, damit sie morgen früh alle gemeinsam bei mehreren Spenden-Frühstücken anwesend sein können. In New York und New Jersey. Fünf insgesamt, mit Übernachtung. Ich schaue auf meine Uhr. Wenn ich renne, kann ich sie noch erwischen. Ich sprinte aus meinem Büro. Ich muss es wissen. Als ich jedoch die Haupttür öffne, verstellt mir jemand den Weg in den Flur.

»Wie geht's?«, fragt Agent Adenauer. »Was dagegen, wenn ich reinkomme?«

NEUNUNDZWANZIGSTES KAPITEL

»Warum so außer Atem?«, fragt Adenauer, als er mich rücklings ins Vorzimmer zurückdrängt. »Kummer?«

»Aber nein, wieso denn?«, sage ich mit meinem tapfersten Gesicht.

»Was machen Sie so spät noch hier?«

»Dasselbe wollte ich eben Sie fragen.«

Er geht weiter, schiebt mich zurück zu meinem Büro. Ich widersetze mich, bleibe im Vorzimmer stehen.

»Wohin wollten Sie denn so schnell?«

»Wollte zusehen, wie die Familie abreist. Sie fliegen in zehn Minuten.«

Er denkt über meine Antwort nach, verärgert, weil sie so schnell kam. »Können wir uns einen Moment setzen, Michael?«

»Würde ich ja, aber ich bin dabei ...«

»Ich möchte wegen morgen mit Ihnen sprechen.«

Er blinzelt nicht. »Also gut«, sage ich, gehe in mein Büro und zu meinem Schreibtisch. Er marschiert zur Couch. Gefällt mir jetzt schon nicht. Er hat es zu bequem. »Also was ist los bei Ihnen?«, frage ich.

»Nichts«, sagt er kalt. »Ich habe mir diese Akten angesehen.«

»Was Interessantes gefunden?«

»Ich wusste gar nicht, dass Sie ursprünglich Medizin studiert haben«, sagt er. »Sie sind ein Mann mit vielen Talenten.«

Am liebsten würde ich ihm über den Mund fahren, aber mir ist klar, dass mir das nichts nützt. Wenn ich ihm ausreden möchte, dass er den Fall morgen an die Öffentlichkeit bringt, werde ich schon ein bisschen aufrichtig sein müssen. »Es ist der Traum eines jeden Kindes mit kranken Eltern«, sage ich. »Arzt werden, ihr Leben retten. Das einzige Problem war, ich habe jede Minute des Studiums gehasst. Ich mag keine Tests mit richtigen Antworten. Lieber jeden Tag einen Aufsatz schreiben.«

»Trotzdem sind Sie fast zwei Jahre dabeigeblieben – haben es sogar bis zur Physiologie geschafft.«

»Worauf wollen Sie hinaus?«

»Auf gar nichts. Hab mich nur gefragt, ob man Ihnen jemals etwas über Monamin-Oxydase-Hemmstoffe beigebracht hat.«

»Was soll das denn ...«

»Es ist wirklich erstaunlich«, unterbricht er mich. »Das sind zwei Medikamente, die völlig harmlos sind, wenn sie getrennt verabreicht werden. Aber wenn man sie miteinander vermengt – nun, dann ist das nicht so gut.« Er beobachtet mich zu genau. Jetzt kommt es. »Ich will Ihnen ein Beispiel geben«, fährt er fort. »Nehmen wir einmal an, Sie sind ein Kandidat für das Antidepressivum Nardil. Sie sagen ihrem Psychiater, es gehe Ihnen schlecht. Er verschreibt es Ihnen, und plötzlich fühlen Sie sich besser. Problem gelöst. Natürlich müssen Sie, wie bei jedem Medikament, den Beipackzettel lesen. Und wenn Sie den von Nardil studieren, werden Sie sehen, dass Sie während der Dauer der Einnahme alles Mögliche nicht zu sich nehmen dürfen: Joghurt, Bier, Wein, sauren Hering … und außerdem etwas, das Pseudoephedrin heißt.«

»Pseudo-was?«

»Komisch, ich habe mir gedacht, dass Sie das sagen würden.« Er lächelt jetzt nicht mehr und fügt hinzu: »Sudafed, Michael. Eines der auf der ganzen Welt am meisten verkauften Bluthochdruck vermindernden Mittel. Wenn Sie das mit Nardil mischen, macht es mit Ihnen kurzen Prozess. Der Schlag trifft sie sofort. Das Seltsame daran ist, dass es nach außen hin wie ein einfacher Herzinfarkt aussieht.«

»Wollen Sie damit sagen, dass Caroline daran gestorben ist? An einer Mischung aus Nardil und Sudafed?«

»Es ist nur eine Theorie«, sagt er wenig überzeugend.

Ich werfe ihm einen Blick zu.

»Das Sudafed wurde in ihrem Kaffeebecher aufgelöst«, erklärt Adenauer. »Ein Dutzend Tabletten, nach der Konzentration in dem Rest zu schließen, den wir sichergestellt haben. Sie hat überhaupt nichts gemerkt.«

»Was ist mit dem Nardil?«

»Sie hat es seit Jahren genommen. Seit sie anfing hier zu arbeiten.« Er unterbricht sich. »Michael, wer immer das getan hat, hat seine Hausaufgaben gemacht. Sie wussten bereits, dass sie

Nardil einnahm. Und sie müssen mehr als ein Grundwissen über Physiologie haben.«

»Das also ist Ihre großartige Theorie? Sie denken, man habe mir das in Michigan beigebracht? Gift 101: Wie bringt man seine Freunde mit Haushaltprodukten um?«

»Das haben Sie gesagt, nicht ich.«

Wir wissen beide, es ist ein Schuss ins Dunkle, aber wenn er meine schriftlichen Arbeiten aus dem College durchgesehen hat, heißt das, dass sie mein Leben zerpflücken. Unbarmherzig. »Sie sind auf der falschen Fährte«, sage ich. »Ich habe mit Drogen nichts am Hut. Früher nicht und in Zukunft auch nicht.«

»Was haben Sie dann gestern im Zoo gemacht?« Das war's, worauf er gewartet hat. Ich bin voll reingetappt.

»Die Affen beobachtet«, sage ich. »Es ist erstaunlich, sie haben jetzt alle Walkie-Talkies.«

Er schüttelt väterlich missbilligend den Kopf. »Sie haben keine Ahnung, mit wem Sie sich da einlassen, nicht wahr? Vaughn ist nicht nur ein Schläger. Er ist ein Killer.«

»Ich weiß, was ich tue.«

»Da bin ich mir gar nicht so sicher. Der schlitzt Sie auf, nur so zum Spaß. Sie haben gehört, was er mit seinem Kumpel Morty gemacht hat – Klaviersaite durch die …«

»Ich glaube nicht, dass er es war.«

»Hat er Ihnen das gesagt?«

»Das ist nur eine Theorie«, erwidere ich.

Er steht vom Sofa auf und kommt auf den Schreibtisch zu. »Michael, ich werde jetzt ein kleines Bild für Sie entwerfen. Sie und Vaughn stehen am Rand eines Abgrunds. Und der einzige Weg, der in die Sicherheit führt, ist eine wacklige Bambusbrücke zur anderen Seite. Das Problem ist, dass die Brücke nur noch einen Menschen tragen kann. Danach wird sie in den Abgrund stürzen. Sie wissen, was als Nächstes passiert?«

»Lassen Sie mich raten – Vaughn rennt hinüber.«

»Nein. Er sticht Sie von hinten nieder, nimmt dann Ihre

Feldflasche und ihr Kochgeschirr, schnappt sich Ihre Brieftasche und läuft erst dann hinüber. Und lacht auf dem ganzen Weg.«

»Das ist eine ziemlich komplexe Analogie.«

»Ich versuche nur, Ihnen zu helfen, Garrick. Ich will es wirklich. Augenzeugen haben ausgesagt, dass Sie der Letzte waren, der sie gesehen hat. Dem toxikologischen Bericht zufolge wurde sie von jemand getötet, der etwas von Medikamenten und Drogen versteht. Der WAVES-Report besagt, dass Vaughn mit Ihrer Hilfe ins Gebäude kam. Mir ist jetzt egal, was für ein kleines Arrangement Sie mit Nora getroffen haben – so oder so, es gibt eine Verbindung zwischen Ihnen und ihm. Sie stehen am Rand eines Abgrunds. Was wollen Sie tun?«

Ich antworte nicht.

»Was die Beteiligten Ihnen auch erzählen, ist Scheiße. Sie, Michael, sind ihnen total egal.«

»Und Ihnen bin ich nicht egal?«

»Denken Sie, was Sie wollen, aber ich möchte nicht, dass Sie deswegen Ihr Leben wegwerfen – ich respektiere, wie Sie es bis hierher geschafft haben. Machen Sie es uns leicht, und ich verspreche Ihnen, ich mache es Ihnen leicht.«

»Was meinen Sie mit leicht machen?«

»Sie wissen, worauf wir aus sind. Die Beziehung zwischen Nora und Vaughn – Drogenkonsumentin zu Drogendealer und weiter zu einem Tod, der mit Drogen zusammenhängt. Beschaffen Sie uns den Beweis, und wir sind miteinander fertig.«

»Aber sie haben keine …«

»Erzählen Sie mir bitte nicht, dass die beiden sich nicht kennen – diese Scheiße macht mich schon ganz krank. Wenn Sie die Verbindung zwischen Nora und Vaughn nicht aufdecken wollen, dann nutzen Sie wenigstens die von Vaughn zu Ihnen.«

»Auch wenn Sie wissen, dass es keine gibt?«

»Es gibt keine? Garrick, ich warte nur aus einem einzigen Grund so lange ab, weil sie die Tochter des Präsidenten ist. Der

Beweis muss also wasserdicht sein. Aber wenn ich an sie nicht herankann, werde ich, wie ich schon sagte, genauso glücklich sein, mit Ihnen den Anfang zu machen. Sehen Sie, sobald ich draußen Ihren Namen nenne – sobald der Presse klar wird, dass Sie sich regelmäßig treffen –, braucht man kein Genie zu sein, um sich den Rest vorzustellen. Es mag einen Schritt weiterführen, aber Nora bringt es nichts.« Er drückt die Fingerspitzen fest auf meinen Schreibtisch und beugt sich über mich. »Und Ihnen auch nichts, wenn Sie uns das Bindeglied nicht nennen.«

Als er sich aufrichtet, bin ich sprachlos. »Ich kann Ihnen noch immer helfen, Michael. Sie haben mein Wort.«

»Aber wenn ich …«

»Warum denken Sie nicht bis morgen früh darüber nach?«, schlägt er vor. Er besteht nicht auf seiner letzten Frist, die ja heute abgelaufen wäre, aber ich brauche trotzdem noch Zeit, um ihn hinzuhalten – bis nach meinem Treffen mit Vaughn.

»Kann ich es mir wenigstens bis morgen Abend überlegen? Ich habe noch eine letzte Sache, nach der ich Nora fragen muss. Wenn ich recht habe, werden Sie alles verstehen. Wenn ich mich irre und es nicht funktioniert, können Sie mir eine große rote Schleife umbinden, und ich liefere mich selbst der Presse aus.«

Er überlegt einen Augenblick. Ein Versprechen mit tatsächlichen Ergebnissen. »Morgen Nachmittag fünf Uhr«, sagt er schließlich. »Aber vergessen Sie nicht, was ich Ihnen gesagt habe, Vaughn sucht nur einen anderen Gimpel. Sobald Sie in der Tinte sitzen, wird er sich davonmachen.«

Ich nicke ihm zu, als er zur Tür geht. »Ich treffe Sie morgen um fünf.«

»Um fünf, richtig.« Die Hand schon auf dem Türknauf, dreht er sich um. »Übrigens«, sagt er, »was halten Sie von dem Auftritt Noras bei *Dateline*?«

Mein Magen wird schwer wie ein Stein, als er fest an der Schlinge zieht. »Warum fragen Sie?«

»Kein Grund. Sie war ziemlich gut, wie? Man hätte nie

vermutet, wie schlecht die Zahlen sind – es war, als halte sie die ganze Familie zusammen.«

Ich studiere seine Augen, versuche zwischen den Zeilen zu lesen. Er hat keinen Grund, jetzt von den Umfrageergebnissen zu sprechen. »Sie ist stark, wenn sie stark sein muss.«

»Ich vermute, das heißt, sie braucht nicht viel Schutz.«

Bevor ich antworten kann, fügt er hinzu: »Vielleicht sehe ich es auch falsch. In den Medien sieht alles immer nach mehr aus als es ist, finden Sie nicht?« Mit einem wissenden Nicken wendet er sich zurück ins Vorzimmer, schaltet das Licht aus und verlässt den Raum. Laut fällt die Tür hinter ihm zu.

Allein im Dunkeln, spiele ich Adenauers letzte Worte durch. Obwohl uns beiden noch ein paar Puzzleteile fehlen, hat er genug, um sich ein Bild zu machen. Deswegen hat er seine Entscheidung getroffen: Egal, was ich tue, für mich ist es zu Ende. Die einzige Frage ist jetzt die, wen ich mit mir in den Abgrund ziehen soll.

Nachdem er gegangen ist, warte ich eine volle Minute, ehe auch ich die Tür ansteuere. Ungeachtet dessen, was auf dem Zeitplan steht, auf Reisen wird er kaum jemals eingehalten. Wenn sich die Teilnehmer verspäten, kann ich sie noch immer abfangen. Auf meinem üblichen Weg rase ich zum Westflügel. Aber als die Abendluft mir entgegenprallt, weiß ich, dass die Zeit sehr knapp ist. Unter der Lampe vor der East Lobby steht keine Marinewache. Der Präsident ist nicht im Oval. Mit Höchstgeschwindigkeit renne ich durch die West Colonnade und in den Ground Floor Corridor. Beim Laufen höre ich Applaus und Hochrufe und in der Ferne ein Schnaufen wie von einem Dampfzug. Langsam zuerst, dann schnell. Schneller. Mit zunehmender Geschwindigkeit pulsiert es. Schwirrt. Brummt. Der Hubschrauber.

Als ich den halben Korridor hinter mir habe, biege ich scharf rechts in den Dip Room ab und pralle frontal mit der Person zusammen, die ich bei einer Abreise am wenigsten zu sehen erwarte.

»Wohin des Wegs?«, fragt Simon ganz ohne Überraschung.

Ich beiße die Zähne zusammen. Unwillkürlich stelle ich mir ihn und Nora auf dem Rücksitz vor. Ich verdränge es. »Ich will beim Abflug zusehen.«

»Seit wann sind Sie so neugierig?«

Ich antworte nicht. Ich muss es von ihr hören. Abrupt wende ich mich ab und gehe um ihn herum.

Er packt meinen Arm. Fest. »Es ist zu spät, Michael. Sie können nichts mehr aufhalten.«

Ich reiße mich los. »Das werden wir sehen.«

Ehe er reagieren kann, bin ich an ihm vorbei und reiße die Tür zum South Portico auf. Entlang der Zufahrt bricht eine kleine Gruppe von etwa fünfundzwanzig Leuten noch immer in Jubelrufe aus. Übriggebliebene von der *Dateline*-Nachfeier. Auf dem South Lawn hebt Marine One gerade ab. Ich muss die Augen gegen den Wirbelwind zusammenkneifen, sehe aber dennoch, wie der mächtige armeegrüne Helikopter sich vom Boden löst. Meine Krawatte und meine ID werden mir über die Schulter geweht, der Wind des Rotors prallt wie eine Welle gegen meine Brust. Hinter kugelsicherem Glas und aus seinem gepanzerten Sitz winkt der Führer der freien Welt uns ein Lebwohl zu. Zwei Sitze dahinter unterhält sich Nora mit ihrem Bruder. Ich hebe den Kopf und beobachte den Steigflug. Simon hat recht. Es gibt keine Möglichkeit, sie aufzuhalten. Ich kann nichts tun. Schnell wie ein Herzschlag verschwinden die Lichter des Hubschraubers, und die Präsidentenfamilie entschwebt in den schwarzen Himmel. Die Menge beginnt sich zu zerstreuen, denn es ist niemand mehr da, dem sie zujubeln kann. Nur ich bleibe dort stehen. Allein. Zurück in einer Welt, in der es nur mich gibt.

»Das ist dumm«, sage ich, als die Kellnerin einen Krug Bier auf unseren Tisch stellt.

»Sag du nichts von dumm zu mir«, entgegnet Trey und schenkt sich ein Glas ein. »Ich war heute dort – ich hab's selbst gesehen. Du überlegst dir jetzt am besten, wie du da wieder rauskommst.«

Als er das sagt, beobachte ich die Kellnerin, die den Nebentisch abräumt. Wie der Kran in dem alten Karnevalspiel senkt sie den Arm und hebt alle wichtigen Dinge hoch: Gläser, Speisekarten, eine Schüssel mit Erdnüssen. Alles andere ist Abfall. Mit einer weit ausholenden Armbewegung fegt sie leere Flaschen und benutzte Servietten in den Plastikeimer des Abräumers. Eine schnelle Bewegung, und alles ist weg. Das hat auch *sie* getan – nach dem Spaß den Abfall weggeworfen. Dennoch, ich weigere mich, es zu glauben. »Vielleicht hat Vaughn sich geirrt. Vielleicht, wenn Nora wieder da ist …«

»Warte einen Moment, willst du ihr etwa eine Chance geben, zu erklären? Nach dem, was sie heute Abend getan hat? Hast du den Verstand verloren?«

»Ich habe keine andere Wahl.«

»Du hast viel mehr als eine. Ganze Einkaufswagen voller Möglichkeiten. Hasse sie, verachte sie, verfluche sie, verachte sie, gib vor, dass du sie aus tiefstem Herzen verabscheust …«

»Das reicht!«, unterbreche ich ihn, während ich noch immer die Kellnerin beobachte. »Ich weiß, wie das alles wirkt … Ich will nur … Wir kennen nicht alle Fakten.«

»Was brauchst du denn noch, Michael? Sie treibt es mit Simon.«

Meine Brust verkrampft sich. Nur daran zu denken …

»Ich meine es ernst«, flüstert er und sieht sich misstrauisch um. »Deshalb wurde Caroline umgebracht. Sie hat rausgefunden, dass die beiden sich horizontal betätigten, und als sie anfing, sie zu erpressen, haben sie beschlossen, zurückzuschlagen. Das Problem war, dass sie einen Prügelknaben brauchten.«

»Mich«, murmle ich vor mich hin. Das ergibt wirklich einen Sinn.

»Überleg dir doch, wie alles gelaufen ist. Es war kein Zufall, dass ihr an dem Abend in diese Bar geraten seid; es war geplant. Sie hat dich mit voller Absicht dorthin gelotst. Das Ganze – den Service abschütteln, vortäuschen, dass ihr euch verfahren habt, sogar dass sie das Geld genommen hat –, all das gehörte zu ihrem Plan.«

»Nein«, flüstere ich und stoße mich vom Tisch ab. »Nicht so.«

»Was willst du …«

»Komm schon, Trey, sie konnten nicht wissen, dass die D. C.-Polizei uns wegen Geschwindigkeitsüberschreitung anhalten würde.«

»Da hast du recht – das war reiner Zufall. Aber wenn ihr nicht angehalten worden wärt, hätte sie das Geld in deinem Wagen versteckt. Denk darüber nach. Sie haben Vaughn vorgeschoben und es so gedreht, dass es aussah, als hättest du ihn ins Gebäude eingeschleust. Als dann Caroline am nächsten Vormittag zwischen Vaughn und dem Geld tot aufgefunden wird, findet man dich gewissermaßen mit dem rauchenden Revolver in der Hand.«

»Ich weiß nicht. Ich meine, wenn das der Fall ist, warum haben sie mich nicht festgenommen? Ich hab den Revolver noch immer. Er ist nur in Polizeigewahrsam.«

»Ich bin nicht sicher. Vielleicht haben sie Angst, dass die Cops Nora identifizieren werden. Vielleicht warten sie bis nach der Wahl. Oder sie warten, dass das FBI es im Alleingang macht. Morgen, fünf Uhr.«

Wir sitzen schweigend da, und ich starre in mein Bier, studiere die aufsteigenden Bläschen. Endlich blicke ich zu Trey auf. »Ich muss trotzdem mit ihr sprechen.« Ehe er reagieren kann, füge ich hinzu: »Frag mich nicht, warum, Trey – es ist nur … Ich weiß, dass du denkst, sie wäre durchgeknallt – glaub mir, ich weiß, dass sie durchgeknallt ist, aber darunter … du hast es nie gesehen, Trey. Du siehst nur jemand, für den du arbeitest – aber hinter diesem ganzen Sich-in-Positur-Werfen und diesem ganzen Öffentlichkeits-Quatsch, in anderer Umgebung und unter anderen Umständen kann sie genauso gut wie du oder ich sein.«

»Wirklich? Wann haben wir beide denn das letzte Mal auf der Bowlingbahn Special K konsumiert?«

»Ich habe gesagt, *darunter*. Darunter gibt es noch ein anderes Mädchen.«

»Also, jetzt hörst du dich an wie Mithridates.«

»Wie wer?«

»Der Kerl, der ein Attentat überlebte, weil er jeden Tag ein bisschen Gift aß. Als sie es ihm schließlich in den Wein schüttete, war sein Körper immun dagegen.«

»Und was ist so schlecht daran?«

»Achte auf die Einzelheiten, Michael. Obwohl er überlebte, hatt er trotzdem noch jeden Tag Gift gegessen.«

»Ich will nur hören, was sie sagt. Deine Theorie umschreibt eine Möglichkeit; es gibt viele andere. Soviel wir wissen, ist Pam diejenige, die …«

»Was, zum Teufel, ist los mit dir? Es ist, als hättest du ständig auf Autopilot umgestellt.«

»Du verstehst nicht …«

»Und ob ich *verstehe*. Und ich weiß, was du für sie empfindest. Zum Kuckuck, selbst wenn ich Nora vergesse, habe ich, was Pam anbelangt, meine eigenen Fragen – aber geh einen Schritt zurück und schalte auf Vernunft. Du vertraust Nora und Vaughn – zwei völlig Fremden, die du noch nicht mal einen Monat kennst – und stellst Pam in Frage, eine gute Freundin, die seit zwei Jahren um dich ist. Bitte, Michael, sieh dir die Fakten an. Ergeben sie einen Sinn für dich? Ich meine, was allein heute betrifft … Was denkst du?«

Ich starre wieder in mein Bierglas. Eine Antwort habe ich nicht.

Am frühen Freitagmorgen überfliege ich alle vier Zeitungen, sehe nach, ob Adenauer Wort gehalten hat. Der *Herald* bringt einen kurzen Artikel über ein paar konspirative Theorien, die sich allmählich um Carolines Tod entwickeln, doch das war zu erwarten. Wichtiger ist, dass Hartson sechs Punkte dazugewonnen hat, ein Riesensprung, der ihn aus der Gefahrenzone bringt. Der Grund ist leicht zu erkennen. Das Titelfoto stammt von *Dateline* und zeigt die ganze Familie. Ganz rechts lacht Nora über einen Scherz ihrer Mutter. Ein ganz gewöhnlicher Tag im Leben.

Darüber hinaus ist alles okay, soweit ich sehe. Nichts von Inez. Nichts von irgendwem. Mir bleibt jetzt nur noch der schwere Teil. Dem Zeitplan zufolge, müssten sie jede Minute landen. Ich binde mir die Krawatte und ziehe sie besonders fest. Zeit, mit Nora zu reden.

Nachdem der Secret Service mich hineingewinkt hat, steuere ich direkt ihr Zimmer im dritten Stock an. Vor ihrer Tür bleibe ich stehen und hebe die Hand, um zu klopfen. Drinnen höre ich sie mit jemand sprechen und beuge mich vor. Im selben Moment fliegt die Tür auf und da steht Nora, strahlend in einem engen schwarzen T-Shirt und Jeans, ein Mobiltelefon am Ohr; sie grinst mich den Bruchteil einer Sekunde an.

»Und wenn er *zwei* Millionen spendet, mir egal!«, schreit sie in den Apparat. »Ich gehe mit seinem Sohn nicht essen!« Als ich eintrete, hebt sie den Zeigefinger. Nur eine Minute, sagt ihre Geste.

Es muss sich um einen Spendenempfang von gestern handeln. Als wir uns kennenlernten, hat sie mir erzählt, dass es nach den Spendengalas immer so ist. Jeder geile Kerl mit einem Scheckbuch rückt an und stellt Ansprüche an sie. Für den Präsidenten ist das ein übliches geschäftliches Vorgehen. Für Nora ist es sehr persönlich.

»Was, zum Teufel, ist los mit diesen Leuten?«, sagt sie, auf und ab gehend, ins Telefon. Sie winkt mich zum Sofa, ich soll mich setzen. »Warum können sie nicht wie alle anderen ein paar Möbel von Ralph Lauren kaufen?« Mit einer weit ausholenden Geste fügt sie hinzu: »Sag ihnen die Wahrheit ... Sag ihnen, ich denke,

Daddys kleiner Börsenbaron ist ein Stinktier und dass ...« Sie unterbricht sich und hört der Person am anderen Ende der Leitung zu. »Mir egal, ob er in Harvard war – was, zum Teufel, soll das ...« Sie unterbricht sich. »Weißt du was? Eigentlich ist es doch nicht egal. Überhaupt nicht egal. Hast du einen Kugelschreiber zur Hand? Ich habe mir nämlich überlegt, was du sagen sollst. Schreibst du es dir auf? Wenn du wieder mit seinen Eltern telefonierst, sag ihnen, es macht mich richtig an, mir vorzustellen, dass ihr Sohn mir mit der Zunge im Ohr rumbohrt, aber ich bedaure, dass es mir nicht möglich ist, mich mit ihm zu treffen. Ich hab nämlich während meines Studiums in Princeton einen vaginalen Eid geschworen, mich nie mit zwei Arten von Typen zu verabreden: Erstens mit Männern, die in Harvard waren, und zweitens« – jetzt fängt sie an zu schreien – »mit Söhnen von selbstgefälligen, wichtigtuerischen, marktschreierischen Eltern, die sich einbilden, dass sie sich die ganze Welt kaufen können, weil sie wissen, wie man sich Logenplätze in den heißesten Schickimicki-Restaurants besorgt! Leider erfüllt ihr lieber Jake beide Bedingungen. Mit freundlichen Grüßen, Nora. PS: Ihr seid gar keine so großen Nummern. Die Hampsons werden überschätzt, und egal, was der Maître sagt, er hasst Sie auch!« Wütend starrt sie ihr Handy an und schaltet es ab.

»Tut mir leid«, sagt sie, noch immer schwer atmend, zu mir. Auch ich atme schwer und höre kaum etwas außer meinem eigenen Herzschlag. »Nora, ich habe etwas Wichti...« Wieder läutet das Telefon.

»Verdammt!«, schreit sie, packt es und meldet sich kurz: »Ja?«

Während sie sich grollend bereit erklärt, an einer nächsten Runde von Spendengalas teilzunehmen, wandern meine Augen zu den beiden gerahmten Briefen auf ihrem Nachttisch. Der eine ist mit leuchtend rotem Buntstift geschrieben und lautet: *Liebe Nora: Du bist heiß. Gruß, Matt, S.* Der andere lautet: *Liebe Nora, schick alle zum Teufel. Deine Freunde Joel & Chris.*

Beide stammen aus den ersten Monaten der Hartson-Ära. Als alles noch Spaß war.

»Du machst wohl Witze?«, sagt sie ins Telefon. »Wann? Gestern?«

Während sie zuhört, geht sie zu einem antiken Schreibtisch und wühlt in einem Stapel Zeitungen, der dort liegt. Sie zieht eine heraus und ich sehe, dass es der *Herald* ist. »Auf welcher Seite?«, fragt sie. »Nein, ich hab sie hier. Danke – ich rufe später zurück.«

Sie legt das Telefon aus der Hand, blättert in der Zeitung und findet, was sie gesucht hat. Strahlend beginnt sie zu lächeln. »Hast du das gesehen?«, fragt sie und hält mir die Zeitung vors Gesicht. »Sie haben hundert Fünftklässler gefragt, ob sie ich sein wollten. Rate, wie viele ja gesagt haben.«

Ich schüttle den Kopf. »Darüber reden wir später.«

»Rate doch mal!«

»Ich will nicht raten.«

»Warum? Hast du Angst, was Falsches zu sagen? Angst vor der Konkurrenz? Angst …«

»Neunzehn«, platze ich heraus. »Neunzehn haben ja gesagt. Einundachtzig möchten lieber ihre Seele behalten.«

Sie wirft die Zeitung beiseite. »Hör zu, das mit gestern tut mir leid …«

»Es geht nicht um gestern.«

»Warum tust du dann so, als hätt ich dir was geklaut?«

»Nora, das ist jetzt nicht die Zeit für Scherze.« Ich fasse sie am Handgelenk. »Komm mit …«

Wieder läutet das Telefon. Sie erstarrt. Ich lasse sie nicht los. Wir sehen einander an.

»Schläfst du mit Edgar Simon?«, stoße ich hervor.

»Was?« Hinter ihr klingelt ununterbrochen das Telefon.

»Ich meine es ernst, Nora. Sag es mir ins Gesicht.«

Nora verschränkt die Arme und sieht mich verständnislos an. Das Telefon verstummt endlich. Plötzlich beginnt Nora zu

403

lachen. Sie lacht ihr aus tiefstem Herzen kommendes Kleinmädchenlachen – so aufrichtig und frei wie überhaupt möglich.

»Keine Spielchen, Nora.«

Sie lacht noch immer, keucht, wird ruhiger. Jetzt blickt sie
mir in die Augen. »Aber, Michael, du kannst doch nicht …«

»Ich will eine Antwort. Schläfst du mit Simon?« Sie presst die
Lippen zusammen; dann: »Du meinst es ernst, nicht wahr?«

»Wie lautet deine Antwort?«

»Michael, ich schwöre dir, ich würde nie … Ich würde dir das
nie antun. Lieber würde ich sterben, als mit so jemand intim zu
werden.«

»Das heißt also nein.«

»Natürlich heißt das nein. Warum sollte ich …?« Sie hält inne.
»Du denkst, ich arbeite gegen dich? Du denkst wirklich, ich
würde das tun?«

Ich mache mir nicht die Mühe, zu antworten.

»Ich würde dir nie wehtun, Michael. Nicht nach alldem.«

»Wie ist es mit *vor* alldem?«

»Was willst du damit sagen? Dass ich meinen eigenen Grund
hatte, Caroline zu töten? Dass ich die ganze Sache inszeniert
habe?«

»Das hast du gesagt, nicht ich.«

»Michael!« Sie nimmt meine beiden Hände. »Wie kannst du
das denken … Ich würde nie …!« Diesmal ist sie es, die nicht loslässt. »Ich schwöre dir, ich hab ihn nie angefasst, ich würde ihn
nie anfassen wollen« – die Stimme versagt ihr –, »in meinem ganzen Leben nicht.« Sie lässt meine Hände fallen und wendet sich
ab.

»Gott«, sagt sie, »wie konntest du überhaupt auf diesen Gedanken kommen?«

»Es war einfach irgendwie sinnvoll«, sage ich.

Sie bleibt wie festgewurzelt stehen. Ihr ganzer Körper verkrampft sich. Zwar sehe ich nur ihren Rücken, doch ich erkenne, dass sie tief verletzt ist. Hätte ich doch nicht …

»Denkst du wirklich so von mir?«, flüstert sie.

»Nora …«

»Denkst du das wirklich?«, wiederholt sie. Bevor ich antworten kann, dreht sie sich, nach der Antwort suchend, wieder zu mir um. Ihre Augen sind feucht. Ihre Schultern hängen nach vorn. Sie gibt sich geschlagen. Ich erinnere mich sehr gut an diese Haltung – so hat meine Mom ausgesehen, als sie ging. Ich antworte nicht, und ihr laufen die Tränen über die Wangen. »Du glaubst wirklich, dass ich eine solche Hure bin?«

Ich schüttle den Kopf und strecke die Hand aus. Als ich mir überlegt hatte, wie sie reagieren würde, habe ich immer an wütenden Zorn gedacht. Einen Zusammenbruch hätte ich nie erwartet. »Nora, du musst verstehen …«

Sie hört mir nicht einmal zu.

Sie fliegt in meine Arme und drückt das Gesicht an meine Brust. Ihr Körper bebt. Anders als bei Pam kann ich nicht widerstehen. Bei Nora ist alles anders.

»Es tut mir leid.« Sie schluchzt, und die Stimme versagt ihr wieder. »Es tut mir so leid, dass du das denken musstest.«

Ihre Finger streifen meinen Nacken, und ich höre den Schmerz in ihrer Stimme und sehe die Einsamkeit in ihren Augen. Doch als sie sich noch fester an mich schmiegt, halte ich mich zurück. Im Gegensatz zu früher bin ich nicht mehr so leicht zu überzeugen. Nicht, solange ich nicht mit Vaughn gesprochen habe.

Obwohl mein Ziel die Metro-Station Woodley Park ist, steige ich schon am Dupont Circle aus. Auf dem fünfzehn Minuten dauernden Spaziergang zwischen diesen beiden Stationen wandere ich durch Seitenstraßen, schlängle mich durch den Verkehr und passiere jede Einbahnstraße in entgegengesetzter Richtung. Wenn sie mir mit einem Wagen folgen, haben sie das Nachsehen. Sind sie zu Fuß … Nun, dann habe ich wenigstens eine Chance. Ich tue alles, um eine Wiederholung der Ereignisse im Zoo zu vermeiden.

An den Restaurants und Cafés von Woodley Park vorbeischlendernd, fühle ich mich endlich zu Hause. Dort ist die Libanesische Taverne, in der wir Treys dritte Beförderung feierten. Und das Sushi-Restaurant, in dem Pam und ich gegessen haben, als ihre Schwester in der Stadt war. Hier lebe ich – das ist meine Gegend –, deshalb fällt mir der ungewöhnlich saubere Müllwagen auf, der den Block entlangfährt.

Als er an der Ecke hält, gönne ich ihm kaum einen zweiten Blick. Sicher, der Fahrer und der Typ, der die Mülltonnen leert, sehen ein bisschen ungewöhnlich aus, aber das ist ja auch kein Job für weichliche Männer. Dann bemerke ich die Aufschrift auf der Flanke das Trucks – *G&B Removal*. Unter dem Firmennamen steht die Telefonnummer, die mit dem Gebietscode 703 anfängt. Virginia. Was tut ein Truck aus Virginia so weit unten im District Columbia? Nun, vielleicht wurde die Arbeit an eine andere Firma vergeben. Da ich den öffentlichen Dienst im District Columbia kenne, ist das gewiss möglich. Aber als ich mich gerade abwende, höre ich das Klirren zerbrochener Flaschen aus der Tonne an der Ecke, die von dem Müllwagen verschluckt werden. Geräusche der Stadt. Ein Geräusch, das ich jede Nacht höre, bevor ich zu Bett gehe ... Meine Beine verkrampfen sich. Am späten Abend. Das ist die Zeit, zu der ich es höre. Das ist die Zeit, zu der sie kommen. Nie am Tag.

Ich fahre herum und schaue den Block entlang. Am anderen Ende quillt eine Mülltonne über. Von daher sind sie gekommen. Eine volle Mülltonne. Hinter dem Truck. Ich tue so, als hätte ich nichts gemerkt und entwische in den Video-Laden auf halber Höhe des Blocks.

»Kann ich Ihnen helfen?«, fragt ein von Kopf bis Fuß in Schwarz gekleidetes Mädchen.

»Nein.« Ein imaginäres Fernglas vor die Augen haltend, drücke ich das Gesicht an das Flachglasfenster, schließe das grelle Sonnenlicht aus und beobachte den Truck. Keiner der beiden Männer ist hinter mir hergejagt. Sie rühren sich nicht. Während der Typ, der den Truck belädt, hinten an irgendetwas herumfummelt, schraubt der Fahrer seine Thermosflasche auf, als habe er sich plötzlich entschlossen, Pause zu machen.

Das Video-Mädchen wird unruhig. »Sir, sind Sie sicher, dass ich …«

Bevor sie den Satz beenden kann, sprinte ich aus dem Video-Laden in die Reinigung nebenan. Hinter dem Ladentisch steht keiner, und ich klingle auch nicht nach dem Service. Stattdessen sause ich ans Fenster und schaue hinaus. Sie haben sich noch nicht gerührt. Diesmal warte ich eine volle Minute, bevor ich nach nebenan in das Café renne.

Ein Mädchen in einem *Eat the Rich*-T-Shirt fragt: »Kann ich etwas für Sie tun?«

»Nein, danke.« Am Schaufenster klebend, warte ich zwei Minuten und ein drittes ›Kann ich etwas für Sie tun?‹ ab, bevor ich hinaus und in den Laden zu meiner Linken renne; zwei weitere Läden absolviere ich noch – laufe hinein, warte, laufe wieder raus und dann nach links. Auf diese Weise lege ich meinen Weg den Block entlang zurück. In jedem Laden warte ich ein bisschen länger. Sollen sie doch denken, ich folgte einem Schema. Noch ein Laden.

Am Ende des Blocks rase ich in den Drugstore von CVS. Auf diese Weise, schätze ich, bin ich bei einer Wartezeit von etwa fünf Minuten angelangt. Doch diesmal renne ich einfach weiter, nachdem ich die Tür aufgestoßen habe. Schnurgerade an den Kosmetikvitrinen vorbei. Shampoos zu meiner Linken, Rasiercremes zu meiner Rechten. Apothekengeruch hängt in der Luft. Ohne anzuhalten, laufe ich durch den Laden nach hinten, um eine Biegung und durch einen nicht dekorierten hinteren Gang. Jetzt entdecke ich mein Ziel – etwas, das nur jemand kennt, der hier zu Hause ist und das der Typ im Müllwagen nie vermuten würde – dieser CVS-Store ist der einzige Laden im ganzen Block, der zwei Eingänge hat. Vor mich hin lächelnd, reiße ich die Hintertür auf und schieße wie eine Kanonenkugel hinaus. Ich sehe mich nur einmal um. Niemand verfolgt mich.

Von einem Adrenalinstoß beflügelt, überquere ich die 24th Street. Primitives Siegesbewusstsein heizt meinen Körper auf. Um die Ecke liegt der Seiteneingang des Woodley Park Marriott. Nichts mehr wird mich aufhalten.

In der Lobby greife ich in meine Hosentasche und suche den Zettel mit der genauen Ortsbeschreibung. Nicht da. Ich greife in die linke Tasche. Dann in die Innentasche meiner Jacke. Oh, Mist, sag mir bloß nicht, er … Verzweifelt durchsuche ich alle Taschen und klopfe mich von oben bis unten ab. Der Zettel ist nicht in meiner Brieftasche und auch sonst nirgendwo … Ich schließe die Augen und überlege. Heute Morgen hatte ich ihn noch; ich hatte ihn, als ich bei Nora war … Aber als ich aufstand, um zu gehen … O nein. Mir weicht alle Luft aus den Lungen. Wenn er mir aus der Tasche gefallen ist, könnte er noch auf ihrem Bett liegen.

Ich bemühe mich, ruhig zu bleiben und erinnere mich an die Anweisungen der Telefonistin, die ich heute Morgen angerufen hatte. Irgendwo im gleichen Stockwerk wie der Ballsaal. Als ich auf das Informationspult zugehe, mustere ich misstrauisch die drei Pagen in der vorderen Ecke der Lobby. Mit gestärkten schwarzen Westen bekleidet, sehen sie aus, als ob sie hierher gehörten, aber irgendetwas stimmt nicht. Gerade als der Größte sich mir zuwendet, merke ich, dass sich die Lifttür rechts von mir schließt. Ein blitzartiger Satz und ich quetsche mich noch in die Kabine. Herumwirbelnd ist das Letzte, das ich sehe, der große Page. Er schaut nicht einmal in meine Richtung. Ich bin noch immer okay.

»Wollen Sie in ein bestimmtes Stockwerk?«, fragt ein Mann mit einer schmalen Westernschleife und Cowboyhut.

»Ballsaal«, sage ich und sehe ihn mir sehr genau an. Er betätigt den entsprechenden Knopf. Für sich selbst hat er schon auf 8 gedrückt.

»Sind Sie okay, Sohn?«, fragt er.

»Ja. Mir geht's prächtig.«

»Sind Sie sicher? Sieht so aus, als könnten Sie ein bisschen … Zwiesprache mit dem Großen Geist brauchen … Wenn Sie verstehen, was ich meine.« Er gießt sich einen imaginären Schuss Whisky hinter die Binde.

Ich nicke zustimmend. »Es ist eben einer dieser Tage.«

»Deutlich und klar. Deutlich und klar.«

Die Tür öffnet sich lautlos in meinem Stockwerk. »Alles Gute«, sagt der Mann mit dem Cowboyhut.

»Für Sie auch«, entgegne ich und steige aus. Hinter mir schließt sich die Tür. Am Ende des langen, geraden Korridors quere ich in den Center Tower des Hotels, wo eine Rolltreppe mit der Aufschrift Zu *den Ballsälen in der ersten Etage* weiter nach oben führt. Ich springe auf.

In der oberen Halle wimmelt es von Menschen – es sind mindestens dreihundert, hauptsächlich Frauen. Alle tragen Namensschildchen an den Hemden, und an ihren Armen baumeln Segeltuchtaschen. Konferenzteilnehmer. Eben rechtzeitig zum Lunch.

So schnell ich kann winde ich mich durch die Menge lächelnder, laut quatschender Frauen, die aufgeregt mit den Armen fuchteln. An der Wand des Hauptkorridors hängt ein riesiges Transparent: *Willkommen beim 34. Jahrestreffen des amerikanischen Lehrerverbandes*. Unter dem Transparent entdecke ich den Plan des Hotels. »Entschuldigen Sie, Verzeihung, entschuldigen Sie«, sage ich und versuche, mich so schnell wie möglich bis dorthin durchzudrängeln. Ich kneife die Augen zusammen, um die Angaben auf dem Plan zu lesen, und finde schließlich die Worte ›Warren Room‹ und daneben einen Pfeil, der nach rechts zeigt.

Warren Room. Das ist es.

Ich wende mich so hastig nach rechts, dass ich mit einer Frau zusammenstoße, die an ihrer Bluse eine kleine, mit Rheinkieseln besetzte Anstecknadel in Form einer Schultafel trägt. »Entschuldigen Sie«, sage ich und laufe an ihr vorbei.

Vor der Tür zum Warren Room hat sich eine Gruppe von Lehrern um eine überdimensionale Korktafel versammelt, die auf einer hölzernen Staffelei steht. Wenigstens hundert zusammengefaltete Zettel sind mit Reißnägeln an der Tafel befestigt – alle mit verschiedenen Namen beschriftet. Miriam, Marc, Ali, Scott. Während ich da stehe, kommen unzählige Zettel dazu, und andere werden abgenommen. Anonym und unauffindbar. Nachrichtenbrett. Warren Room. Kein Zweifel: Hier ist es.

Ich kämpfe mich durch die Menge zu dem Brett vor, doch eine unechte Rothaarige verstellt mir den Weg; sie duftet, als sei eine Haarspraybombe über ihr explodiert. Den Hals reckend, sehe ich mir die Nachrichten an und versuche dabei so systematisch wie möglich vorzugehen.

Ich überfliege die Zettel und prüfe die Namen. Da ist meiner: *Michael*. Ich schiebe einen Fingernagel unter die Reißzwecke, nehme den Zettel ab und lese: Mit Abendessen sieht's heute schlecht aus. Wie wär's mit morgen im Grossman's. Unterschrieben: Lenore.

Wieder sehe ich mich auf dem Nachrichtenbrett um und finde erneut meinen Namen. *Michael*. Ich hefte den ersten Zettel wieder ans Brett und nehme den zweiten. *Frühstück wäre großartig. Um acht. Bis dann. Mary Ellen.*

Frustriert hefte ich auch diesen Zettel ans Brett und setze die Suche fort.

Ich finde noch drei an Michael adressierte Nachrichten. Die einzige, die einigermaßen interessant ist, lautet: *Ich habe mich für dich rasiert*, von einer Frau namens Carly.

Vielleicht hat er die Botschaft unter einem anderen Namen hinterlassen, denke ich, die Tafel anstarrend. Noch einmal fange ich in der oberen linken Ecke an und suche diesmal nach etwas Bekanntem: Nora, Vaughn, Pam, Trey – nichts. Verzweifelt reiße ich einen herunter, der nur ein lächelndes Gesicht zeigt. Darauf steht: *Hast nachsehen müssen, wie?*

Ich zerknülle den Zettel in meiner verschwitzten Faust. Lehrer! Mir auf die Unterlippe beißend, durchkämme ich das Brett. Um mich herum bringen Dutzende von Leuten neue Zettel und nehmen welche weg … Ich bin überzeugt, er ist nur vorsichtig … Was bedeutet, dass es hier etwas gibt, das ich nur finden muss …

Ich glaub's nicht! Da ist es, direkt in der Mitte des Brettes. Der Name ist mit einem Füller geschrieben, dem die Tinte auszugehen scheint. Mit dünnen Großbuchstaben ›L. H: Oswald‹. Der allerletzte Einfaltspinsel. Das bin ich.

So schnell ich kann nehme ich den Zettel ab und löse mich aus der Menge. Durch den Flur rennend, marschiere ich direkt auf die Reihe von Aufzügen am Ende zu. Abwechselnd joggend und schnell gehend, falte ich schön langsam die Oswald-Nachricht auseinander. Oben auf dem Zettel steht: *Wie lange hast du gebraucht, um die hier zu finden?* Immer der Klugscheißer. Direkt darunter: *1027*. Genau was ich erwartet habe. Eine Zimmernummer. Wenn ich sieben abziehe, ist es Zimmer 1020.

Im Aufzug drücke ich sofort auf den Knopf mit der Zahl zehn. Immer wieder hackt mein Finger darauf herum wie ein Specht.

Das Messinggeländer des Aufzugs mit beiden Händen umklammernd, kann ich mich kaum beherrschen. Noch neun Stockwerke. Meine Augen kleben förmlich an der digitalen Anzeigetafel, und in dem Moment, in dem der Aufzug hält, quetsche ich mich durch die noch halb geschlossene Tür. Fast am Ziel, fast am Ziel. Aber als ich mich auf die Suche nach Zimmer 1020 mache, habe ich das Gefühl, dass die Wände des Flurs immer näher kommen, mich umzingeln. Es beginnt mit einem heftigen Schmerz in den Schultern, der in meinen Nacken ausstrahlt. Was immer daraus werden mag, Vaughn wird mir die Wahrheit über Nora sagen. Und ich werde endlich meine Antwort bekommen. Natürlich bin ich nicht sicher, was er hat, doch er hat gesagt, es lohne sich. Und wenn es sich lohnt, dann gehe ich damit sofort zu Adenauer. Egal, wie schmerzlich es sein wird. Mein Magen fängt an Geräusche von sich zu geben, die sonst schweren Krankheiten vorbehalten sind. Eiseskälte rieselt mir über die Rippen und ich verfluche die Klimaanlage des Hotels. Ich friere.

Endlich stehe ich vor Zimmer 1020. Ich greife nach dem Türknauf, halte aber inne, bevor ich ihn drehe. Seit zwei Tagen wird mein Kopf von Dutzenden von Fragen überflutet, die zu stellen ich nicht erwarten konnte. Jetzt weiß ich nicht, ob ich die Antworten hören will. Ich meine, können sie mir denn helfen? Kann ich ihm glauben? Vielleicht ist es so, wie Adenauer gesagt hat. Vielleicht kann man Vaughn nicht trauen.

Ich denke an unser Treffen hinter dem Kino. Seine zerknitterte Kleidung. Seine müden Augen. Und die Furcht in seinem Gesicht. Immer und immer wieder spiele ich die Frage durch: Wenn er versuchen wollte, mich über den Tisch zu ziehen, warum sollte er dann seinen Namen gewissermaßen an meinen ketten – den einzigen Menschen, von dem er wusste, dass er wie der Mörder aussehen würde? Ich kann sie noch immer nicht beantworten. Bin ich also bereit, den nächsten Schritt zu tun? Aber wie bei so vielem in letzter Zeit habe ich kaum andere Möglichkeiten. Ich wische mir die Hand an der Hose ab und klopfe.

Zu meiner Überraschung öffnet sich die Tür einen Spalt, als ich sie anstoße. »Vaughn, bist du drin?« Ich höre ein paar schwache Stimmen, doch niemand antwortet.

Im Flur hält wieder der Aufzug. Jemand kommt. Jetzt ist nicht die richtige Zeit, schüchtern zu sein. Ich stoße die Tür auf. Blendendes Sonnenlicht ergießt sich durch das Fenster am anderen Ende des Zimmers. Als die Tür hinter mir zufällt, höre ich den Fernseher plärren. Kein Wunder, dass Vaughn mich nicht gehört hat.

»Was machste denn? Guckste 'ne Soap?« Ich will das Zimmer betreten und mache einen Schritt über die Schwelle, aber mein Fuß verfängt sich in etwas, ich verliere das Gleichgewicht und taumle nach vorn. Die Hände ausstreckend, um meinen Sturz abzufangen, falle ich schwer auf den Teppich und greife in etwas Klebriges. Meine Beine liegen schief auf irgendeinem Hindernis.

»Was zum …« Der ganze Teppich ist durchweicht. Klebrig. Und dunkelrot. Ich rolle mich zurück, um zu sehen, über was ich gestolpert bin. Nein, nicht über was. Über wen. Vaughn.

»O Gott!«, flüstre ich. Sein Mund ist leicht geöffnet. In der Spalte zwischen Zähnen und Unterlippe sammeln sich rote Speichelbläschen. Beweg dich, beweg dich, beweg dich! Verzweifelt bemühe ich mich, aufzustehen, stoße mich von seiner Leiche ab, aber meine Hände rutschen weg und ich stürze fast wieder zu Boden. Im letzten Augenblick stütze ich mich auf den Ellbogen; meine Krawatte ist darunter eingeklemmt. Jetzt passt sie zu meinen Händen. Noch mehr Blut.

Ich schließe die Augen und lasse meine Beine den Rest erledigen. Sie klettern über Vaughns starren Torso, mein rechtes Knie reibt sich an seinem Brustkorb. Taumelnd komme ich auf die Füße und drehe mich um, um ihn besser sehen zu können. Er liegt der Länge nach im Zugang. Den linken Unterarm hat er fest auf die Brust gepresst, aber seine Hand greift noch immer nach oben, zur halb geöffneten Faust erstarrt. Dann sehe ich den Einschuss in seiner Stirn – nicht ganz in der Mitte, über seinem rechten Auge. Es ist keine große Wunde – dunkel und verkrustet. Blut verklebt sein dichtes schwarzes Haar mit dem grauen Teppich. Ein Auge blickt starr geradeaus, das andere schielt nach der Seite. Wie bei Caroline. Genauso wie bei Caroline. Und alles, woran ich denken kann, ist die Schusswaffe in diesem Metallkasten beim Privatkino des Präsidenten. Die Schusswaffe und dieser verdammte Zettel, der auf Noras Bett liegt.

DREISSIGSTES KAPITEL

Bemüht, nicht in Panik zu geraten, flitze ich durch die offene Badezimmertür und reiße ein weißes Handtuch aus dem Halter an der Wand. Ich muss schnell das Blut loswerden. Nach zwei Minuten wütenden Rubbelns sind meine Hände so sauber wie überhaupt möglich. Ich kann den Hahn aufdrehen, aber – nein, sei nicht blöd … wenn auch nur ein winziges Hautpartikel von mir im Becken zurückbleibt … Gib ihnen nichts, das sie auf deine Spur setzen könnte. Die Hand mit dem Handtuch umwickelt, stürze ich aus dem Bad und steige über Vaughn hinweg, ohne hinunterzuschauen.

Ich bin an der Tür. Keine Fingerabdrücke, keinen physischen Beweis. Ich muss nur weg. Dreh am Türknauf und … Nein. Nicht so.

Gegen alle Ängste ankämpfend, die in meinen Eingeweiden rumoren, drehe ich mich um und mache einen Schritt auf den Leichnam zu. Was er auch getan haben mag, er ist für mich gestorben. Für mich. Weil er mir helfen wollte. Er verdient Besseres als ein Knie in die Rippen.

Ich gehe neben ihm in die Hocke und benutze meine mit dem Handtuch umwickelte Hand, um ihm die Augen zu schließen. Patrick Vaughn. Der einzige Mensch, der angeblich über die Antworten verfügte. »Schlaf gut«, flüstere ich. Es ist nicht der beste Nachruf der Welt, aber besser als nichts.

Durch die Tür höre ich auf dem Flur mehrere Stimmen. Wer immer das getan hat, wusste, dass Vaughn hier sein würde. Was bedeutet, dass sie wahrscheinlich auch wussten, dass ich … Oh, Scheiße, höchste Zeit, abzuhauen. Ich reiße die Tür auf und renne hinaus. Zwei Leute warten auf mich. Erschrocken mache ich einen Satz nach hinten.

»Tut uns leid, Mann«, sagt einer. »Wollten Sie nicht erschrecken.«

Die Frau an seiner Seite fängt an zu kichern. Sie trägt ein weißes Babydoll-T-Shirt mit einem kleinen Regenbogen quer über der Brust.

»I-ist schon okay«, sage ich und versuche das Handtuch zu verstecken, mit dem meine Hand noch umwickelt ist. »Mein Fehler.«

Ich gehe an ihnen vorbei und direkt auf die Lifte zu. Alle vier stecken in der Lobby. Eine halbe Minute später hat sich noch keiner bewegt. »Komm schon!«, schreie ich und hämmere auf den Rufknopf. Warum, zum Teufel, dauert das so lange? Weiter oben im Flur sehe ich das kichernde Paar zurückkommen. Das war ein kurzer Aufenthalt – vielleicht hatten sie nur etwas vergessen. Was es auch war, sie lachen nicht mehr. Als sie näher kommen, verrät ihr Gang irgendwie Entschlossenheit. Ich bleibe nicht, um zu sehen, was der Grund dafür ist.

Prüfend sehe ich mich im Flur um und entdecke ein rotweißes Schild über einer Tür, die aussieht, als führe sie zur Treppe. An der Tür ein gelber Aufkleber mit leuchtend roten Lettern: WARNUNG! Alarm wird ausgelöst, wenn die Feuerschutztür geöffnet wird.

Und ob sie geöffnet wird! Ich stoße sie auf und laufe zur Treppe. Nach zwei Schritten durchdringt ein schrilles Kreischen das Gewölbe, wird vom Beton zurückgeworfen. Die meisten Leute sind nicht in ihren Zimmern, aber schon kann ich weiter unten, aus dem Stockwerk mit den Ballsälen, das Resultat hören. Dreihundert Lehrer lassen ihre Versammlung im Stich und überfluten den Notausgang. Damit habe ich gerechnet. Je mehr, desto besser. Die Wendeltreppe hinunterstampfend, absorbiert mich die menschliche Woge aus Pädagogen als einen der ihren. Es gibt keine Panik und niemand schreit – diese Leute haben bestimmt das Buch über Brandschutzübungen gelesen. Und als wir uns in die Lobby ergießen, habe ich die Deckung, die ich brauche. Von Segeltuchtaschen und bunten Namensschildchen umgeben, schlüpfe ich durch den Haupteingang ins Freie und gehe schnell weiter. Niemand darf mich sehen. Das beste Szenario wäre jetzt, wenn sie mich für Vaughns Tod verantwortlich machten. Das schlimmste … Ich sehe noch immer das dunkle, verkrustete Loch über Vaughns rechtem Auge vor mir.

Erst gehe ich langsam, dann, als ich gut vier Blocks entfernt bin, fange ich an zu laufen. In einer schmalen Gasse entdecke ich eine Telefonzelle. Ich wühle in meinen Taschen nach Kleingeld. Ich brauche Hilfe. Trey, Pam, irgendwer. Aber sofort nachdem ich den Hörer genommen habe, hänge ich ihn wieder ein. Wie, wenn am anderen Ende jemand mithört? Ich darf kein Risiko eingehen. Muss es ihnen direkt sagen. Geh weiter. Renn.

Ich strecke den Hals vor und sehe mich prüfend um. Niemand da. Schlechtes Zeichen für eine sonst so belebte Gegend. Auf der Straße hält ein Taxi an einer roten Ampel. Ich warte und flitze hinüber, kurz bevor sie grün wird. Meine Schuhe trommeln über das Pflaster und gerade als das Taxi anfängt langsam zu rollen, strecke ich die Hand aus und packe die Klinke der Fondtür. Der Fahrer tritt auf die Bremse, ich steige ein und knalle die Tür zu.

»Tut mir leid«, sagt er. »Ich habe Sie nicht ge…«

»Zum Weißen Haus, so schnell Sie können …«

»Halten Sie an!«, rufe ich ein paar Blocks von meinem Ziel entfernt.

Das Auto kommt ruckartig zum Stehen. »Hier?«, fragt der Fahrer.

»Ein Stückchen weiter vorn«, sage ich und mustere das McDonald's in der 17th Street. »Perfekt. Halt.«

Jemand hat auf dem Rücksitz eine Zeitung liegen lassen. Ich nehme meine Krawatte ab und wickle sie um das blutige Handtuch. Dann stecke ich beides in den Metro-Teil der Zeitung, steige aus dem Taxi und reiche dem Fahrer eine Zehndollarnote durchs Fenster. Als das Taxi weiterfährt, hole ich tief Atem und schlendere so lässig ich kann auf das McDonald's zu. Drinnen gehe ich an der Warteschlange vorbei und stehe gleich darauf vor den Abfalltonnen.

Mit einer raschen Bewegung schiebe ich den Zeitungsball unter den Abfall. Da drin hält man jeden roten Fleck für Ketchup.

Drei Minuten später steige ich die Treppe zum OEOB hinauf. Ich habe noch vier Stunden, bis Adenauer mich der Öffentlichkeit zum Fraß vorwirft, und ich werde sie brauchen. Bis mir etwas Besseres einfällt, muss ich über die Geschichte schweigen, etwas anderes bleibt mir nicht übrig. Irey ist der Meister im Verschweigen von Geschichten. Meine Augen durchsuchen die Sträucher in der Nähe und betrachten prüfend die Säulen. Wenn Vaughns Mörder mir die Schuld in die Schuhe schieben will, hat er vielleicht schon den Service informiert. Äußerlich sieht jedoch alles okay aus. Als ich die schwere Glastür aufstoße, sehe ich eine kleine Schlange, die darauf wartet, vom Sicherheitsmann eingelassen zu werden – die Leute, die vom Lunch zurückkommen. Als Letzter in der Reihe zähle und studiere ich die vier uniformierten Diensthabenden. Wissen Sie etwas? Hat es sich schon herumgesprochen? Schwer zu sagen. Hinter dem Schreibtisch stehen zwei und unterhalten sich lebhaft, zwei weitere sind am Röntgengerät.

Langsam rücke ich vor. Ich hoffe, ihrem Blick ausweichen zu können und vergrabe mich in den übrigen Teilen der Zeitung. Fast da – bleib ruhig.

»Sie arbeiten immer, nicht wahr?«, sagt eine Männerstimme und ich spüre eine Hand auf der Schulter.

»Was zum …« Ich fahre herum und packe sein Handgelenk.

»Tut mir leid.« Er lacht. »Ich wollte Sie nicht erschrecken. Aufblickend sehe ich blondes Haar und das herzliche Lächeln eines jungen Anwalts. Howie Robinson, reizender Kerl, arbeitet im Büro des Vizepräsidenten.

»Nein, nein, ist schon okay.« Ich schaue über die Schulter und mustere die Wachen. Alle beobachten uns. Viel zu hastig, meine Bewegungen.

»Waren Sie gestern bei der Party?«, fragt Howie.

»Ja«, sage ich und werfe noch einen Blick auf die Wachmänner. Die beiden hinter dem Schreibtisch fangen an zu flüstern.

»Sie hätten es sehen müssen, Garrick«, fährt Howie fort. »Ich hab meine Schwester und meinen Neffen reingeschmuggelt. Dieser Junge – ich sag Ihnen, der ist halb durchgedreht. Ich glaube, er hat sich in Nora verknallt.«

»Ja – großartig«, murmle ich. Der Wachmann vom Schreibtisch geht zu den beiden am Metalldetektor hinüber. Irgendetwas stimmt nicht.

»Sind Sie okay?«, fragt Howie, während wir schrittweise vorrücken. Ich bin als Nächster dran.

»Klar.« Ich nicke. Ich sollte sofort hier raus. Nach Hause gehen und …

»Der Nächste!«, ruft mir der uniformierte Beamte zu. Alle sehen mich an.

Ohne aufzublicken, ziehe ich meine ID heraus, gebe meinen Code ein und gehe durch das Drehkreuz. So schnell ich kann, passiere ich den Metalldetektor und höre nicht einmal, dass der Alarm losgeht. Der uniformierte Beamte packt mich fest am Arm. »Wohin wollen Sie, Freund?«

Ich glaub's nicht. »Es war doch ganz …«

»Leeren Sie Ihre Taschen. Sofort.«

Ich kann mich gerade noch zurückhalten, ehe ich etwas sage. Es ist kein Sicherheitsalarm, es ist nur der Metalldetektor. »Tut mir leid«, sage ich, in die Realität zurückgekehrt. »Gürtel. Es ist mein Gürtel.«

Sein Metalldetektor, ein Handgerät, bestätigt es.

»Regen Sie sich nicht auf, Mann«, sagt Howie und klopft mir auf den Rücken. »Sie müssen ab und zu hier rauskommen, zu uns zum Basketball oder so … Ist gut für die Seele.«

»Ja, prima Idee, mache ich«, entgegne ich mit einem erzwungenen Lachen.

Er geht nach rechts, während ich mich nach links wende.

Obwohl ich von Mitarbeitern umringt bin, schien mir der Flur noch nie so leer. Bevor ich um die Ecke biege, werfe ich noch einen Blick auf die uniformierten Beamten. Die beiden hinter dem Schreibtisch konzentrieren sich auf die Reihe der Wartenden. Der am Röntgengerät beobachtet mich noch immer. Ich tue so, als merkte ich es nicht, halte den Atem an und biege schnell nach rechts. In dem Moment, in dem ich außer Sicht bin, renne ich los. Schnurstracks zu Trey.

Ich reiße die Tür von Treys Büro auf, doch er sitzt nicht an seinem Schreibtisch. Ist nirgends zu sehen.

»Kann ich helfen?«, erkundigt sich sein Kollege, Steve.

»Wissen Sie, wo Trey steckt?«, frage ich und bemühe mich, nicht so zu wirken, als sei ich außer Atem.

»Nein, ich …«

»Ich hab ihn gesehen«, meint ein dritter Kollege. »Ich denke … eh … ich denke, er klebt mit dem Kopf am Hinterteil der First Lady.«

»Das stimmt«, sagt Steve lachend. »Ein höllischer Fototermin. Wir haben ein paar Kids reingebracht. Haben die Lady in eine Wohnzimmerkulisse gesetzt. Flaumweiche Kissen. Weichzeichner in der Kamera. Wirklich sehenswert.«

Presseassistenten. Lauter Komödianten.

Ich reiße einen Zettel von einem Post-it-Würfel ab, kritzle schnell eine Notiz darauf und pappe den Zettel an Treys Computerschirm. *Komm zu mir. 911.*

»Phantastischer Code«, sagt Steve. »Viel besser als der von Morse.«

Ich stürme auf den Flur zurück und knalle die Tür hinter mir zu. Wieder ertrinke ich in Stille. Ich muss mit jemand sprechen – und wenn nur, um den nächsten Schritt zu überlegen. Als ich mich nervös in dem marmorgefliesten Flur umsehe, ist der erste Mensch, der mir einfällt, Pam. Ich kann zu ihr gehen und … Was fällt mir denn jetzt ein? Ich kann nicht. Nicht nach dem, was geschehen ist. Noch nicht. Außerdem steht durch Vaughns Tod ohnehin alles auf Spitz und Knopf. Was bedeutet, dass ich ganz gewiss nicht am Steuer des Trucks sitzen möchte. Mir ist egal, ob Wahljahr oder nicht – ich bin ausgewichen, seit ich das Hotel verlassen habe –, jetzt muss ich nachschauen.

Ich renne über den weichen roten Teppich des Ground Floor Corridors und sehe eine Besucherphalanx, angeführt von einem der Secret-Service-Führer, bei einer VIP-Besichtigung des Weißen Hauses. Als ich vorüberflitze, zücken zwei Besucher ihre Kameras. Sie glauben, ich sei berühmt. Wenn sich die Dinge in dieser Richtung weiterentwickeln, werden sie recht behalten.

Ich stoppe erst, als ich den uniformierten Wachmann sehe, der vor dem Kino sitzt. »Darf ich Sie um einen Gefallen bitten?«, frage ich hastig.

Er antwortet nicht. Sieht mich nur kritisch an.

»Ich weiß, das klingt verrückt«, beginne ich, »aber ich war im OEOB auf der Toilette …«

»In welcher?«

»Im ersten Stock – beim Cabinet Affairs. Nun ja, und als ich in der Kabine bin, höre ich zwei Interne über die eh« … ich zeige hinter mich auf den Metallkasten – »Pistole quatschen, die Sie hier in diesem Kasten aufbewahren.« Er richtet sich stocksteif auf. »Vielleicht hab ich was Falsches gehört – sie haben die ganze Zeit geflüstert –, aber es hat so geklungen, als *wüssten* sie entweder, dass die Waffe hier drin ist oder als hätten sie eine Waffe von hier *herausgenommen*. Vielleicht haben sie nur angegeben, aber …«

Er springt auf, und sein Stuhl rutscht über den Marmorfußboden nach hinten. Er bittet mich, zurückzutreten, hakt einen Schlüsselbund von seinem Gürtel los und geht auf den von Nora bei ihrem Wutanfall halb eingebeulten Metallkasten zu. Ich beobachte ihn, wie er mit dem Schloss kämpft – es klemmt.

Mein ganzer Körper brennt. Es ist, als hämmere mir jemand auf den Schädel. Alles, was ich höre, ist das Klirren der Schlüssel. Er steht vor mir, ich kann überhaupt nichts sehen. Es sieht so aus, als zerre er an der Tür des Kastens. Fester. Fester. Dann höre ich endlich das Knirschen verklemmten Metalls. Die Tür schwingt auf, und der Wachmann dreht sich zu mir um. Er geht beiseite, damit ich es selbst sehen kann. Die Waffe liegt genau da, wo sie liegen soll.

»Tut mir leid«, sage ich mit erzwungener Erleichterung. »Da muss ich mich wohl verhört haben.«

»Scheint so, nicht wahr?«

Ich zucke mit den Schultern, mache kehrt und gehe langsam an der Lincoln Statue vorbei. Kaum bin ich um die Ecke, beginne ich wieder zu rennen – renne so schnell ich kann durch den Ground Floor Corridor. Es ist ein gutes Zeichen, aber sie könnte das Ding ganz leicht wieder zurückgelegt haben.

Nachdem ich drei Viertel des Flurs hinter mir habe und mich der Haupttreppe zur Residenz nähere, werde ich endlich langsamer. Wie immer bringt mich meine ID und ein energisches Nicken am unteren Wachmann vorbei. »Einer rauf«, flüstert er in sein Walkie-Talkie.

Zwei Stufen auf einmal nehmend, fliege ich die Treppe hinauf, weiß aber, dass man mich anhalten wird. Ich hätte sie anrufen und sie hätte die Wachen verständigen können, dass ich komme, aber ich wollte ganz überraschend bei ihr auftauchen. Überraschung ist das Einzige, das mir noch geblieben ist – und obwohl die Waffe da ist, möchte ich ihre Reaktion trotzdem selbst sehen. Natürlich verstellen mir zwei Secret-Service-Beamte den Weg, als ich den State Floor erreiche.

»Kann ich Ihnen helfen?«, fragt der Schwarzhaarige.

»Ich muss Nora sprechen. Sehr, sehr dringend.«

»Und Sie sind …«

»Sagen Sie ihr, Michael sei da – sie weiß dann schon Bescheid.«

Er wirft einen raschen Blick auf meine ID. »Tut mir leid, sie hat gebeten, nicht gestört zu werden.«

Ich versuche, ruhig zu bleiben. »Hören Sie, ich möchte nicht lästig fallen. Rufen Sie einfach an. Es ist wichtig.«

»Sie haben Ihre Antwort schon bekommen«, fügt der zweite Beamte hinzu. »Welches Wort haben Sie nicht verstanden?«

»Ich … ich habe jedes einzelne verstanden. Versuche nur, uns Kopfschmerzen zu ersparen.«

»Hören Sie, Sir …«

»Nein, Sie hören«, gehe ich zum Gegenangriff über. »Ich bin ganz zivilisiert hierhergekommen – Sie sind derjenige, der angefangen hat zu streiten. Ich habe es mit einer echten Krise zu tun, und deshalb haben Sie zwei Möglichkeiten: Sie können ganz einfach zum Telefon greifen und erklären, es gebe einen Notfall, oder Sie können mich abweisen, kriegen es dann aber mit einer sehr wütenden Nora zu tun, wenn sie herausfindet, dass Sie diese ganze beschissene Sauerei verschuldet haben. Persönlich wäre mir Letzteres lieber – ich mag blutige Sportarten.«

Er kommt mir sehr nah und mustert mich eingehend. Schließlich sagt er grollend: »So lauten meine Befehle … Sir. Sie darf nicht gestört werden.«

Ich will nicht nachgeben und sehe mich nach der kleinen Beobachtungskamera um, die in der Klimaanlage versteckt ist. Zeit, um über seinen Kopf hinweg zu handeln. »Harry, ich weiß, du siehst zu …«

»Ich bitte Sie, zu gehen«, warnt mich der Secret-ServiceMann.

»Rufen Sie sie bitte an«, sage ich zur Decke hinauf. »Sie müssen nur …« Bevor ich zu Ende sprechen kann, kommen drei Beamte in Zivil, von Harry angeführt, die Treppe herauf.

»Wir haben ihm gesagt, dass sie nicht gestört werden will«, erklärt der Beamte.

»Ich muss sie sprechen, Harry. Ich …« Der Beamte unterbricht mich, indem er mich mit einem Klammergriff am Nacken packt.

»Lassen Sie los«, warnt ihn Harry.

»Aber er …«

»Ich möchte hören, was er zu sagen hat, Parness.« Parness kapiert. Uniformierte streiten sich nicht mit Beamten in Zivil.

»Also, wo brennt es?«, fragt Harry.

»Ich muss mit ihr sprechen.«

»Aus persönlichen Gründen – oder geht es um eine Angelegenheit des Weißen Hauses?«

»Kommen Sie schon, Sie wissen, um was es geht. Sie waren an dem Abend dabei.«

Er nickt mir kaum merklich zu.

»Es ist wichtig, Harry, ich wäre nicht so unangemeldet gekommen, wenn's nicht so wäre. Bitte!«

Die anderen Beamten starren ihn an, bis er den Blick abwendet. Sie alle kennen Noras Anweisung. Sie wollte nicht gestört werden. Dennoch, es liegt alles an ihm. Endlich sagt er: »Wir rufen sie an.«

Ich lächle leicht.

Er geht in das nahe gelegene Usher's Office und greift zum Telefon. Ich kann nicht hören, was er sagt, und um ganz sicher zu sein, dass wir nicht von den Lippen ablesen können, was er spricht, kehrt er uns den Rücken zu.

Als er geendet hat, kommt er ins Treppenhaus zurück. Er verzieht keine Miene. »Sie haben heute Ihren Glückstag.«

Ich atme einmal tief durch und laufe zur Treppe. Aus dem Augenwinkel beobachte ich den schwarzhaarigen Beamten, der das Gästebuch aufschlägt, um meinen Namen einzutragen. Harry schüttelt den Kopf und hält ihn auf. »Den nicht«, sagt er.

Als ich Noras Zimmer betrete, schließt sie schnell eine Schreibtischschublade. Sie wirbelt herum, sieht mich an und lächelt strahlend. Doch das Lächeln erlischt sofort wieder. »Was ist passiert?«

»Wo warst du in den letzten zwei Stunden?«

»Oh ... hier«, sagt sie. »Habe Briefe unterschrieben. Jetzt sag mir, was ...«

»Lüg mich nicht an, Nora.«

»Ich lüge nicht. Frag doch den Service – ich war kein einziges Mal weg.«

Es ist schwierig zu widersprechen, aber da ist noch ... »Hast du einen kleinen Zettel gesehen?«, frage ich und suche auf ihrem Bett.

»Was ist denn ...«

»Einen kleinen Zettel«, wiederhole ich lauter und inspiziere den handgewebten Teppich. »Ich denke, ich habe ihn heute Morgen verloren. *Woodley Park Marriott* stand drauf.«

»Michael, beruhige dich. Ich weiß nicht, wovon du redest.«

»Ich kann nicht mehr, Nora. Das war's. Es ist vorbei. Es tut mir leid, wenn es dich in Schwierigkeiten bringen wird, doch du bist die Einzige, die mir Rückendeckung geben kann. Du brauchst nur zu sagen, dass Simon das Geld hatte, und dann ist es mir möglich ...«

Sie nimmt mich bei den Schultern und unterbricht mich: »Wovon, zum Teufel, redest du?«

»Sie haben ihn umgebracht, Nora. Haben ihm ein Loch in die Stirn geblasen.«

»Wen? In wessen Stirn?«

»Vaughn. Sie haben Vaughn umgebracht.« Als ich das sage, schießt ein ganzer Geysir an Gefühlen in meinem Hals hoch. »Seine Augen ...«, sage ich. »Warum hat er ... er hat mir geholfen, Nora. *Mir!*«

Ihr Mund bebt, und sie macht ein paar Schritte von mir weg.

»Was willst du …«

Bevor ich den Satz zu Ende sprechen kann, weicht sie bis zum Bett zurück und setzt sich auf die Matratze. Sie legt die Hände auf den Mund, und Tränen schießen ihr in die Augen. »O mein Gott!«

»Ich sage dir, dass sie wegen dieser Sache schnurstracks zu mir kommen werden …«

»Okay, warte eine Sekunde«, sagt sie mit bebender Stimme. »Wann ist das … o Gott … Wo ist das passiert?«

»Im Hotel … wir wollten uns im Marriott treffen. Aber als ich ins Zimmer kam – da hat er dagelegen, Nora, einfach so – und außer mir keiner, dem man die Schuld anhängen könnte.«

»Wie ist er …«

»Durch eine Kugel. Direkt in den Kopf. Er hat wahrscheinlich die Tür geöffnet, und – jemand hat geschossen. Mehr weiß ich nicht. Wo er gestürzt ist – war alles blutig … auf dem ganzen Teppich …«

»Und du?«

»Ich bin über ihn gefallen – auf ihn. Sie werden meine Fingerabdrücke überall finden – auf dem Türknauf … seinem Gürtel … Dabei genügt schon ein Hautpartikel. Er hat einfach dagelegen. Blutigen Schaum vor dem Mund – getrocknete Bläschen … Aber er hat sich nicht bewegt – konnte nicht. Überall war Blut, Nora – an meinen Händen – meiner Krawatte … Überall …«

Das Telefon fängt an zu klingeln. Wir zucken beide zusammen.

»Lass es einfach läuten«, sagt sie.

»Aber wie, wenn es …«

Wir sehen uns an. Jeder so verschreckt wie der andere. Natürlich ist sie die Erste, die reagiert. »Ich sollte …«

»Nimm ab«, stimme ich zu.

Langsam geht Nora zum Schreibtisch. Es klingelt hartnäckig weiter.

Sie nimmt ab. »Hallo«?«, sagt sie zögernd. In der nächsten Sekunde sieht sie mich an. Das ist nicht gut. »Ja. Ist er«, fügt sie hinzu und hält mir das Telefon mit dem ausgestreckten Arm entgegen. »Es ist für dich.«

Zögernd nehme ich den Hörer. »Michael hier«, sage ich, gegen einen Schwindelanfall ankämpfend.

»Ich hab gewusst, dass ich dich dort finden würde! Ich hab's gewusst! Was, zum Teufel, ist mit dir los?«, brüllt jemand. Die Stimme kenne ich.

»Trey?«

»Ich hab' gedacht, du würdest dich von ihr fernhalten.«

»Ich … ich habe nur … Ich …«

»Nicht wichtig. Mach, dass du dort rauskommst.«

»Du verstehst nicht.«

»Vertrau mir, Michael – du bist derjenige, der nicht kapiert. Ich habe eben einen Anruf von …«

»Sie haben Vaughn ein Loch in den Kopf geschossen. Er ist tot!«

Trey macht nicht einmal eine Pause. Nach vier Jahren Wachdienst bei der First Lady ist er an schlechte Nachrichten gewöhnt. »Wo ist es passiert? Wann?«

»Heute. Im Hotel. Ich bin reingegangen und hab die Leiche gefunden. Ich wusste nicht, was tun, also bin ich abgehauen.«

»Nun, du solltest besser auch jetzt abhauen. Mach, dass du dort rauskommst, sofort.«

»Was meinst du?«

»Ich habe eben einen Anruf von einem Freund bei der *Post* bekommen. Sie bringen die Story auf ihrer Website – den Mord an Caroline, den toxikologischen Befund, alles.«

»Wird ein Verdächtiger genannt?«

Lange Pause. »Er hat gesagt, du musst dich auf einen Schlag gefasst machen. Tut mir leid, Michael.«

Ich schließe die Augen. »Bist du sicher? Vielleicht wollte er nur auf den Busch klopfen …«

»Er hat mich gefragt, wie man deinen Namen schreibt.« Meine Beine werden taub, und ich lehne mich an den Schreibtisch. Das ist es. Ich bin tot. »Bist du okay?«, fragt Trey.

»Was sagt er?«, will Nora wissen.

»Michael, bist du noch da?«, quäkt Treys Stimme aus dem Telefon.

»Michael, bist du okay?«

Die ganze Welt verschwimmt vor mir. Es ist wie in der Nacht auf dem Dach – nur ist es diesmal Realität. Meine Realität. Mein Leben.

»Hör zu«, sagt Trey, »hau ab aus der Residenz – geh weg von Nora. Komm zu mir herunter, und wir können …« Er verstummt plötzlich.

»Was ist?«, frage ich.

»O nein!«, stößt er hervor. »Das glaube ich einfach nicht.«

»Was? Geht es um die Story?«

»Wie haben sie …«

»Sag es mir einfach, Trey! Was gibt's?«

»Es läuft über die Schirme der Associated Press – der Netzwerkdienst muss es von der Website der *Post* runtergeladen haben, Michael.«

Mistkerl. Jetzt ist es nicht mehr aufzuhalten. »Ich muss hier raus.«

»Wohin willst du?«, fragt Nora.

»Sag es ihr nicht!«, schreit Trey. »Geh einfach! Jetzt!«

In Panik knalle ich den Hörer auf und laufe zur Tür. Nora hinter mir her.

»Was hat Trey gesagt?«, fragt sie.

»Es ist raus. Die Geschichte ist raus, Caroline. Ich bin dran. Er sagt, es geht über alle Drähte.«

»Hat er mich erwähnt?«

Ich starre sie an. »Um Himmels willen!«

»Du weißt, was ich meine.«

»Tatsächlich weiß ich's nicht, Nora.« Ich kehre ihr den

Rücken und gehe zur Haupttreppe. »Es tut mir leid, Michael!«, ruft sie mir nach.

Ich bleibe nicht stehen. »Michael, bitte!« Ich gehe weiter.

Als ich am Ende des Flurs angelangt bin, feuert sie ihren letzten Schuss ab. »Das ist nicht der beste Ausweg!«

Jetzt halte ich doch an. »Was meinst du?«

»Wenn du die Treppe nimmst, läufst du dem Service direkt in die Arme.«

»Hast du eine bessere Idee?«

Sie nimmt mich bei der Hand und führt mich weiter geradeaus. Ich wehre mich gerade nur so viel, dass sie weiß, ich bin nicht ihre Marionette.

»Erspar mir das Getue, Michael. Ich versuche, dich hier rauszubringen.«

»Bist du sicher?«

Sie mag es nicht, beschuldigt zu werden. »Du denkst, ich hab das getan?«

Ich weiß nicht, was ich denken soll, und habe jetzt nicht die Zeit, mich damit auseinanderzusetzen. »Zeig mir einfach den Weg.«

Am anderen Ende des Flurs stößt sie eine Pendeltür auf und wir kommen in einen Raum, der wie eine kleine Pantry aussieht. Mini-Kühlschrank, Spüle, ein paar Glasschränkchen voller Frühstücksflocken und Snacks. Gerade so viel, dass man nicht drei Stockwerke in die Küche hinunterlaufen muss. In der Ecke über der Theke sind zwei viereckige Metallpaneele angebracht, in die CD-große Fenster eingeschnitten sind. Nora nimmt den Griff am unteren Ende eines Paneels und schiebt es hinauf wie ein widerspenstiges Fenster. Hinter dem Paneel befindet sich ein kleiner Raum, groß genug für zwei Menschen.

»Was?«, fragt Nora. »Du hast noch nie einen Speiseaufzug gesehen?«

Rasch stelle ich mir im Geist den Grundriss der Stockwerke vor. Direkt unter uns ist das Speisezimmer des Präsidenten und die Küche liegt auf dem Ground Floor. Als sie sieht, dass ich's begreife, fügt sie hinzu: »Sogar Präsidenten müssen essen.« Sie zeigt mit dem Kinn auf den winzigen Aufzug.

»Halt mal – erwartest du etwa, dass ich …?«

»Du willst doch hier raus?«, fragt sie.

Ich nicke.

»Dann steig ein.«

ZWEIUNDDREISSIGSTES KAPITEL

In völliger Dunkelheit und wortlos fahren wir in die Küche hinunter. Als wir auf dem Ground Floor ankommen, fällt Licht in das winzige runde Fenster. Nora späht hinaus, schiebt die Tür hoch und schaut nach beiden Seiten. »Gehen wir«, sagt sie.

Als sie sich aus dem engen Speiseaufzug hinauswindet, bohrt sich mir ihr Knie in die Rippen. Ich kann nur an Vaughn denken.

Ans Licht kriechend sehe ich, dass wir im hintersten Winkel der Küche sind – einem kleinen Raum mit Reihen modernster Gefriertruhen. Durch die Tür entdecke ich vor dem Lieferanteneingang einen uniformierten Wachmann. Näher bei uns bereiten der Küchenchef und ein Assistent auf den Arbeitsflächen aus Edelstahl das Abendessen vor. In ihre Arbeit vertieft, sehen sie uns nicht einmal.

»Hier lang«, sagt Nora und zieht mich an der Hand.

Sie öffnet eine Tür an der äußersten rechten Seite und führt uns aus der Küche zurück in den Ground Floor Corridor.

»Dort!«, ruft jemand.

Fünfzig Blitzlichter leuchten auf und blenden uns. Instinktiv tritt Nora vor mich, schirmt mich gegen … Warte … es ist nicht die Presse. Keine Instamatics. Es ist nur ein weiterer Besuchertrupp.

»Nora Hartson«, verkündet der Führer einer Gruppe, die

nach Prominenten im diplomatischen Dienst aussieht. »Unsere Präsidententochter!«

Die Gruppe fängt spontan an zu applaudieren, und der Führer ermahnt sie vergeblich, dass es ihnen nicht gestattet ist, zu fotografieren.

»Danke«, sagt Nora zu der noch immer knipsenden Gruppe. Sie steht vor mir und versucht die ganze Zeit, mich hinter sich zu verstecken. Ich weiß, was sie denkt: Wenn mein Foto morgen in allen Zeitungen erscheint, ist das Letzte, was sie braucht, ein Gruppenfoto. Als die Gruppe sich zu ihrem nächsten Ziel aufmacht, nimmt Nora mein Handgelenk. »Gehen wir«, flüstert sie und versucht angestrengt, vor mir zu bleiben. »Beeil dich.«

Ich ziehe den Kopf ein und folge ihr. Wir gehen im Eiltempo durch den Flur, vorbei an meinem liebsten uniformierten Beamten. Er rührt sich nicht; greift nicht nach seinem Walkie-Talkie. Solange wir die Treppe zur Residenz meiden, ist es ihm anscheinend egal.

Vor dem Dip Room biegen wir scharf links ab und Nora öffnet eine Tür, die von den Bronzebüsten Churchills und Eisenhowers flankiert wird; sie führt in einen Flur, in dem in einer langen Reihe Stühle gestapelt sind; es sind mindestens vierzig gut zwei Meter hohe Türme. Das Stuhllager für Staatsdiners. Gegen Ende fällt der Flur schräg ab. Wir kommen an einer Pyramide aus Lattenkisten vorbei und dann an der Bowlingbahn, die auf der linken Seite liegt. Nora behält ihren Eilschritt bei und führt uns immer tiefer in das Labyrinth. Ich fühle mich allmählich zu weit entfernt vom Tageslicht.

»Wohin bringst du mich?«

»Wirst du schon sehen.«

Als der Flur wieder gerade verläuft, mündet er in einen anderen, der steil aufwärts führt; er ist viel schmutziger. Niedrige Decke. Nicht so gut beleuchtet. Die Wände sind feucht und riechen wie alte Pennys.

Ich verstehe es nicht. Wir sind im Keller. Nora weiß anscheinend selbst nicht mehr, wohin sie will. Und mir läuft die Zeit weg. Trotzdem geht Nora nicht langsamer. Sie biegt in einer Haarnadelkurve rechts ab und geht weiter.

Mein Auge beginnt zu zucken. Ich habe das Gefühl, das Herz will mir die Brust sprengen. »Stopp!«, schreie ich.

Zum ersten Mal bleibt sie stehen und hört zu.

»Sag mir, wohin wir gehen, um Himmels willen.«

»Ich hab dir doch gesagt, du wirst es sehen.«

Ich mag die Dunkelheit nicht. »Ich will es jetzt wissen«, beharre ich misstrauisch.

Wieder bleibt sie stehen. »Keine Sorge, Michael«, sagt sie mit weicher Stimme. »Ich passe auf dich auf.«

Diesen Ton habe ich seit dem Tag mit meinem Dad von ihr nicht mehr gehört. Dennoch, jetzt ist nicht die Zeit dazu. »Nora …«

Wortlos wendet sie sich ab und geht weiter bis ans Ende des Kellergangs. Dort ist eine Stahltür mit einem elektronischen Schloss. Wenn die Gerüchte stimmen, ist das ein Luftschutzkeller, ich bin mir ziemlich sicher. Nora gibt einen PIN-Code ein, und ich höre, wie sich mit einem dumpfen Plopp ein Schloss nach dem anderen öffnet.

Mit einem Ruck zieht Nora die Tür auf. Sofort bekomme ich große Augen. Das kann nicht sein. Doch hier ist er, direkt vor mir. Der größte Mythos des Weißen Hauses – ein geheimer Tunnel.

Nora sieht mir in die Augen. »Wenn er für Marilyn Monroe gut genug war, ist er auch gut genug für dich.«

DREIUNDDREISSIGSTES KAPITEL

Mit weit offen stehendem Mund starre ich in einen geheimen Tunnel unter dem Weißen Haus. »Wann wurde … Wo …?«

Sie geht hinein und nimmt mich bei der Hand. »Ich bin hier, Michael. Ich bin's.« Meine Verwirrung richtig deutend, fügt sie hinzu: »In den Filmen stellen sie es vielleicht falsch dar, aber das heißt noch lange nicht, dass es Scheiße ist.«

»Dennoch, der …«

»Komm, gehen wir.« Ich habe kaum Zeit zu blinzeln, schon ist sie weg. Von null auf hundert. Sofort.

Der Tunnel hat Zementmauern und ist besser instand, als ich erwartet hätte. Er scheint schnurgerade unter dem Ostflügel zu verlaufen. »Wo endet er?«

Sie hört mich nicht. Entweder das, oder sie sagt es mir nicht.

Am anderen Ende des Tunnels ist eine zweite Stahltür. Nora tippt verzweifelt ihren Code ein. Ihre Hände zittern auffallend heftig. Wir starren auf das elektronische Schloss, warten ängstlich darauf, dass es sich öffnet. Nichts geschieht. Es nimmt den Code nicht an.

»Versuch's noch einmal«, sage ich.

»Ich versuch's ja.« Wieder gibt sie den Code ein. Wieder passiert nichts.

»Wo liegt das Problem?«, frage ich. Ich balle die Hände so fest, dass mir die Arme wehtun.

»Lasst uns raus!«, schreit Nora und hebt den Kopf.

»Wo …?« Ich folge ihrem Blick in die Ecke der Decke. Dort ist eine kleine Beobachtungskamera direkt auf uns gerichtet.

»Ich weiß, dass ihr uns beobachtet«, fährt sie fort. »Lasst uns raus!«

»Nora«, sage ich und nehme ihren Arm, »vielleicht sollten wir nicht …«

Sie stößt mich weg. Sie sieht die Kamera genauso an wie die Leute vorm Secret Service an unserem ersten Abend.

»Ich spiele nicht herum, Arschloch. Er ist nur mein Freund. Ruf Harry an – er hat ihn für unbedenklich erklärt.«

Jetzt zockt sie. Harry mag mich für unbedenklich erklärt haben, aber er weiß bestimmt nicht, dass wir uns davonmachen.

»Ist das zu glauben?«, sagt sie zu mir, lacht gekünstelt und wirft ihr Haar zurück. »Es ist mir richtig peinlich.« Ich verstehe, was sie vorhat. Aber es kostet mich übermenschliche Kraft, die Hände zu lockern und langsamer zu atmen.

»Reg dich nicht auf.« Lässig stütze ich einen Arm auf die Mauer. »Dasselbe ist mir passiert, als ich das letzte Mal im Gulag war.«

Es ist ein großer Moment. Reiner Schwindel. So war es wahrscheinlich immer.

Nora sieht mich mit einem kleinen, anerkennenden Grinsen an und schaut dann zur Kamera hinauf. »Nun? Hast du ihn angerufen?«

Stille. Ich falle fast in Ohnmacht, so heftig ist mein Verlangen, mich umzudrehen und zu rennen. Dann, von irgendwoher aus dem Nichts, das Surren eines sich öffnenden Schlosses. Nora zieht die Tür auf und lässt mich hinaus. Die Kamera kann uns nicht mehr sehen.

»Wir sind im Keller des Finanzministeriums«, flüstert sie.

Ich nicke. Nebenan ist das Weiße Haus.

»Du kannst die Parkrampe zum East Exec hinaufgehen oder die Treppe nehmen und durch das Finanzministerium verschwinden. Auf beiden Wegen kommst du ins Freie.«

Ich laufe auf die Treppe zu. Nora folgt mir. Ich drehe mich um, hebe den Arm und halte sie auf, halte sie auf der Schwelle zum Tunnel fest.

»Was ist?«, fragt sie.

»Wohin gehst du?«

Sie sieht mich mit demselben Blick an, mit dem sie meinen Dad angesehen hat, als er hysterisch wurde. »Es war mir ernst mit dem, was ich gesagt habe. Ich verlasse dich nicht, Michael. Nicht nach alldem.«

Zum ersten Mal, seit wir anfingen davonzulaufen, hört mein Auge auf zu zucken. »Nora, du brauchst nicht …«

»Doch. Ich muss.«

Ich schüttle den Kopf. »Du musst nicht, Nora. Und obwohl ich für das Angebot dankbar bin, wissen wir beide, was geschehen wird. Wenn du dabei erwischt wirst, dass du mit dem Hauptverdächtigen herumziehst …«

»Es ist mir egal!«, stößt sie hervor. »Diesmal ist es das wert.«

Näher kommend versuche ich, sie zur Tür zurückzudrängen. Sie rührt sich nicht von der Stelle. »Bitte, Nora, es ist jetzt nicht die Zeit, sich idiotisch zu benehmen.«

»Jetzt ist es also idiotisch, dass ich dir helfen will.«

»Nein, es ist idiotisch, dich in beide Füße zu schießen. In dem Augenblick, in dem die Presse uns beide in einen Topf wirft, werden sie dir an die Kehle springen. Auf jeder Zeitungsseite. *Tochter des Präsidenten mit Mordverdächtigem liiert.* Dagegen nimmt sich deine Story in *Rolling Stone* wie die letzte Seite von *People* aus.«

»Aber …«

»Bitte – nur ein einziges Mal – widersprich nicht. Ich kann jetzt nur den Kopf einziehen und untertauchen, das ist das Beste. Wenn du in der Nähe bist, ist das unmöglich, Nora. So sind wir wenigstens beide sicher.«

»Du denkst wirklich, dass du sicher bist?«

Ich antworte nicht.

»Bitte sei vorsichtig, Michael.«

Ich lächle und gehe zur Treppe. Sie so zu hören – es ist nicht leicht, ohne richtigen Abschied zu verschwinden. »Und wohin gehst du?«, ruft sie.

Ich erstarre. Kneife die Augen zusammen. Und langsam drehe ich mich um. Die verstärkte Stahltür hinter ihr soll von außen wie ein ganz gewöhnlicher Ausgang aussehen.

Das ganze Ding ist eine Attrappe. »Ich sag dir Bescheid, wenn ich dort bin«, antworte ich. Da es nichts mehr zu sagen gibt, wende ich mich ab und fange an zu gehen. Dann zu joggen.

»Michael, was ist mit …«

Dann zu rennen. Bleib nicht stehen. Schau dich nicht um. Hinter mir höre ich sie meinen Namen rufen. Ich lasse ihn von mir abprallen.

Zwei Stufen auf einmal nehmend, renne ich die Innentreppe des Finanzministeriums hinauf. Noras Stimme ist kaum noch zu hören, und was mich einzig und allein interessiert, ist das kleine schwarzweiße Schild, auf dem steht *Ausgang durch die Lobby – Erdgeschoss*. Am liebsten würde ich die Tür mit einem Tritt aufstoßen und hinausstürzen. Doch da ich fürchte, Aufmerksamkeit zu erregen, öffne ich sie vorsichtig zentimeterweise und spähe hinaus – gerade genug, um festzustellen, wo, zum Teufel, ich bin. Vor mir in der Halle ein Metalldetektor und ein Schreibtisch mit dem Anmeldungsbuch. Hinter dem Schreibtisch, mir den Rücken zukehrend, zwei uniformierte Secret-Service-Leute. Verdammt, wie soll ich da durchkommen … Warte .. .Ich muss nirgendwo durchkommen. Ich bin schon drin. Ich muss nur hinausgehen.

Ich verlasse das Treppenhaus, straffe die Schultern, pumpe mich mit Selbstsicherheit voll und gehe energisch auf das Drehkreuz am Ausgang zu. Als ich näher komme, überprüfen die Beamten IDs und lassen Besucher ein. Mich hat bisher keiner bemerkt.

Ich bin noch etwa drei Meter vom Drehkreuz entfernt. Muss ich meine ID vorzeigen, um hinauszukommen? Ich glaube nicht; die Frau vor mir hat es auch nicht getan. Ich trete in das Drehkreuz, doch genau in dem Moment, in dem der Metallbalken sich an meine Brust presst, dreht sich der Beamte, der mir am nächsten steht, zu mir um. Ich zwinge mich zu einem Lächeln und salutiere ihm mit zwei Fingern. »Schönen Tag noch«, setze ich hinzu.

Er nickt mir wortlos zu. Sieht mich aber noch immer an.

Als ich das Drehkreuz verlasse, spüre ich seinen Blick auf dem Hinterkopf. *Ignorier ihn. Nur keine Panik. Nur noch ein paar Schritte bis zur Glastür, die ins Freie führt. Fast da. Noch ein Stückchen.* Auf der gegenüberliegenden Seite der Straße sehe ich den weißgoldenen Eingang des Old Ebbitt Grill. Das ist es. Wenn er mich anhalten will, wird das innerhalb der nächsten fünf Sekunden geschehen. Vier. Drei. Ich stemme mich gegen die Tür und stoße sie auf. Zwei. Das ist seine letzte Chance. Eins. Die Tür schließt sich hinter mir, und ich stehe unbehelligt auf der 15th Street. Ich bin draußen.

Der Erste, den ich entdecke, steht direkt vor dem Gebäude – untersetzt, dunkler Anzug, dunkle Sonnenbrille. Ein Stück weiter oben an der Straße steht der Nächste. Und an der Ecke zwei Uniformierte. Alle vom Secret Service. Und soweit ich das erkennen kann, haben sie den ganzen Block umstellt.

Mir wird schwindlig vor Panik, und ich muss mich anstrengen, auf den Beinen zu bleiben. Wie schnell sie mobil gemacht haben … Natürlich, das ist ihr Job. Dem ersten Agenten ausweichend, gehe ich so schnell ich kann weiter. *Heb nicht den Kopf – gib ihnen nicht die Gelegenheit, dich genau anzusehen.*

»Bleiben Sie stehen!«, schreit der Agent.

Ich tu so, als hörte ich ihn nicht und gehe weiter. Nach etwa zwanzig Metern taucht der nächste Agent auf. »Sir, ich ersuche Sie, stehen zu bleiben«, sagt er.

Sofort sind meine Hände schweißnass. Ich atme so mühsam, dass ich es hören kann. Er flüstert etwas in seinen Hemdkragen. In der Ferne höre ich das schrille Jaulen der Polizeisirene. Es kommt auf mich zu. Immer näher. Ich suche in allen Richtungen nach einem Ausweg. Ich bin umstellt. Aus dem Southeast Gate fliegen zwei Motorrad-Cops auf mich zu. Ich werde ganz steif, als ich sie sehe. Instinktiv hebe ich die Hände, als wollte ich mich ergeben.

Zu meiner Überraschung flitzen sie aber an mir vorbei. Ihnen folgen eine Limousine und noch eine, ein Streifenwagen, ein dunkler Van, eine Ambulanz und zwei weitere Motorrad-Cops. Als sie die Straße hinauf verschwinden, folgen ihnen die Agenten. Nach wenigen Sekunden verziehen sich die Wolken, und eine blaue Ruhe kehrt zurück. An Ort und Stelle wie festgewurzelt, lache ich nervös auf. Es ist keine Menschenjagd – es ist eine Autokolonne. Nur eine Autokolonne.

Ich habe keine Zeit, auf die Metro zu warten, springe in ein Taxi und fahre zu meinem Apartment. Der Zettel mit dem Treffpunkt war nicht in Noras Zimmer, was bedeutet, dass sie ihn entweder an sich genommen hat oder dass er noch auf meinem Bett liegt. Es mag riskant sein, nach Hause zu gehen, aber ich muss wegen des Zettels Bescheid wissen. Bevor der Taxifahrer mich absetzt, bitte ich ihn, um den Block herumzufahren, damit ich die Kennzeichen der hier parkenden Wagen überprüfen kann. Keine Presse; keine Bundespolizei in Sicht. So weit, so gut.

»Hier ist es richtig«, sage ich, als wir uns dem Lieferanteneingang auf der Rückseite des Hauses nähern. Ich gebe ihm eine Zehndollarnote und springe die kurze Treppe hinauf. Oben sehe ich mich um, so gut es geht, doch ich kann es mir nicht leisten, Zeit zu vergeuden. Da die *Post* berichtet hat, dass ich der Hauptverdächtige bin, wird Adenauer nicht bis fünf Uhr warten, um mich festzunehmen. Er wird versuchen, es jetzt zu tun. Natürlich habe ich nur aus dem Grund zugestimmt, zu ihm zu gehen, weil ich dachte, ich hätte bis dahin die Informationen von Vaughn. Nach dem jedoch, was geschehen ist – nun – jetzt nicht mehr.

Vorsichtig gehe ich durch den hinteren Teil der Lobby und versuche festzustellen, ob etwas anders ist als sonst. Der Vorraum mit den Briefkästen, der Empfangsbereich, das Pult – alles sieht unverändert aus. Ich schaue um die Ecke zum Haupteingang der Lobby und werfe dann einen Blick aus der Haustür.

Morgen um diese Zeit wird das Haus von der Presse belagert werden – es sei denn, es gelingt mir, einen nicht zu erschütternden Beweis zu erbringen, dass Simon der Schuldige ist.

Überzeugt, dass ich allein bin, gehe ich rasch am Empfangspult vorbei zum Aufzug. Ich drücke auf den Rufknopf, die Tür geht auf, ich will einsteigen.

»Wohin des Wegs?«, fragt eine tiefe Stimme.

Ich fahre herum, knalle gegen die sich langsam schließende Aufzugtür.

»Tut mir leid, Michael.« Er lacht. »Ich wollte Sie nicht erschrecken.«

Ich hole tief Atem. Es ist nur Fidel, der Portier. Er sitzt hinter dem Empfangspult vor dem Fernseher – und da er den Ton abgestellt hat, kann man ihn leicht übersehen.

»Verdammt, Fidel, das war der reinste Herzanfall.«

Er lächelt so breit er kann. »Die Orioles schlagen die Yanks.«

»Wünschen Sie ihnen Glück von mir«, sage ich und wende mich wieder zum Lift. Noch einmal drücke ich auf den Rufknopf, und wieder geht die Tür auf.

Als ich einsteige, ruft Fidel mir nach: »Übrigens, Ihr Bruder war kurz da!«

Ich schiebe den Arm in die Aufzugtür, die sich langsam schließt. »Was für ein Bruder?«, frage ich.

Fidel sieht mich erschrocken an. »E… er hat braunes Haar. War vor zehn Minuten da und hat gesagt, er muss was aus Ihrem Apartment holen.«

»Haben Sie ihm den Schlüssel gegeben?«

»N-nein«, sagt Fidel stotternd. »Er hat gesagt, er hat einen.« Schnell greift er zum Telefon und fragt: »Wollen Sie, dass ich die …«

»Nein, rufen Sie niemand an! Noch nicht.« Ich springe wieder in den Aufzug, und die Tür schließt sich. Doch anstatt auf den Knopf für den siebenten Stock zu drücken, drücke ich auf den Sechsten. Nur um sicherzugehen.

Als der Aufzug im sechsten Stock hält, mache ich vier Schritte auf die Treppe zu, die genau gegenüber ist. Leise steige ich zum siebenten Stock hinauf. Wenn es das FBI ist, das hofft, mich zu überraschen, muss ich verschwinden. Doch wenn es Simon ist ... Falls er Vaughn umgebracht hat, könnte er versuchen, mir etwas zu unterschieben ... Ich unterbreche mich selbst. Denk nicht dran. Du wirst es bald genug herausfinden.

Auf dem Treppenabsatz des siebenten Stockwerks spähe ich durch das kleine Fenster in der Tür zwischen Treppenhaus und Flur. Das Problem ist, dass mein Apartment am Ende des Flurs liegt und ich es von hier aus nicht sehen kann. Es geht nicht anders – ich muss die Tür öffnen, um einen Blick in den Flur werfen zu können. Ich lege die Hand auf den Türknauf und hole tief Atem. Es ist okay, sage ich mir. Mach auf. Ganz vorsichtig. Und nicht zu schnell.

Langsam ziehe ich die schwere Metalltür zu mir heran. Jedes Quietschen ein winziger Schrei. Im Flur höre ich Stimmen murmeln. Eigentlich klingt es mehr nach einem Streit. Meinen Fuß als Türstopper benutzend, halte ich die Tür fest und spähe vorsichtig in den Flur. Je weiter ich die Tür aufziehe, umso mehr kann ich vom Flur sehen. Der Lift ... Der Müllraum ... Die Tür meines Nachbarn ... Meine Tür – und zwei Männer in dunklen Anzügen, die an meinem Schloss herumfummeln. Die Mistkerle brechen ein. Mein Oberkörper hängt ungefähr halb im Flur, als ein lautes Ping die Ankunft des Aufzugs ankündigt. Die Tür geht auf, und zwei Männer in dunklen Anzügen sehen mich an.

»Dort ist er!«, schreit einer. »FBI! Bleiben Sie, wo Sie sind!«

Direkt mir gegenüber steigt Fidel aus dem Aufzug. Er hat natürlich keine Ahnung, was vorgeht. »Michael, ich wollte mich nur überzeugen, dass Sie ...«

»Greift ihn euch!«, schreit der zweite Agent. Er sieht mich an.

Greift ihn euch? Wen meint ... Mein Kopf wird zurückgerissen, als jemand von hinten gegen mich prallt. Ein Arm legt sich mir um den Hals, ein zweiter wird mir in die Achselhöhle geschoben. Diese Kerle sind gut vorbereitet gekommen.

In Panik stoße ich so fest ich kann den Ellbogen nach hinten und ramme ihn meinem Angreifer in den Unterleib. Er stöhnt heiser auf und lockert den Griff. Ich bin frei.

»Was zum …?«, platzt Fidel heraus. Am Ende des Flurs stürmen die beiden anderen Agenten auf uns zu.

»Steigen Sie in den Aufzug!«, schreie ich Fidel zu. Die Tür schließt sich gerade.

Bevor jemand reagieren kann, mache ich einen Satz nach vorn, packe Fidel und zerre ihn zum Aufzug. Wir quetschen uns im letzten Moment hinein, dann ist die Tür zu. Ich greife hinter mich und drücke auf den Knopf für die Lobby. Der Aufzug setzt sich mit einem Ruck in Bewegung und oben hämmern die FBI-Agenten an die Aufzugstür. Es ist zu spät.

Meine Hände zittern, als ich Fidel vom Boden aufhebe. »D-das war der Typ, der gesagt hat, er ist Ihr Bruder«, keucht Fidel.

Ich zittere noch immer und höre kaum, was er sagt. »Sind die wirklich vom FBI?«, fragt er.

»Kann sein – aber ich bin mir nicht sicher.«

»Was haben Sie …«

»Ich habe nichts getan, Fidel. Egal, wer herkommt, sagen Sie ihm das. Ich bin unschuldig. Ich werde es beweisen.« Aufblickend sehe ich, dass wir schon fast in der Lobby sind.

»Warum sind sie dann …?«

»Sie werden die Treppe runterkommen«, unterbreche ich ihn. »Wenn Sie sie sehen, sagen Sie ihnen, ich bin hinten raus. Okay? Ich bin hinten rausgegangen.«

Fidel nickt.

In dem Moment, in dem die Aufzugtür sich öffnet, renne ich nach vorn zur Haustür. Es ist ein Fluchtweg. Er mag der offensichtlichere sein, aber nur in der Connecticut Avenue kann ich ein Taxi erwischen. Egal wie, aber ich muss weg. Wenn ich mich selbst retten will, muss ich Atem holen und nachdenken.

Eine Minute nach meinem wilden Sprint drehe ich mich gerade um, als zwei FBI-Agenten aus der Haustür stürzen. Sie haben Fidel nicht geglaubt, haben nur einen nach hinten geschickt.

Auf der anderen Straßenseite kommt aus entgegengesetzter Richtung ein Taxi. »Taxi!«, schreie ich.

Endlich klappt etwas. Das Taxi macht eine weite, nicht erlaubte U-Kehre und hält direkt vor mir.

»Wohin wollen Sie?«, fragt der Fahrer in einem lockeren Midwestern-Akzent. Als er sich umdreht, um mich anzusehen, legt er seinen muskulösen Arm auf die Lehne des Beifahrersitzes.

»Irgendwohin ... Geradeaus ... Nur weg von hier«, sage ich und könnte mich selbst in den Hintern treten, weil ich hergekommen bin, um den Zettel zu suchen.

Er steigt mit voller Wucht aufs Gas, der Wagen macht einen Satz nach vorn und wirft mich auf meinem Sitz zurück.

Ich drehe mich um und schaue durch die Heckscheibe hinaus. Die Agenten schreien etwas, aber ich kann sie nicht hören. Es ist nicht wichtig – meine Frage haben sie beantwortet. Alle wissen es. Und alle Blicke sind auf mich gerichtet.

Zehn Minuten später halten wir in einer Parkgarage in einer Seitenstraße der Wisconsin Avenue an. Der Taxler schwört, es sei das nächste Münztelefon, das von der Straße nicht eingesehen werden kann. Ich glaube ihm.

»Haben Sie was dagegen, zu warten?«, frage ich, als ich aussteige.

»Sie zahlen – ich bleibe – so läuft das in Amerika.« Ich wähle Treys Nummer. Es klingelt zweimal, bevor er abnimmt. »Trey hier.«

»Wie steht's mit uns?«, frage ich.

»Mi...« Er unterbricht sich. Jemand ist im Büro. »Wo, zum Teufel, steckst du?«, flüstert er. »Bist du okay?«

»Mir geht's prima«, sage ich wenig überzeugend. Im Hintergrund höre ich die anderen Telefone in seinem Büro läuten. »Was ist bei euch los?«

Zwei weitere Telefone fangen an zu läuten. »Es ist wie in einem verdammten Zoo – hast du noch nie erlebt. Jeder Reporter im Land hat uns angerufen. Zweimal.«

»Wie schlimm wird es mich treffen?«

Eine kurze Pause am anderen Ende der Leitung. »Du bist der Mann auf der Flucht.«

»Haben sie schon …«

»Keine Statements von irgendwem – weder von Simon noch vom Pressebüro, nicht einmal von Hartson. Es gibt ein Gerücht, dass sie um halb sechs live auf Sendung gehen werden, um dafür zu sorgen, dass sie für die Spätnachrichten was haben. Ich sag dir, Mann, ich hab Ähnliches noch nie erlebt – hier ist alles wie gelähmt.«

»Und dein Freund bei der *Post*?«

»Alles, was ich weiß, ist, dass sie ein Foto von dir haben, auf dem du vor dem Gebäude stehst – wahrscheinlich von diesem Fotografen aufgenommen. Wenn sie nichts Besseres kriegen, sagt er, bringen sie es morgen auf Seite eins.«

»Kann er nicht …«

»Ich versuche mein Bestes«, erwidert er. »Es gibt kein Drumherum. Inez hat alles beieinander – wie du Carolines Büro verlässt, die WAVES-Berichte, die toxikologischen Befunde, das Geld …«

»Sie haben das Geld entdeckt?«

»Mein Freund sagt, sie kennt jemand bei der D.C.-Polizei. Sie haben deinen Namen eingegeben, und er tauchte unter *Finanzielle Überprüfung auf. Zehntausend Riesen beschlagnahmt von Michael Garri…*« Treys Stimme verstummt. »Was?«, fragt er leicht gedämpft. Er hat den Hörer mit der Hand abgedeckt. »Das sagt – wer?«

»Trey!«, brülle ich. »Was ist los?«

Ich höre Leute reden, doch er antwortet nicht.

»Trey!«

Noch immer nichts.

»Trey.«

»Bist du noch da?«, fragt er endlich.

Mir ist übel. Ich werde mich gleich übergeben müssen. »Was, zum Teufel, geht vor?«

»Steve ist eben aus dem Pressebüro zurückgekommen«, sagt er zögernd.

»Ist es schlimm?«

Ich kann es nicht hören, aber ich weiß, dass er sich jetzt den Kopf reibt. Er bricht seinen eigenen Rekord. »Ich würde erst in Panik geraten, wenn sie bestätigen …«

»Sag mir einfach, was es ist.«

»Er sagt, sie haben in deinem Wagen eine Schusswaffe gefunden, Michael.«

»Was?«

»Eingewickelt in eine alte Landkarte, in deinem Handschuhfach versteckt.«

Ich habe das Gefühl, einen Tritt in den Nacken bekommen zu haben. Alles dreht sich, ich taumle. Ich muss mich an der Telefonzelle festhalten, um nicht zu stürzen. »Ich besitze keine … Wie haben sie … O Jesus, sie werden Vaughn finden …«

»Es ist nur ein Gerücht, Michael – soweit wir wissen, ist es …« Wieder einmal verstummt er. Ebenso alle anderen im Hintergrund. Es ist ganz still. Ich höre nur die Telefone klingeln. Jemand muss hereingekommen sein.

»Was sagen sie?«, erkundigt sich eine weibliche Stimme. Ich erkenne sie sofort.

»Hier, bitte, Mrs. Hartson«, sagt eine andere Stimme.

»Ich muss los«, flüstert Trey ins Telefon.

»Was?«, schreie ich. »Noch nicht…« Es ist zu spät. Er ist weg.

Ich lege auf und blicke hilfesuchend hinter mich. Aber da ist keiner, nur der Taxifahrer, der schon in seine Zeitung vertieft ist. Ich höre das Taxi keuchen und schnaufen, nachdem es jahrelang misshandelt wurde. In der übrigen Garage ist es still. Still und verlassen liegt sie da. Ich lege mir die Hand auf den Magen und fühle das Messer, das sich in meinen Eingeweiden umdreht. Ich muss … Ich brauche Hilfe. Wieder nehme ich den Hörer ab und stecke noch mehr Münzen in den Schlitz. Ohne zu denken, wähle ich ihre Nummer. Es ist der erste Gedanke, der mir in den Kopf kommt. Vergiss, was geschehen ist – ruf sie an. Ich muss wissen, was vorgeht. Und mehr als alles andere brauche ich ein bisschen Ehrlichkeit. Guerilla-Ehrlichkeit.

»Hier Pam«, meldet sie sich.

»Hallo«, sage ich, um Optimismus bemüht. Nach unserem letzten Gespräch wird sie mich wahrscheinlich in Stücke reißen.

Sie hält lange genug inne, um mich wissen zu lassen, dass sie meine Stimme erkannt hat. Ich schließe die Augen, für eine saftige verbale Abreibung bereit.

»Wie geht's denn so, Pete?«, fragt sie mit angestrengt klingender Stimme.

Irgendetwas ist nicht in Ordnung. »Sollte ich …«

»Nein, nein«, unterbricht sie mich. »Das FBI war nie hier – sie würden die Gespräche nicht zurückverfolgen …«

Mehr brauche ich nicht zu hören. Ich knalle den Hörer auf. Das muss ich ihr zugute halten – so sauer sie auch gewesen sein mag, sie hat mich nicht im Stich gelassen. Dafür wird sie mächtig eins aufs Dach kriegen. Aber wenn sie schon zu meinen engsten Freunden durchgedrungen sind … Verdammt, vielleicht weiß Trey gar nichts davon. Vielleicht haben sie schon … Ich sause zum Taxi zurück.

»Machen wir, dass wir hier wegkommen!«, schreie ich den Fahrer an.

»Wohin?«, fragt er, als wir mit quietschenden Reifen in die Wisconsin Avenue einbiegen.

Ich habe nur noch eine Möglichkeit. »Potomac, Maryland.«

VIERUNDDREISSIGSTES KAPITEL

»Fast da«, verkündet mir der Taxler zwanzig Minuten später.

Ich hebe den Kopf gerade hoch genug, um aus dem linken Fenster hinauszulinsen. Blumenbeete, gepflegte Rasenflächen, eine Menge Seitenstraßen. Als wir an den kürzlich erbauten McMansions vorbeifahren, die verstreut in der Landschaft von Potomac liegen, kauere ich mich auf meinem Sitz zusammen, denn ich möchte nicht gesehen werden.

»Keine schlechte Gegend«, sagt der Fahrer und pfeift leise durch die Zähne.

Ich mache mir nicht die Mühe, hinauszuschauen. Bin zu sehr damit beschäftigt, mir andere Orte einfallen zu lassen, an die ich fliehen kann. Es ist schwieriger als gedacht. Nachdem das FBI anfangs meine Herkunft genau durchleuchtet hat, steht in meiner Akte einfach alles über mich. Familie, Freunde. So überprüfen sie dich – sie vereinnahmen deine Welt. Was bedeutet, dass ich diesem Labyrinth entrinnen muss. Die Sache ist die – wenn einer sich daraus befreit, gibt es meist einen guten Grund dafür.

»Da drüben ist es«, sage ich und zeige auf ein, wie ich zugeben muss, phantastisches, im Neuengland-Kolonialstil erbautes Haus an der Ecke von Buckboard Place.

»Hier wenden?«, fragt der Taxifahrer.

»Nein, geradeaus weiter.« Als wir das Haus passieren, drehe ich mich um und betrachte es durch das Heckfenster. Ungefähr zweihundert Meter entfernt zeige ich auf die leere Zufahrt eines verwahrlosten kleinen Ranchhauses. Ungepflegter Rasen, abblätternde Fensterläden. Genauso wie unser altes Haus. Der Schandfleck der Straße. »Fahren Sie hier rein«, sage ich, die staubigen Fenster musternd. »Es ist niemand zu Hause. Die Leute sind bei der Arbeit.«

Schweigend rollen wir in die Zufahrt, die im rechten Winkel zur Straße verläuft. Er fährt so weit vor, dass das Taxi bis auf den Kofferraum und das Heckfenster völlig verdeckt wird. Es ist ein großartiges Versteck – ein Platz mit guter Aussicht.

Das alte Kolonialhaus steht schräg gegenüber. Ich behalte es im Auge. Es hat eine geräumige Garage für zwei Wagen. Die Zufahrt ist leer.

»Wie lange wird es dauern, bis der Typ zurückkommt, auf den Sie warten?«, fragt der Fahrer. »Die Sache wird langsam teuer für Sie.«

»Ich habe Ihnen gesagt, dass ich bezahlen kann. Außerdem«, füge ich, auf meine Uhr blickend, hinzu, »wird er bald da sein – er arbeitet nicht mehr Vollzeit.«

Der Fahrer richtet sich darauf ein zu warten und streckt die Hand nach dem Radio aus. »Wie wär's, wenn wir uns die Nachrichten anhören …?«

»Nein!«, fauche ich.

Er hebt die Brauen. »Was immer Sie wollen, Mann«, sagt er. »Was immer Sie wollen.«

Nach fünfzehn Minuten biegt Henry Meyerowitz in seiner persönlichen Midlife-crisis – einem 1963er pechschwarzen Porsche Roadster Cabrio – in die Straße ein. Ich schüttle den Kopf beim Anblick seines ebenso persönlichen Kennzeichens – SMOKIN. Wie ich die Familie meiner Mutter hasse.

Um fair zu sein, er ist der Einzige, der sich für mich interessierte. Bei der Beerdigung sagte er mir, ich sollte ihn anrufen, er würde mich sehr gern zu einem exklusiven Essen einladen. Und als er hörte, dass ich einen Job im Weißen Haus hatte, wiederholte er die Einladung. Hoffte auf eine familiäre Verbindung, die nützlich sein könnte. Ich nahm ihn beim Wort. Ich erinnere mich, dass ich eine Woche nachdem ich zu arbeiten begonnen hatte hierhergefahren war, doch erst als ich mich in der unmittelbaren Nachbarschaft durch die Straßen schlängelte, wurde mir bewusst, dass er meinen Dad nicht eingeladen hatte. Nur mich. Nur das Weiße Haus.

Ein Jammer, dass es uns nur im Dreierpack gegeben hätte. Mir ist egal, ob sie die andere Seite der Familie sind – sie haben das Gleiche mit meiner Mom gemacht. Wenn sie meine Eltern nicht wollten, konnten sie auch mich nicht haben. Nachdem ich fast eine Stunde hinter der Ecke im Auto gesessen hatte, fuhr ich zu einer Tankstelle mit Telefon und sagte ihm, es sei mir etwas dazwischengekommen. Ich habe mich nie wieder bei ihm gemeldet. Bis jetzt.

Als Henry links auf den Buckboard Place einbiegt, will ich schon aussteigen, als ich die schwarze Limousine bemerke, die hinter ihm in seine Zufährt fährt. Zwei Männer steigen aus. Dunkle Anzüge. Nicht wie die des Secret Service. Sie sehen genauso aus wie die Typen in meinem Wohnhaus. Sie gehen auf meinen Cousin zu, öffnen eine Mappe und zeigen ihm eine Fotografie. Ich bin ziemlich weit weg, kann aber von hier aus ihre Körpersprache lesen.

Ich habe ihn nicht gesehen, sagt mein Cousin und schüttelt den Kopf.

Haben Sie etwas dagegen, wenn wir trotzdem mit Ihnen ins Haus kommen?, fragt der erste Agent und zeigt auf die Tür.

Nur für den Fall, dass er auftaucht, fügt der zweite Agent hinzu.

Henry Meyerowitz hat kaum eine andere Wahl. Er zuckt mit den Schultern und winkt sie hinein.

Die Tür des vornehmen Neuenglandstil-Kolonialhauses wird mir gleich vor der Nase zugeschlagen werden.

»Verschwinden wir von hier«, sage ich zum Fahrer.

»Wie?«

»Machen wir, dass wir hier wegkommen. Bitte.«

Die FBI-Agenten folgen meinem Cousin hinein. Instinktiv dreht der Taxifahrer den Zündschlüssel, und der Motor brüllt auf.

»Noch nicht!«, schreie ich. Es ist zu spät. Der Wagen schnauft und keucht. Der Agent, der dicht vor der Tür steht, wird aufmerksam. Ich bewege mich nicht. Von der Schwelle aus dreht der Agent sich um und blickt in unsere Richtung. Er kneift die Augen zusammen, doch er sieht nichts. Es ist okay, sage ich mir. Aus diesem Winkel, denke ich, sind …

»*Dort!*«, schreit er und zeigt direkt auf uns. »Er *ist dort drüben*!«

»FBI!«, schreit der erste Agent und zieht seine Dienstmarke heraus.

»Fahren Sie los!«, brülle ich den Taxifahrer an. Er rührt sich nicht. »Worauf warten Sie?«

Sein trauriger Augenausdruck sagt alles. Er riskiert seinen Lebensunterhalt nicht für einen Fahrgast. »Tut mir leid, Junge.«

Ich schaue durch das Heckfenster hinaus. Beide Agenten kommen näher. Die Entscheidung fällt mir leicht. Gefangen nehmen lasse ich mich nicht. Hier draußen habe ich immer noch eine Chance. Und wenn ich mich selbst aufgebe, werde ich nie die Wahrheit finden.

Mit dem Fuß stoße ich die Wagentür auf und steige aus. Da ich weiß, dass ich nur noch ein paar Dollar in der Tasche habe, reiße ich mir die Manschettenknöpfe des Präsidenten aus den Hemdsärmeln, werfe sie dem Taxifahrer durchs Fenster zu und haue ab. Ziellos flitze ich zunächst ein Stück die Zufahrt hinauf und dann seitlich ums Haus herum. Hinter mir setzt der Taxifahrer zurück – ebenso viel, dass er die Zufahrt blockiert und den Agenten den Weg verstellt.

»Schaff dieses Stück Scheiße hier weg!«, schreit einer der Agenten, während ich in den Hof hinter dem Haus renne. Ich packe zwei Pfosten des Holzzauns, der den Hof umgibt, ziehe mich hinauf und springe auf der anderen Seite hinunter. Ich lande im Hof des angrenzenden Hauses und höre, wie die FBI-Leute über das Taxi klettern; ihre Schuhe hämmern auf das Metall der Motorhaube.

»Er ist im anderen Hof!«, schreit einer der Agenten.

Ich renne zur Vorderseite des Hauses, überquere die Straße und laufe eine Zufahrt hinauf in den Hof eines dritten Hauses. Dort ist der Zaun an der Rückseite zu hoch, aber an den Seiten ist er niedriger. Ich übersteige ihn auf der rechten Seite, gelange in den nächsten Hof, springe über den rückwärtigen Zaun und suche mir den Ausgang in ein neues Häusergeviert. Nach dem raschen Blick zu urteilen, den ich auf die Agenten werfen konnte, als sie auf das Taxi zuliefen, scheinen beide Anfang vierzig zu sein. Ich bin neunundzwanzig. Das müsste eigentlich genügen.

»Geben Sie auf, Garrick!«, schreit einer, der nur einen Hof hinter mir ist.

In dem Moment fällt mir ein, dass ich Anwalt bin.

Haus um Haus kommt er näher. Ich spüre es bei jedem Zaun. Seine Stimme wird immer lauter. Als ich anfing zu laufen, war er mindestens eine Minute zurück. Jetzt sind es schon weniger als dreißig Sekunden. Aber als ich im Hof eines beigefarbenen Hauses im Tudorstil lande, blicke ich gerade rechtzeitig auf und entdecke den besten Fluchtweg, denn ich mir vorstellen kann: Ein riesiger blauweißer Metro-Bus rumpelt an der Zufahrt vorbei und zieht eine dichte Abgaswolke hinter sich her. Im nächsten Moment kreischen seine Bremsen. Er hält an. Ich sprinte die Zufahrt hinunter. Und tatsächlich – als ich in die Straße einbiege, hält er an der Ecke.

»Warten Sie!«, schreie ich mit allem, was meine Lunge hergibt.

An Bord schickt sich eine alte Frau mit einem Einkaufsnetz voller Lebensmittel an, auszusteigen und humpelt die Stufen herunter.

Ich renne so schnell ich kann; fast habe ich den Bus erreicht. Sie tritt auf den Gehsteig und winkt dem Busfahrer zum Abschied. Ich mache einen Satz auf die Tür zu und meine Hand streift den rechten Hinterreifen des Busses.

»FBI!«, schreit der Agent hinter mir. »Lass ihn nicht rein!«

Ich strecke die Hand aus … bin fast da … Wenn ich es schaffe, einzusteigen, bin ich so gut wie …

Die Tür schließt sich, bevor ich sie erreicht habe. Das ist das Ende. Ich habe es nicht geschafft … Ich kann nicht glauben, dass es nicht geklappt hat. Der Bus fährt schlingernd an und bläst mir eine schwarze Rauchwolke ins Gesicht. Ich drehe mich um und entdecke den FBI-Agenten kaum zwanzig Meter hinter mir. Jetzt bin ich völlig außer Atem … Ich kann nicht mehr … Doch ich habe keine Wahl. Ich flitze über die Straße und die Zufahrt des nächsten Hauses hinauf. Nach Sekunden schon bin ich im Hof. Anders als bei den Nachbarhäusern, ist dieser Hof von einem schwarzen Eisenzaun umgeben. Etwa zwei Meter hoch, kann ich nicht drüberklettern. Ich suche nach einem anderen Ausweg. Der Agent ist schon auf der Zufahrt. Ich kann nirgendwo hin, nur hinauf.

Ein Gartentisch steht neben mir; ich schiebe ihn an den Zaun und springe hinauf. Er ist genau das, was ich brauche. Vom Tisch aus umklammere ich zwei der schwarzen Metallspitzen und ziehe mich hoch. Der Agent ist schon dicht hinter mir. Als ich meinen Körper sehr vorsichtig über die wie Lilien geformten Spitzen manövriere, spüre ich, wie sie sich in meine Oberschenkel pressen. Langsam … Langsam …

»Gleich hab ich dich!«, ruft der Agent. Er packt meinen Knöchel, als ich rittlings auf dem hohen Zaun sitze.

Ich trete nach ihm und treffe ihn voll ins Gesicht. Er prallt zurück und lässt mich in dem Moment los, als ich über den Zaun bin. Doch als ich hinunterspringe, verliere ich das Gleichgewicht und lande auf dem Fußknöchel, der sich unter mir verdreht. Ein heißer Schmerz schießt mir durch das ganze Bein. Ich rapple mich auf, ignoriere den Schmerz und hinke weiter. Auf der anderen Seite des Zauns steht der Agent schon auf dem Tisch.

In meinem Knöchel pocht es, aber ich renne. Renne weiter. Er klettert in einem irren Tempo auf den Zaun, wirft ein Bein hinüber und schwankt einen Moment – doch er braucht nichts anderes zu tun als …

»Aaaah!«, schreit er.

Ich fahre herum. Oben auf dem Zaun ist ihm eine Metallspitze in den Oberschenkel gedrungen. Blut läuft langsam an seinem Bein hinunter. Ich krümme mich schon beim Hinsehen.

»Sind Sie okay?«, rufe ich.

Er antwortet nicht, sein Gesicht ist schmerzverzerrt.

Von weitem höre ich den zweiten Agenten. »Lou, bist du da? Lou?« Er wird seinen Partner bald finden. Für mich ist es Zeit, zu verschwinden.

Mein gesundes Bein mit meinem ganzen Gewicht belastend, hinke ich weiter so schnell ich kann. Fünf Blocks später entdecke ich einen anderen Bus. Diesmal schaffe ich es, einzusteigen. Als die Tür sich schmatzend schließt, höre ich in der Nähe das Jaulen einer Ambulanz. Das war schnell. Ich stehe vorn im Bus, schaue durch die Windschutzscheibe und sehe die rotierenden Lichter auf uns zukommen.

»Woll'n Sie 'ne Fahrkarte lösen oder was?«, fragt mich der Busfahrer und holt mich in die Wirklichkeit zurück.

»Ja«, sage ich. Als die Ambulanz an uns vorüberschießt, stecke ich einen Dollar in den Fahrscheinautomaten. Auf meinem Weg zu einem der hinteren Sitze geht in meiner Tasche der Piepser los. Ich nehme ihn heraus und erkenne die Nummer sofort. Es ist meine eigene. Wer immer es sein mag, sie sind in meinem Büro.

Zwanzig Minuten später hält der Bus auf dem hinteren Parkplatz der Metro-Station Bethseda. Von hier aus habe ich Zugang zur U-Bahn in alle Richtungen – nach Downtown aus der Stadt hinaus und überallhin dazwischen. Doch zuerst muss ich ein Telefon finden.

Vorsichtig gehe ich durch das Metro-Gebäude, meide die Masse, die zu den lächerlichen langen Rolltreppen eilt, und wende mich stattdessen zu den Münzfernsprechern auf der rechten Seite. Ich habe noch ein paar lose Münzen in der Tasche, aber nach meinem Gespräch mit Pam will ich kein Risiko eingehen. Anstatt direkt meine Nummer zu wählen, rufe ich die 800 an, die mich mit *Signal* verbinden wird. Nachdem ich durch das Telefonsystem des Weißen Hauses geschleust wurde, wird es viel schwieriger sein, meinen Anruf zurückzuverfolgen.

»Sie sind mit der *Signal*-Telefonzentrale verbunden«, sagt eine mechanisch klingende Frauenstimme. »Wenn Sie mit einem Büro verbunden werden wollen, wählen Sie die Eins.« Ich drücke auf die 0.

»Signal Telefonistin 34«, antwortet jemand.

»Ich wurde eben von Michael Garrick angepiepst – können Sie mich verbinden?«

»Wie war wieder der Name?«

Das klingt aufrichtig. Gut – es ist noch nicht überallhin durchgesickert. »Garrick«, sage ich. »Im Büro des Counsels.«

Schon Sekunden später läutet das Telefon in meinem Büro. Wer immer dort ist, auf seinem Display erscheint nur das Wort *Signal*.

»Sehr schlau«, meldet sich Adenauer. »Sich so über Signal zu melden …«

Ich umklammere den Hörer fester. Ich habe gewusst, dass er dort sein würde. Tatsächlich bin ich überrascht, dass er so lange gebraucht hat. »Ich habe es nicht getan!«, erkläre ich.

»Warum haben Sie mir nichts von dem Geld gesagt, Michael?«

»Hätten Sie mir geglaubt?«

»Lassen Sie's drauf ankommen. Woher hatten Sie es?«

Ich habe es satt, mich von ihm herumstoßen zu lassen. »Zuerst brauche ich ein paar Garantien von Ihnen.«

»Garantien sind leicht zu geben – aber woher weiß ich, dass Sie mir die Wahrheit sagen?«

»Ich hatte einen Zeugen. Ich war an diesem Abend nicht allein.«

Kurze Pause am anderen Ende der Leitung. Vaughns Hinweis über das Zurückverfolgen von Gesprächen fällt mir ein, und ich behalte den Sekundenzeiger meiner Uhr im Auge. Achtzig Sekunden maximum.

»Sie lügen, Michael.«

»Tu ich nicht …«

Adenauer unterbricht mich mit einem Geräusch, das wie das Summen eines Bandgerätes klingt.

»*Gestern Nacht, das war Donnerstag, der Dritte*«, sagt eine weibliche Stimme.

O nein, denke ich. Bevor sie das Band ausgeschaltet hat …

»*Ich meine, das ist richtig*«, sagt meine auf Band festgehaltene Stimme. »*Jedenfalls fuhr ich die 16th Street entlang, als ich …*«

»*Bevor wir fortfahren: War jemand bei Ihnen?*«

»*Das ist nicht relevant …*«

»*Beantworten Sie einfach die Frage*«, sagt Caroline.

»*Nein, ich war allein.*«

»Hatten Sie vergessen, dass wir das Band haben?«, fragt Adenauer viel zu selbstzufrieden.

Der Sekundenzeiger fliegt. Noch dreißig Sekunden. »Ich – ich schwöre Ihnen – das ist nicht die …«

»Wir haben Vaughn gefunden«, sagt Adenauer. »Und die Waffe. Keine Lügen mehr, Michael. Haben Sie es für Nora getan?«

»Ich sage Ihnen …«

»Hören Sie auf, mir Scheiße zu erzählen!«, explodiert Adenauer. »Jedes Mal ist es eine verdammte neue Story.«

Zwanzig Sekunden. »Es ist keine Story. Es ist mein Leben.«

»Sie brauchen nur herzukommen.« Besorgt, dass ich weglaufen könnte, bemüht er sich, nett zu sein. »Wenn Sie uns helfen – wenn Sie uns die Wahrheit über Nora sagen –, wird der ganze Prozess viel leichter sein, das verspreche ich Ihnen.«

»Das stimmt nicht.«

»Es *stimmt*. Seien Sie klug, Michael. Je länger Sie irgendwo da draußen bleiben, umso schlimmer sieht es für Sie aus.«

Zehn Sekunden. »Ich muss gehen«, sage ich mit zitternder Stimme. »Ich muss – ich muss nachdenken.«

»Sagen Sie mir nur, dass Sie herkommen. Ein Wort von Ihnen, und wir sind für Sie da. Nun, wie steht's?«

»Ich muss gehen.«

Mit seiner Geduld ist es zu Ende, und ich bin dabei, einzuhängen. »Ich will Ihnen eines sagen, Michael – wissen Sie noch, wie Vaughn sagte, es dauere achtzig Sekunden, ein Gespräch zurückzuverfolgen?«

»Woher wissen Sie …«

»Er hat sich geirrt. Wir sehen uns bald.«

Ich knalle den Hörer auf und drehe mich langsam um. Hinter mir kämpft ein Rudel Pendler um Platz auf den Rolltreppen. Wenigstens drei Leute sehen mich direkt an. Eine Frau mit einer Jackie-O-Sonnenbrille und zwei Männer, die von ihrer Zeitung aufblicken. Ehe ich reagieren kann, verschwinden alle drei auf der Rolltreppe. Die Hälfte der Menge fährt hinunter zur U-Bahn, die andere Hälfte zur Straße hinauf. Ich sehe mich unter der restlichen Menge um, suche nach verdächtigen Blicken und energischen Schritten. Dies ist Washington D. C. zur Hauptverkehrszeit, jeder könnte es sein.

Mein Körper spannt sich. Am liebsten möchte ich rennen, aber ich tu's nicht. Es wäre unsinnig. Über Signal können sie kein Gespräch zurückverfolgen. Es ist unmöglich – er möchte mich nur in Panik versetzen, so weit bringen, dass ich einen Fehler mache. Ich lasse es darauf ankommen und mache einen zögernden Schritt auf die Menge zu. Mir ist egal, wie gut sie beim FBI sind, so schnell können sie gar nicht sein. Das sage ich mir immer wieder vor, als ich auf der Rolltreppe von der Masse verschluckt werde.

Ich beiße die Zähne zusammen und versuche meinen Knöchel zu ignorieren. Ich darf ja nicht auffallen. Als wir oben ankommen, sehe ich mich wieder um, doch alles ist ruhig. Autos schnurren vorbei; die Pendler zerstreuen sich. Ich folge zwei anderen Passagieren zum nächsten Taxistand, warte in der Reihe und rufe ein Taxi. Ein Arbeitstag wie jeder andere.

»Wohin?«, fragt mich der Fahrer, als ich einsteige.

Ich lasse die Frage unbeachtet und schaue nervös nach links und rechts. Unwillkürlich taste ich nach meiner Krawatte. Als ich danach greife, merke ich, dass sie nicht da ist. Fast hätte ich es vergessen. Sie war ganz blutig.

»Lassen Sie hören!«, ruft der Taxifahrer. »Ich brauche ein Ziel.«

»Ich weiß nicht«, stammle ich. Er sieht mich durch den Rückspiegel an. »Sie da hinten, sind Sie okay?«

Wieder ignoriere ich die Frage. Ich kann einfach nicht glauben, dass Adenauer das Band hat – ich wusste, ich hätte nie zulassen dürfen, dass Caroline den Recorder einschaltete – auch nachdem ich die Aufzeichnung schnell gestoppt habe, ist noch genug drauf ... Nicht einmal nachdenken will ich darüber. Ich beuge mich auf dem fleckigen Stoffsitz vor und lege, einem Zusammenbruch nahe, beide Hände um den geschwollenen Knöchel. Ich mag aus dem Vorort herausgefunden haben, aber ich muss mir etwas überlegen. Ich brauche einen Ort, wohin ich gehen, wo ich denken kann.

Meine Wohnung kommt nicht in Frage. Die von Trey ebenso wenig. Oder die von Pam. Ich habe ein paar Freunde aus dem College und der Universität, aber wenn das FBI schon Leute zu meinem Cousin schickt, heißt das, dass sie sich durch meine Akte arbeiten ... Außerdem werde ich keinen meiner Freunde – oder Verwandten – mehr in Gefahr bringen. Wieder fängt mein Auge an zu zucken. Es gibt keinerlei Ausweg. Ich bin allein auf mich gestellt.

Bleibt mir nur ein Motel in der Nähe. Es ist keine schlechte Möglichkeit, aber ich muss mich vorsehen. Keine Kreditkarten, nichts, wodurch sie mich aufspüren könnten. Ein Blick in meine Brieftasche sagt mir, dass ich fast pleite bin. Zwölf Dollar in bar, meine Glücks-Zweidollarnote und ein Metro-Fahrschein.

Alles schön der Reihe nach. »Wie wär's mit einem Geldautomaten?«

»Endlich krieg ich was zu hören«, sagt der Taxifahrer.

Ich schiebe meine Karte in den Schlitz des Geldautomaten und gebe meinen aus vier Zahlen bestehenden PIN-Code ein. Obwohl ich wegen des Limits der Bank nur sechshundert Dollar täglich abheben kann, müsste das mehr als genug sein, um mich durch die Nacht zu bringen. Dann kann ich anfangen, an einer Lösung zu arbeiten.

Ich tippe den Betrag ein und warte, während der Automat zu rasseln beginnt. Doch anstatt meine Karte auszuspucken und das Geld freizugeben, erscheint auf dem Display die digitale Nachricht: *Auftrag kann zur Zeit nicht durchgeführt werden.*

Wie? Vielleicht wollte ich zu viel abheben. Ich drücke auf *Vorgang beenden* und fange von Neuem an. Diesmal erscheint eine andere Nachricht auf dem Display: *Um ihre Karte wieder zu bekommen, setzen Sie sich mit dem Filialleiter oder Ihrer Hausbank in Verbindung.*

»Was?« Ich drücke wieder auf *Vorgang beenden*, aber nichts tut sich. Der Automat schaltet sich ab, und auf dem Display erscheinen die Worte: *Bitte Karte einführen …* Ich starre den Automaten an, und mir fällt ein, dass zum *background check* des FBI die Bekanntgabe aller Bankkonten gehört. »Verdammt!«, fluche ich und hämmre mit der Faust gegen das unzerbrechliche Glas. Aber ich gebe nicht auf. Ich hole eine andere Kreditkarte heraus und schiebe sie in den Schlitz. Ich brauche nur etwas Bargeld – einen Vorschuss gewissermaßen. Doch abermals erscheinen auf dem Display die Worte: *Auftrag kann zur Zeit nicht ausgeführt werden.*

Die Sonne beginnt eben unterzugehen, daher ist es, als ich mich umdrehe, noch hell genug, dass der Taxifahrer meinen Gesichtsausdruck deuten kann. Er legt den Gang ein. Er kennt sich aus und sieht mir an, dass ich pleite bin.

»Warten Sie!«, rufe ich.

Die Reifen quietschen. Er verzichtet auf sein Fahrgeld und ist weg. Ich stehe auf der Straße.

Das ist mir zum letzten Mal passiert, als ich sieben war. Auf dem Heimweg von unserem Friseur beschloss Dad, eine neue Abkürzung durch den frisch gepflasterten Schulhof zu nehmen. Zwei Stunden später hatte er vergessen, wo wir wohnten. Er hätte aus einer Telefonzelle Mutter anrufen können, aber daran dachte er nicht.

Natürlich war das damals ein Abenteuer. Verirrt in einem Labyrinth aus Mietshäusern, scherzte er, wie wunderbar wir hier Versteck spielen könnten. Ich kam aus dem Lachen nicht mehr heraus. Das heißt, bis er anfing zu weinen. Das passierte immer, wenn er frustriert war. Dieses hohe Jammern eines Erwachsenen, der verzweifelt war, ist eine meiner frühsten Erinnerun-gen – und eine, von der ich mir wünsche, ich könnte sie vergessen. Nur wenige Dinge verletzen so tief wie die Tränen von Vater oder Mutter.

Dennoch, auch als er zusammenzubrechen drohte, versuchte er, mich zu schützen, schirmte mich hinter dem Glas einer Telefonzelle ab. »Wir müssen hier schlafen, bis Mom uns findet«, sagte er, als es dunkel wurde. Ich setzte mich in die Zelle. Er lehnte draußen. Mit sieben war ich zu Recht verängstigt. Aber meine Angst damals war nicht halb so groß wie jetzt.

FÜNFUNDDREISSIGSTES KAPITEL

Viertel vor sechs verstecke ich mich im besten mit der Metro erreichbaren, verkehrsreichsten Schlupfwinkel, der mir eingefallen ist – auf dem Reagan National Airport. Ehe ich mich an meinen derzeitigen Standort zurückzog, habe ich mir im Kofferladen vor Terminal C für meinen Zweidollar-Glücksbringer-

Schein und das restliche Kleingeld in meiner Tasche – insgesamt zwei Dollar und zweiundsiebzig Cents – einen Kleidersack aus Plastik gekauft, der zum Hersteller zurückgeschickt werden sollte. Wen interessiert schon, dass der Reißverschluss nicht funktioniert? Das Ding ist ja nicht als Reisegepäck gedacht. Ich muss nur so aussehen, als wollte ich verreisen. Und zusammen mit einem stornierten Ticket, das ich aus dem Abfall gefischt habe, ist das Bild perfekt.

Seither sitze ich zusammengekauert am äußersten Ende von Legal Seafood – dem einzigen Restaurant auf dem Flugplatz, das die Lokalnachrichten ausstrahlt und daher der beste Platz ist, meine letzten zwölf Dollar zu hegen.

»Hier ist Ihr Soda«, sagt die Kellnerin und stellt das Glas auf den Tisch.

»Danke«, erwidere ich, mit den Blicken am Fernseher klebend. Zu meiner Überraschung hat ein Ableger des lokalen Senders sein Programm vorgezogen, um eine Pressekonferenz live zu übertragen. Es ist ein Gewaltakt der Sender, das Pressebüro unter Druck zu setzen, um die Story voranzutreiben. Natürlich erwidert das Weiße Haus den Druck. CNN steht zur Verfügung, aber sie können in diesem Fall nicht der ganzen Nation eine Livesendung zumuten – die Menschen würden in Panik geraten und Bartlett davon profitieren. Also finden sie es am besten, mit den kleinen Storys anzufangen und sich zum Homerun vorzuarbeiten.

Ergebnis ist, dass wir einen bebrillten Bürokraten aus dem Außenministerium zu sehen bekommen, der fünfundachtzig Millionen Menschen die Vorteile der Kyoto Accords erklärt und wie die Verhandlungsergebnisse sich auf unsere langfristigen Handelsbeziehungen mit Asien auswirken werden. Mit einem kollektiven Gähnen zappen dreißig Millionen Menschen zu einem anderen Kanal. Für die Quoten des Senders ein Alptraum. Für das Pressebüro ein technischer K. o. Die Nachricht ist klar – leg dich nicht mit dem Weißen Haus an.

Überzeugt, dass nur noch die Hartnäckigsten geblieben sind, betreten die Pressesekretärin Emmy Goldfarb und der Präsident das Podium. Sie ist da, um zu sprechen, er ist da, um uns wissen zu lassen, dass er es ernst meint. Ein Kandidat, der mit einer Krise umgehen kann.

Keine Zeitverschwendung mehr – sie stürzt sich gleich hinein. Ja, Caroline Penzler ist keines natürlichen Todes gestorben. Nein, das hat das Weiße Haus nicht gewusst. Warum? Weil der toxikologische Bericht erst vor kurzem vervollständigt wurde. Über alles andere kann nicht öffentlich gesprochen werden, weil man die laufenden Ermittlungen nicht behindern will. Wie bisher versucht sie es mit der Masche ›knapp und lieb‹. Doch sie hat keine Chance. Sobald Blutgeruch in der Luft hängt, leckt sich die Presse die Lippen.

In einem Sekundenbruchteil sind die anwesenden Reporter aufgesprungen und überschütten sie mit Fragen.

»Wann sind die toxikologischen Untersuchungsergebnisse bekannt geworden?«

»Stimmt es, dass die Story an die *Post* weitergegeben wurde?«

»Was ist mit Michael Garrick?«

Ich greife nach meinem Soda und stoße das Glas unabsichtlich um. Als der Wasserfall sich über den Tisch ergießt, kommt die Kellnerin mir zu Hilfe.

»Tut mir leid«, sage ich, als sie ein Wischtuch darüber wirft.

»Kann passieren«, antwortet sie.

Auf dem Bildschirm erklärt die Pressesekretärin, dass sie sich nicht in die laufenden Ermittlungen des FBI einmischen möchte, aber so leicht geben die Reporter nicht auf. Sekunden später wird die Frage wieder gestellt.

»Steht jetzt fest, dass es Mord war, oder ziehen Sie auch Selbstmord noch in Betracht?«

»Was ist mit den zehntausend Dollar?«

»Stimmt es, dass Garrick sich noch immer im Gebäude aufhält?«

Unbarmherzig hämmern sie auf sie ein. Jemand muss sie retten. Natürlich mischt der Präsident sich ein. Für das amerikanische Volk sieht er wie ein Held aus. Für die Presse – sobald sie ihn dort gesehen haben – war klar, dass er etwas sagen würde. Der Präsident spielt bei Briefings nie den ›stummen Diener‹. Auf jeden Fall beruhigt es die Meute.

Er legt die Hände um die Seitenkanten des Pults und beginnt dort, wo Goldfarb nie hätte aufhören dürfen. Das ist ein Fall des FBI. Punkt. *Sie* haben ermittelt, *sie* haben die Tests gemacht und *sie* haben eine Nachrichtensperre verhängt, um genau das zu vermeiden, was jetzt geschieht. Mit wenigen Worten hat er dem FBI den schwarzen Peter zugeschoben. Das kann er wirklich gut, es ist zum Fürchten.

Als er überzeugt ist, dass er sauber dasteht, geht er die Fragen an. Nein, über Vaughn oder mich kann er nichts sagen. Ja, das würde die Ermittlungen tiefgreifend behindern. Ja, und falls das Pressecorps es vergessen haben sollte, Menschen sind noch immer so lange unschuldig, bis ihre Schuld erwiesen ist. Vielen Dank.

»Jedoch«, sagt er, und im Raum wird es still, »eines möchte ich absolut klar machen …« Er unterbricht sich gerade lange genug, dass uns allen der Speichel im Mund zusammenläuft. »Wenn es Mord ist, dann werden wir alles tun, um die Person zu finden, die meine Freundin Caroline Penzler getötet hat.« Er sagt es ganz einfach so. »*Meine Freundin* Caroline Penzler.« Sofort gerät alles in Bewegung. Mit wenigen Silben von Verteidigung zum Angriff.

Ich spüre förmlich, wie seine Umfragezahlen raketenartig in die Höhe schießen. Scheiß auf Bartlett. Nichts liebt Amerika mehr als ein wenig persönliche Rache. Nachdem das gesagt ist, blickt er direkt in die Kamera für sein großes Schlusswort. »*Wer immer sie sind, wo immer sie sind, diese Leute werden bezahlen.*«

»Mehr haben wir nicht zu sagen«, ergänzt die Pressesekretärin. Hartson verlässt den Raum; die Presse schreit weiter ihre Fragen heraus. Doch es ist zu spät. Es ist sechs Uhr. Vorläufig werden die Lokalnachrichten sich mit Bruchstücken zufriedengeben müssen; alles, was sie haben, ist Hartsons makellos zitatreife Erklärung. Ich muss es ihnen lassen. Das Ding war besser choreographiert als die Geburtstagsparty der First Lady. Jeder Augenblick brillant – einschließlich des Moments, in dem Goldfarb sich überwältigt gab. Der Präsident springt ein, klingt fair und rettet die Situation. Setzt die tote Freundin in Szene, wirft ein paar Worte über Vergeltung ein.

Natürlich, als der Rauch sich verzogen hat, kristallisiert sich für mich heraus, nach wem die Presse gefragt hat. Nicht nach Simon. Und Gott sei Dank nicht nach Nora. Nur nach mir. Nach mir und Vaughn. Zwei tote Männer.

Um die Schwemme abendlicher Klein-Kinder-Sitcoms zu vermeiden, schaltet das Restaurant auf CNN um – eben rechtzeitig, um die ganze Geschichte noch einmal ablaufen zu lassen. Nachdem sie Hartsons zitatreife Schlusserklärung gebracht haben, die polemisch ist wie die meisten dieser Erklärungen, sagt die Redakteurin im Studio: »Morgen bringt die *Washington Post* die Meldung, dass Michael Garrick derzeit gesucht wird, um von den Behörden befragt zu werden.« Als sie meinen Namen nennt, erscheint das Foto meiner ID auf dem Bildschirm. Es geschieht so schnell, dass ich kaum reagieren kann. Ich kann nur wegschauen. Als sie fertig ist, hebe ich den Kopf und sehe mich prüfend um. Kellnerin. Barmann. Geschäftsleute, die auf Spesen ihr Lachsdinner verspeisen. Keiner weiß es außer mir.

Nachdem ich die Gastfreundschaft der Kellnerin schon viel zu lange beansprucht habe, begebe ich mich hinüber an die Bar des Restaurants, wo der Barman an gestrandete Pendler gewöhnt ist, die nur ein bisschen fernsehen wollen. »Haben Sie ein ›Verloren und gefunden-Depot‹?«, frage ich ihn. »Ich glaube, ich habe das letzte Mal ein paar Sachen vergessen.«

Er holt eine Schachtel von Heinz Ketchup unter dem Tresen hervor und pflanzt sie vor mich hin. Aus der Sammlung verlorener Schlüssel und Paperbacks fische ich mir eine Sonnenbrille und eine Baseballmütze der Miami Dolphins. Mein Dad hätte die Schachtel genommen.

»Wenigstens ein Anfang«, sage ich und setze die Dolphins-Mütze auf.

Bis neun Uhr habe ich die Story viermal gesehen. Um zehn Uhr doppelt so oft. Ich weiß nicht, warum ich sie mir noch immer anschaue, aber ich kann nicht anders. Als wartete ich darauf, dass sie abgeändert wird – darauf, dass der Nachrichtensprecher sagt: »Das ist eben hereingekommen – Nora Hartson hat gestanden, sie habe ein Drogenproblem; das Counsel's Office ist durch und durch korrupt; Garrick ist unschuldig.« Bisher ist es nicht geschehen.

Als die Neonbeleuchtung des Restaurants flackernd erlischt, verstehe ich den Wink und hinke zur Abfertigungshalle. Mein Knöchel ist besser, aber noch immer steif. Ich rücke die Sonnenbrille zurecht, ziehe den Kleidersack hinter mir her, lasse mich auf einen Eckplatz sinken und verrenke mir den Hals, um die Fernseher beobachten zu können, die an der Decke hängen. Nach drei weiteren Stunden mit CNN komme ich auf die Zahl zwanzig. Klar, es gibt ein paar Variationen – der Sprecher oder die Sprecherin ändern Adjektive und Tonfall, damit die Sache nicht langweilig wird ›*dieser* Michael Garrick …‹ ›*ein gewisser* Michael Garrick …‹, ›dieser *Michael Garrick* …‹. Aber die Nachricht bleibt immer gleich. Es ist mein Gesicht, das dort oben gezeigt wird; mein Leben; und solange ich, in Selbstmitleid badend, hier sitze, wird es nur immer schlimmer.

Um zwei Uhr fünfzehn morgens landet ein verspäteter Flug aus Chicago auf dem US Airways Terminal. Als die Menge sich verlaufen hat, kommen zwei Sicherheitsleute auf mich zu und sagen mir, dass das Terminal jetzt geschlossen wird.

»Tut mir leid, aber ich muss Sie jetzt bitten zu gehen«, sagt der zweite Wachmann.

Ich bemühe mich so gut es geht, sie mein Gesicht nicht sehen zu lassen, halte den Kopf gesenkt und zeige ihnen nur das Dolphin's Logo. »Ich hab gedacht, Sie hätten vierundzwanzig Stunden geöff…«

»Wir schließen aus Sicherheitsgründen. Die Hauptterminals sind die ganze Nacht geöffnet. Wenn Sie dort draußen warten wollen, bitte gern.«

Ohne aufzublicken, nehme ich meinen papierdünnen Kleidersack und lasse CNN hinter mir zurück.

Um drei Uhr morgens lümmle ich auf einer kleinen Bank neben dem Informationsschalter, den Kleidersack über die Brust drapiert. In der letzten Viertelstunde haben die Wachleute drei Obdachlose verjagt. Ich trage einen Anzug. Sie lassen mich in Ruhe. Es ist nicht das beste Versteck, aber es ist eines der wenigen, in dem ich schlafen kann. Anders als in New York schließt hier die U-Bahn um Mitternacht. Außerdem, wenn die Behörden fahnden, suchen sie jemand, der weg will. Ich möchte bleiben.

Während der nächsten fünfzehn Minuten fällt es mir schwer, den Kopf oben zu behalten, doch bin ich andrerseits zu unruhig, um einzuschlafen. Natürlich denke ich über Nora nach und wie sie wohl reagieren wird, aber eigentlich kann ich vor allem nicht aufhören, an meinen Dad zu denken. Inzwischen trampelt die Presse durch mein restliches Leben. Sie werden ihn bald finden. Mir ist egal, wie unabhängig er ist, für so etwas ist er nicht geschaffen. Wir alle sind es nicht. Außer Nora – vielleicht.

Ich döse ein, und meine Gedanken wandern zurück zum Rock Creek Parkway. Ich verfolge Simon. Werde mit dem Geld erwischt. Sage, es gehöre mir. Dort ist der Schneeball ins Rollen gekommen. Vor kaum zwei Wochen. Von da an stürmen die Bilder auf mich ein. Vaughn tot im Hotelzimmer. Nora auf dem Dach des Weißen Hauses. Carolines Augen, das eine gerade, das andere seitlich weggerutscht. Die Momente verschwimmen, und ich skizziere im Geist andere Möglichkeiten. Es hätte so anders kommen können. Immer hat es einen einfachen Ausweg gegeben, ich wollte nur – ich wollte ihn nur nicht nehmen. Es lohnte sich nicht. Bis jetzt.

In Washington … Nein. Im Leben – es gibt zwei verschiedene Welten. Einerseits ist da die Erkenntnis dessen, was wichtig ist – und dann das, was einem tatsächlich begegnet. Es ist zu lange her, seit mir klar wurde, dass es da einen Unterschied gibt.

Die Augen fallen mir zu, und ich ziehe den Kleidersack ganz über mich. Die Nacht ist kalt, doch ich bin wenigstens zu einer Entscheidung gekommen. Ich habe es satt, in Telefonzellen eingeschlossen zu sein.

SECHSUNDDREISSIGSTES KAPITEL

Simon wacht um halb fünf Uhr morgens auf, duscht und rasiert sich schnell. An den meisten Tagen schläft er mindestens bis halb sechs, doch heute möchte er schneller sein als die Presse, daher muss er bald aufbrechen. Natürlich liegt noch keine Zeitung vor der Tür, doch er sieht auf alle Fälle nach.

Draußen, wo ich sitze, ist es noch stockdunkel, sodass ich, als er vom Schlafzimmer ins Bad und vom Bad in die Küche geht, den an- und ausgehenden Lichtern folgen kann. So weit ich es beurteilen kann, besitzt er ein geschmackvolles Haus in einer geschmackvollen Gegend. Es ist nicht die beste von Virginias weitläufigen Vorstädten, doch genau deshalb hat er sie gewählt. Ich erinnere mich, dass er uns die Geschichte vor kurzem erzählt hat. An dem Tag, an dem er und seine Frau das Haus kaufen wollten, erzählte ihnen ihr Makler von einem brandneuen Haus in einer begehrten Gegend von McLean. Es war natürlich viel teurer, doch seine Frau meinte, sie könnten es sich leisten. Simon wollte nichts davon wissen. Er wollte seinen Kindern die wahren Werte des Lebens zeigen, sie mussten etwas haben, wonach sie streben konnten. Man gewann nichts dadurch, dass man immer an der Spitze stand.

Wenn ich's mir überlege, ist die ganze Geschichte wahrscheinlich nichts als Scheiße. Bis vor ein paar Wochen war Simon ein Mann, den man beim Wort nehmen konnte. Was auf eine merkwürdige Weise genau der Grund dafür ist, dass ich jetzt auf dem Beifahrersitz seines schwarzen Volvo sitze.

Es ist noch immer stockdunkel, als Simon das Haus durch die Hintertür verlässt. Ich beobachte ihn, als er abschließt und sich im Hof umsieht. Es ist noch früh. Keine Reporter in Sicht. Mit den sorglosen Schritten eines Mannes, der das Wort Problem nicht einmal buchstabieren kann, kommt er die Zufahrt herunter. Er sieht mich nicht, als er auf die Fahrerseite seines Wagens hinübergeht. Er ist viel zu sehr damit beschäftigt, daran zu denken, dass er davongekommen ist.

Nachlässig wirft er mir seine Aktenmappe in den Schoß und gleitet auf den Ledersitz, als sei's ein Tag wie jeder andere.

»Guten Morgen – Morgenstund hat Gold im Mund.«

Erschrocken greift er sich an die Brust und lässt die Schlüssel fallen. Dennoch, ich muss es ihm lassen. Schon nach Sekunden hebt er gereizt die Bügelbrettschultern. Und als er sich mit der Hand durch das graumelierte Haar fährt, kehrt seine unerschütterliche Ruhe sogar schneller zurück, als sie ihn verlassen hatte. Er dreht sich zu mir um, und die Innenbeleuchtung des Wagens erhellt sein Gesicht. Verärgert zieht er die Tür zu, und es wird dunkel.

»Ich habe gedacht, Sie würden warten, bis ich im Büro bin«, sagt er mit einer Stimme, die so rau ist, als habe er Kies in der Kehle.

»Denken Sie, ich wäre so dämlich?«, frage ich.

»Nun – immerhin sind Sie derjenige, der in meinem Wagen schläft.«

»Ich habe nicht hier geschlafen, ich war …«

»… Sie haben sich nur um fünf Uhr morgens an Ihren Boss herangepirscht, wie? Was soll das«, fügt Simon hinzu. »Sie haben doch nicht wirklich geglaubt, damit durchkommen zu können, oder?«

»Durchkommen – womit?«

»Es ist vorbei, Michael. Besser, Sie plädieren auf Unzurechnungsfähigkeit als auf nicht schuldig.« Vor sich hin lachend, fügt er hinzu: »Aber ich hatte recht, nicht wahr? Caroline hat es arrangiert; Sie haben das Geld geholt.«

»Was?«

»Es wäre mir nicht einmal im Traum eingefallen, hätte ich Sie damals in der Nacht nicht entdeckt. Als ich dann hörte, was aus meinem Geld geworden ist – als die Cops bei Ihnen zehn Riesen konfiszierten, da ging alles schief, nicht wahr? Caroline dachte, Sie wollten sie betrügen. Deshalb haben Sie es getan, nicht wahr? Deshalb haben Sie sie getötet.«

»Ich habe sie getötet?«

»Nur Narren halten das für einen Ausweg, Michael, *damals* wie *heute*. Zweimal gelingt es nie.«

»*Zweimal?*« Ich weiß nicht, wovon er redet, doch es ist klar, dass er seine eigene Version der Wirklichkeit hat. Zeit, Scheiße zu sagen. »Ich bin kein Idiot, Edgar. Ich hab Sie an dem Abend im *Pendulum* gesehen. Ich war dort.«

»Dafür gibt es eine gute Erklär…«

»Drehen Sie es, wie immer Sie wollen, Sie wurden erpresst und haben bezahlt. Vierzig Riesen, damit die Büchse der Pandora geschlossen bleibt.«

Er wirft mir einen giftigen Blick zu. »Weiß es Ihre Frau? Haben Sie …?«

»Tragen Sie ein Mikro?«, unterbricht er mich. »Sind Sie deshalb hier?« Bevor ich reagieren kann, streckt er den Arm aus und schlägt mir mit der offenen Hand auf die Brust.

»Fassen Sie mich nicht an, verdammt!«, schreie ich und stoße ihn weg.

Als er merkt, dass ich nichts unter dem Hemd habe, lehnt er sich auf seinem Sitz zurück.

Ich schüttle den Kopf über den Mann, der mein Boss war. »Sie haben es ihr noch gar nicht gesagt, oder? Sie spielen dort draußen herum, und sie weiß es nicht einmal. Was ist mit Ihren Kindern? Lügen Sie auch sie an?« Ich merke, dass ich seine Aufmerksamkeit gewonnen habe und zeige hinter mich zum Haus. »Die sind es doch, die dafür bezahlen, Edgar.«

Wieder fährt er sich mit der Hand durchs Haar. Zum ersten Mal, seit ich ihn kenne, fällt es nicht wieder ordentlich zurück. »Ich muss sagen, dass ich es Ihnen nicht zugetraut habe, Michael.« Nach der Art, wie seine Stimme vor jedem Wort zögert, vermute ich, dass er aus einem Schock heraus spricht. Vielleicht ist es sogar Angst.

Aber das stimmt nicht. Es ist Enttäuschung. »Die ganze Zeit habe ich Caroline für die Skrupellose gehalten. Jetzt weiß ich's besser.«

»Ich habe nicht …«

»Erzählen Sie das, wem Sie wollen«, sagt er und blickt starr durch die Windschutzscheibe. »Erzählen Sie es der Zeitung, erzählen Sie es der ganzen Welt. Es ist mir nicht peinlich.«

»Dann …«

»Warum ich bezahlt habe?« Er schaut an mir vorbei, zurück auf sein geschmackvolles Haus. »Wie, glauben Sie, werden die anderen Sechstklässler reagieren, wenn der Nachrichtensprecher sagt, Kathies Daddy schläft gern mit Männern? Und mein Sohn, der bald aufs College soll? Es war nie meinetwegen, Michael. Ich weiß, wer ich bin. Es ist ihretwegen.«

Mir fällt auf, wie fest er das Lenkrad umklammert hält. »Deshalb haben Sie Caroline gesagt, ich hätte das Geld?«

»Wovon reden Sie?«

»Am nächsten Morgen. Nach der Sitzung. Sie haben ihr gesagt, die vierzigtausend Dollar stammten von mir – ich hätte sie hinterlegt.«

Er lässt das Lenkrad los und sieht mich völlig perplex an. »Ich denke, Sie verwechseln da was. Ich habe ihr nur gesagt, ich wollte Ihre Akte sehen. Ich überlegte, wenn Sie der Erpresser wären ...«

»Ich?«

»Verdammt, Michael, hören Sie auf, mir ins Gesicht zu lügen! Sie haben das Geld abgeholt – Sie sind ein Mitverschwörer. Ich weiß, dass Sie sie deshalb umgebracht haben.«

Er sagt noch etwas, doch ich höre nicht zu. »Sie haben ihr nicht gesagt, dass das Geld von mir stammt?«, frage ich.

»Warum sollte ich? Wenn Caroline mit drinhing – wovon ich immer überzeugt war – und sie gewusst hätte, dass ich's rausgefunden habe, hätte sie mir die Gedärme rausgerissen, um mich zum Schweigen zu bringen.«

Ich fühle, wie mir das Blut aus dem Gesicht weicht. Ich glaube es nicht ... Die ganze Zeit ... Caroline hat es erfunden, damit ich schweige – und mit dem Finger auf Simon zeige. Einfach perfekt, wenn man es überlegt; sie hat uns gegeneinander ausgespielt. Nach festem Boden suchend, umklammere ich die Türklinke. Langsam, schmerzlich drehe ich mich zu Simon um. Und zum ersten Mal, seit wir ihm aus der Bar gefolgt sind, kommt mir der Gedanke, dass er unschuldig sein könnte.

»Sind Sie okay?«, fragt er, meinen Gesichtsausdruck richtig deutend.

Es ergibt überhaupt keinen Sinn. »Ich hab es nicht getan – ich habe niemanden getötet. Vaughn ... und Trey ... Sogar Nora hat gesagt...«

»Sie haben Nora davon erzählt?«

Hinter uns, oben auf der Straße, sticht ein grelles Licht durch die Dunkelheit. Ein Auto ist eben in die Straße eingebogen. Nein, kein Auto. Ein Van. Als er näher kommt, sehe ich die Radioantenne auf dem Dach. Oh, Scheiße. Ein Sendewagen. Die Zeit ist zu Ende.

Ich reiße die Tür auf, aber Simon packt mich am Arm. »Weiß es Nora? Hat sie es Hartson gesagt?«

»Lassen Sie mich los!«

»Tun Sie das jetzt nicht, Michael! Bitte! Nicht, während meine Kinder im Haus sind!«

»Ich sag es keinem. Ich will nur hier raus!« Ich reiße meinen Arm los und klettere aus dem Wagen. Der Sendewagen ist schon fast vor dem Haus.

»Fragen Sie Adenauer! Ich habe nichts Unrechtes getan!«, schreit Simon.

Ich will schon abhauen, aber – es ist schwer zu beschreiben – seine Stimme ist voller Schmerz. Zwar habe ich nur noch ein paar Sekunden, doch ich wende mich wieder um, zu einer letzten Frage. Der einzigen bisher, vor der ich Angst hatte. »Sagen Sie mir die Wahrheit, Edgar, haben Sie jemals mit Nora geschlafen?«

»*Was?*«

Mehr brauche ich nicht zu hören.

Die Tür des Sendewagens geht auf, und zwei Leute springen heraus. Es ist schwierig, die Innenbeleuchtung von Simons Wagen zu übersehen. »Da vorn!«, ruft ein Reporter, als der Kameramann seine Lampe einschaltet.

»Starten Sie den Wagen und verschwinden Sie von hier!«, rufe ich ihm zu. »Und sagen Sie Adenauer, dass ich unschuldig bin.«

»Was ist mit …«

Ich knalle die Tür zu und flitze zu dem hölzernen Zaun im Hof. Wie ein Scheinwerfer bei einem Gefängnisausbruch ergießt sich eine Flut künstlichen Lichts durch das Heckfenster von Simons Wagen und beleuchtet die rechte Seite seines Gesichts. Als der Scheinwerfer in den Hof schwenkt, bin ich nicht mehr da.

»Platz 27«, meldet sich eine Männerstimme am Telefon.

»Ich wurde soeben angepiepst«, sage ich zum *Signal*-Telefonisten. »Können Sie mich mit Zimmer 160 verbinden?«

»Ich brauche einen Namen, Sir.«

»Da gibt es niemand Bestimmtes. Dort sitzen nur Praktikanten.«

Er legt mich auf Warteschleife, um sich das bestätigen zu lassen. Typischer Weißes-Haus-Telefonist. Keine Zeit für …

»Ich verbinde Sie jetzt«, verkündet er.

Als das Telefon klingelt, beuge ich mich dicht über den Münzfernsprecher der Tankstelle, schaue hinunter und stelle fest, dass das Leder meiner Schuhe zu reißen beginnt. Zu viele Zäune. Geschichte meines Lebens. Als das Telefon zum dritten Mal klingelt, fange ich an nervös zu werden. Sie hätten inzwischen abnehmen sollen – es sei denn, es ist keiner da. Rasch werfe ich einen Blick auf meine Uhr. Es ist nach neun. Jemand muss doch Kopien brauchen. Es ist der …

»Weißes Haus«, meldet sich die Stimme eines jungen Mannes.

Ich höre es am ernsten Tonfall seiner Stimme. Praktikant. Perfekt.

»Mit wem spreche ich?«, blaffe ich ihn an. »Andrew Schottenstein.«

»Hören Sie, Andy, hier ist Reggie Dwight aus dem Büro der First Lady. Wissen Sie, wo Zimmer 144 ist?«

»Ich denke …«

»Gut. Ich möchte, dass Sie hinüberlaufen und nach Trey Powell fragen. Sagen Sie ihm, Sie müssten mit ihm sprechen und bringen Sie ihn hierher zu mir.«

»Ich verstehe nicht. Warum …«

»Hören Sie, Mann, ich habe ungefähr drei Minuten, bis die First Lady ihr Statement über dieses Garrick-Fiasko abgibt und Mr. Powell ist der Einzige, der den neuesten Entwurf hat. Also bewegen Sie Ihren Hintern aus dem Kopierzimmer und machen Sie fix. Sagen Sie Mr. Powell, Reggie Dwight muss dringend mit ihm reden.«

Andrew Schotten-irgendwie stürzt aus dem Zimmer, und ich höre die Tür knallen. Als Praktikant ist er einer der wenigen, die tatsächlich auf solchen Humbug hereinfallen. Wichtiger noch, als Vorsitzender des John-Elton-Fanclubs Washington ist Trey einer der wenigen, denen klar ist, wer sich hinter dem Namen des Sängers verbirgt.

Ich zähle auf beides und sehe mir dabei jeden Wagen genau an, der zu den Zapfsäulen rollt. »Komm schon«, knurre ich und bohre meinen Schuh in den Beton. Er braucht zu lange. Rechts von mir fährt eine graue Limousine vor. Vielleicht wurde der Junge misstrauisch und hat es gemeldet. Ich beobachte die Limousine – die Wagentür geht auf, und eine Frau steigt aus. Ihr Lächeln und ihr knappes Sonnenkleidchen sagen mir, dass sie nicht vom FBI ist. Den Hörer ans Ohr hebend, höre ich eine Tür zufallen.

»Hallo?«, sage ich ängstlich. »Jemand da.«

»Ich hab's gewusst«, antwortet Trey. »Wie geht's?«

»Wo ist der Praktikant?«, frage ich.

»Ich habe ihn ins Zimmer 152 geschickt – dachte mir schon, dass du mit mir allein sprechen möchtest.«

Ich nicke zufrieden. Es gibt kein Zimmer 152. Er wird wenigstens eine halbe Stunde suchen.

»Willst du mir jetzt berichten, was du machst?«, fragt Trey. »Wo hast du letzte Nacht geschlafen? Im Flughafen?«

Er weiß alles – wie immer. »Ich sollte es dir wahrscheinlich nicht erklären – falls sie fragen.«

»Sag mir nur, dass du okay bist.«

»Mir geht's gut. Was tut sich bei euch?«

Er antwortet nicht, was bedeutet, dass es schlimmer ist als ich dachte.

»Trey, du kannst …«

»Haben Sie dir wirklich alle Konten gesperrt? Weil ich heute Morgen über ATM alles abgehoben habe, was ich kriegen konnte. Es ist nicht viel, aber ich kann dreihundert für dich bei …«

»Ich habe mit Simon gesprochen!«, platze ich heraus.

»Tatsächlich? Wann?«

»Heute Morgen, ganz früh. Hab ihn überrascht, als er in seinen Wagen stieg.«

»Was hat er gesagt?«

Ich brauche zehn Minuten, um unser Fünfminuten-Gespräch zu wiederholen.

»Warte einen Moment«, sagt Trey schließlich. »Er hat gedacht, du seist der Killer?«

»Er hatte sich alles im Kopf zurechtgelegt – bis hinunter zu dem Fakt, dass Caroline und ich die Leute gemeinsam erpressten.«

»Warum hat er dich dann nicht der Polizei übergeben?«

»Schwer zu sagen. Ich vermute, er hatte Angst, seine sexuellen Aktivitäten könnten ans Licht kommen.«

»Und du glaubst ihm?«

»Hast du einen Grund, es nicht zu tun?«

»Ich kann mir einen vorstellen. Fängt mit N an und hört mit A auf. Ihr Daddy ist Präsident …«

»Ich hab's kapiert, Trey.«

»Bist du sicher? Wenn er mit Nora pennt, wird er alles sagen, um dich …«

»Er schläft nicht mit ihr.«

»Ach, komm schon, Michael – jetzt sind wir wieder da, wo wir angefangen haben.«

»Vertrau mir diesmal. Wir sind es nicht.«

Er hört, dass meine Stimme anders klingt. Eine kurze Pause. »Du weißt, wer es getan hat, nicht wahr?«

»Ohne Beweis hat es überhaupt nichts zu bedeuten.«

Diesmal wartet Trey nicht ab. »Sag mir, was ich tun soll.«

»Traust du's dir zu, bist du sicher?«, frage ich. »Weil … du kriegst es nämlich mit einer höllischen Sache zu tun.«

In dem Treppenhaus aus Beton die vierte Treppe hinunter sprintend, wird mir langsam übel. Ich mag es nicht, so tief unter der Erde zu sein. In meinem Kopf hämmert es; mein Gleichgewicht ist total im Eimer. Zuerst nahm ich an, es sei das sich ständig wiederholende Muster meines Abstiegs. Doch je näher ich dem untersten Stockwerk komme, umso mehr denke ich an das, was mich dort unten erwartet. Ich passiere die Tür mit der Aufschrift B-5 und frage mich, ob es funktionieren wird. Jetzt hängt alles von ihr ab.

Das Treppenhaus endet vor einer Metalltür mit einem leuchtend orangefarbenen B-6. Ich öffne sie und betrete die unterste Ebene der unterirdischen Parkgarage. Von Dutzenden von Wagen umgeben, überprüfe ich, ob sie schon da ist. Der Stille nach zu schließen, scheine ich der Erste zu sein.

Ich hole rasch Atem, und meine Lunge füllt sich mit kalkiger Luft, doch als Treffpunkt ist die Garage gut geeignet. In der Nähe und dennoch unauffällig.

Reifen quietschen ein paar Stockwerke höher, aber man hört es bis hierher. Als der Wagen um die Kurven prescht, wird das Quietschen lauter. Wer immer es ist, er kommt hierher – und fährt wie ein Irrer. Ein Versteck suchend, renne ich ins Treppenhaus zurück und spähe durch das Fenster in der Tür. Ein dunkelgrüner Saab schießt in eine freie Lücke und kommt mit einem Ruck zum Stehen. Die Tür öffnet sich, und einer vom Personal der Parkgarage steigt aus. Endlich atme ich wieder ein und wische mir mit dem Jackettärmel den Schweiß vom Gesicht.

Kaum ist er weg, höre ich das Quietschen wieder – von der Straße her kommend, wird es immer lauter. Diese Kerle sind Psychopathen. Aber als der schwarze Buick um die Kurve rast, sucht er keine Parklücke, sondern hält direkt vor der Tür zum Treppenhaus. Wie vorher schwingt die Wagentür weit auf. Ah.

»Hab gehört, du willst zu mir«, sagt Nora grinsend.

Sie findet schon wieder alles viel zu lustig.

»Wo ist der Service?«

»Keine Bange – wir haben fünfzehn Minuten, bevor sie merken, dass ich weg bin.«

»Woher hast du den Wagen?«

»Von der Frau, die meiner Mom die Haare macht. Willst du mich jetzt eigentlich weiterhin in die Mangel nehmen oder willst du nett sein?«

»Tut mir leid«, sage ich. »Es war wirklich ein sehr harter ...«

»Du brauchst es nicht zu sagen. Mir tut es auch leid. Ich hätte dich so nicht gehen lassen dürfen.« Sie macht einen Schritt auf mich zu und breitet die Arme.

Ich hebe die Hand und schiebe sie weg.

»Was tust ...«

»Das heben wir uns für später auf, Nora. Im Augenblick haben wir Wichtigeres zu tun.«

»Bist du noch sauer wegen Simon? Ich schwöre dir, wir ...«

»Ich weiß, dass du nicht mit ihm geschlafen hast. Und ich weiß, du würdest mir nie wehtun.« Ich sehe ihr fest in die Augen und füge hinzu: »Ich glaube dir, Nora.«

Sie starrt mich an, wägt jedes Wort ab. Ich weiß nicht, was sie denkt, doch sie muss wissen, dass mir gar nichts anderes übrig bleibt. Entweder das, oder ich muss vor der Polizei kuschen. Wenigstens hat sie sich hier noch unter Kontrolle.

Ihre Augen werden schmal, und sie trifft ihre Entscheidung. Natürlich habe ich keine Ahnung, was es ist. »Steig ein«, sagt sie endlich.

Wortlos gehe ich zur Beifahrerseite und öffne die Tür.

»Was tust du?«

»Du hast gesagt, steig ein.«

»Nein, nein, nein«, schimpft sie. »Nicht, wenn dein Gesieht auf jeder Titelseite prangt.« Sie drückt auf einen Knopf an ihrer

Schlüsselkette, und der Kofferraum springt auf. »Diesmal fährst du hinten.«

Zusammengerollt im Kofferraum des Buick der Friseuse und Kosmetikerin der First Lady, versuche ich den Geruch nach feuchtem Teppich zu ignorieren. Zum Glück für mich gibt es viele Ablenkungen. Außer dem Startkabel, das ich nervös mit beiden Händen umklammere, liegt neben mir ein Kasten mit einem Schachspiel, den jemand nicht richtig zugemacht hat. Als Nora die bogenförmige Rampe hinauffährt, die aus der Garage führt, bombardieren mich die Bauern, Springer, Läufer und Türme aus allen Richtungen. Ein Springer trifft mich ins Auge und hüpft mir in die Hand, als eine scharfe Rechtskurve mir sagt, dass wir wieder in der 17th Street sind.

In Dunkelheit gehüllt, versuche ich im Geist dem Weg des Wagens zu folgen, der sich zum Southwest Appointment Gate durchschlängelt. Keine Frage, dass sie mich schnurstracks den Behörden ausliefern könnte, doch ich denke, das Letzte, was sie jetzt möchte, ist, mit dem derzeitigen ›Bösen Buben‹ erwischt zu werden. Darauf zähle ich zumindest.

Eingänge für Rollstühle eingeschlossen, gibt es elf verschiedene Wege, ins Weiße Haus und das OEOB hineinzugelangen. Die man nur zu Fuß erreichen kann, erfordern eine gültige ID, und man muss mindestens an zwei uniformierten Beamten vorbeigehen. Die man mit dem Wagen passiert, erfordern ein hohes Tier und eine durch gute Beziehungen erworbene Park-Erlaubnis. Ich habe Nora. Mehr als genug.

Als der Verkehrslärm hinter uns zurückbleibt, weiß ich, dass wir bald am Ziel sind. Der Wagen wird langsamer, wir nähern uns dem ersten Kontrollpunkt. Ich erwarte, dass sie uns anhalten, doch sie tun es nicht – aus welchem Grund auch immer. Jetzt kommt das eigentliche Tor. Es ist das, was zählt.

Ich rolle nach vorn, als wir plötzlich anhalten, und drücke ein paar Schachfiguren in die Bespannung. Der elektronische

Fensteröffner summt, als Nora die Scheibe herunterlässt. Ich bemühe mich, die leise Stimme des uniformierten Wachmanns zu hören. An dem Abend, an dem wir aufs Dach kletterten, haben sie den Kofferraum nicht kontrolliert; Nora ist mit einem Winken und einem Lächeln durchgefahren. Doch in den letzten vierundzwanzig Stunden haben sich die Zeiten geändert. Ich wage kaum zu atmen.

»Entschuldigen Sie, Miss Hartson – es ist Vorschrift. Das FBI hat uns gebeten, jeden Wagen zu kontrollieren.«

»Ich hole nur etwas für meine Mom ab. Bin im Handumdrehen …«

»Wem gehört der Wagen überhaupt?«, fragt der Wachmann misstrauisch.

»Der Frau, die meiner Mom die Haare macht – Sie haben Sie gesehen als sie …«

»Und wo sind Ihre Leibwächter?«, fügt er hinzu, und ich schließe die Augen.

»Unten am Kontrollpunkt. Sie wissen, dass es nur eine Sekunde dauern wird. Also, wollen Sie sie anrufen, oder lassen Sie mich rein?«

»Tut mir wirklich leid, Ma'am. Ich kann nicht …«

»Sie warten auf mich.«

»Ist mir egal. Öffnen Sie bitte den Kofferraum.«

»Ach, kommen Sie, Stevie, seh ich so gefährlich aus?«

Nein, flirte nicht mit ihm. Der Kerl ist zu schlau, um …

Ein lautes Klicken, und der Wagen rollt an. Eins zu null für Nora. Wir sind drin.

Als wir die West Exec entlangfahren, habe ich keine Ahnung, ob auf der schmalen Straße zwischen OEOB und Weißem Haus Leute unterwegs sind. Aber selbst wenn niemand da ist, könnte jeden Moment jemand herauskommen. Meinen früheren Anweisungen folgend, biegt Nora auf der asphaltierten Zufahrt scharf links ab und hält direkt unter dem sieben Meter hohen Bogengang, der ins Erdgeschoss des OEOB führt.

Außer Sicht und meist als Ladezone benutzt, liegt er versteckter als das weit offene Areal beim West-Exec-Parkplatz. Der Wagen rollt langsam aus, und ich weiß, wir sind da. Nora stellt den Motor ab und knallt die Tür zu. jetzt kommt der schwierige Teil.

Sie muss es zeitlich unbedingt richtig abstimmen. Der Bogengang mag in einen Hof führen, aber er gehört trotzdem noch zu der mächtigen Halle des OEOB. Was bedeutet, dass ständig viele Leute durch die automatischen Türen ein und aus gehen. Wenn ich hinausklettern soll, ohne gesehen zu werden, muss sie warten, bis niemand in der Halle ist.

Im Kofferraum drehe ich mich auf den Bauch und bringe mich langsam in die richtige Lage. Meine Muskeln sind verkrampft. Sobald sie den Kofferraum öffnet, muss ich raus. Ich schiebe das Startkabel auf die Seite und wische die Schachfiguren aus dem Weg. Bloß keine Hemmnisse. Sie kommt aber nicht, um mich zu holen. Es müssen Leute in der Nähe sein; der einzige Grund, weswegen sie mich warten lässt. Als die Sekunden zu einer vollen Minute werden, fange ich an, nervös am Spannteppich zu zupfen.

Ich versuche mich auf die Ellbogen aufzurichten, aber es ist zu wenig Platz. Und es ist dunkel. Wie in einem Sarg. Die Wände des Kofferraums schließen mich ein. Die Stille macht mich krank. Ich halte den Atem an und lausche angestrengt. Ein leises Klicken des Motors; flüsternde Reibung, als mein Schuh über den Teppich gleitet. Irgendwo weit weg fällt eine Autotür zu. O Gott, ich gerate in Panik und lecke mir die Schweißtropfen von der Oberlippe, die sich dort angesammelt haben. Ist Nora überhaupt da draußen? Ist sie weggegangen? Zurück in die Residenz – mit Boxenstopp im Oval Room. Sie braucht nur einen kleinen Vorsprung, um mich den Wölfen vorzuwerfen. Draußen nähern sich die Schritte einer ganzen Gruppe dem Wagen. Ebenso schnell halten sie an. Sie warten. Da draußen. Auf mich. Miststück.

Der Kofferraum springt auf, und Tageslicht schlägt mir ins

Gesicht. Blinzelnd halte ich mir den Unterarm vor die Augen, um die Sonne abzuwehren, blicke auf und erwarte, FBI zu sehen. Aber nur Nora ist da.

»Gehen wir«, sagt sie und winkt mir; sie packt mein Jackett an den Schultern und zieht mich heraus.

Ich sehe mich in der Ladezone um. Niemand ist da.

»Tut mir leid, dass du warten musstest. In der Halle waren ein paar Nachzügler.«

Ich halte den Atem an, als Nora den Kofferraum zuknallt. Sie greift unter ihr Hemd, nimmt eine Metallkette mit einer laminierten ID-Marke ab, die sie um den Hals trägt, und wirft sie mir zu. Eine leuchtend rote Marke mit einem großen weißen T. T steht für Termin. Ich hänge sie mir schnell um. Jetzt bin ich ein x—beliebiger Gast des Weißen Hauses – absolut unsichtbar. Nur keine Zeit vergeuden; ganz automatisch laufe ich zur automatischen Tür zu meiner Rechten. In dem Augenblick, in dem ich das magische Auge passiere, gleitet die Tür auf, und ich bin drin. Nora ebenfalls. Sie ist dicht hinter mir.

In der Halle bleiben wir stehen. »Du bist also bereit?«, fragt sie.

»Ich glaube, ja«, antworte ich, und meine Augen kleben förmlich am Boden.

»Bist du sicher, dass du nicht noch etwas brauchst?«

Ich schüttle den Kopf. »Wird schon alles glattgehen.«

»Ich schätze, wir treffen uns in Treys Büro«, fügt Nora hinzu.

»Was?«

»So hast du es doch geplant, oder? Ich fahre zum Service zurück und checke ein, dann treffen wir uns oben in Treys Büro.«

»Ja, so ist der Plan«, sage ich und versuche zuversichtlich zu klingen. Ich wende mich ab, denn ich kann ihr nicht mehr ins Gesicht sehen. Es ist besser, wegzugehen.

»Willst du mir wirklich nicht sagen, was du suchst?«, fragt sie zögernd.

»Ich weiß nicht, ob es klug ist, hier draußen zu sprechen.«

»Da hast du recht.« Sie sieht sich in der verlassenen Halle um. »Jemand könnte mithören.« Ich nicke zustimmend.

»Viel Glück«, sagt sie und streckt die Hand nach meiner aus. Ich gebe sie ihr, und unsere Finger verschränken sich. Bevor ich reagieren kann, zieht sie mich an sich und presst die Lippen auf meine. Ich öffne den Mund und schmecke sie ein letztes Mal. Wie Zimt mit einem Schuss Brandy. Sie packt meinen Hinterkopf, und ihre Fingernägel kratzen durch meine kurzen Nackenhaare. Ihre Brüste pressen sich an meine Brust; die ganze Welt hat aufgehört, zu existieren. Und ich werde wieder einmal daran erinnert, dass Nora Hartson einfach überwältigend ist.

Als sie sich schließlich von mir löst, reibt sie sich die Augen. Ihre zitternden Lippen sind leicht geöffnet, und ängstlich schiebt sie eine Haarsträhne hinters Ohr. Ihre Stirn ist leicht gerunzelt, der gequälte Gesichtsausdruck der gleiche wie an dem Abend, an dem wir angehalten wurden. Ihre Augen, die schon alles gesehen haben, kämpfen gegen die Tränen an.

»Bist du okay?«, frage ich.

»Sag mir nur, dass du mir vertraust …«

»Nora, ich …«

»Sag es!«, bittet sie und Tränen fließen ihr über die Wangen. »Bitte, Michael, sag nur diese Worte.«

Wieder nehme ich ihre Hand. »Ich habe dir immer vertraut.«

Unwillkürlich muss sie ein Lächeln unterdrücken. »Danke.« Sie wischt sich die Augen ab, strafft die Schultern und setzt wieder ihre Maske auf. »Die Zeit rennt, mein Hübscher. Wir treffen uns in Treys Büro.«

»Dorthin will ich jetzt«, antworte ich, und mir versagt die Stimme.

Sie küsst ihre Hand und gibt mir einen Klaps auf die Wange. »Hör auf, dich zu sorgen. Es wird alles gut.« Ohne ein weiteres Wort steigt sie wieder in den Wagen und fährt die Laderampe hinunter.

Ich wende mich ab und laufe zur Treppe. Nur nicht zurückschauen – es hilft doch nichts.

Die Treppe hinaufrennend, könnte ich unbehelligt zu Treys Büro kommen. Doch in dem Moment, in dem Nora verschwunden ist, mache ich kehrt und flitze die Treppe wieder hinunter. Mein Magen revoltiert, weil ich sie belogen habe, aber hätte ich ihr die Wahrheit gesagt, hätte sie mich nie hereingeschmuggelt.

Auf dem Weg zum Keller des Gebäudes wird die Treppe schmaler und die Decke niedriger; weit und breit ist keine Klimaanlage zu sehen. In den Kellergängen des OEOB ist es wenigstens um fünfzehn Grad wärmer als im übrigen Gebäude.

Über den verrottenden Betonboden rennend, habe ich das Gefühl, in einer unterirdischen Sauna zu sein. Ich ziehe das Jackett aus und rolle die Hemdsärmel auf. Manchmal muss ich mich bücken, um nicht mit dem Kopf gegen Leitungen, Kabel und Heizungsrohre zu stoßen, aber ich gehe deshalb nicht langsamer. Nicht, wenn ich so nahe dran bin.

Als Caroline starb, wurden ihre wichtigen Akten vom FBI beschlagnahmt. Alles wurde hierhergebracht: Raum 018 – eines der vielen Archive, die vom Records Management genutzt werden. Als bürokratische Packratten des Executive Branch katalogisieren sie alle Dokumente, die die Verwaltung produziert. In jeder Beziehung ein Scheißjob.

Ich drehe am Türknauf, trete ein und sehe, dass sie ihrem Ruf gerecht werden. Vom Boden bis unter die Decke Stapel von Aktenkästen.

Ich schlängle mich durch die Pappkatakomben und dringe weiter in den Raum vor. Die Kästen hören nicht auf. An der Seite eines jeden steht der Name eines Angestellten. Andersen, Arden, Agostino … Ich folge dem Alphabet rechts herum. Es muss irgendwo hinten sein. Hinter mir höre ich plötzlich die Tür zufallen. Die Neonlichter im Raum flackern, so laut war der Knall. Ich bin nicht mehr allein.

»Wer ist da?«, brüllt eine Männerstimme. Ich ducke mich, die Hände flach auf den Fliesenboden gepresst.

Der Mann kommt näher. »Was, zum Teufel, tun Sie hier?«, fragt er, und ich fahre herum.

»Ich …« Ich öffne den Mund, aber kein Ton kommt heraus.

»Sie haben drei Sekunden, um mir zu sagen, warum ich nicht zum Telefon greifen und den Sicherheitsdienst anrufen sollte – und bitte keine lahme Ausrede, Sie hätten sich verirrt oder etwas ähnlich Bescheuertes.«

Sobald ich den Schnauzbart erblicke, erkenne ich Al Rudall. Ein wahrer Südstaaten-Gentleman, der sich weigert, sich mit niedrigen Rängen abzugeben, ist Al wegen seiner Liebe zu Frauen und seiner Verachtung für Anwälte bekannt. Als das System der Vorladungen gegen Strafandrohung eingeführt wurde und wir alte Memoranden holen mussten, sorgten wir immer dafür, dass alle unsere Gesuche die Unterschriften von hochrangigen Frauen trugen.

Wir sind uns bisher nicht begegnet, und das, zusammen mit dem Y-Chromosom, das in meinen Genen schwimmt, sagt mir, dass er mich nie ins Archiv gelassen hätte.

»Es ist okay«, erklärt Pam, die hinter Al auftaucht. »Wir müssen hier etwas suchen.«

ACHTUNDDREISSIGSTES KAPITEL

Kaum zehn Minuten später sitzen Pam und ich hinten im Raum, vierzehn Kartons mit Carolines Akten vor uns auf dem Fußboden ausgebreitet. Es hat große Anstrengung gekostet, Al zu überreden, uns einen Blick in die Papiere werfen zu lassen, doch da Pam die neue Verwalterin der Akten ist, konnte er sich auf die Dauer nicht weigern. Es ist ihr Job.

»Noch einmal – danke«, sage ich aufblickend.

»Nicht der Rede wert«, erwidert Pam kalt und vermeidet jeden Blickkontakt.

Sie hat natürlich das Recht, wütend zu sein. Schließlich riskiert sie ihren Job für das, was wir hier tun. »Es ist mir ernst damit, Pam. Ich konnte nicht …«

»Michael, ich tu das nur aus dem einen Grund – weil ich glaube, dass man dich über den Tisch gezogen hat. Alles andere lebt nur in deiner Phantasie.«

Ich wende mich ab und bleibe stumm.

Mit den Akten, in denen ich blättere, habe ich die Relikte von Carolines drei Jahren Arbeit in der Hand. In jedem Ordner das Gleiche – Blatt um Blatt nur Memos und abgeheftete Ankündigungen. Nichts davon hat die Welt verändert; nur vergeudetes Papier. Und egal, wie schnell wir blättern, es nimmt kein Ende. Akte um Akte um Akte um Akte. Ich wische mir den Schweiß von der Stirn und schiebe den Karton zur Seite. »Das wird nie funktionieren«, sage ich nervös.

»Was heißt das?«

»Es wird ewig dauern, wenn wir uns jedes Blatt ansehen wollen – und Al gibt uns nicht mehr als fünfzehn Minuten. Mir ist egal, was er sagt, er weiß, dass etwas los ist.«

»Hast du eine andere Idee?«

»Alphabetisch«, platze ich heraus. »Wo hätte sie es abgelegt?«

»Bei mir findest du's unter E. Ethik.«

Ich sehe mir die Manilaumschläge in meinem Karton an. Der erste ist mit Administration beschriftet. Der letzte mit Briefing-Papiere. »Ich habe A und B.«

Pam sieht, dass sie C und D hat, rutscht auf den Knien zum nächsten Karton und nimmt den Deckel ab. Drogentests bis Föderalistisch. »Hier!«, ruft sie, und ich springe auf. Über sie gebeugt sehe ich zu, wie sie in den Ordnern blättert. Unter dem Buchstaben E findet sie alles Mögliche, nur nicht das Schlagwort ›Ethik‹.

»Vielleicht liegt der Ordner noch beim FBI«, sage ich.

»Wenn es so wäre, wüssten wir es. Es muss hier irgendwo sein.«

Sie würde gern streiten, weiß aber, dass ich mit meinem Latein am Ende bin.

»Also, wo könnte es noch sein?«

»Keine Ahnung«, sagt Pam. »Forderungen … Gesuche … Es kann überall stecken.«

»Du nimmst F und ich G.« Ich gehe von einem Karton zum anderen und nehme die Deckel ab. G bis H … I bis K … L bis Lu. Als ich beim vorletzten Karton bin, der hauptsächlich mit ›Personal‹ beschriftete Ordner enthält, weiß ich, dass es Schwierigkeiten gibt. Unmöglich, dass das letzte Viertel des Alphabets in den letzten Karton passt. Als ich den Deckel herunternehme, sehe ich, dass ich recht habe. Präsidenten-Aufträge … Presse … Publikationen … Dann ist es zu Ende. Publikation.

»Bei den Akten finde ich nichts«, sagt Pam. »Ich werde anfangen, die …«

»Der Schluss fehlt.«

»Was?«

»Er ist nicht hier, das sind nicht alle Kartons.«

»Beruhige dich, Michael.«

Ich laufe zu dem Platz, wo Carolines Akten ursprünglich gelagert waren. Mir zittern die Hände, als ich alle Stapel in unmittelbarer Nachbarschaft der Lücke überprüfe, die Carolines Kartons hinterlassen haben. Palmer … Perez … Perlman … Poirot. Keiner ist mit Caroline Penzler gekennzeichnet. Verzweifelt renne ich im Zickzack durch die provisorischen Gänge und suche etwas, das wir übersehen haben.

»Wo könnten sie noch sein?«, frage ich in Panik.

»Ich habe keine Ahnung – überall werden Akten aufgehoben.«

»Nenn mir einen Ort, Pam. *Überall* ist mir ein bisschen zu vage.«

»Ich weiß nicht. Vielleicht auf dem Dachboden.«

»Was für ein Dachboden?«

»Im fünften Stock – neben dem Indian Treaty Room. Al hat einmal gesagt, sie benutzten ihn, wenn hier unten der Platz fehlt.« Da ihr klar ist, dass wir noch einen starken Mann brauchen könnten, fügt sie hinzu: »Vielleicht solltest du Trey anrufen.«

»Kann ich nicht, er ist in seinem Büro beschäftigt.« Ich betrachte die vierzehn Kartons zu unseren Füßen. »Kannst du …«

»Ich sehe hier noch die restlichen durch«, sagt sie, meine Gedanken lesend. »Geh du hinauf. Pieps mich an, wenn du Hilfe brauchst.«

»Danke, Pam, du bist die Beste.«

»Yeah, yeah«, sagt sie. »Ich liebe dich auch.«

Ich bleibe stehen und sehe ihr in die aufmüpfigen blauen Augen.

Sie lächelt. Ich weiß nicht, was ich sagen soll.

»Du solltest von hier verschwinden«, setzt sie hinzu.

Ich rühre mich nicht vom Fleck.

»Los, mach schon«, sagt sie. »Verschwinde.«

Als ich zur Tür laufe, sehe ich mich um; ich will noch einen Blick auf meine Freundin erhaschen. Sie ist schon wieder in den nächsten Karton vertieft.

Wieder in den Gängen des Kellergeschosses, halte ich den Kopf gesenkt, als ich einer Putzkolonne begegne, die Mops und Eimer vor sich her schiebt. Ich will kein Risiko eingehen. In dem Moment, in dem ich entdeckt werde, ist alles vorbei. Dem Gang um eine nächste Biegung folgend, ducke ich mich unter ein Leitungsrohr und ignoriere die beiden Treppen. Beide sind leer, aber beide führen in einen belebten Korridor.

Im letzten Viertel des Ganges bremse ich mich ab und drücke auf den Rufknopf des Lastenaufzugs. Es ist der einzige Platz, den ich kenne, an dem ich nicht in Gefahr gerate, in irgendeinen meiner Kollegen hineinzulaufen. Niemand im Weißen Haus hält sich für zweitklassig.

Während ich warte, sehe ich mich ängstlich in dem überheizten Flur um. Es müssen weit über dreißig Grad sein. Unter den Achseln ist mein Hemd klatschnass. Das Schlimmste ist, dass ich so ungeschützt dastehe. Wenn jemand kommt, weiß ich nicht, wo ich mich verstecken könnte. Ich sollte mich in einen Raum verkrümeln – wenigstens bis der Aufzug da ist. Ich schaue mich um, vielleicht … Oh, Scheiße. Wie konnte ich das nur übersehen? Das Schild ist an einer Tür direkt gegenüber vom Aufzug angebracht und starrt mir förmlich ins Gesicht – ein kleines weißes Schild mit der Aufschrift: Raum 72 – USSS/ UD. Der Geheimdienst der Vereinigten Staaten und die uniformierte Abteilung. Und hier stehe ich, direkt davor.

Aufblickend, suche ich die Decke nach einer Kamera ab, hinter den Leitungen, hinter den Rohren. Schließlich ist das der Secret Service, und die Beobachtungskamera müsste hier irgendwo sein. Ich kann sie nicht entdecken und wende mich wieder zum Aufzug um. Vielleicht ist kein Beobachter da. Wenn sie noch nicht herausgekommen sind, stehen die Chancen gut.

Ich drücke und drücke mit dem Daumen auf den Rufknopf. Die Anzeige über der Tür sagt mir, dass die Kabine im ersten Stock steht. Dreißig Sekunden, mehr brauche ich nicht. Hinter mir höre ich es ganz grässlich knarren. Ich fahre herum und sehe, dass der Türknauf sich langsam zu drehen anfängt. Jemand kommt heraus. Der Aufzug ist endlich da, aber die Tür geht nicht auf. Ich höre Angeln quietschen. Ein hastiger Blick sagt mir, dass ein uniformierter Agent den Raum verlässt. Er ist direkt hinter mir, als die Aufzugstür sich öffnet. Wenn er wollte, könnte er die Hand ausstrecken und mich packen. Ich mache einen Schritt vorwärts, betrete ruhig den Aufzug und bete dabei, dass er mir nicht folgt. Bitte, bitte, bitte, bitte. Sogar noch im letzten Moment könnte er die Hand in die sich schließende Tür schieben. Mit dem Rücken zur Tür kneife ich vor Angst die Augen zusammen. Endlich schließt sich die Tür hinter mir.

Allein in dem rostigen Lastenaufzug, drücke ich auf den

Knopf für den fünften Stock und lehne den Kopf an die verbeulte Wand. Bei jedem Stockwerk wächst meine Spannung, aber wir passieren eins nach dem anderen, ohne anzuhalten. Direktfahrt bis ganz nach oben. Manchmal hat es Vorteile, zweitklassig zu sein.

Als die Tür sich im obersten Stockwerk des OEOB öffnet, stecke ich den Kopf hinaus und sehe mich im Flur um. Am entgegengesetzten Ende stehen zwei junge Leute, sonst aber ist der Weg frei. Pams Anweisungen folgend, flitze ich direkt zu der Tür links neben dem Indian Treaty Room. Anders als die meisten Räume im Gebäude trägt sie keine Aufschrift. Und sie ist nicht verschlossen.

»Jemand da?«, rufe ich, als ich öffne. Keine Antwort. Im Raum ist es dunkel. Ich trete ein und sehe, dass es eigentlich gar kein Raum ist, sondern ein winziges Kabäuschen mit einer Metalltreppe, die steil nach oben führt. Das muss der Dachboden sein. Zögernd setze ich den Fuß auf die erste Stufe. In einem Gebäude mit fünfhundert Räumen gibt es immer einige, die von vornherein *Off limits* zu sein scheinen. Dies ist einer davon.

Ich greife nach dem eisernen Treppengeländer und spüre eine Staubschicht unter dem Handteller. Als ich höher klettere, gerate ich in eine Sauna, die ihre Existenz der nicht vorhandenen Klimaanlage verdankt. Ich hatte schon vorher geglaubt zu schwitzen, doch hier oben … Positiver Beweis, dass Hitze nach oben steigt. Bei jedem Atemzug habe ich das Gefühl, Sand zu schlucken.

Immer höher kommend, entdecke ich zwei geschrumpfte Luftballons mit Zeichnungen von Winnie-the-Pooh, die am Treppengeländer hängen. Auf beiden steht *Happy Birthday*. Wer immer als Letzter hier oben war, muss eine höllische Privatparty gefeiert haben.

Oben angekommen, drehe ich mich um und sehe zum ersten Mal den langen, rechteckigen Dachboden; mit hoher, schräger Decke und hölzernen Balken; das Licht kommt aus ein paar

Oberlichten und einer Reihe winziger Fenster. Im großen Ganzen ein trüber Raum, vollgestopft mit überflüssig gewordenen Dingen. In einer Ecke ausrangierte Schreibtische, gestapelte Stühle in einer anderen und etwas, das so aussieht wie ein leerer Swimmingpool, in die Mitte des Fußbodens eingelassen. Als ich näher komme, sehe ich, dass in dem ausgesparten Teil, den ein hüfthohes Geländer umgibt, eine große Fläche farbigen Glases eingelassen ist.

Ich erinnere mich sofort, so etwas schon einmal gesehen zu haben. Dann fällt mir ein, wo ich bin. Direkt über dem am reichsten verzierten Raum des Gebäudes – dem Indian Treaty Room. Ich schaue hinunter und sehe durch die riesige Fläche des Farbglases die Umrisse des Raums. Die marmornen Wandpaneele. Den Fußboden mit den kunstvollen Intarsien. Beim Empfang des America-Corps, bei dem ich auch Nora kennengelernt habe, war ich dort unten. Der Dachboden verläuft genau darüber. Dort die Decke aus Buntglas, hier der Fußboden.

Ich dringe weiter in den Raum vor und finde endlich, worauf ich aus bin. Hinter dem Geländer, in der hintersten linken Ecke, sind mindestens fünfzig Aktenkartons gestapelt. Ganz vorn stehen übereinander die sechs, die ich suche. Mit der Aufschrift ›Penzler‹. Mein Magen krampft sich zusammen.

Ich packe den obersten Karton und reiße den Deckel herunter. R bis Sa. Das ist es. Ich ziehe jeden Ordner einzeln heraus. *Rassendiskriminierung ... Rundfunkadressen ... Repräsentation ...* Und dazwischen versteckt plötzlich A – C. Ein Irrläufer.

Der Ordner ist mindestens sieben Zentimeter dick. Ich ziehe ihn mit einem heftigen Ruck heraus, schlage ihn auf, und zuoberst liegt das jüngste Memo. Mit dem Datum vom 28. August. Eine Woche vor Carolines Tod. Adressiert an das Sicherheitsbüro des Weißen Hauses, beinhaltet das Memo, dass Caroline Penzler *um die Überlassung der neuesten FBI-Akten folgender Person(en) ersucht.* Auf der nächsten Zeile ein einziger Name: Michael Garrick.

Es ist keine große Neuigkeit – dass sie meine Akte angefordert hatte, wusste ich, seitdem sie mir auf ihrem Schreibtisch aufgefallen war. Dennoch ist es irgendwie merkwürdig, es schwarz auf weiß zu sehen. Nach allem, was geschehen ist – nach allem, was ich durchgemacht habe –, hier hat es angefangen.

Egal, wie skrupellos Caroline war oder wie viele Leute sie erpresst hat, sogar sie wusste, dass es unmöglich war, eine FBI-Akte ohne schriftliches Gesuch zu bekommen. Vermutlich hat sie es nicht als große Sache angesehen – als Ethics Officer des Weißen Hauses hatte sie wahrscheinlich fünfzig Gründe, ein solches Gesuch zu rechtfertigen. Und wenn jemand versucht hätte, ein Gesuch gegen sie zu verwenden … Nun, jeder hatte irgendwo Dreck am Stecken. Also wen interessiert schon ein kleines Stück Papier?

Ich erinnere mich, dass Caroline fünfzehn Ordner auf dem Schreibtisch liegen hatte, und sehe mir die Anforderungen für die anderen an. Rick Ferguson. Gary Seward. Das sind die beiden Kandidaten, von denen mir Nora in der Bowlingbahn erzählt hat. Zusammen mit mir sind es drei. Zwölf fehlen noch. Die nächsten acht sind vom Präsidenten Ernannte. Macht elf. Pams Akte wurde vor längerer Zeit angefordert. Zwölf, dreizehn und vierzehn sind Kandidaten für Ämter bei Gericht – Leute, von denen ich noch nie gehört habe. Bleibt noch ein Name. Ich blättere um und erwarte, dass es Simon ist. Stimmt. Aber er ist nicht der Einzige. Es steht noch ein zweiter Name auf dem letzten Blatt.

Meine Augen werden riesengroß. Ich kann es nicht glauben. Ich setze mich auf einen Karton, und das Blatt in meiner Hand zittert. Simon hatte mit einem recht. Ich habe alles verkehrt ausgelegt. Deshalb war Simon ahnungslos, als ich ihn wegen Nora ausquetschte. Jetzt wird mir klar, warum ich sein Alibi nicht aufbrechen konnte. Und warum ich – die ganze Zeit – den Falschen im Auge hatte. Vaughn hatte es auf den Punkt gebracht.

Nora war zusammen mit einem alten Mann. Ich hatte nur den falschen alten Mann im Visier.

Caroline hatte eine sechzehnte Akte angefordert – eine Akte, die von jemand – dem Mörder – von ihrem Schreibtisch entfernt worden war, sodass das FBI sie nie zu sehen bekam. Deshalb war er nie in Verdacht geraten. Ich lese den Namen und lese ihn noch einmal und wenigstens ein Dutzend Mal. Den Namen des Gelassensten von uns allen. Von Lawrence Lamb.

Übelkeit steigt mir in die Kehle, und ich sacke zusammen. Die Akte fällt zu Boden. Ich glaube ... Ich glaube es nicht. Es kann nicht sein. Und doch – deshalb bin ich ... Und er ...

Ich schließe die Augen und beiße die Zähne zusammen. Er hat gewusst, ich würde es ihm abnehmen – er brauchte nur den inneren Kreis zu öffnen und mit ein paar Vergünstigungen zu winken. Karamellbonbons vor dem Oval Office. Briefing beim Präsidenten. Die Chance, das große Tier zu sein. Lamb wusste, ich würde alles aufschlecken, bis zum letzten Tropfen. Nora eingeschlossen. Sie war die Kirsche auf dem Kuchen. Und je mehr ich ihm vertraute, umso unwahrscheinlicher wurde es, dass ich selbst recherchieren würde. Mehr hat er nicht gebraucht. Nur blindes Vertrauen.

Vorgebeugt, versuche ich noch immer zu verarbeiten, was in meinem Kopf abläuft. Deshalb hat sie mich zu ihm gebracht. Deshalb haben sie mir die Liste der Verdächtigen gegeben, die ich als Tatsache akzeptierte. Ohne Vaughn hätte ich sie nie in Frage gestellt. Es gibt nur ein Problem mit dem fertigen Puzzlebild – es kommt alles ein bisschen zu leicht zusammen. Angefangen bei dem Karton hier oben, dem ›Irrläufer‹, damit er auch bestimmt auffiel ... Ich kann den Finger nicht daraflegen, aber hinter allem scheint mir zu viel Absicht zu stecken. Fast als versuche jemand, mir zu helfen. Als wollten sie entdeckt werden.

»Ich wollte dich nie verletzen, Michael«, flüstert eine Stimme hinter mir.

Ich fahre herum, erkenne die Stimme sofort. Nora. »Ist das die Lüge des Augenblicks? Eine gefühlsselige Gegenerklärung?«

Sie kommt auf mich zu. »Ich würde dich nicht anlügen. Jetzt nicht mehr.«

»Jetzt nicht mehr? Soll ich mich dadurch besser fühlen? Die ersten fünfzig Dinge, die du mir gesagt hast, waren Scheiße – aber von jetzt an ist alles eitel Sonnenschein?«

»Es war keine Scheiße.«

»War es doch, Nora. Alles war Scheiße.«

»Das ist nicht …«

»Hör auf zu lügen!«

»Warum bist du …«

»Warum bin ich *was*? Am Boden zerstört? Wütend? Niedergeschmettert? *Warum denkst du wohl, Nora?* An dem Abend, an dem du den Service abgeschüttelt hast, hattest du dich nicht verirrt. Du hast genau gewusst, wo die Bar war und dass Simon dort warten würde, um zu erfahren, wo er das Geld hinterlegen sollte.«

»Ich habe nicht …«

»Du hast *es gewusst*, Nora. Du *wusstest* es. Danach musstest du dich nur zurücklehnen und beobachten, was passierte. Ich folge Simon, du lässt die zehn Riesen in meinem Auto, am nächsten Tag hast du, als Caroline tot ist, sofort einen Sündenbock.«

»Michael …«

»Du leugnest es nicht einmal. Trey hatte recht, nicht wahr? Deshalb hast du das Geld genommen – um es mir unterzuschieben. Mehr brauchtest du nicht zu tun.«

Ausnahmsweise beschließt sie, nicht zu widersprechen.

Ich brauche eine Sekunde, um zu Atem zu kommen. »Muss dir die Suppe ziemlich versalzen haben, als die Cops uns aufhielten. Den Service hattest du abgeschüttelt, aber jetzt gab es einen Zeugen.«

»Es war mehr als das«, sagt sie leise.

»Na klar war es das – als ich sagte, das Geld gehöre mir, war es auch das erste Mal, dass jemand nett zu dir war. Wie hast du doch damals gesagt? *Niemand tut etwas Nettes für mich.* Nichts für ungut, Sybille, aber endlich verstehe ich, warum.«

»Das meinst du doch nicht wirklich?«, sagt sie und legt mir die Hand auf die Schulter.

»Fass mich nicht an, zum Teufel!«, schreie ich und reiße mich los. »Verdammt, Nora, kapierst du's nicht? Ich war auf deiner Seite! Ich habe an den Drogen vorbeigesehen. Ich habe jedes Gerücht ignoriert. Ich habe dich zu meinem Vater mitgenommen, um Himmels willen! Ich habe dich geliebt, Nora! Hast du auch nur die geringste Ahnung, was das heißt?« Ich kriege keine Luft mehr, es würgt mich.

Sie sieht mich mit den traurigsten Augen an, die ich je gesehen habe. »Ich liebe dich auch.«

Ich schüttle den Kopf. Zu wenig. Zu spät. »Willst du mir nicht wenigstens erklären, *warum*?«

Ich bekomme keine Antwort.

»Ich hab dich was gefragt, Nora. Warum hast du es getan?« Meine Schultern zittern. »Sag es mir! Liebst du ihn?«

»Nein.« Die Stimme versagt ihr.

»Warum schläfst du dann mit ihm?«

»Michael …«

»Sag nicht dauernd *Michael*. Gib mir nur eine Antwort.«

»Du würdest es nicht verstehen.«

»Ist es Sex, Nora? Es gibt nicht viele Gründe dafür, es zu tun. Vielleicht weil du verliebt bist …«

»Es ist komplizierter …«

»… weil du geil bist …«

»Es hat nichts mit dir zu tun.«

»… du verzweifelt bist …«

»Hör auf damit, Michael.«

»… du dich langweilst …«

»Ich hab gesagt, hör auf!«

»... oder weil es gegen deinen Willen geschah.« Tödliches Schweigen.

O Gott.

Sie kreuzt die Arme, umschlingt ihren Oberkörper und drückt das Kinn auf die Brust. »Hat er ...?«

Sie hebt die Augen gerade so weit, dass ich die ersten Tränen sehen kann. Sie strömen ihr über die Wangen und rinnen langsam ihren schmalen Hals hinunter.

»Er ist über dich hergefallen?«

Sie wendet sich ab.

Ein heftiges Feuer reißt ein Loch in meinen Magen. Ich weiß nicht, ob es Wut oder Schmerz ist. Ich weiß nur, dass es wehtut. »Wann ist es passiert?«, frage ich.

»Du verstehst nicht ...«

»War es mehr als einmal?«

»Bitte, Michael, bitte tu das nicht«, fleht sie.

»Nein«, sage ich. »Du brauchst das.«

»Es ist nicht so, wie du denkst – es ist erst seit ...«

»Erst? Seit wann geht es schon?«

Wieder Totenstille. In der Ecke knackt eine Holzdiele. Sie starrt zu Boden. Ihre Stimme ist kaum noch zu hören. »Seit ich elf war.«

»Elf?«, schreie ich auf. »O Nora ...«

»Bitte, bitte sag es keinem!«, fleht sie. »Ich – ich musste ... Ich habe kein Geld.«

»Was meinst du mit du hast kein Geld?«

Sie atmet schwer, keucht und schluchzt. »Für die Drogen! Es sind nur die Drogen!«

Als sie das sagt, spüre ich, wie mir das Blut aus dem Gesicht weicht. Dieser elende, herrschsüchtige Bastard. Er hält sie in der Drogenfalle gefangen, um dafür ...

»Bitte, Michael, versprich mir, dass du es niemand sagen wirst! Bitte!«

Ich ertrage es nicht, sie bitten zu hören. Unbeherrscht schluchzend, sich noch immer mit den Armen umschlingend, steht sie da – eingeschlossen in den Kokon, den sie sich selbst gesponnen hat – und fürchtet sich davor, herauszukommen.

Seit wir uns kennenlernten, habe ich eine Seite von Nora Hartson gesehen, die sie der Öffentlichkeit nie zeigen würde. Sie war Freundin und Lügnerin, eine Verrückte und eine Liebende. Ein gelangweiltes reiches Kind, furchtlos, immer nach einem Nervenkitzel suchend, eine alle Chancen missachtende Spielerin und sogar, für ein paar flüchtige Momente, eine perfekte Schwiegertochter. Ich habe sie überall dazwischen gesehen. Aber nie als Opfer.

Nein, das kann ich sie nicht allein durchstehen lassen. Sie braucht nicht allein zu sein. Ich schütze sie mit meiner Umarmung.

»Es tut mir leid!«, ruft sie, als sie in meinen Armen zusammenbricht. »Es tut mir so leid!«

»Ist schon okay«, sage ich, ihr den Rücken reibend. »Alles wird gut.« Aber noch während ich das sage, wissen wir beide, dass das nicht stimmt. Wie es auch angefangen haben mag, Lawrence Lamb hat ihr Leben zerstört. Wenn jemand dir die Kindheit stiehlt, bekommst du sie nie wieder zurück.

Ich wiege sie so, wie ich es bei meinem Dad getan habe. Sie braucht keine Worte; sie braucht nur Trost und Beschwichtigung.

»Du ... du solltest«, beginnt Nora, den Kopf an meiner Schulter vergraben, »du solltest hier verschwinden.«

»Keine Sorge. Niemand weiß, dass wir ...«

»Er kommt«, flüstert sie. »Ich musste es ihm sagen. Er ist unterwegs hierher.«

»Wer ist unterwegs?«

Mit gleichmäßigen Sprüngen poltert er die Treppe herauf. Ich fahre herum, und die Antwort kommt von einer tiefen, ruhigen Stimme. »Lassen Sie sie los, Michael«, sagt Lawrence Lamb. »Ich denke, Sie haben schon genug getan.«

NEUNUNDDREISSIGSTES KAPITEL

Beim Klang seiner Stimme spüre ich, wie sich in Noras Rücken jeder Muskel spannt. Zuerst denke ich, es ist Zorn. Doch das ist es nicht. Es ist Angst.

Wie ein Kind, das dabei ertappt wurde, Geld aus Mutters Tasche gestohlen zu haben, weicht sie von mir zurück und wischt sich das Gesicht ab. Blitzschnell. Als sei nie etwas geschehen.

Ich drehe mich zu Lamb um, frage mich, wovor sie sich so fürchtet.

»Ich habe versucht, ihn zurückzuhalten«, platzt Nora heraus, »Aber er …«

»Halt den Mund«, faucht Lamb.

»Du verstehst nicht, Onkel Larry, ich …«

»Du bist eine Lügnerin«, sagt er leise und monoton. Er geht auf sie zu, die Schultern locker, kaum angespannt in seinem makellos geschnittenen Anzug von Zegna. Er gleitet wie ein Panther. Langsam, berechnend, seine eisblauen Augen hypnotisieren Nora. Je näher er kommt, umso weiter weicht sie zurück.

»Fassen Sie sie nicht an!«, warne ich ihn.

Er bleibt nicht stehen. Geht direkt auf Nora zu. Etwas anderes sieht er nicht.

Sie läuft zu den Akten, zeigt auf den offenen Karton. Zittert unbeherrscht. »Schau-schau – hier ist es – g-g-genau wie ich's …«

Er zeigt auf sie, streckt einen perfekt manikürten Finger aus. Seine Stimme ein geflüsterter Schrei. »Nora …!« Sie verstummt. Totenstille.

Er legt die Hand um ihre Kehle, packt sie beim Hals, hält sie auf Armeslänge von sich ab und betrachtet den Aktenstapel zu seinen Füßen. Ihre Arme hängen herunter wie bei einer Fetzenpuppe; ihre Beine zittern. Sie kann sich kaum aufrecht halten.

Ich bin wie gelähmt. »Lassen Sie sie los!«

Wieder würdigt er mich keines Blickes. Er sieht nur Nora an. Sie versucht sich zu befreien, aber er greift fester zu. »Willst du vielleicht mit mir kämpfen?« Sie wird wieder zur Fetzenpuppe, den Kopf gesenkt, und weigert sich, mich anzusehen. Lamb blickt zu Boden und lächelt dünn. An seinem selbstgefälligen Gesichtsausdruck erkenne ich, dass er die Akten gesehen hat. Er weiß, was ich gefunden habe, greift in die Tasche und nimmt ein silbernes Zippo-Feuerzeug mit dem Präsidentenemblem heraus. »Heb es auf!«, sagt er zu Nora. Sie steht wie erstarrt. »*Heb es auf!*«, schreit er, bückt sich und drückt ihr das Papier in die Hände. »Hör mir zu, wenn ich mit dir rede! Willst du unglücklich sein? Willst du das?«

Jetzt reicht es. Genug des Melodrams. So schnell ich kann stürze ich auf die beiden zu. »Ich habe gesagt, lassen Sie sie, zum Teufel, los …«

Er fährt herum und holt eine Waffe heraus. Eine kleine Pistole. Zielt direkt auf mich. »Was haben Sie gesagt?«, fragt er.

Ich bleibe wie festgewurzelt stehen und hebe die Hände.

»So ist es richtig«, knurrt Lamb.

Neben ihm zittert Nora. Aber zum ersten Mal, seit Lamb gekommen ist, sieht sie mich an.

Lamb packt ihr Kinn und dreht ihren Kopf mit einem Ruck wieder in seine Richtung. »Wer redet mit dir? Ich oder er? Ich oder *er*?« Er packt sie an der Kehle, zieht sie an sich und flüstert ihr ins Ohr. »Weißt du noch, was du mir gesagt hast? Nun, es wird Zeit, dass du dein Versprechen einlöst.« Seine Hand gleitet zu ihrer Schulter; er möchte sie in die Knie zwingen. Ihre Beine wollen nachgeben, doch wenigstens wehrt sie sich gegen ihn.

»Kämpf, Nora!«, rufe ich, nur einen knappen Meter entfernt.

»Letzte Warnung!«, sagt er und richtet die Waffe wieder auf mich. Dann dreht er sich zu Nora um und tritt zur Seite, damit ich ja alles richtig sehe. Mit einem Würgegriff um ihre Kehle richtet er die Pistole auf ihren Mund. »Willst du, dass ich auf dich böse werde? Willst du das?«

Er presst ihr den Lauf an die Lippen und sie schüttelt den Kopf. Er stößt fester zu. Der Lauf kratzt über ihre zusammengebissenen Zähne. Ihre Knie beginnen nachzugeben.

»Bitte, Nora … Ich bin es doch. Nur ich. Wir können … es kann wieder so werden, wie es war.« Sie blickt auf und sieht nur ihn. Langsam lässt sie den Pistolenlauf zwischen ihre Lippen gleiten. Eine Träne rinnt ihr über die Wange. Lamb lächelt. Und Nora gibt nach. Ein letzter Stoß, und sie fällt auf die Knie.

Zusammengesunken sitzt sie neben den losen Akten. Lamb tritt zurück; sie kauert auf dem Fußboden.

»Du weißt, was du zu tun hast«, sagt er. Nora betrachtet das Feuerzeug in ihrer Hand und dann wieder die Akten.

»Das ist deine Chance, nutze sie, aber richtig.«

»Hör nicht auf ihn!«, schreie ich.

Ohne Warnung dreht Lamb sich zu mir um und drückt ab. Ein gedämpfter Knall. Im nächsten Moment schlägt mir etwas gegen die Schulter. Ich greife danach wie nach einem Moskito. Aber als ich meine Hand zurücknehme, ist sie voller Blut. Warm. So warm. Und klebrig. Mein ganzer Arm ist mit dunkelroten Flecken übersät. Ohne zu denken will ich die Wunde berühren. Mein Finger ertastet direkt das Einschussloch. Und da spüre ich den Schmerz. Scharf. Wie von einer dicken Nadel, die mir in die Schulter getrieben wurde. Wie ein elektrischer Schock fährt der Schmerz durch meinen Arm. Er hat mich angeschossen.

»Siehst du, wozu er mich gezwungen hat?«, sagt Lamb zu Nora. »Es ist genauso wie ich es dir gesagt habe – sobald es herauskommt, bricht alles zusammen.«

Ich möchte schreien, bringe aber kein Wort über die Lippen.

»Lass dich von ihm nicht verwirren«, fügt Lamb hinzu. »Frag dich selbst, was richtig ist. Würde ich dich je in Gefahr bringen? Würde ich je etwas tun, das unsere Familie verletzt?«

An dem leeren Ausdruck in ihrem Gesicht merke ich, dass Nora verloren ist. Als der Schock verfliegt, wird das Hämmern in meiner Schulter unerträglich. Ich sinke zu Boden.

Weiterhin auf sie einredend, zeigt Lamb auf das Feuerzeug in ihrer Hand. »Ich kann nicht ohne dich, Nora. Nur du kannst es in Ordnung bringen. Für uns. Es ist doch sowieso alles nur für uns.«

Sie sieht das Feuerzeug an, ihre Augen schwimmen in Tränen.

Lambs Stimme bleibt kalt und fest. »Es liegt in deiner Hand, Liebling. Nur in deiner. Wenn du es jetzt nicht zu Ende bringst, nehmen sie uns alles. Alles, Nora. Willst du das? Haben wir dafür gearbeitet?«

Ihre Antwort ist ein gehorsames Flüstern. »Nein.« Ohne aufzublicken, knipst sie das Feuerzeug an. Sie hält es einen Augenblick und starrt auf das Flämmchen, das in ihrer Hand zittert.

»Halte – dein – Versprechen«, sagt Lamb mit zusammengebissenen Zähnen.

»Tu's nicht!«, rufe ich.

Es ist zu spät. Sie nimmt den Ordner und hält ihn unter die Flamme.

»So ist es richtig«, sagt Lamb. »Halte dein Versprechen.«

»Nora, du brauchst nicht …« Bevor ich zu Ende sprechen kann, taucht sie die Ecke des Ordners in die orangefarbene Flamme. Die dünne Akte brennt sofort, und innerhalb weniger Sekunden lodert der ganze Rand wie eine Fackel … Wie? Einen Moment. Der Ordner *Angeforderte Memos* war fast sieben Zentimeter dick. Dieser ist…

Nora wirft mir einen Blick zu und schleudert mit einer raschen Drehung des Handgelenks die brennende Akte direkt auf Lamb. Eine flammende Rakete, trifft sie ihn voll auf die Brust, feurige Blätter fliegen in alle Richtungen davon. Seine Krawatte, sein Jackett – beide fangen Feuer. Fluchend klopft er sich die Brust ab und versucht, sich seines Jacketts zu entledigen. Die Flammen verlöschen schnell. Der Aktenordner ist durch die Luft geflogen und in der Nähe des Geländers gelandet, das die Buntglasscheibe einzäunt. Direkt vor meine Füße. Ich liege noch immer auf dem Boden, doch wenn ich ein Stückchen robbe – kann ich vielleicht … So … Ich ignoriere den Schmerz in meiner Schulter, trete die Flamme aus, greife nach den Überresten des Ordners und lese das Schildchen: *Radio-Adressen.*

Ich blicke zu Nora auf, die mit tränenüberströmtem Gesicht auf Lamb zustürmt. »Du verfluchtes Arschloch!«, schreit sie und hackt ihm mit den Fingernägeln einen tiefen Riss in die Wange. *»Ich bring dich um! Verstehst du mich, du Vampir? Ich bring dich um!«* Sie kratzt und schlägt nach allen Richtungen um sich, ist wie ein entfesseltes Tier. Aber je lauter sie schreit, umso heftiger strömen ihre Tränen. Alle paar Sekunden schnieft sie alles in sich hinein, doch Augenblicke später schreit sie wieder und spritzt ihren Speichel um sich. Sie packt ihn bei den Haaren und hämmert auf sein Ohr ein, stößt seinen Kopf zurück und trommelt ihm auf den Hals, Schlag um Schlag zielt sie auf seine Kehle. Doch wie immer treibt Nora es zu weit. Als sie hinunterschaut, merkt sie, dass Lamb noch immer seine Pistole festhält.

Ich umklammere das Geländer und bemühe mich, auf die Füße zu kommen. »Nicht, Nora, nicht!«, rufe ich.

Sie zögert nicht einmal, lässt Lambs Haare los und greift nach der Waffe. Mehr Zeit braucht Lamb nicht. Er holt aus, und der Lauf der Waffe trifft sie an der Schläfe. *»Wie kannst du es wagen, mich anzurühren?«*, schreit er in wahnsinnigem Zorn. *»Ich habe dich aufgezogen. Nicht dein Vater. Ich!«* Er packt sie am Hemd, zieht sie an sich und knallt ihr den Pistolengriff ins Gesicht.

»Nora!«, schreie ich auf. Sie stürzt, und ich wanke zu ihr.

»Beweg dich ja nicht!«, droht Lamb, bevor ich einen Schritt machen kann. Er zielt wieder mit der Waffe und schwenkt sie zwischen uns hin und her. Zuerst sieht er sie an, wendet dann ruckartig mir den Kopf zu. Dann zurück zu ihr. Und zurück zu mir. Schaut nie uns beide zugleich an. »Ich bring sie um«, warnt er. »Wenn du sie anfasst, bring ich sie um.« Sein Hemd ist an der Brust verkohlt; aus einem Riss in seiner Wange sickert Blut. Ich schaue ihm in die eiskalten blauen Augen und weiß, dass er es ernst meint.

»Larry, Sie brauchen doch nicht zu …«

»Halt den Mund!«, schreit er. »Es liegt an ihr.« Nora liegt noch immer auf dem Boden, versucht den Schlag abzuschütteln. Ihr rechtes Auge schwillt schon zu. »Bist du okay?«, fragt Lamb.

»Fall tot um, Arschloch!«, schreit sie ihn an und wischt sich mit dem Handrücken den Mund ab.

»Es ist noch nicht zu spät«, sagt Lamb, und fast klingt es, als sei er erregt. »Es kann noch immer funktionieren, genauso wie ich es gesagt habe. Wir stoppen ihn. Wir sind Helden. Wir können es schaffen, Nora. *Wir können es.* Du brauchst nur einige Worte zu sagen, mehr nicht. Das ist alles, worum ich bitte, Liebling. Sag mir, dass ich nicht allein bin.«

Ich nicke ihr zu, sie soll auf ihn eingehen. Aber sie sieht mich nicht einmal an, schnieft noch ein letztes Mal, und die Tränen sind versiegt. Mit brennenden Augen mustert sie Lamb. Jetzt hat sie den Geschmack der Freiheit auf der Zunge. Nora Hartson will hinaus.

Ein letztes Mal versuche ich, ihre Aufmerksamkeit auf mich zu lenken, aber sie wendet sich ab. Hier geht es nicht um mich. Es geht um diese beiden.

»Wir können es schaffen, Nora«, sagt Lamb, als sie sich langsam aufrappelt. »Genau wie immer. Unser Geheimnis.«

Nora starrt den engsten Freund ihrer Familie an und schweigt. Sie versucht es zu verbergen, aber seine Argumente zermürben sie. Ich erkenne es daran, wie ihre Brust sich hebt und senkt. Vornübergebeugt, atmet sie noch immer schwer. Es wäre so leicht, aufzugeben. Sich jetzt zu ergeben und mir die ganze

Schuld zuzuschieben. Nach einer Antwort suchend, betastet sie ihr zuschwellendes Auge. Dann streckt sie, dicht vor ihrem Gesicht, trotzig einen Mittelfinger in die Höhe. »Verfaulen sollst du. In der Hölle«, faucht sie.

Als ich mich zu Lamb umdrehe, sind seine Augen, seine Wangen, seine Lippen – alle Gesichtszüge verfallen. Ich erwarte, dass er, völlig außer sich, anfängt, um sich zu schlagen. Stattdessen ist er still. Sogar noch stiller als gewöhnlich. Die Kiefer zusammengepresst. Blicke wie Dolche. Ich schwöre, dass es im Raum kälter wird. »Schade, dass du es so empfindest«, sagt er ohne eine Spur von Gefühl in der Stimme. »Aber ich möchte dir danken, Nora, du hast mir meinen Entschluss sehr erleichtert.« Ohne ein weiteres Wort richtet er die Waffe auf mich.

»*Michael!*«, schreit Nora auf und beginnt zu rennen.

Als Lamb die Pistole schwenkt, merke ich kaum, was passiert. Mit offenem Mund starre ich auf den Lauf der Waffe, und die ganze Welt bleibt stehen. Aus den Augenwinkeln sehe ich, wie Nora sich über mich wirft. Ich möchte mich umdrehen, bin aber wie zu Eis erstarrt. Über ihr flackert ein Neonlicht, und auf dem Boden liegt eine Plastikgabel. Ein schallgedämpfter Schuss ploppt genau in dem Augenblick, in dem sie sich über mich wirft. Ich hebe die Arme, versuche sie aufzufangen. Es folgt ein zweiter Schuss. Dann noch einer. Und noch einer.

Sie wird in den Rücken getroffen. Einmal. Zweimal. Dreimal. Viermal. Ihr Kopf fliegt mit einem Ruck zurück. Bei jedem Schuss, der sie trifft, zuckt sie zusammen. Wir taumeln beide, krachen gegen das Geländer.

»Nornie!«, schreit Lamb auf und lässt die Waffe sinken.

Ich beachte ihn kaum. »Nora, bist du …«

»Ich – ich denk, ich bin okay«, flüstert sie und versucht den Kopf zu heben. Als sie aufblickt, sickert ihr langsam Blut aus der Nase und aus dem Mundwinkel. »Ist es schlimm?«, fragt sie, meinen Gesichtsausdruck richtig deutend.

Ich schüttle den Kopf und kämpfe gegen die Tränen an, die

mir in die Augen schießen. »Nein – nein. Du k-kommst wieder in Ordnung«, stottere ich.

Sie sinkt in meinen Armen zusammen und verzieht mühsam den Mund zu einem winzigen Lächeln. »Gut …« Sie versucht noch etwas zu sagen, doch es bleibt unhörbar. Ich halte ihr den Kopf, als sie anfängt Blut zu husten. Mein Hemd ist von Blut durchtränkt.

Uns gegenüber steht Lamb. Er zittert. »Ist sie … ist sie …«

Ich schaue sie wieder an, unfähig zu denken. »Nora – Nora – Nora!« Sie hängt wie ein Sack in meinen Armen, schafft es aber, zu mir aufzublicken. »Ich liebe dich, Nora.«

Ihre Augen werden matter. Ich glaube nicht, dass sie mich hört. »Michael …«

»Ja?«, frage ich und beuge mich zu ihr.

Ihre Stimme ist kaum noch ein Flüstern. Ihr Atem nur noch ein leises Keuchen. »Ich …«, ihr Körper bäumt sich auf, und die Worte versiegen. Ich schließe die Augen und tue so, als verstünde ich jede Silbe.

Um ihr das Atmen zu erleichtern, lege ich sie vorsichtig auf den Fußboden.

»Ist – ist sie okay?«, schreit jemand.

Ich blicke langsam auf und balle die Hände zu Fäusten. Vor mir sehe ich nur Lawrence Lamb. Wie gelähmt steht er da. Die Pistole hängt an seinen Fingerspitzen. Sein Mund steht offen. Wie angewurzelt steht er da, völlig niedergeschmettert, als habe seine ganze Welt sich in Luft aufgelöst. Doch in dem Moment, in dem unsere Blicke sich begegnen, legt sich seine Stirn in zornige Falten. »Du hast sie getötet!«, sagt er grollend.

In meiner Brust explodiert ein ganzer Vulkan an Wut. So schnell ich kann stürze ich mich auf ihn. Er hebt die Waffe, doch ich bin schon da. Meine gesunde Schulter prallt gegen seine Brust, und er knallt an die Wand. Die Waffe fliegt irgendwohin.

Ich stoße ihn wieder an die Wand und boxe ihn in den Magen. Ausholend landet er einen wilden Schwinger in meinem

Gesicht, doch ich bin über jeden Schmerz weit hinaus. »Du denkst, das könnte mich verletzen?«, brülle ich, und meine Faust trifft ihn ins Gesicht. Immer und immer wieder schlage ich auf den Riss, den Nora ihm mit den Fingernägeln beigebracht hat. Wieder. Und wieder. Und wieder.

Älter und viel langsamer, weiß Lamb, dass er einen Kampf mit jemand, der halb so alt ist wie er, nicht gewinnen kann. Da ihm klar wird, dass er in der Falle sitzt, versucht er sich von der Wand zur Mitte des Raums vorzubewegen. Seine Augen suchen nach der Waffe. Sie finden sie nicht. Vorbei ist es mit dem arroganten Bewusstsein, dass er der beste Freund des Präsidenten ist. Er sieht aus, als würde er gleich zusammenbrechen. Die Wunde auf seiner Wange blutet stark. »Sie hat dich nie geliebt«, sagt er und hält sich die Wange.

Er versucht, mich abzulenken. Ich ignoriere ihn und versetze ihm einen Hieb aufs Kinn.

»Sie hat sich dich nicht einmal selbst ausgesucht«, fügt er hinzu. »Sie hätte sich auch mit Pam getroffen, wenn ich es von ihr verlangt hätte …«

Ich bringe ihn mit einem Schwinger in den Magen zum Schweigen. Und in die Rippen. Und ins Gesicht. Alles, damit er nur den Mund hält. Er krümmt sich vor Schmerzen und taumelt rücklings auf die Vertiefung aus Farbglas zu. Ich weiß, ich sollte aufhören, aber … Neben den Geländer liegt Noras lebloser Körper – auf dem Rücken in einer immer größer werdenden Blutlache. Mehr brauche ich nicht. Kaum imstande, durch die Tränen etwas zu sehen, werfe ich meine ganze Kraft in einen letzten Schlag. Er trifft wie ein Hammer und wirft Lamb gut anderthalb Meter zurück.

Völlig aus dem Gleichgewicht geraten, fliegt er über das Geländer und kracht auf die riesige Farbglasscheibe, die in die Decke des unteren Raums eingelassen ist. Ich schließe die Augen und warte auf das Splittern von Glas, doch alles, was ich höre, ist ein dumpfer Schlag.

Verwirrt laufe ich zum Geländer und schaue hinunter. Lamb liegt benommen auf dem riesigen Blumenornament, das die Mitte der Glasfläche bildet. Sie ist nicht geborsten. Direkt unter ihm, auf der anderen Seite des Glases, schaukelt der kristallene Kronleuchter.

»Aaaahhh …« Er stößt einen gequälten Seufzer aus, und mir läuft ein eisiges Frösteln den Rücken hinunter. Er wird davonkommen.

Vorsichtig rollt er herum, dreht sich um und kriecht langsam und vorsichtig über das Glas auf das Geländer zu.

Verzweifelt sehe ich mich nach der Waffe um. Da liegt sie, direkt neben Noras Schulter. Blutbedeckt. Ich laufe darauf zu, packe sie und richte sie auf Lamb.

Er hält an. Unsere Blicke treffen sich, keiner von uns bewegt sich. Plötzlich schürzt er die Lippen.

»Erspar mir das Melodram, Michael. Wenn du abdrückst, wird keiner dir glauben.«

»Sie werden mir sowieso nicht glauben. Aber dann bist du wenigstens tot.«

»Und dadurch wird alles besser? Schnelle Rache für deine imaginäre Freundin?«

Ich sehe zu Nora hinüber und dann wieder Lamb an. Sie rührt sich nicht.

»Komm schon, Michael, du kannst das nicht – könntest du es, hätten wir dich nie ausgesucht.«

»Wir? Du hast sie zerstört … Sie beherrscht … Sie war an deinen Plänen nie beteiligt.«

»Wenn du dich mit diesem Glauben besser fühlst … Doch frag dich selbst: Auf wen, denkst du, ist diese Pistole registriert? Auf mich – den Vertrauten, der versucht hat, seine Patentochter zu schützen? Oder auf dich – den Killer, den ich aufhalten musste?«

Meine Hände zittern, als ich den Finger um den Abzug lege.

»Und wir wollen nicht vergessen, was aus deinem Dad

wird, wenn du im Gefängnis bist. Denkst du, er schafft es allein?«

Ein einziger Schuss – mehr nicht.

»Es ist vorbei, Michael. Ich sehe schon die Zeitungen von morgen vor mir. *Garrick hat die Tochter des Präsidenten ermordet.*

Vor meinen Augen wird es dunkel. Die Waffe ist auf seine Stirn gerichtet. Genauso wie er es bei Vaughn getan und mir die Schuld in die Schuhe geschoben hat.

Er sieht mich zusammenzucken und lächelt finster. Schmerz gräbt sich in meine Schulter. Fester lege ich den Finger um den Abzug. Jeder Muskel in meinem Körper spannt sich. Ich kneife die Augen zusammen. Der Kronleuchter schaukelt.

»Sag gute Nacht, Larry.« Ich halte die Waffe auf Armeslänge von mir ab und benutze beide Hände, um ruhig zielen zu können. Dort ist er. Zum ersten Mal verschwindet sein Grinsen. Sein Mund klafft auf. Mein Finger zuckt gegen den Abzug. Aber je fester ich drücke, umso mehr zittert mir die Hand … Und mir wird immer klarer … ich kann es nicht. Langsam lasse ich die Waffe sinken.

Lamb stößt ein tiefes Gackern aus, das sich in mich hineinbohrt. »Deshalb haben wir dich ausgesucht«, sagt er höhnisch. »Für immer und ewig der Pfadfinder.«

Mehr brauche ich nicht zu hören. Von Adrenalin überschwemmt, hebe ich die Waffe wieder. Mir zittern die Hände noch immer, doch diesmal ziehe ich durch.

Die Waffe reagiert nur mit einem kleinen Schluckauf. Ich drücke wieder ab. Fest. Klick. Leer … Ich kann nicht glauben, dass das Magazin leer ist.

Lamb lacht, leise zuerst, dann lauter. Auf das Geländer zukriechend, fügt er hinzu: »Selbst wenn du es versuchst, kannst du nichts Unrechtes tun.«

Wütend werfe ich die leere Waffe nach ihm. Er duckt sich in letzter Sekunde, und die Pistole fliegt an ihm vorbei, hüpft über die farbige Glasfläche wie ein flacher Stein über einen großen Teich und landet schließlich auf der gegenüberliegenden Seite des riesigen Glasmosaiks. Lambs krankes Gelächter widerhallt in meinem Kopf. Es ist alles, was ich höre. Und dann – ist da noch etwas anderes.

Es beginnt dort, wo die Waffe zum ersten Mal aufschlug. Ein leises Plopp wie von einem Eiswürfel, den man in warmes Soda wirft. Dann wird es lauter, dauert länger an … Ein langsam größer werdender Sprung in einer Windschutzscheibe …

Lamb schaut hinter sich. Beide sehen wir es gleichzeitig – ein Sprung, der sich blitzartig auf der großen Glasfläche weiterbewegt.

Es läuft wie in Zeitlupe ab. Geradezu zielgenau verläuft der Sprung im Zickzack von der Waffe zu Lamb, der noch immer in der Mitte der Rosette kauert. In Panik kriecht er auf das Geländer zu. Hinter ihm zerspringt ein Stück Glas und bricht ab. Dann ein anderes. Und noch ein anderes. Das Gewicht des Kronleuchters erledigt den Rest. Wie ein riesiges Schluckloch zerfällt die Mitte des Mosaiks. Der Kronleuchter stürzt in den Indian Treaty Room. Stück um Stück folgen Tausende von Scherben. Lamb kriecht weiter, um dem Sog nach unten zu entgehen und bettelt mich an, ihm zu helfen.

»Bitte, Michael …«

Es ist zu spät. Ich kann nichts tun, wir wissen es beide. Unter uns prallt der Kronleuchter mit einem ohrenbetäubenden Krachen auf den Boden.

Wieder begegnen sich unsere Blicke. Lamb lacht nicht mehr. Diesmal sind seine Augen voller Tränen. Das Glas regnet hinunter. Der Halt unter ihm löst sich auf. Und die Schwerkraft packt ihn an den Beinen. Im Sog des immer größer werdenden Lochs versucht er sich noch immer nach oben zu kämpfen. Doch er kann sich aus dem Epizentrum nicht retten.

»*Miiiaaaaaeeeeee* …«, schreit er auf dem ganzen Weg nach unten.

Dann prallt er auf den Kronleuchter. Dieser knirschende Ton allein wird mir jahrelang Alpträume bescheren.

Als die letzten Scherben fallen, beginnt im Indian Treaty Room ein Alarm zu heulen. Ich beuge mich über das Geländer. Das farbige Glas ist fast ganz verschwunden, nur noch ein klaffendes Loch ist da. Es wird sehr lange dauern, bis es wieder gefüllt ist. Auf dem Fußboden liegen inmitten der Glasscherben die zerschmetterten Überreste des Mannes, der für all dies verantwortlich ist. Verantwortlich ist für den Tod von Caroline. Von Vaughn. Und vor allem von Nora.

Hinter mir höre ich ein leises Stöhnen. Ich fahre herum, laufe zu ihr und lasse mich auf die Knie fallen. »Nora, bist du …«

»I-i-ist er weg?«, flüstert sie, kaum imstande die Worte auszusprechen. Wäre sie doch bewusstlos. Blut gluckert in ihrer Stimme.

»Ja«, sage ich und muss wieder gegen die Tränen ankämpfen. »Er ist fort. Du bist in Sicherheit.«

Sie möchte lächeln, doch es ist zu anstrengend. Ihre Brust wird von Krämpfen geschüttelt. Sie verlöscht schnell.

»Michael … Michael …?«

»Ich bin hier«, sage ich und nehme sie vorsichtig in die Arme. »Ich bin bei dir, Nora.«

Tränen strömen mir übers Gesicht. Sie weiß, was es zu bedeuten hat, lässt den Kopf hängen und ergibt sich langsam. »Bitte …« Sie hustet. »Bitte, Michael – sag es nicht meinem Dad.«

Ich hole tief Luft, um mich zusammenzureißen, nicke heftig und ziehe sie fest an meine Brust, aber ihre Arme hängen schlaff hinter ihr hinunter. Ihre Augen beginnen zurückzurollen. In Panik streiche ich ihr in ohnmächtiger Wut das Haar aus dem Gesicht. Ein letztes Zucken geht durch ihren Körper – und dann – gibt es sie nicht mehr.

»Nein!«, schreie ich. »Nein!« Ich nehme ihren Kopf und küsse sie auf die Stirn, immer und immer wieder. »Bitte, Nora!

Bitte geh nicht! Bitte! Bitte!« Es nützt alles nichts. Sie rührt sich nicht mehr.

Ihr Kopf fällt schlaff auf meinen Arm, und ein letztes geisterhaftes Keuchen entweicht ihren Lungen. So sanft wie möglich schließe ich ihr die Augen. Es ist vorbei. Die Selbstzerstörung vorbei.

VIERZIGSTES KAPITEL

Erst eine Viertelstunde nach Mitternacht entlassen sie mich aus dem Sit Room; die leeren Flure des OEOB gleichen um diese Zeit einer bürokratischen Geisterstadt. In gewisser Weise denke ich, dass sie es so geplant haben – denn jetzt ist niemand mehr da, der Fragen stellen könnte. Oder klatschen. Oder mit dem Finger auf mich zeigen und flüstern: *Er ist derjenige – das ist er*. Um mich ist nur Stille. Und ich habe Zeit zu denken. Stille und – Nora.

Ich lasse den Kopf sinken und schließe die Augen, versuche so zu tun, als sei es nie geschehen. Aber es ist geschehen.

Als ich mich auf den Weg in mein Büro mache, widerhallen zwei Paar Schuhe in dem höhlenartigen Flur: Meine und die des Secret-Service-Agenten dicht hinter mir. Sie haben meine Schulter verpflastert, aber als wir Raum 170 erreichen, zittert mir beim Öffnen der Tür noch immer die Hand. Er beobachtet mich sorgfältig und folgt mir hinein. Im Vorzimmer schalte ich das Licht ein, und wieder ist um mich herum nur Stille. Es ist zu spät, keiner ist mehr hier. Pam, Julian, sie sind vor Stunden gegangen. Als es draußen noch hell war.

Ich bin nicht überrascht, dass die Räume leer sind, muss jedoch zugeben, dass ich gehofft habe, jemand wäre hier. Aber ich bin allein. Das werde ich eine Weile auch bleiben. Ich öffne meine Bürotür und versuche mir etwas anderes einzureden, aber an einem Ort wie im Weißen Haus gibt es nicht viele Leute, die …

»Wo, zum Teufel, warst du?«, fragt Trey und springt von meinem Sofa auf. »Bist du okay? Hast du einen Anwalt bekommen? Wie ich hörte, du hättest keinen, habe ich den Schwager meiner Schwester angerufen, Jimmy, der sich mit diesem Typen Richie Rubin in Verbindung gesetzt hat; er sagte, er habe …«

»Es ist okay, Trey. Ich brauche keinen Anwalt.«

Er mustert den Secret-Service-Agenten, der nach mir hereingekommen ist. »Bist du sicher?«

Ich werfe dem Agenten einen Blick zu. »Glauben Sie, wir können …«

»Tut mir leid, Sir. Ich habe Anweisung zu warten, bis Sie …«

»Hören Sie – ich möchte nur ein paar Minuten mit meinem Freund allein sein. Das ist alles, um was ich bitte. Bitte.«

Er beäugt uns beide. Schließlich sagt er: »Ich bin hier draußen, falls Sie mich brauchen.« Damit verzieht er sich ins Vorzimmer und macht die Tür hinter sich zu.

Als er fort ist, erwarte ich eine neue Lawine von Fragen. Aber Trey bleibt still.

Ich werfe einen Blick auf meinen Toaster, der auf dem Fensterbrett steht. Noras Name ist gelöscht. Ich starre auf die noch übrigen digitalen grünen Buchstaben, als müsse das ein Irrtum sein. Bete, dass es ein Irrtum ist. Langsam scheint jede Zeile leuchtender Buchstaben meinen Blick zu erwidern – blinkend, feurig –, ihr Flackern viel heller, seit es dunkel ist. So dunkel. O Nora … Die Beine geben unter mir nach, und ich lehne mich an den Schreibtisch.

»Es tut mir leid, Michael«, sagt Trey.

Ich kann mich kaum aufrecht halten.

»Wenn es dich ein wenig tröstet«, fügt er hinzu. »Nora hätte … Es wäre kein gutes Leben gewesen. Nicht nach dem, was geschehen ist.«

Ich schüttle den Kopf, fast unansprechbar. »Ja. Richtig.« Ich muss schlucken, und alles wird wieder taub.

»Wenn ich irgendetwas …«

Ich nicke dankend und bemühe mich um Beherrschung. »Du hast gehört, dass Lamb …«

»Ich weiß nur, dass er tot ist«, sagt Trey. »Es kommt in allen Nachrichten, aber keiner weiß, wie und warum – das FBI hat das Briefing als Allererstes für morgen früh angesetzt.« Er will noch etwas anderes sagen, doch seine Stimme wird immer schwächer und verstummt schließlich ganz. Ich bin nicht überrascht. Er ist zu sehr daran gewöhnt, im Dunkeln zu bleiben. Obwohl er die Gerüchte kennt, will er nicht fragen. Ich sehe ihn über die Breite des Raums hinweg an, er fummelt an seiner Krawatte herum, bringt es kaum fertig, mir in die Augen zu sehen. Und obwohl er direkt vor dem Sofa steht, setzt er sich nicht. Aber er fragt noch immer nicht. Er ist ein zu guter Freund. »Sag es, Trey. Einer muss es tun.«

Er blickt auf, wartet den Augenblick ab. Dann räuspert er sich. »Ist es wahr?« Wieder nicke ich.

Treys Brauen drücken jetzt nicht mehr Neugier aus, sondern Schock. Er lässt sich auf die Couch fallen. »Ich – ich habe in meinem Büro auf sie gewartet, wie du gesagt hattest. Während du und Pam euch in Akten vergraben habt, wollte ich alles Mögliche tun, um Nora abzulenken – wollte sie falsche Ordner durchsuchen und falsche Telefonprotokolle prüfen lassen – es wäre perfekt gewesen. Aber sie ist nie aufgetaucht.«

»Sie hat gewusst, was wir vorhatten. Hat es schon lange gewusst.«

»Und Lamb hat also …«

»Das Ansuchen aus Carolines Computer gelöscht, wusste aber nicht, dass sie so gerissen war, eine Kopie aufzuheben. Und die hat das FBI nicht gebraucht – sie hatten ja die Originalakten. Um ehrlich zu sein, ich glaube, Nora wusste, wo die Kopien sind. Vielleicht waren sie ihre Rückversicherung, vielleicht war es – war es etwas anderes.«

Trey beobachtet mich vorsichtig. »Es war *definitiv* etwas anderes.«

Ich muss grinsen, aber das ist gleich wieder vorbei.

»War sie ...« Er stottert. »War es ...«

»So schlimm wie du denkst und noch viel schlimmer. Du hättest sie sehen sollen, als Lamb hereinkam ... Er hat es getan, seit sie elf war. Seit der sechsten Klasse, Trey. Du weißt, was für ein Ungeheuer ein Mensch sein muss, um das zu tun. Seit der beschissenen sechsten Klasse. Und als Hartson gewählt wurde, war Lamb ständig bei der Familie. Sie haben gedacht, er tue ihnen einen Gefallen!« Ich spreche immer schneller, meine Stimme verschwimmt, ich fange an zusammenhangloses Zeug zu reden, fliege durch die restliche Geschichte. Von Lambs Pistole zum Farbglas; von dem scharfen Verhör im Sit Room zu Adenauers übertrieben langer Entschuldigung kotze ich alles aus. Trey unterbricht mich kein einziges Mal.

Als ich geendet habe, sitzen wir beide nur da. Ich muss mich zusammenreißen, um nicht ständig auf meinen Toaster zu schielen, doch das Schweigen fängt an weh zu tun. Ihr Name ist nicht mehr da.

»Und was geschieht jetzt?«, fragt Trey schließlich.

Ich gehe zum Kamin und nehme langsam mein Diplom von der Wand.

»Sie suchen einen Sündenbock. Obwohl du es nicht getan hast, hängen sie dich an ...«

»Sie hängen mich überhaupt nirgends hin«, sage ich. »Ausnahmsweise glauben sie mir.«

»Tatsächlich?« Er legt den Kopf auf die Seite. »Warum?«

»Vielen Dank«, sage ich, stelle mein Diplom auf den Boden und lehne es an die Kamineinfassung.

»Ich meine es ernst, Michael. Da Nora und Lamb tot sind ... Alles was du hast, ist eine Aktennotiz mit Lambs Namen. Woher wissen sie den Rest? Lambs Bankkonten im Soll?«

»Ja.« Ich zucke mit den Schultern. »Aber sie haben auch ...« Die Stimme versagt mir. »Was?«

Ich sage kein Wort.

»Was?«, wiederholt Trey. »Sag es mir.«

Ich hole tief Atem. »Noras Bruder.«

»Christopher? Was ist mit ihm?«

Mit trockener, monotoner Stimme antworte ich: »Er mag jetzt im Internat sein, aber in den unteren Klassen der Highschool war er hier. Und jeden Sommer.«

Treys benommener Gesichtsausdruck sagt mir, dass er davon noch nie etwas gehört hat. »Also hat er ... Oh, verdammt ... Heißt das, dass wir ...«

»Die Presse wird es nie erfahren. Hartsons persönliche Bitte. Wie sie auch gelebt haben mag, Nora Hartson wird als Heldin gestorben sein – hat ihr Leben gegeben, um Carolines Mörder zu entlarven.«

»Also werden sie und Lamb ...«

»Du hast es nur erfahren, weil du mein Freund bist. Verstehst du, was ich sage?«

Trey nickt und reibt sich den Kopf. Mehr entnervt als aufgeregt. Wenn ich es nicht erwähne, wird er es nie mehr zur Sprache bringen.

Ich drehe mich wieder zu der Wand über dem Kamin um und stelle mich auf die Zehenspitzen, um ein nächstes gerahmtes Diplom abzunehmen. Es ist verglast und viel größer, als es zuerst zu sein scheint. Ich brauche eine Sekunde, um es mit beiden Händen zu umfassen.

Trey kommt und hilft mir. »Also, was werden sie tun?«, fragt er, als wir auf mein Diplom gestützt dastehen. »Feuern sie dich oder zwingen sie dich, zu kündigen?«

»Woher weißt du?«

»Du meinst abgesehen von dem so absolut unauffälligen Hinweis, dass du dein Büro ausräumst? Es ist eine Krise, Michael. Lamb und Nora sind tot und du hast mit ihr geschlafen. Wenn es so heiß wird, versteckt sich jede Maus in diesem Haus.«

»Sie haben mich nicht gefeuert«, sage ich.

»Also haben sie dich gebeten, zu gehen.«

»Sie haben kein Wort gesagt, aber – ich muss.«

Er schaut aus dem Fenster. Auf dem Rasen halten sich bestimmt noch ein paar Reporter auf. »Wenn du willst, kann ich dir ein bisschen Privatunterricht in Medienkunde geben.«

»Das wäre großartig.«

»Und ich kann dich immer in alle wirklich *coolen Events* einschleusen – State of the Union – Inaugural Ball – wohin du willst.«

»Dafür wäre ich dir dankbar.«

»Und ich sag dir noch etwas – wo immer du dich um deinen nächsten Job bewirbst, du bekommst eine Empfehlung auf dem Briefpapier des Weißen Hauses. Zum Teufel, ich werde einen ganzen Packen stehlen, wir können an alle Leute schreiben, die wir hassen – Politessen, Männer, die alle und jeden ›Big Guy‹ titulieren, Leute im Einzelhandel, die so tun, als täten sie dir einen Gefallen, diese biestigen Flugbegleiterinnen, die immer lügen und behaupten, sie hätten keine Kopfkissen mehr und flöten ›Es gibt nur eins pro Person …‹«

Ich lache zum ersten Mal seit zwei Tagen. Eigentlich ist es eher ein leichtes Hüsteln und ein Lächeln. Aber ich akzeptiere es.

Atemholend folgt Trey mir zum Schreibtisch. »Ich mach keine Witze, Michael. Sag, was du willst, und ich besorge es dir.«

»Das weiß ich«, sage ich, während ich hastig die Papierstapel auf dem Schreibtisch durchblättere. Memos, Zeitpläne des Präsidenten, sogar meine Lauschangriff-Akte – nichts ist wichtig. Alles bleibt hier. In der untersten linken Schublade finde ich alte Loggingshorts. Die nehme ich mit. Sonst lasse ich alle Schubladen unangetastet. Ich brauche nichts.

»Bist du auch wirklich okay?«, fragt Trey. »Ich meine, was wirst du mit deiner Zeit anfangen?«

Ich ziehe die rechte oberste Schublade auf und finde einen handgeschriebenen Zettel. *Ruf mich an, und ich bring Chinaessen mit.* Darunter ein winziges Herz, unterschrieben von Pam.

Ich stecke den Zettel in die Tasche und schließe die Schublade. »Alles in Ordnung. Bestimmt. Mach dir keine Sorgen.«

»Es ist keine Frage des In-Ordnung-Seins – es ist wichtiger als das. Vielleicht solltest du mit Hartson sprechen …«

»Trey, das Letzte, das der Präsident der Vereinigten Staaten jetzt braucht, ist jemand, der ihn durch seine Anwesenheit hier ständig an die größte Tragödie seiner Familie erinnert. Außerdem – selbst wenn er mich bäte zu bleiben … Ich kann es nicht. Nicht mehr.«

»Was redest du da?«

Mit einem schnellen Ruck nehme ich das Foto von mir und dem Präsidenten von der Wand hinter dem Schreibtisch. »Ich bin damit fertig«, sage ich und drücke ihm in die Hand, was noch von meiner Ego-Wand übrig ist. »Und egal, wie sehr du jammerst und stöhnst, du weißt, es ist am besten so.«

Er schaut auf das Foto hinunter und bleibt eine Sekunde zu lang stumm. Ende der Diskussion.

Ich nehme meine beiden Diplome und gehe zur Tür. Sie schlagen mir beim Gehen gegen die Unterschenkel. Es ist vielleicht das letzte Mal, dass ich mich in diesem Haus aufhalte. Als ich mein Büro verlasse, ist Trey dicht hinter mir.

Ich werfe ihm einen raschen Blick zu und frage: »Du wirst mich also weiterhin jeden Morgen anrufen und mir berichten, was vorgeht?«

»Morgen früh sieben Uhr.«

»Morgen ist Sonntag.«

»Aber nein, Montag.«

EPILOG

Anderthalb Wochen später biegt mein Wagen von der 1-95 ab und nimmt die stillen, ländlichen Straßen von Ashland, Virginia, unter die Räder. Der Himmel ist kristallblau, und die frühherbstlichen Bäume glänzen gelb, orange und grün. Auf den ersten Blick ist alles wie vorher – dann werfe ich einen raschen Blick in den Rückspiegel. Niemand ist da. Und da überfällt es mich am schlimmsten.

Jedes Mal wenn ich ins Pferdeland komme, atme ich den süßen Duft der Wildblumen. Aber als mein Wagen sich an einem bernsteinfarbenen Dickicht vorbeischlängelt, merke ich, dass ich sie heute zum ersten Mal auch gesehen habe. Erstaunlich, was man alles direkt vor der Nase hat.

Jeden gelben Stängel auf jedem weiten Feld nehme ich in mich auf, fahre über sich windende Straßen, an Farmen vorbei bis zu dem vertrauten hölzernen Zaun. Einmal schnell links abgebogen, bringe ich das letzte Wegstück hinter mich. Merkwürdig – der gekieste Parkplatz, das Ranchhaus, sogar die immer geöffnete Fliegengittertür ... Aus irgendeinem Grund sieht alles größer aus. So sollte es auch sein, sage ich mir.

»Schau, wer es schließlich doch geschafft hat«, sagt Marlon in seinem anheimelnden Kreolen-Akzent. »Ich hab mir schon Sorgen um dich gemacht.«

»Ich brauche immer länger als ich denke. Auf diesen Seitenstraßen verfahre ich mich regelmäßig.«

»Besser spät als nie«, erwidert Marlon friedfertig.

»Ja, das ist wohl richtig, schätze ich«, sage ich, nachdem ich kurz darüber nachgedacht habe.

Marlon starrt auf die Zeitung, die auf dem Küchentisch liegt. Wie bei jeder Unterhaltung in den letzten Wochen tritt eine Verlegenheitspause ein. »Das mit Nora tut mir leid«, sagt er schließlich. »Ich hab sie gemocht. Schien richtig streitlustig zu sein, hat immer das Kind beim Namen genannt.«

Ich denke über das Kompliment nach, überlege, ob es zutrifft. Manchmal macht die Erinnerung alles leichter. Manchmal nicht.

»Ist mein Dad ...?«

»In seinem Zimmer«, sagt Marlon.

»Hast du's ihm gesagt?«

»Du hast mich gebeten zu warten, also hab ich gewartet. Das wolltest du doch, richtig?«

»Ja, ich glaube schon.« Auf dem Weg in Dads Zimmer füge ich hinzu: »Du denkst wirklich, ich könnte …«

»Wie oft willst du das noch fragen?«, unterbricht mich Marlon. »Jedes Mal, wenn du fährst, will er nur eins wissen – wann du wiederkommst. Er liebt dich über alles. Was willst du denn noch?«

»Nichts«, sage ich, ein Lächeln unterdrückend. »Überhaupt nichts.«

»Dad?«, rufe ich, klopfe an seine Tür und stoße sie auf. Es ist keiner da. »Dad, wo steckst du?«

»Hier drüben, Michael. Hier drüben!« Ich gehe seiner Stimme nach. Er steht auf der hinteren Veranda, vor der Fliegengittertür, und winkt mir zu. Er trägt eine zerknitterte Khakihose und wie immer sein Heinz-Ketchup-T-Shirt. »Hier bin ich«, singt er, und seine Füße vollführen schlurrend einen kleinen Tanz. Es ist wunderbar, ihn so zu sehen.

In dem Augenblick, in dem ich die Fliegengittertür aufstoße, umarmt er mich wie ein Bär und hebt mich vom Boden auf. »Wie gefällt dir das?«, fragt er, dreht sich um die eigene Achse und setzt mich auf der Veranda ab. Als er mich loslässt, sehe ich, was er gemeint hat. Hinter den Picknicktischen, an denen wir an jenem Tag alle gegessen haben, liegt das weite Feld der benachbarten Farm. Im blendenden Glast der honiggelben Sonne tummeln sich dort übermütig vier Pferde. Die ganze Szene – die Sonne, die Pferde, die Farben –, all das ist so atemberaubend schön wie damals, als ich es das erste Mal sah; an dem Tag, an dem ich das Gruppenheim besichtigte, eine Woche bevor mein Dad einzog.

»Ist das nicht hübsch?«, fragt mein Dad mit seiner wie immer ein wenig undeutlichen Aussprache. »Pinky – das ist der schnellste. Er ist mein Liebling.«

515

»Ist er das?«, frage ich und zeige auf das schokoladebraune Pferd, das weit vorausgaloppiert.

»*Neieiein*, das ist Clyde« erklärt er, als hätte er es mir schon tausendmal gesagt. »Pinky ist der Vorletzte. Er hat heute keine rechte Lust.«

Einen Schritt weiter schaut er plötzlich ins Haus zurück und sucht den Flur ab. Es ist, als suche er …

»Wo ist Nora?«, platzt er heraus.

Ich hatte gewusst, dass er fragen würde. Er hatte sie zu gern, um sie zu vergessen. Um mir eine Antwort zurechtlegen zu können, setze ich mich auf die hölzerne Gartenschaukel und winke Dad zu mir.

Er erkennt an meinem Gesichtsausdruck, dass er eine schlechte Nachricht zu erwarten hat. »Sie hat mich nicht gemocht?«, fragt er und streicht sich mit den kurzen Knubbelfingern über die Unterlippe.

»Nein, nein, das bestimmt nicht« sage ich. »Sie hat dich geliebt.«

Er setzt sich auf die Schaukel, denkt aber nur an Nora und lässt sich so schwer fallen, dass wir hinterrücks gegen die Hausmauer prallen. Ich ahne einen Wutanfall und lege den Arm um ihn, um seine Ängste zu zerstreuen. Wir schwingen leicht vor und zurück. Vor und zurück, vor und zurück. Langsam wird er wieder ruhig.

»Sie hat dich wirklich geliebt« wiederhole ich.

»Warum ist sie dann nicht mitgekommen?«

Ich habe diesen Satz auf der ganzen Fahrt geprobt. Es hat nichts geholfen. »Dad«, fange ich an. »Nora ist… Nora hatte einen – einen Unfall.«

»Ist sie okay?«

»Nein«, sage ich kopfschüttelnd. »Sie ist nicht okay. Sie – sie ist gestorben, Dad. Sie ist vor anderthalb Wochen gestorben.«

Ich warte auf den Ausbruch, aber er starrt nur sein Hemd an und zupft an dem gelben Heinz-Gesicht. Dann zieht er die

Oberlippe zurück; es sieht aus, als wolle er die Zähne fletschen, als rieche er etwas oder versuche es zu begreifen. Langsam beginnt er wieder vor und zurück zu schaukeln, seine großen, einsamen Augen betrachten das auf dem Kopf stehende lächelnde Heinz-Gesicht. Er weiß, was Totsein bedeutet: Wir haben vor Jahren darüber gesprochen. Schließlich schaut er zur Decke der Veranda hinauf. »Kann ich ihr Lebewohl sagen?«

Er möchte auf den Friedhof gehen. »Natürlich«, sage ich. »Ich glaube sogar, sie würde sich freuen.«

Er nickt schräg – beschreibt kleine Kreise mit dem Kinn, sagt aber nichts mehr.

»Möchtest du darüber sprechen?«

Noch immer keine Antwort.

»Komm schon, Dad, sag mir, was du denkst.«

Er sucht nach Worten, die nie kommen werden. »Sie war nett zu mir.«

»Ich habe dir erklärt, dass sie dich wirklich gern hatte. Sie hat es mir oft gesagt.«

»Hat sie das?«, flüstert er, sieht mich aber noch immer nicht an.

»Selbstverständlich hat sie das. Sie hat gesagt, du bist *smart* und siehst gut aus und bist ein guter Vater ...« Ich hoffe, dass er lächeln wird, doch noch immer sieht er mich nicht an. Ich lege wieder den Arm um ihn. »Es ist okay, traurig zu sein.«

»Ich weiß. Aber ich bin nicht traurig.«

»Bist du nicht?«

»Nein, nicht wirklich. Sterben hat auch sein Gutes.«

»Wirklich?«

»Sicher. Man hat keine Schmerzen mehr.« Ich nicke. In Augenblicken wie diesem ist mein Vater absolut brillant.

»Und weißt du, was das Beste daran ist?«, fügt er hinzu.

»Nein, sag es mir.«

Mit einem breiten Lächeln blickt er zum Himmel auf. »Sie ist bei deiner Moni. Philly. Phyllis. Phyllis.«

Ich kann nicht anders, auch ich muss lächeln. Es ist ein breites Lächeln wie das von meinem Dad.

»Ich habe dir gesagt, das ist das Beste daran«, meint er lachend.

Schaukelnd beginnt er zu kichern. Er hat einen Weg gefunden, alles in Ordnung zu bringen – seine Welt existiert noch. »Hast du in letzter Zeit mal mit dem Präsidenten gesprochen?«, fragt er. Wenn es um Scherze geht, bleibt er sich immer treu. Stärke in der Wiederholung.

»Nun, Dad, das ist das Zweite, worüber ich mit dir sprechen wollte. Ich hab meinen Job im Weißen Haus aufgegeben.«

Er stellt die Füße auf den Boden und die Schaukel bleibt stehen. »Was ist mit dem Präsidenten?«

»Ich denke, er ist ohne mich – besser dran.«

»Marlon sagt, er wird die Wiederwahl gewinnen.«

»Ja. Er wird ein richtig großer Gewinner sein.«

Noch immer sieht er mich nicht an; dann beginnt er, den kleinen Finger und den Zeigefinger gegen den Daumen zu schnipsen. »Haben sie dich gefeuert?«, fragt er schließlich.

»Nein«, sage ich. »Ich musste nur gehen.«

Er weiß, ich möchte auf etwas hinaus – er hört es meiner Stimme an. Das Schnipsen wird schneller. »Heißt das, du willst wieder wegziehen? Heißt das, dass ich auch von hier weg muss?«

»Nein, du kannst hier bleiben, so lange du willst. Allerdings habe ich gehofft … Nun ja, ich habe mich gefragt … Könntest du dir vorstellen, eine Weile bei mir zu leben?«

Das Schnipsen hört auf. »Bei *dir*?«, fragt er und wendet sich mir zu. Seine Augen schwimmen in Tränen. Sein Mund steht offen. »Mit dir zusammen?«

Ich denke an meine erste Begegnung mit Nora. Wie alle mich anstarrten, als sie quer durch den Raum auf mich zukam. Auf mich. Das war der Moment. Wenn ich mit ihr zusammen war, solange sie da war, war ich, was ich sein wollte. Jetzt will ich etwas anderes. Es gibt keine Geheimnisse mehr. Ich muss kein Jemand sein.

Ich sehe meinen Dad an. »Wenn du es willst – ich würde dich sehr gern um mich haben.«

Wieder lächelt er breit. Mehr will er nicht. Nur einbezogen sein. Akzeptiert. Normal.

»Also, was meinst du?«, frage ich.

»Ich muss darüber nachdenken«, sagt er leise lachend.

»Darüber nachdenken? Warum musst du …?«

»Du hast nicht mal einen Job«, platzt er lachend heraus.

»Und das findest du komisch?«

Er nickt heftig, immer und immer wieder. »Arbeitslose Anwälte taugen nichts.«

»Wer sagt, dass ich Anwalt sein will?«

Ich denke an die kleine Gruppe von Reportern, die noch immer vor meinem Haus kampieren. Es wird Jahre dauern, bevor es leichter wird. Aber das macht nichts. Es ist nicht mehr wichtig.

»Sagen wir, ich überprüfe alle Möglichkeiten, die ich habe.«

Ihm gefällt die Antwort. Alles ist möglich. »Schau«, fügt er hinzu und zeigt auf seine Füße. »Nur für dich.«

Er zieht das Hosenbein höher, und ich erwarte im weißen Turnschuh eine schwarze Smokingsocke zu sehen. Aber es ist eine strahlend weiße Socke. »Sie rutschen zwar immer runter«, sagt er, »aber sie sehen hübsch aus.«

»Tun sie, klar – aber ich glaube, die schwarzen gefallen mir besser.«

»Wirklich?«

»Ja – ich denke schon.«

Er zuckt mit den Schultern, hebt die Füße und setzt die Schaukel in Bewegung. Sanft schaukeln wir in der leichten Brise des Nachmittags. Die goldene Sonne scheint uns direkt in die Augen. Es ist so hell, dass ich hinter der Veranda nichts sehen kann. Und doch sehe ich alles.

»Weißt du, Mickey, die 57 auf der Ketchupflasche bedeutet, dass es siebenundfünfzig verschiedene Tomatensorten gibt.«

»Tatsächlich?«, sage ich, jede Einzelheit in mich aufnehmend. »Erzähl mir mehr darüber.«

Ich fürchte mich noch immer davor, meinen Vater zu enttäuschen, fürchte mich vor dem Krebs, der meine Mutter getötet hat, die so unerwartet starb, aus einem so albernen Grund starb, so schmerzhaft starb und allein gestorben ist. Doch zum ersten Mal seit langer, langer Zeit fürchte ich mich nicht mehr vor meiner Vergangenheit. Oder vor meiner Zukunft.

DANKSAGUNG

Ich möchte mich bei all den Leuten bedanken, auf deren Liebe und Rat ich mich stützen kann. Wie immer zuallererst bei meiner First Lady Cori, die eine nie versiegende Quelle an Geduld und Inspiration ist – besonders da ich uns beide immer wieder an die Grenzen der Zurechnungsfähigkeit treibe. Angefangen beim ersten Entwurf des Handlungsablaufs bis zur endgültigen Bearbeitung bedeutet sie für mich in jedem Augenblick alles: Freundin, Handhalterin, Beraterin, Lektorin, Geliebte, Seelenverwandte. Ich liebe dich, C. – wenn es dich nicht gäbe, gäbe es dieses Buch nicht und mich ebenso wenig.

Weiter gilt mein Dank Till Kneerim, meiner Agentin, für eine der besten und beständigsten Freundschaften, die mir je zuteil wurden. Für mich als Autor war es eine der glücklichsten Fügungen, dass ich Till gefunden habe. Ihr endloses Vertrauen hilft uns immer wieder, die Perspektive nicht aus den Augen zu verlieren; ohne sie könnten wir nicht sein, wo wir jetzt sind. Dann Elaine Roger, deren unglaubliche Energie das Wort *gangbusters* neu definiert hat; und Sharon Silva-Lamberson, Stephanie Williams, Nicole Linehan, Ellen O'Donnell, Hope Denekamp, Lindsey Shaw, Ike Williams und allen anderen bei der Palmer & Dodge Agency, die dafür sorgen, dass der Motor weiterläuft. Sie gehören zu den nettesten Menschen, die ich je kennengelernt habe.

Auch meinen Eltern möchte ich danken – dafür, dass sie mir ermöglichten, das zu erreichen, was sie nie hatten, dass sie mich lehrten, mit dem Herzen zu sehen, und genau wussten, wann sie als meine Mum und mein Dad in Erscheinung treten sollten. Ihr seid beide unglaublich. Ich danke Noah Kuttler, dessen endlose Geduld sich auf meine ganze Arbeit auswirkt und dessen Verständnis mich zwingt, mein Potential wirklich auszuschöpfen; Ethan Kline, dessen scharfsinnige Beobachtungen, dessen Freundschaft und Vertrauen nicht zu übertreffen sind (danke für alles, E.); Matt und Susan Oshinsky, Joel Rose, Chris Weiss und Judd Winnick sind für mich ein ständiges Expertengremium, das ich nie missen möchte. Sie lesen, reagieren, schlagen vor und bringen mich immer zum Lachen.

Da das Weiße Haus auf seine Geheimhaltung und Verschwiegenheit stolz ist, schulde ich folgenden Leuten unendlichen Dank dafür, dass ich mich einschleichen konnte. Steve ›Scoop‹ Cohen dafür, dass er eben – nun ja –, Scoop war. Vom Entwickeln des Plots bis zu den Recherchen und den unwichtigen Einzelheiten war Scoop der Zeremonienmeister. Er ist furchtlos und verständnisvoll, und ohne seinen kreativen Instinkt wäre das Buch nicht das, was es geworden ist. Danke, Kumpel. Debi Mohile, deren scharfer Blick mich (fast) auf jeder Seite zwang, aufrichtig zu sein, und deren Humor das sogar zu einem Vergnügen machte. Niemand kennt das Weiße Haus so gut wie Debi. Danke, dass du dich mit mir abgegeben hast. Mark Bernstein, einem der nettesten Menschen weit und breit, Dank dafür, dass er mir den Rest des Weges aus eigener Erfahrung wies und mich daran erinnerte, wie wertvoll alte Freunde sind; Lanny Breuer, Chris Cerf, Jeff Connaughton, Vince Flynn, Adam Rosman und Kathi Walen, die weit über das hinausgingen, was ihre Pflicht gewesen wäre, und deren Phantasie nie versagte, wenn es galt, die Tonnen alberner Fragen zu beantworten, die ich ihnen stellte; Pam Brewington, Lloyd Cutler, Fred Fielding, Leonard Garment, Thurgood Marshall jr., Cathy Moscatelli, Miriam Nemetz, Donna Peel, Jack Quinn, Ron Saleh, Cliff Sloan, John Stanley und Rob Weiner, die der Rest meines Weißen-Haus-Teams waren und die mich dadurch, dass sie mir ihre Zeit widmeten, mit so vielen großartigen Einzelheiten und Storys versorgten; Larry Sheafe und Chuck Vance, den nettesten Burschen vom Secret Service, die man sich nur vorstellen kann; auch der *First Daughter*, die so freundlich war, mir von ihren Erfahrungen zu berichten (nur damit es ein guter Roman wurde), noch einmal herzlichen Dank! Dr. Ronald K. Wright für seinen erstaunlichen forensischen Rat; Pat Thacker, Anne Tumlinson, Tom Antonucci, Lily Garcia und Dale Flam für ihre Hilfe bei den Details; Marsha Blanco (die einfach unglaublich ist), Steve Waldron, Chuck Perso, Sue Lorenson, Dave Walkins, Fred Baughman, John Richard Gould, Rusty Hawkins, Philip Joseph Sirken und Jo Anne Patterson, die mich in der Organisation *The Are* und der Gemeinde der geistig Behinderten willkommen geheißen haben. Nur selten wurde ich so inspiriert und kam mir so klein und unbedeutend vor. Und selbstverständlich meiner Familie und meinen Freunden, deren Namen, wie immer, in diesen Seiten leben.

Und endlich möchte ich all den talentierten und wundervollen Leuten in meinem neuen Verlag Warner Books danken: Larry Kirshbaum, Maureen Egan, Tina Andreadis, Emi Battaglia, Karen Torres, Martha Otis, Chris Barba, Claire Zion, Bruce Paonessa, Peter Mauceri, Harry Helm; eben all den unglaublich netten Leuten, die dafür sorgten, dass dieses Buch realisiert wurde, und die mir immer das Gefühl geben, zur Familie zu gehören. Ein besonderer Dank geht an Jamie Raab, nicht nur für ihre Lektoratsarbeit, sondern auch dafür, dass sie eine unserer größten Befürworterinnen war. Ihre Wärme und Energie erstaunen immer wieder. Schließlich möchte ich auch noch den beiden Redakteuren danken, die an dem Buch arbeiteten, Rob Weisbach und Rob McMahon. Von Anfang an unterstützte Rob Weisbach mit seiner Kreativität jede Phase unserer verlegerischen Bemühungen, ohne ihn wären wir nicht ans Ziel gelangt. Sein Einfluss ist auf jeder Seite spürbar, und obwohl ich es schon einmal gesagt habe, will ich es hier wiederholen: Rob ist wirklich ein Mann mit Weitblick, und wir hatten immer das Glück, ihn zur Seite zu haben. Ich verdanke ihm meine Karriere und schätze seine Freundschaft. Rob McMahon bei Warner schließlich ist ein wahrer Gentleman, der, wie es sprichwörtlich heißt, unseren Ball aufgenommen hat und damit gerannt ist. Mehr Glück hätten wir nicht haben können. Seine redaktionellen Hinweise waren außerordentlich verständnisvoll; und er hat mich immer angetrieben zu erreichen, was ich für unmöglich gehalten hatte. Rob, ohne dich wären wir verloren. Daher, Rob Weisbach und Rob McMahon, werde ich eure Energie immer zu loben wissen, aber noch viel dankbarer bin ich für euer Zutrauen und eure Treue.

Brad Meltzer:
Atemberaubend, überraschend, hintergründig

»Eins steht fest: Wer John Grisham mag, wird Brad Meltzer lieben. Buchstäblich von der ersten Seite an wird man in Atem gehalten von einer perfiden Mischung aus Tempo und Spannung.« WESTDEUTSCHE ALLGEMEINE ZEITUNG

Das Spiel
Matthew und Harris sind Anfang Dreißig und beste Freunde. Beide arbeiten für renommierte Kongreßabgeordnete, doch nach zehn Jahren in Washington langweilen sie sich – und beteiligen sich an einem geheimnisvollen Spiel: Mit ihnen unbekannten Mitspielern wetten sie auf Entscheidungen des Capitols, ein scheinbar harmloser Zeitvertreib. Bis Matthew nach seiner letzten Wette ermordet wird – und Harris fürchten muß, das nächste Opfer zu sein.
Thriller. Aus dem Amerikanischen von Wolfgang Thon. 471 Seiten.
AtV 2102

Die Bank
Oliver Caruso, ein unbescholtener Banker, plant das perfekte Verbrechen. Vom Konto eines verstorbenen Klienten, den anscheinend niemand vermißt, transferiert er drei Millionen Dollar. Doch plötzlich besitzt er dreihundert Millionen – und hat nicht nur den Sicherheitsdienst der Bank, sondern auch zwei skrupellose Geheimagenten am Hals.
Thriller. Aus dem Amerikanischen von Wolfgang Thon. 473 Seiten.
AtV 2178

Der Code
Wes Holloway gehört zum Stab des amerikanischen Präsidenten. Am 4. Juli verschafft er seinem Freund Boyle einen kurzen Gesprächstermin in der Limousine des Präsidenten. Doch dann schlägt ein Attentäter zu – nicht der Präsident, sondern Boyle wird getötet. Acht Jahre später taucht der vermeintlich Tote wieder auf – und mit ihm ein seltsamer Code, der auf eine gigantische Verschwörung hinweist.
Thriller. Aus dem Amerikanischen von Wolfgang Thon. 506 Seiten.
AtV 2320

Shadow
Michael Garrick gehört zum Beraterstab des Weißen Hauses – und er liebt die gefährlichste Frau Amerikas, die Tochter des Präsidenten. Als er mit ihr eines Nachts zufällig seinem Chef begegnet, kommt sie auf die Idee, ihm zu folgen. Beide werden Zeugen, wie Simon, der Chefberater des Präsidenten, in einem Wald Geld versteckt. Aus Spaß nimmt Shadow zehntausend Dollar mit – und schon stecken sie in tödlichen Schwierigkeiten.
Thriller. Aus dem Amerikanischen von Ursula Walther. 521 Seiten.
AtV 2420

Mehr unter
www.aufbauverlagsgruppe.de
oder bei Ihrem Buchhändler

aufbau taschenbuch
AUFBAU VERLAGSGRUPPE

»Man muß sich die Kunden des Aufbau-Verlages als glückliche Menschen vorstellen.«

SÜDDEUTSCHE ZEITUNG

Das Kundenmagazin der Aufbau Verlagsgruppe erhalten Sie kostenlos in Ihrer Buchhandlung und als Download unter www.aufbauverlagsgruppe.de. Abonnieren Sie auch online unseren kostenlosen Newsletter.

Klassik Radio.
Die Musik zum Buch.

Entspannung pur mit den größten Klassik Hits, der schönsten Filmmusik, New Classics und Klassik Lounge.

Study Guide

for three entrance tests

NET
Nurse Entrance Test

HOBET
Health Occupations Basic Entrance Test

HELP
Higher Education Learning Profile

"a complete reference to successful testtaking"

Authors

Michael D. Frost, PhD
Mitchell D. Jarvis, BSCS, BSM

Publisher: Educational Resources, Inc.
8910 West 62nd Terrace
Shawnee Mission, Kansas 66202

1

Table of Contents

Introduction

A recent study reveals that the majority of American colleges and senior high schools do not adequately teach testtaking skills. In this same study, two-thirds of the high school seniors stated that they needed special tutoring prior to all their important examinations. Such unfortunate conditions are by no means uncommon. They demonstrate a need for learning specific testtaking skills that help the student achieve all the success possible on the entrance test.

This **Study Guide** will help you with *specific* testtaking skills for the entrance test rather than present general ideas and theories of testtaking. We have endeavored to answer your two most urgent questions: What is on the entrance test? How can I best prepare for this test?

Many poor testtaking behaviors arise from underdeveloped testtaking skills, such as excessive haste, lack of planning, careless reading of questions and ineffective methods of reading questions. Strict observance of a few simple testtaking guidelines will demonstrate more accurately what you know. These guidelines can improve your understanding of what is required by a test question; therefore, ensuring better scores without "abnormally great effort." For example, numerous investigations have shown that students can often save from one-fourth to one-third of their testtaking time if they systematize their efforts in accordance with well researched, but not well-known, principles of testtaking. We will review with you these principles of testtaking in this entrance test **Study Guide**.

Effective testtaking approaches will help you understand and remember what you are reading. Most educational handicaps of students are caused by a failure to correctly prepare for a test. Furthermore, many hours of needless anxiety or confusion might be avoided through knowledge and application of a few practical suggestions. You may be more interested and proficient in studying for a test in one subject, rather than another, but a correct approach to testtaking and study skills will increase your enjoyment and success in all fields of education.

Practice tests, which we have modeled after the entrance test, are provided to give you a good idea of the appearance of each subsection of the test. You can anticipate the test with fewer unknowns and, therefore, less stress and anxiety as you prepare for the entrance test.

Purpose of Entrance Testing

Diagnostic Information
The entrance test:

• provides an objective measurement of your *critical reading ability* and compares your ability against the level of mastery required for success in college

• evaluates your level of success with basic mathematics, the math necessary for you to function, not only in your academic courses, but also in your career following college

• determines your effective speed in reading college level material

• identifies how you approach study, in general, and which learning approach is most effective for you

• provides diagnostic information about your basic academic processing skills

The entrance test will not only identify your weaknesses in those processing skills which are necessary for success in college, but will also enable you to correct your weaknesses prior to entering school. The diagnostic report generated by the entrance test can alert both tutors and the college learning centers to your special needs, so assistance can be given *before* you experience problems that may tarnish your academic record.

Remember! The entrance test is *not* designed to keep you out of school. It is designed to help you identify which of your academic processing skills must be sharpened before you begin this advanced education.

Use of this Study Guide

Follow these steps to effectively profit from this **Study Guide**:

❶ Read
Read the entire guide prior to the two practice tests that are provided at the end of the guide.

❷ Pretest
Complete Practice Test A after carefully reading the directions. This is a "mock" test, but accurately follows the format and structure of the entrance test. The reading questions and math problems, although not identical to those on the entrance test, are written by the same authors who wrote the actual entrance test.

❸ Score
Score Practice Test A using the answer key at the end of the guide.

❹ Chart
Chart your errors for both the reading and mathematics sections of the test.

❺ Study
Study the rationales given for all the reading questions and mathematics problems that you missed. Seek to understand why you missed each test item.

❻ Posttest
Complete Practice Test B. Repeat the steps you completed for scoring/charting Practice Test A.

❼ Final Review
Review the testtaking skills section of this entrance test **Study Guide** again, just before taking the entrance test, to enhance any testtaking skills in which you may still need help.

Structure of the Entrance Test

• *Reading Comprehension, Written Expression, Basic Math and Learning Styles*

The entrance test will measure both your reading comprehension and math skills and will develop an assessment of your learning style.

Your reading comprehension skills will be evaluated at the inferential level of understanding, not the recall level. The written expression section will evaluate your ability to understand basic patterns of common English usage. The math section will begin with addition, subtraction, multiplication and division of whole numbers, then require you to do the same four operations with common fractions, decimals, percentages and basic algebra. The learning styles and stress profile sections will ask you to decide whether you agree or disagree with the statements presented.

• *Multiple Choice Questions*

Each question on both the reading comprehension and math sections of the entrance test will have four answer choices, only one of which is the best answer. The key word here is *best*. All answers may be true statements, but only one will best fulfill the requirements of the question. No credit will be given for answers that are partially correct.

The learning styles assessment will require you to decide whether you agree or disagree with 45 statements. The learning styles assessment will be used only for counseling, not as a score by which to admit or keep you from enrolling in a school.

• *Number of Questions*

The reading comprehension section contains 25 to 35 multiple-choice questions. There are 60 math problems and 45 decision statements that seek to determine your learning style. The written expression (grammar) section contains 90 multiple-choice questions. The testtaking skills section has 30 decisions.

• *Time Limits*

You will be given approximately one minute to read and answer each question (about 30 minutes total) to complete the reading comprehension section and around 60 minutes to complete the math section. You will have 20 minutes to react to the learning styles assessment statements. The entire test will take an estimated 3 hours.

- ## *Scoring the Entrance Test*

Your reading comprehension score will be based upon the number of questions you answer correctly. Your score will be compared with the scores of many thousands of other examinees who have answered the same questions. The High Risk Score will be one standard deviation below the National Average Score established by all those who took the entrance test.

- ## *Mathematics*

The math score is a single score compared against how well thousands of other applicants did on the same 60 questions. These questions cover basic math operations using whole numbers, fractions, decimals, percentages and algebra.

- ## *Basic Science Questions*

The Basic Science Questions presented on the Nurse Entrance Test review common terminology and very basic science concepts from anatomy, physiology, biology, cellular biology and chemistry. The test items are based on entry-level science courses. The scores obtained from this section are not part of the Composite Score. Information from the science questions assists students and faculty to diagnose potential areas for review before the nursing course work begins.

- ## *Reading Comprehension Score*

If your reading comprehension score on the entrance test is below average, you will be given a reading level designation of *Frustration*. This means that even with the benefit of lectures, you would experience more than average difficulty in critically reading college level material.

If your score is within the average range, you will be given a reading level designation of *Instructional*. This means that with the benefit of lectures, you can be expected to successfully read college level material.

If your score is above the average range, you will be given a reading level designation of *Independent*. This means that you can successfully read college level material without even the benefit of lectures.

- *Reading Rate*

A score will be established of your effective reading rate. An average rate of reading is 250 to 400 words per minute. This is the normal "oral" rate at which most people speak. Remember that the normal rate is an average rate. This score will *not* be used as criteria for excluding you from school. However, your diagnostic score could be useful by indicating to both you and the school, a need for help in order to make it easier for you to successfully read the large amount of material assigned in college. Therefore, follow the directions carefully at this part of the entrance test and be truthful. Remember, the school cannot provide help if you hide or mask your academic needs.

- *Learning Styles*

This section of the entrance test determines how you best learn and master new information. Which describes you?

I am . . .

> an auditory learner.
> a visual learner.
> a social learner.
> a solitary learner.
> an oral dependent learner.
> a writing dependent learner.

Again, the learning style assessment will be used only for counseling and has no value or use as admission criteria. Therefore, you should answer the questions carefully and truthfully. The information is diagnostic and will be used in aiding your instructors to teach to your personal learning style(s). Your school wants this information, and this assessment is evidence of a desire by the school program to meet and prepare for your individual needs.

35 General Testtaking Strategies for the Entrance Test

Be calm as you prepare to take the entrance test. In particular, utilize the following testtaking hints to better demonstrate your true critical reading ability with the paragraphs that make up the reading part of the test.

1. Read and follow all directions carefully.

2. Glance at the type of questions that make up the section of the test you are assigned. Note the format or structure of each question. Note that the questions are multiple choice and have up to four answer options. On the entrance test, the questions do not start easy and become difficult. There will be no recall questions that simply expect you to remember just the literal facts of a paragraph. Every attempt has been made to write questions that require you to "read between the lines" and cause you to demonstrate a higher than average recall level of understanding. Therefore, begin with the first question and work your way through the reading selections, answering each question as it is presented.

3. Carefully use the two practice tests in this entrance test **Study Guide**. Then, there will be no surprises for you when you sit down to take the entrance test. The "look" of the test will be familiar, as well as the type and difficulty level of both the reading questions and math problems.

4. Relax and treat the entrance test as if it were *just another practice test*, except that you will have a time limit in which you must work.

5. Before you read a paragraph, first look at the questions presented for the individual paragraph. *Read the stem of each question* to get a "purpose for reading" in mind, before you read the paragraph. Do not take time to read all the A, B, C and D options. Studying the question stem will give you the purpose for reading the paragraph; be it for a definition, a numerical amount, a main idea, an inference, etc. Any time you read a paragraph or selection with a specific type of question in mind, your reading comprehension will be improved, as will your answering time because you have established a focus for

your reading. You will also find you can concentrate with less effort, and, of course, this leads to increased understanding of the paragraph.

6. Reject the temptation to select an answer that appears to be a true statement until you have *read all options*. Although an answer might be a true statement, a later option may be a better answer. The best answer is the desired one, even though others may be true or partially true statements.

7. Above all, *guard against feelings of resentment or anger* toward the test proctor due to any frustration or anxiety you may experience during the test. The test proctor will help you do your best by keeping noise to a minimum, seeing that the temperature and lighting are right, supplying extra pencils, answering those questions that can be answered about the test, etc.

8. *Keep calm*, especially before the examination. Some tension is natural and serves to keep you mentally and physically alert, but too much tension may bring about mental blocking. Blocking usually leads to frustration, worry and more tension, which, in turn, may bring on more blocking, thus compounding the difficulty.

9. A way to avoid accumulating excess tension is to *anticipate your needs*. Do not rush. Allow plenty of time to accomplish all the things you have to do before the test. Such activities might be attending to toilet needs, wearing comfortable clothing, etc.

10. Once in the examination room, you can *keep tension under control* by concentrating on some points you wish to remember. Once the examination begins, exclude thoughts of failure from your mind by focusing on the examination itself.

11. Do not go into the testing room with a *negative attitude*, such as, "I'm sure I won't pass," or even a neutral attitude, such as, "Let the chips fall where they may."

12. To do your best, you must *think positively*. On the other hand, an *overconfident* attitude may keep you from being as alert as you might be.

13. Do not believe that the only questions you are capable of answering correctly are those you know right away. By working hard, you can often raise your score considerably. Through persistence and the use of principles discussed in this entrance test **Study Guide**, you can overcome the tendency to underachieve on the entrance test.

14. Remember, always work hard throughout the *full time allowed*. Do not come into the examination room with thoughts of leaving early or doing anything less than your best. Stick to the job!

15. CONCENTRATE. *Avoid distractions*. In the examination room, do not be distracted by the actions of others. This can interfere with your success on the material presented to you. Before the entrance test begins, preoccupy yourself by going over, in your mind, the testtaking skills you have practiced as preparation. When the exam begins, think only about the examination. To eliminate other potential sources of distraction during an examination, avoid sitting near a window or beside your significant other, if you can help it.

16. *Use time wisely*. Do not spend excessive time on any one question. It is urgent that time be budgeted to permit an honest attempt at every question. Never spend more than one minute per question or problem. You must have time to attempt all items.

17. *Read directions and questions carefully*. Remember what the time limits are, how to answer the questions and how they will be scored. Be especially alert to the key items, knowing that just one misread or misinterpreted word may lead to an incorrect answer.

18. *Attempt every question*. Remember, questions that look complicated and involved may not be so difficult once you get into them. Each question is worth one point, the same point as every other question. So answer every question, even if it is just your best guess.

19. Choose the answer *the test maker intended.* You hurt no one but yourself when you read into a question, qualifications and interpretations clearly not intended by the test maker.

For example:

> *Thomas Jefferson wrote the Declaration of Independence. (True or False)*

Some students might object to answering *true*, saying that four other men were also on the writing committee. The sophisticated testtaker, however, would answer *true,* realizing this was the answer the test maker intended for the particular level and purpose for the test.

Now, if the test maker had intended to find out whether you were aware that a committee wrote the document, the test item might have read like this:

> *Thomas Jefferson, alone, wrote the Declaration of Independence. (True or False)*

On standardized tests, such as the entrance test, always choose the option which you believe has the greatest chance of being correct, although others have merit and although the chosen option is not completely satisfactory.

20. *Anticipate the answer*, then look for it. Always anticipate what the answer will be like. Then look for it among the options. This step should be accomplished very quickly. Though you may not anticipate exactly the answer that is called for, you can often anticipate some of the logical characteristics of the correct answer.

For example:

> *Why is Cavalieri's Principle important in solid geometry?*

Assuming that you may not know the answer, you could still logically anticipate that the correct answer will clearly be a *reason* why the principle is *important*. On that basis, options that are not reasons, or reasons that are not important, may be eliminated, freeing you to center your attention on the remaining option(s). Let us now apply this principle of anticipation to a critical thinking question:

Why is Cavalieri's Principle important in solid geometry?

a) It shows that the surface area of a cube of side "s" is $6s^2$.

b) It contradicts the principles of Euclid and Gauss.

c) It provides the basis for finding the volume formulae for many solids.

This question is especially difficult if you have never heard of Cavalieri's Principle. Nevertheless, by using the principle of anticipation, you can object to option (a) because it seemed too specific to have an important bearing on the wide field of solid geometry. Option (b) should also seem unattractive as it is negative in its "contribution" to solid geometry and it is implausible. Option (c) possesses the anticipated ingredients of being a reason and having both a wide and an important bearing on the field of solid geometry.

21. *Consider all the alternatives.* Read and consider all the options, even though the first option may have all the characteristics you anticipated. This procedure of suspended judgment is especially pertinent when dealing with multiple-choice tests, such as the entrance test, which is a "pick-the-best-answer" variety. In such a test, all the options to a question may be true, but one is the best. Because many students do jump at the first plausible option, test makers frequently place their most attractive "decoy" first.

22. *Relate options to the question.* When the anticipated answer is not among the options, promptly discard it and concentrate on the given options by systematically considering how well each one answers the question. If you continue to hold on to your answer (which you may think is quite ingenious) or if you consider the options without continually relating them to the original question, then these pitfalls await you.

First, by not relinquishing the anticipated answer, you increase the tendency to choose an option which bears only a superficial resemblance to it. You can still be saved from this pitfall by asking yourself whether this "close cousin" is the correct answer to this specific question. This procedure forces you to relate options to questions.

Second, when none of the options listed appeal to you, you may be tempted to alter one or more words in an option to make it "correct." Do not force the answer; rather, test each real option against the real question.

Third, if you ponder the options without relating them continually to the question, you may pick an option, which is correct in itself, but incorrect as it relates to the question. It is possible that all the listed options are correct statements, but only one of them will be the correct answer to the question.

For example:

A spinning baseball curves because:

a) *the airspeeds on either side of the ball are unequal*
b) *the ball is spherical*
c) *the momentum of the ball is equal to the product of its mass and velocity*

Since both options (b) and (c) are true, many students would narrow their attention to these, probably choosing (c) because the words momentum, mass, and velocity pertain to a thrown baseball. Such narrowing of attention is akin to "tunnel vision". To avoid this pitfall, remember never to deal with options in isolation. Option (a) is the correct answer.

23. Just as *correct* statements can be wrong answers to some questions, so can wrong statements be correct answers to other questions. "The world is flat." is an *incorrect* statement, but it is the correct answer to the following question:

"In the 15th century most European mariners feared to sail westward on the Atlantic because they believed that . . ."

This illustrates, again, the need to relate the options to the question.

24. *Balance options* against each other. When several options look good, or even if none look good, compare them with each other. If two options are highly similar, study them to find what makes them different. For example:

> *The French Revolution of the 18th century was mainly the result of which?*
>
> a) *American objections to the extension of slavery*
> b) *The oppression by the Parisian middle classes of the French nobility*
> c) *The oppression by the Bourbon monarchs of the French peasantry*
> d) *Overproduction of food*

Most students would probably eliminate options (a) and (d) as unlikely answers, leaving both (b) and (c) for further consideration. Options (b) and (c) are similar in that they both deal with the topic of *oppression*. But they are different in that (b) asserts that the nobility was oppressed by the people, a most unlikely situation; and (c) points out that the nobility oppressed the people, a most usual and likely situation. Option (c) is correct, of course.

25. Use *logical reasoning*. Actively reason through the questions. Some students passively stare at math or reading problems, hoping that correct answers will somehow pop up as if by magic. This is wishful thinking. Correct solutions come about when thinking about each part of the problem is aggressive and continual.

To free you to concentrate on fewer options, eliminate those that you know are incorrect, as well as those that obviously do not fit the "promise" or requirements of the question. For example:

The nose:

a) *develops during gastrulation*
b) *has two movable joints*
c) *is structured in part by the turbinals*
d) *is an organ of balance*

The sophisticated testtaker would eliminate options (b) and (d) and choose between (a) and (c).

Logical reasoning is exemplified in a situation in which, say, you recognize that two or more options are correct, and that one of the remaining options encompasses both of these. In such a situation, always choose the more encompassing option. The following example and explanation will help to make this principle clear.

Which of the following cities is in the state of New York?

a) *Syracuse*
b) *Rome*
c) *Albany*
d) *All of the above*

The test-wise student who knew that two of the cities (*Syracuse* and *Albany*) were in New York but who had never heard of *Rome*, New York, would automatically choose the encompassing answer (d) *All of the above*.

26. Look for *specific determiners*. Some specific determiners are such words as *rarely* and *usually* which qualify the main statement of a question. Many students find these qualifying words perplexing. We cannot guarantee that you will never find them perplexing, but we do have some advice based on experience.

Since so many statements have exceptions, true statements often contain qualifying words and false ones often do not. But you cannot rely totally on this technique, because an experienced test writer carefully mixes up the items so that some statements with qualifiers are false and some statements without qualifiers are correct. Another class of specific determiners is exact terms, such as *always* and *none*.

These words should be taken literally. When a statement is qualified by the word *always*, it means not 98 or 99 percent of the time, but a full 100 percent of the time.

Examples of *absolute* determiners:

Always	All
Never	None

27. Watch for *qualifying* words:

More	Most
Least	Best
First	Better

These words should be flag wavers for you. An answer might be correct, but if after carefully reading the question, is it the *best* answer? All the answers may be partially correct, but only one truly fits the requirements of the question as the best statement of main idea, the best statement of an inference drawn from the reading passage or the best statement of a predictable outcome from the passage.

Remember: All answer options may be correct, but only one option may be the **best, least, most,** etc. correct than the others. This one option, and only one, will then be the one you should select.

28. Look for combination *umbrella* and *priority* choices. An example would be the following question:

Which chair is best for a client to use the first time out of bed after back surgery?

A. *Soft chair with a low seat*
B. *Rocking chair*
C. *Straight chair with a high back*
D. *An armchair with a firm, secure cushion*

Key testtaking words in the question stem are **first** and **back surgery.**

Common sense would suggest that choices "A" and "B" would provide little support after having had back surgery, and, therefore, both choices would probably be incorrect ones. Choice "C" offers support for the back. Option "D", however, would be the best choice because what is desirable in option "C" is contained in option "D," plus the additional support of the chair's arms.

29. Watch for *negative words* and *prefixes*; or contraindicated, *not, un-, in-, im-,* etc. These words and prefixes change the focus of a test item. Instead of searching among the possible answers for a positive answer, you are required to focus on a negative option. The question, then, has become a kind of true/false one. You may be asked to decide what you would not do, or what would not be an expected outcome. Be aware of this change in focus from "what would happen" to "what would not." Good test writers try to avoid the negative question stem, but sometimes they appear.

30. Avoid choosing the *"different"* answer. Do not choose an answer just because it appears different from the others. For instance, one answer might be a verb and the other three options might be adverbs. Just because one is a different part of speech is not a reason for choosing it. Normally, test writers feel that their correct answers "stand out" as it is, and the last thing they would do is leave it looking odd. The correct option will usually blend with the others.

31. Do not look for a pattern of answers on your answer sheet. If the last four questions have had answers in the B position, for instance, do not expect the next answer also to be B. A good test writer will rotate the correct answers through the A, B, C and D positions so that this will not happen. The goal of a good test writer is to have the correct answer equally placed in all four positions.

32. Answers are usually of average length. The correct answer is usually of average length. Again, the test writer is seeking to keep the correct answer from standing out among the incorrect ones.

33. Look for determiner words used in a question that denote *sequence* priority. Some obvious words could be *first, last, initial, immediate, etc*. A question might ask you to decide what is the *first* action required by a paragraph or reading selection, or it might ask you what is the last point the paragraph developed.

The following are taken from question stems. Italics have been added for your benefit. Question writers will not usually be this helpful:

> What is the *priority* assessment you would make *at this time*?

> What is the *priority* assessment to be made immediately *after* the procedure?

> What is the *first* thing you would do for this client?

> Which is the *last* step of this procedure?

34. Look for priority words where value is the important focus of the determiner word, not sequence. The following is an example of a question containing such a priority word:

> During the <u>initial</u> interview, what is your <u>primary</u> objective?

What is important to you is that all the answers may be real objectives. However, you are asked to evaluate the objectives and determine which is the primary or important one. Look for key words in questions that ask for you to assess *value*.

35. Finally, it is possible to read a paragraph on the test several times and still get very little out of it. On the other hand, if you read it only once or twice, but in the right way, you will get a great deal out of it. In the latter case, chances are that you followed certain practical rules of testtaking.

That is, first read the appropriate questions directed at specific paragraph(s) to get a focus for your reading and then read the paragraph(s). In this way, you determine the test writer's purpose for the reading:

1. *Determination of the main idea or central theme*
2. *Deciding whether a statement is true based upon the paragraph(s)*
3. *You need to criticize, compare, digest, ask questions and/ or discover answers*
4. *You are to apply some of the other procedures of efficient learning*

It is, in fact, easier to approach a test in the correct way, than it is to use wasteful or incorrect methods.

Summary of General Testtaking Strategies

Self-Analysis
Anyone who wishes to do so can improve testtaking skills. It is necessary, however, to discover your own most urgent testtaking problems. Of course, the conscientious application of attention and energy is indispensable. With such application, learning how to take tests should make your testtaking efforts more direct, effective and successful. But you must analyze your own needs and select the hints that will be of greatest assistance in your situation.

Are you reading the selections too quickly, without good understanding and retention?

Is your focus on the test requirements well balanced and comprehensive?

Background for Comprehension
The process of learning may be compared to the construction of a house on a sound foundation; every useful idea you can relate to the new material will form an added basis for a clear understanding of what you have read.

Careful Reading

Resist the temptation to be satisfied with quick reading and casual reflection. You may feel that you have understood an author's principal ideas, so that reflection does not seem attractive or worthwhile, but remember that superficial reading will seldom ensure thorough understanding or later recall of its important points. Therefore, you should take time to read the question and then think seriously about each of the options. True, there are times during the test when you may wish only to skim the question or the paragraphs, but never mistake skimming for reflective reading. For the latter, careful rereading is necessary, together with comparisons and contrasts, critical reactions and the analyses of implications.

> *Reject the temptation to guess the answer unless you have an honest basis for believing it to be probably correct.*

> *Whenever you can do so quickly, associate questions with each other and with as many important ideas as you can develop.*

Reading Section of the Entrance Test

What is Critical Reading?
The entrance test evaluates your critical reading ability of college level material. Critical reading questions on the entrance test ask you to "read between the lines," that is, to determine the meaning and purpose of what you read. You will be expected to demonstrate that you *understand* a paragraph. The critical reading questions demand more understanding than simply identifying vocabulary words, reciting definitions, recalling numbers and literal statements of fact. In college and on the entrance test, you will be expected to state the main idea of a paragraph, its central theme, etc. You will be asked to identify which inferences and conclusions are implied in the paragraphs or groups of paragraphs. You will be asked to predict outcomes based on the paragraph or the entire reading selection.

Paragraph facts and details are taken for granted in college and on the entrance test. It is the summarized meaning and conclusions drawn from the paragraphs that enable you to understand the author's intent and purpose. Once these ideas are understood, you will be able to easily remember details and facts contained in a paragraph.

At first glance, textbooks might look crammed with facts and definitions that must be memorized. However, this memorization of recall information is made possible and much easier if you have *hooks*, hangers on which to attach and group the new information. These hangers are the main ideas of a paragraph and the central theme uniting paragraphs. The entrance test evaluates how well you can identify these central ideas found within paragraphs and chapter sections.

If your reading skills are weak when you seek to identify and state the central idea of a selection, these skills can be strengthened. You can strengthen your reading skills by completing each practice test in the entrance test **Study Guide** and then by evaluating the *kinds* of questions you are answering incorrectly.

Therefore, the important value of these practice tests, written by the same authors who wrote the entrance test, is to help you carefully determine if there are patterns in your incorrect answers. The answer key for the practice tests not only gives the correct answer, but also the type of critical reading question you missed and the rationale for all answers. Do not berate yourself for missing a question. Strive, instead, to understand the nature of your incorrect answers so that you can improve your critical reading skills.

Remember, all possible answers to the multiple choice question may be correct; however, only one will be the *best* answer, given a careful reading of the question stem.

Critical Reading Summation

A. Reading for the Main Idea
"Main idea" can be defined as a statement of the topic or theme an author has for a paragraph. The author normally states this topic in a sentence near the beginning or end of the paragraph. Your ability to identify the author's intent for a paragraph is necessary if you are to correctly interpret and understand the idea or topic the author has developed.

This topic is based on an accurate comprehension of the words, phrases and sentences that develop the idea of the paragraph. All the other interpretive reading skills are secondary. If you cannot state the main idea of a paragraph, you will probably not understand the implied meanings of the author in that paragraph and you may experience difficulty in summarizing what you have read. Therefore, if you have difficulty stating the general topic of a paragraph, the validity of inferences based upon paragraph facts is weakened. Several inferences can be drawn from facts in a paragraph, but usually only one main idea can be stated for the paragraph. This skill of discovering and stating the main idea of a paragraph can be learned.

B. Inferential Reading
You read inferentially when you draw conclusions from facts and statements within a paragraph. Inferential reading is a process in which you seek to establish a valid, focus statement (a

conclusion) from a variety of presenting data. This ability to inferentially read can be learned.

C. Paragraph Function and Significance

Predicting outcomes during reading involves evaluation of validity for inferences that have been made from facts given within the paragraph. Stating the purpose of a paragraph is an example of predicting an outcome from information contained in a paragraph.

You need to learn theoretical and statistical relationships, such as variables, and develop good critical thinking skills in order to process data and daily decisions. Much research related to critical thinking ability has been completed with college students. Critical thinking ability and decision-making skills are closely related cognitive (understanding/thinking) skills. During your college education, you will experience problem-solving processes in which you will collect data utilizing both inductive and deductive reasoning. You will make a hypothesis, which you must be able to support from the detail of your reading or thinking. The Entrance Test will assess your ability for this critical thinking ability through its critical thinking appraisal.

If you have at least an average intellectual ability, you can learn to be an effective, critical thinker and reader. Since you have graduated from high school or passed your **GED**, you have *at least* average intellectual ability. You can succeed in college, but you must sharpen your critical thinking skills so that you can succeed in your career. The entrance test will help you identify those math and reading skill areas that need to be strengthened if you are to demonstrate success, academically.

Remember, the entrance test is *not* used as a tool to exclude you from seeking a career. The entrance test is a diagnostic tool that gives you and the college to which you are applying valuable insight into your preparedness to enter higher education. Given this diagnostic information, you can strengthen your weak academic skills before you enter school. Work carefully with the results of the two practice tests included in this **Study Guide**. Learn from your mistakes. Improve your skills. Take the entrance test and demonstrate strong reading and math skills.

Testtaking Strategies for Reading Comprehension

A. Main Idea

A statement of main idea (1) includes the topic of the paragraph, (2) identifies how this topic *is* or ***does*** something and (3) serves as an umbrella structure for the many details of the paragraph.

The main idea is usually in a topic sentence found near the beginning of a paragraph. When writing a paragraph, an author normally makes a statement of topic and then proceeds in the paragraph to defend and develop this statement.

Two errors commonly made in identifying the main idea of a paragraph:

Too Narrow. This incorrect statement of main idea looks like an attractive choice because it contains details given in the paragraph. However, this false statement of main idea is narrow in focus and ignores the wider range of details introduced in the paragraph. The details of a paragraph should develop or support the main topic of the paragraph. Therefore, a typical misstatement of the main idea is said to be *too narrow* in focus to serve as the unifying or main idea of the passage.

Too General. This incorrect statement of the main idea looks attractive because it is broad in scope and obviously references more than just one or two paragraph details. The problem with this statement is that it goes beyond the supporting details presented in the paragraph. For this statement to be a true statement of the main idea, additional information would have to be introduced into the paragraph to support it. Therefore, the problem with this statement of the main idea is the opposite of the topic statement that is *too narrow* in focus. This incorrect statement of the main idea is *too general* in scope and states an aspect of the topic that is beyond the supporting details of the paragraph.

Examples of question stems on the Entrance Test that ask you to identify a correct statement of main idea for a paragraph:

- Which states the main idea of this paragraph?
- Which is the best statement of main idea for the paragraph?
- Select the main idea for this paragraph.
- The main idea of this paragraph is best revealed by which statement?
- Identify the main idea for this paragraph.

B. Inference

On the entrance test, *inference* refers to a group of words that expresses an unwritten and unstated relationship among the details of a paragraph. An inference, then, expresses an understanding of unstated links between paragraph ideas. This reading process utilizes inductive reasoning.

An inferential question on the entrance test is a conclusion supported by details presented in the paragraph, but not a conclusion that predicts results beyond the unifying idea of the main idea. Inferences that use deductive reasoning, that is, predicting results based on the main idea of a paragraph, are separated by the entrance test as another, higher, processing level of critical reading. Your deductive reasoning and reading ability is evaluated on the entrance test and discussed later in this section of the entrance test **Study Guide**.

Examples of question stems on the entrance test that require you to identify inferences for a paragraph:

- Identify an inference that can be derived from this paragraph.
- Which is an inference based on the paragraph?
- Which statement is true based upon the paragraph?
- Based on this paragraph, which statement is true?
- Identify a conclusion that can be drawn from this paragraph.

- Which factor in this paragraph supports the topic of soil control?
- Which describes the attitude of the spectators in this paragraph?
- How is sleepwalking characterized in this paragraph?
- Which group experiences the largest number of sleepwalkers, based on paragraphs 31-33?
- What may be assumed by the failure of the neighbors to discover earlier the body of Homer Barron?
- How does Faulkner portray Emily's manservant?

C. Paragraph Function and Significance

Establishing the *theme, purpose* and predicted *outcomes* of a paragraph demonstrates an abstract understanding of a paragraph's function or significance. Stating the theme, purpose and predicted outcome(s) for a paragraph reveals a higher inferential understanding, sometimes involving both inductive and deductive reasoning. Such logical conclusions will not be concretely stated in the paragraph or reading selection, as would be a statement of main idea.

Let us look at the terms *theme, purpose* and *predicted outcomes*, which require a higher level of critical reading than mere inferential reasoning does with details or ideas *within* a paragraph.

Theme

Typically, a statement of *theme* is only a phrase, not a sentence. A statement of theme would resemble a short book title, which is usually a symbolically stated topic of the story. The significance of the title is only completely understood when the entire book has been read.

Some examples:

To Kill a Mockingbird
Little Women
Red Storm Rising
The Hunt for Red October
Pride and Prejudice
War and Peace

Question stems on the entrance test that would ask you to identify the theme of a paragraph or selection will look like the following:

- Which would be a statement of theme for this paragraph?
- Identify the central, unifying theme of the last 3 paragraphs.
- What is the common theme of this article?

Purpose

The *purpose* of a paragraph goes beyond a statement of either main idea or topic. Stating the purpose of a selection is to make a value judgment about *why* a selection was written.

Question stems on the Entrance Test that would ask you to identify the *purpose* of a paragraph or selection will look like the following:

- Identify the purpose of paragraphs J-L.
- What is the purpose of paragraph M?
- Which is the best statement of purpose for paragraph Q?
- Which is a statement of purpose that can be supported by paragraphs B-F?

Predicting Outcomes

To *predict an outcome* from a paragraph is to project an action, a result that is based upon the premise developed by the paragraph, as supported by the details or reasoning evolved within a paragraph.

A predicted outcome of a paragraph is the result of inductive reasoning supported by the main idea and based on possible inferences from the details and facts within a paragraph or larger, written work.

Question stems on the entrance test will ask you to predict an outcome, identify a result based on the ideas developed in one or several paragraphs. These stems will look like the following:

- As discussed in paragraph J, which behavior during noctambulation seems to be directly related to dream content and symbolic expression?
- Which would be an outcome from paragraph F?
- Which is an outcome resulting from paragraph G?
- Which is a true statement based on these two paragraphs?
- Based on these two paragraphs, which is a true conclusion?

Reading Rate Section of the Entrance Test

Definitions

The entrance test will produce one of three scores for your reading rate, and these are defined below:

Frustration Rate
If you generate a Frustration Rate score, it is estimated that your reading rate is so slow that you will be unable to complete all the reading required of you in college, given all of the other daily time requirements generally demanded of students. This rate can be dramatically improved with work. A Frustration Rate score will not effect whether or not you are admitted to a school. It will simply indicate an area in which you must work effectively to read and understand your textbooks in which you will receive reading assignments.

Instructional Rate
If your score on the entrance test generates this rating, you
would be reading at a rate of 250 to 400 words per minute
with at least 70% comprehension. This is the normal college
rate of reading and is expected of most college students.

Independent Rate
If your score on the entrance test generates this reading rate,
the entrance test is estimating that you read in excess of 450
words per minute with at least 70% comprehension. This
would be an excellent accomplishment, but not a necessary
one for a college student.

Strategies for Increasing Your Speed of Reading

As a rule, outstanding students are fast readers. They cover written
material rapidly, gaining time for rereading and reviewing. The
entrance test measures your reading rate for textbook material during
the reading comprehension section.

The average person reads all printed material at the same rate,
which is an oral reading rate of 250 to 450 words per minute with a
comprehension level of 70%.

Some readers read too slowly because of certain correctable bad
habits and unfavorable environmental conditions. Think back to your
past experiences and decide whether some of the following common
causes of excessively slow reading apply to you.

1. *Failure to keep in mind a definite purpose for reading.*
   If you allow your attention to wander instead of
   concentrating on the important purposes for your
   reading, you will be apt to waste time on trivial
   points and reduce your rate considerably. Therefore,
   analyze the results you wish to get from your reading
   (information, main ideas, topic themes, inferences, etc.)
   and check them off mentally as soon as you achieve
   them. This technique prevents wasting too much time on
   nonessentials. It will help you to increase your rate of

reading most types of subject matter with adequate
understanding.

2. *Excessive attention to single words*. Sometimes it is
   necessary to stop and analyze complex technical words
   to ascertain the test writer's intended meaning. But it is a
   common mistake to overdo this type of word analysis to
   such an extent that the attention wanders far afield from
   the question requirements. Analyze significant terms
   which contribute to the meaning, but concentrate on the
   main ideas without ignoring apparently minor words,
   such as *not*, *or*, and the like, which can change the
   importance of an entire passage.

3. *Inflexibility*. The ability to read at high speed may
   be necessary in reading for information, but it is
   generally of little importance in reading material that
   requires hard thinking and analysis, such as the reading
   comprehension section of the entrance test. A slow pace
   is essential when you are reading for difficult purposes.
   Nevertheless, do a quick preview of the test question.
   Then skim rapidly through the appropriate paragraph(s).
   Use good judgment in adapting your rate to the kind of
   context you are reading.

This type of subject matter presented in the entrance test requires
you to carefully read difficult passages and evaluate purposes
and inferences, as well as central themes and main ideas. Careful,
thoughtful reading must follow a quick, preliminary reading of the
question. Therefore, develop the approach of reading the text after
you have established a purpose for reading, ***determined, first, by
your reading of the test questions.***

If your rate of reading score is far below average, you should begin
remedial steps, including extensive practice in reading with the
deliberate objective of increasing your rate.

Both speed and comprehension are inseparable factors of effective reading and cannot be measured independently of each other. Fast reading of text is useless unless you gain a clear understanding of what you have read. Very slow reading, however, gives no assurance of adequate comprehension, especially if it obscures the overall view of the reading selection or interrupts the smooth flow of ideas. Your objective on the entrance test should be to read slow enough to understand what you read, but to maintain a reading rate fast enough to cover the reading selection within the available time. The most satisfactory rate will vary with the nature of the text, *your purpose in reading* and your skill in reading with comprehension. Due to these factors, some readers can be expected to read more rapidly than others, but most readers can reach a high level of efficiency if they take the time to analyze their own habits and needs and then apply remedial measures.

It would be unwise to dash through one of Shakespeare's plays once or twice and assume adequate understanding. This type of subject matter requires you to review difficult passages and scenes, ask questions about the events and dialogue, analyze the language, style, and structure and identify yourself with the characters as if they were living persons whom you could observe in life situations. Slow, careful rereading must follow a preliminary quick reading of such material. On the other hand, if you are consulting a reference work to find specific information, you can read at a high rate without detailed analysis. Therefore, develop the ability to read at high speed, but use the ability wisely to ensure the degree of mastery you wish to achieve.

Written Expression Section of the Entrance Test

The fact that you are working in this **Study Guide** is evidence that you are sincerely interested in improving your academic processing skills of basic math, reading comprehension, grammar and spelling. Together, we shall explore a few very specific guidelines to help you understand basic patterns of common English usage. If you work to understand and memorize just a few grammar and spelling patterns, you will be able to demonstrate a good degree of success with Basic English usage.

Spend some time with this particular page. Do not simply read through it. Take time and thoroughly understand these simple, but very, very important guidelines.

Sentence Structure:
Subject and Verb Agreement

Some words have special *matching* forms that indicate basic grammatical relationships in English. Forms that match in this way are said to *agree*. For example, a subject and verb *agree* if *both* words are singular or *both* words are plural. Pronouns also must agree with their antecedents -- that is, the words for which the pronouns stand, or which they represent.

A word that refers to only one person or thing is said to be *singular* in number. A word that refers to more than one person or thing is said to be *plural* in number.

Singular	**Plural**
book	books
child	children
this	these
either	both
he, she, it	they
I	we

A verb agrees with its subject in number: *singular* subjects take *singular* verbs; *plural* subjects take *plural* verbs.

Remember also, that singular subjects generally do not end with an s, but singular verbs do end with an *s*. The opposite is true for plural subjects and verbs. Generally, plural subjects end with an *s*, but plural verbs generally do not end with an *s*.

Examples are as follows:
> A young **man lives** in the future.
> [**Note:** *Man* is a singular word and so it takes a verb ending in an **s**, because singular verbs end with an **s**.]

> This **exhibit was prepared** by the science museum.
> [**Note:** *Exhibit* is singular, so we want *was* not *were* because singular verbs end in *s*.]

Plural subjects take plural verbs:
> Young **men live** in the future.
> [**Note:** *Men* is a plural word, so it requires a verb not ending in *s*.]

> These **exhibits were prepared** by the science museum.

☞ *Important Hint* You will find it helpful to remember that **is, was, has**, and most verbs ending in a single **s** are *singular*: he **thinks**, she **works**, it **counts**, etc. **Are, were, have**, and most verbs not ending in a single **s**, are *plural*: they think, they work, they count, etc.

Try to remember that only one *s*-ending is shared between the subject and verb. If the noun ends with a plural *s*, the verb, generally, will *not* end with an *s*.

Example 1:
> The tree (lean, leans) against the house.
> In this example, *tree* is a singular subject and does not end with an *s*; therefore, the verb generally will end with an *s*.

Example 2:
> The boy (walk, walks) to school.
> *Boy* is the subject and does not end in an *s*; therefore, select a verb that does end with an *s*.

Example 3:
> The bird (sing, sings) a happy song.
> The subject *bird* is singular and does not end with an *s*; therefore, we select the verb that ends with an *s*.

☞ *Remember* Plural nouns generally end with an *s*; but singular verbs end with an *s* in the present tense.

There are, of course, exceptions to this simple pattern of the final *s,* and these exceptions can cause you some difficulty. The exceptions are verbs used with *I* and singular *you,* when *you* refers to only one person: I **think,** you **work,** etc. Notice that all these verbs used in examples are in the *present* tense. All *past* tense verbs have the same form for both singular and plural, except for the verb **be,** which has a special form **was** that is used with **I, he, she,** and **it,** and all singular nouns.

Singular	Plural
I went	they went
he carried	we carried
I was	we were
it was	they were

You may have no, or little, trouble in making verbs agree with their subjects when they directly follow the subject, as seen in the examples above. You will encounter sentences, however, in which it is more difficult to correctly identify the subject or determine whether it is singular or plural. These constructions, which create most agreement problems, are taken up separately below.

Intervening Phrase

The number of the subject (that is, singular or plural) is not changed by a phrase following the subject. Remember, a phrase that comes between a singular subject and its verb can easily mislead you if it contains a plural word.

Indefinite Pronouns as Subjects

Pronouns like *everybody*, *someone*, *everything*, *all* and *none*, all of which are more or less indefinite in meaning, present some special problems. Some of these special words are always singular. Some are always plural, and some may be singular or plural, depending on the meaning of the sentence. In addition, such pronouns are often followed by a phrase, which may mislead you. Therefore, you must (1) first determine the number of the pronoun acting as a subject [is it singular or plural?] and, (2) secondly, remember to ignore phrases that come between subject(s) and verb(s).

The following common words are singular: *each, either, neither, one, no one, every one, anyone, someone, everyone, anybody, somebody* and *everybody*. Examples follow:

> **Each has** her own bicycle.
> **Each** of the girls **has** (not have) her own bicycle.
> **Everyone wants** more money.
> **Every one** of the workers **wants** (not want) more money.

The following common words are plural: *several, few, both* and *many*. Examples follow:

> **Several** of the regular members **were** absent.
> **Few** of my family really **understand** me.
> **Both** of your excuses **sound** plausible.
> **Many were** surprised at the final score.

The words s*ome*, *any*, *none*, *all* and *most* may be singular or plural, depending on the meaning of the sentence. Usually, when the words *some*, *any*, *none*, *all* and *most* refer to a singular word, they are singular; when they refer to a plural word, they are plural. Consider the following examples:

Some of the money **was** missing.

(**Some** is singular because it refers to **money**, which is singular.)

Some of the dimes **were** missing.

(**Some** is plural because it refers to **dimes**, which is plural.)

All of the fruit **looks** ripe.

All of the cherries **look** ripe.

Most of the book **was** interesting.

(Here *most* is an indefinite part of the book.)

Most of the books **were** interesting.

(Here *most* refers to a number of separate books.)

Has any of this evidence been presented?

Have any of my friends **called** me?

None of the evidence **points** to his guilt.

None of our students **were** involved.

Subjects joined by *and* take a **plural verb**. Some examples:

A truck and a **convertible were** in the ditch.
Gerald and his twin **brother** naturally **look** a lot alike.
The **walls and** the **ceiling were** beautifully decorated.

Exception: When the parts of a compound sentence are considered a unit or when they refer to the same thing, a singular verb is used.

Macaroni and cheese *is* the cafeteria special again today.
The Stars and Stripes *is* our national emblem.
His friend and fellow author *was* cool to the idea of collaborating on a new cookbook.

Singular subjects joined by *nor,* or the connector *or,* take a singular verb. Examples:

> My **brother** *or* my **sister** *is* likely to be at home.
> Neither the **president** of the company *nor* the **sales manager** *is* a college graduate.
> Either **John or Jim** is sure to know the answer.

When a singular and a plural subject are joined by *or,* the verb agrees with the nearer subject.

> **Acceptable: Either** the judge or the lawyers **are** wrong.

It is usually possible to avoid this awkward construction altogether:

> **Better: Either** the judge **is** wrong or the lawyers **are**.

Usage Note: The English usage guidelines of this section for your Study Guide are those that are consistently followed in formal, written English, but are often ignored in informal speaking and writing. Formal usage is likely to call for a singular verb after a singular subject in a strictly logical way. In high school or college papers, it is always better to use formal English in all written expression. In oral usage, you can bend a rule or two for the sake of brevity when you find yourself in very informal situations. However, you will tend to write as you tend to speak, so beware. You set yourself up for criticism when you deviate from Standard English, even when with friends. Those in your group who know Standard English will reason that you do not know it if you do not use it.

Other Problems in Agreement

When the subject follows the verb, as in questions and in sentences beginning with **here** and **there**, be careful to determine the subject and make sure that the verb agrees with it.

> **Wrong:** There's [meaning *there is*] three routes you can take.
> **Right:** There **are** three **routes** you can take.

Wrong: Where's [meaning *where is*] your mother and father?
Right: Where **are** your **mother and father**?

Collective Nouns

There are two things to remember about collective nouns. Collective nouns may be either singular or plural. A collective noun names a group: crowd, committee, jury, class, etc. (1) The collective noun also takes a plural verb when the speaker is thinking of the individual members of the group, but (2) it takes a singular verb when the speaker is thinking of the group as a unit.

Examples:

> The crowd *were* fighting for their lives.
> (The speaker is focusing on individuals in the crowd.)
>
> The crowd *was* an orderly one.
> (The speaker is focusing on the crowd as a single thing, a unit.)
>
> The team **were** talking over some new plays.
> The team **was** ranked first in the nation.
> The family **have** agreed among themselves to present a solid front.
> The family **is** the basic unit of our society.

Some Common Collective Nouns

army	crowd	orchestra
audience	flock	public
class	group	swarm
committee	jury	troop

Use of Objective Forms

You should select a word in the object case if it is the object of a verb. This word should answer the question, *what* or *whom* after an action verb.

Example:

> **I** saw **her.**
> (Saw *whom*? The answer is *her* and *her* is then the object of your seeing. As the name suggests, objective forms [me, him, her, us, them] are used as objects.)

Examples:

>   I caught **him** by the shoulder.
>   She greeted **me** cordially.
>   **Him, I** remember very well.

Since both direct and indirect objects are in the objective case, there is no point in distinguishing between them in applying this rule.

Examples:

>   I saw **him**. (direct object of the action, *saw*)
>   I told **him** the story. (the indirect object for the action, *told*)

Like the nominative forms of pronouns, the objective forms are troublesome when they are used in compounds. Although you probably would not make the mistake of saying, "I caught he by the shoulder," perhaps you might say, "I caught Jim and he by the shoulders." Trying each object separately with the verb will help you choose the correct pronoun for compound objects: "I caught him by the shoulder." Remember that when a pronoun is used with a noun (*we* girls, *us* girls), you determine the correct form of *we* or *us* by omitting the noun next to it.

>   They blame **us** pedestrians. (They blame us, not we)

The Object of a Preposition should be in the Objective Case

Prepositions, as well as verbs, take objects. The noun or pronoun at the end of a prepositional phrase is the object of the preposition, which begins the phrase. In the following prepositional phrases the objects are printed in bold-faced type:

at **home**	in the **morning**
from **him**	to **Chicago**
under the **house**	for **George** and **him**

Errors in the use of the pronoun as the object of a preposition, like those made when it is the object of a verb, usually occur when the object is compound. Since you would not say, "I had a letter from she," you should not say, "I had a letter from Patricia and she." By omitting the first of the two objects in a compound object, you can usually tell what the correct pronoun is.

> **Wrong:** Give the message to either Belle or she.
> **Right:** Give the message to **either** Belle or **her**. (to her)
>
> **Wrong:** I begged a ride with Frank and he.
> **Right:** I begged a ride **with** Frank and **him**. (with him)
>
> **Wrong:** Dad bought the computer for my brother and I.
> **Right:** Dad bought the computer **for** my brother and **me**.
> (for me)

Who and Whom as Interrogative Pronouns

Who and **whom** are interrogative pronouns when they are used to ask a question. The four rules governing the case forms of the personal pronouns apply also to **who** and **whom.**

Examples:

> **Who** left his books here?
> (The nominative form is required because *who* is the subject of *left.*)
>
> **Whom** did Maria call?
> (The objective form is required because *whom* is the object of *did call.*)

You may find it helpful at first to substitute he, she, him, or her for who or whom, respectively. If **he** or **she** (nominative pronouns) fits the sentence, then **who,** also nominative, will be correct. If **him** or **her** fits, then **whom** will be correct. **(Who, Whom)** left his books here? (**He** left his books here. Hence, **Who** left his books here?) **(Who, Whom)** did Mary call? (Mary did call **him.** Hence, Mary did call **whom. Whom** did Mary call?)

When the interrogative pronoun is used immediately after a preposition, *whom* is always the correct form. Examples: "To whom were you speaking?" "With whom did you go?"
Usage note: In informal usage, *whom* is not usually used as an interrogative pronoun. *Who* is used regardless of the case.

Informal   *Who* do you know in Toledo?

Who does the manager want?

In formal usage, the distinction between *who* and *whom* is still recognized:

Formal   *Whom* do you know in Toledo?
(Whom is the object of the verb do know.)

Whom does the manager want?
(Whom is the object of the verb does want.)

<u>Who</u> and <u>Whom</u> as Relative Pronouns

When *who* and *whom* (*whoever* and *whomever*) are used to begin a subordinate clause, they are relative pronouns. Their case is governed by the same rules that govern the case of a personal pronoun. Although *whom** is becoming increasingly uncommon in spoken English, the distinction between *who** and *whom** in subordinate clauses is usually observed in writing. Study the following explanations and refer to them whenever you need help with relative pronouns in your own writing.

The case of the pronoun beginning a subordinate clause is determined by its use in the clause that it begins. The case is not affected by any word outside the clause. In order to analyze a *who or whom* problem, follow these steps:

1. Identify the subordinate clause.
2. Determine how the pronoun is used in the clause-subject, predicate nominative, object of verb, object of preposition, and decide its case according to the rules.
3. Select the correct form of the pronoun.

Problem A

"The new teacher, (who, whom) has taken Mr. Green's position, came from the South."

Step 1
The subordinate clause is (who, whom) has taken Mr. Green's position.
Step 2
In this clause, the pronoun is used as the subject of the verb *has taken,* as it should be, according to rule, in the nominative case.
Step 3
The nominative form is *who*.

Solution
"The new teacher, *who* has taken Mr. Green's position, came from the South."

Problem B

"The new teacher, (who, whom) I met today, came from the South."

Step 1
The subordinate clause is *(who, whom)* I met today.
Step 2
In the clause, the subject is *I,* the verb is *met*, and the pronoun is the object of the verb *met (I met whom).* As an object it is in the objective case according to rule.
Step 3
The objective form is *whom.*

Solution
"The new teacher, *whom I* met today, came from the South."

Problem C

"Does anyone know (who, whom) the new teacher is?"

Step 1

The subordinate clause is *(who, whom) the new teacher is.*

Step 2

In the clause, *teacher* is the subject, *is* the verb; the pronoun is a predicate nominative (*the new teacher is who*). As a predicate nominative it is in the nominative case according to rule.

Step 3

The nominative form is *who.*

Solution

"Does anyone know *who* the new teacher is?" In writing the preceding sentence, one might tend to use *whom*, thinking it the object of the verb *know*, but *know* is outside the clause and cannot affect the case of a word in the clause. The object of the verb, *know,* is the entire clause *who the new teacher is.*

Problem D

"I do not remember (who, whom) I lent the book to."

(Following the three steps, you will find that the pronoun here is used as the object of the preposition *to*; it should be in the objective case, hence *whom.)*

Solution

"I do not remember *whom* I lent the book to."

Solution

"I do not remember *to whom* I lent the book."

Usage note: In determining whether to use who or whom, do not be misled by a parenthetical expression like *I think, he said,* etc.

Examples:

> They are the people *who,* I think, are the foundation of
> society. (*who* are the foundation of society)

> He is the man *who* Mr. Bryan thinks should be rewarded.
> (*who* should be rewarded)

Pronouns in Incomplete Constructions

Incomplete construction occurs most commonly after the words
than and *as.* To avoid repetition, we say, "The captain played better
than he." (*Played* is omitted.) "Are you as tall as she?" (as she is)
The interpretation of the sentence may depend upon the form of the
pronoun used.

Examples: "*I* like Fred better than *he.*" (than he likes Fred)
                    "*I* like Fred better than *him*." (than I like him)

After *than* and *as* introducing an incomplete construction, use
the form of the pronoun you would use if the construction were
completed.

Example:

> Philip is more popular than (**he, him**) is.

Appositive takes the same case as the word with which it is in
apposition.

> **Wrong:** Two freshmen, Pete and him, made the best
> speeches.
> **Right:** Two freshmen, *Pete and he,* made the best speeches.

Pete and *he* are in apposition with *freshmen*, the subject of the
sentence. Since the subject of a verb is nominative, the appositive is
also nominative; hence, *he* is correct.

> **Right:** The truant officer was chasing two boys, *Pete and
> him.*

In apposition with *boys*, which is the object of *was chasing*, *Pete* and *him* are also in the objective case; hence, *him* is correct.

The Principal Parts of a Verb

Every verb has four basic forms called principal parts: the infinitive, present participle, past and past participle. All other forms are derived from these principal parts.

Infinitive	Present Participle	Past	Past Participle
work	*(is) working*	*worked*	*(have) worked*

The words *is* and *have* are given with the present participle and past participle forms to remind you that these forms are used with a helping verb: *am, is, are, was, were, has been, will be, have, has, had, etc.*

Regular Verbs

A regular verb is one that forms its past and past participle by adding -*d* or -*ed* to the infinitive form.

Infinitive	Past	Past Participle
live	lived	(have) lived
play	played	(have) played

Irregular Verbs

An irregular verb is one that forms its past and past participle in some other way than a regular verb. This "other way" may involve changing the spelling of the verb or making no change at all.

Infinitive	Past	Past Participle
swim	swam	(have) swum
write	wrote	(have) written
hit	hit	(have) hit

The major problem in the correct use of verbs is the choice of the correct past and past participle forms of irregular verbs. Since irregular past tenses and past participles are formed in a variety of ways, you must know the principal parts of each irregular verb.

Three principle parts of common irregular verbs are given in the following alphabetical list. Use this list for reference. For the principal parts of other irregular verbs, consult a dictionary.

Drill exercises on irregular verbs frequently misused are given following the list.

Principal Parts of Irregular Verbs

Infinitive	Past	Past Participle
bear	bore	(have) borne
beat	beat	(have) beaten or beat
begin	began	(have) begun
bite	bit	(have) bitten
blow	blew	(have) blown
break	broke	(have) broken
bring	brought	(have) brought
burst	burst	(have) burst
catch	caught	(have) caught
choose	chose	(have) chosen
come	came	(have) come
creep	crept	(have) crept
dive	dived	(have) dived
do	did	(have) done
draw	drew	(have) drawn
drink	drank	(have) drunk
drive	drove	(have) driven
eat	ate	(have) eaten
fall	fell	(have) fallen
fling	flung	(have) flung
fly	flew	(have) flown
freeze	froze	(have) frozen
get	got	(have) gotten or got
give	gave	(have) given

Infinitive	Past	Past Participle
go	went	(have) gone
grow	grew	(have) grown
know	knew	(have) known
lay	laid	(have) laid
lose	lost	(have) lost
lead	led	(have) led
lend	lent	(have) lent
lie	lay	(have) lain
ride	rode	(have) ridden
ring	rang	(have) rung
rise	rose	(have) risen
run	ran	(have) run
say	said	(have) said
see	seen	(have) seen
see	saw	(have) seen
set	set	(have) set
shake	shook	(have) shaken
shine	shone or shined	(have) shone or shined
sing	sang or sung	(have) sung
sink	sank or sunk	(have) sunk
sit	sat	(have) sat
speak	spoke	(have) spoken
steal	stole	(have) stolen
sting	stung	(have) stung
swear	swore	(have) sworn
swim	swam	(have) swum
swing	swung	(have) swung
take	took	(have) taken
tear	tore	(have) torn
throw	threw	(have) thrown
wear	wore	(have) worn
write	wrote	(have) written

This here, that there: The *here* and the *there* are unnecessary.

> **Substandard:** This here book is easy to read.
> **Standard:** This book is easy to read.

When, where are not used in writing a definition.

> **Wrong:** A pop foul is when the batter hits a high, short fly into foul territory.
>
> **Right:** A pop foul is a high, short fly that is hit into foul territory.
>
> **Wrong:** An atlas is where maps are printed.
> **Right:** An atlas is a book of maps.

Do not use *where* for *that.*

> **Substandard:** *I* read where you are going to move away.
> **Standard:** *I* read *that* you are going to move away.

Which, that, who

> *Which* should be used to refer to things only.
> *That* may be used to refer to both things and people.
> *Who* should be only used in reference to people.

Examples:

> This is a book *which (that)* you would enjoy.
> There is a girl *who* (not which) has talent.
> There is a girl *that* has talent.

Sentence Completeness and Punctuation

Two sentence errors seem to persist in the writing of high school seniors. The first is the writing of part of a sentence, a fragment, as though it were a whole sentence, able to stand by itself with a capital letter at the beginning and a period at the end. The second kind of error is the writing of two or more sentences as though they were one sentence. The writer makes the mistake of using a comma, or no punctuation at all, between the sentences. These two sentence errors are opposites: the fragment is not complete; the run-on sentence is more than complete.

Sentence Fragments

A group of words is a complete sentence when it has a subject and a verb and expresses a complete thought.

Complete: After the flood the barn roof lay in the yard.
Incomplete: After the flood the barn roof in the yard.
Incomplete: After the flood the barn roof lying in the yard.

Because they lack a verb, the last two examples do not express a complete thought. Words ending in *-ing,* like lying, are not verbs when they are used alone. Such words may be used with a helping verb to form a verb phrase. Unless a word ending in *-ing* does have a helping verb, it cannot be used as the verb in a sentence.

No Verb: The barn roof lying in the front yard.
Verb Phrase: The barn roof was lying in the front yard.
No Verb: Jane going with us.
Verb Phrase: Jane will be going with us.

Run-On Sentences

When a comma (instead of a period, a semicolon or a conjunction) is used between two complete sentences, the result is referred to as a "run-on sentence." One sentence is permitted to "run-on" into the next. In high school writing, this type of sentence error is more common than the fragment error. Usually it is the result of carelessness in punctuation rather than a lack of understanding. Because the error involved the misuse of a comma to separate sentences, it is sometimes referred to as the "comma fault." A worse, but less common, kind of run-on sentence results from omitting all punctuation between sentences. Avoid the run-on sentence. Do not use a comma between sentences. Do not omit punctuation at the end of a sentence.

Example:

The choice of a camera is difficult, there are many good ones on the market.

These two statements should either be separated by a period or joined into one sentence by a conjunction or a semicolon. There are four ways of correcting the error:

1. The choice of a camera is difficult. There are many good ones on the market.
2. The choice of a camera is difficult, *but* there are many good ones on the market.
3. The choice of a camera is difficult *because* there are many good ones on the market.
4. The choice of a camera is difficult; there are many good ones on the market.

As you grow older and do more and more writing, you develop a *sentence sense*, which is the ability to recognize at once whether a group of words is or is not a complete sentence. Reading your compositions aloud, so that your ears as well as your eyes can detect completeness, will help you find any run-on sentences in your own writing.

Note: Do not be surprised, after being warned against sentence fragments and run-on sentences, if you find them being used occasionally by writers in the best newspapers and magazines. Professional writers (who have a strong sentence sense, or they would not be professionals) do at times write fragments and use the comma between sentences, especially when the ideas in the sentences are very closely related. Leave this use of the comma and the use of the fragment to the experienced judgment of the professional.

Capitalization:
Standard Uses of Capital Letters

Readers expect capital letters to be used according to rules established by custom; in other words, according to standard usage. A writer should follow the expected conventional usage of capital letters as with the conventions of correct spelling, grammatical usage, and punctuation.

In the use of capital letters, as in all matters pertaining to language usage, variations and inconsistencies are common. In standard usage, for instance, the names of the seasons are not capitalized, but some newspapers do capitalize them. However, this **Study Guide** stresses that students are expected to use standard and accepted rules of capitalization until they establish themselves as professional writers. A well-known or professional author is allowed some leeway in violating normal standards of capitalization. Until the student has achieved that exalted stature, the public will label the author ignorant when expected capitalization standards are ignored.

The usage described below is standard usage, which is followed in books and magazines. It is this usage that is measured on the NET, HOBET and HELP tests. Review the rules given in this **Study Guide** and do the exercises provided so you will be able to demonstrate your mastery of basic capitalization rules to your school instructors.

This review assumes that you know some basic capitalization rules, such as capitalizing the first word at the beginning of a sentence, proper names of people, places, things, etc. This review will focus, primarily, on some of the most troublesome rules of capitalization that will be measured on the NET, HOBET and HELP tests.

1. Capitalize proper nouns and proper adjectives.

A proper noun is the name of a particular person, place, thing or idea. The opposite of a proper noun is a common noun, which is not capitalized.

<u>Proper Nouns</u>	<u>Common Nouns</u>
Michael Brown	man
France	country
Missouri River	river

2. Capitalize geographical names such as cities, continents, counties, countries, islands, peninsulas, beaches, bodies of water, mountains, streets, parks, forests, canyons, dams and *recognized sections of the country or world.*

Examples: Kansas City, United States, North America, Hawaii, Jackson County, North Dakota, Venice Beach, Atlantic Ocean, Italian Peninsula, Park Avenue, Bagnell Dam, Rocky Mountains, Grand Canyon, the Far East, Smoky Mountain National Forest

3. **Capitalize names of organizations, business firms, institutions and government bodies.**

Examples: Spanish Club, Ford Foundation, Congress, House of Representatives

4. **Capitalize the names of historical events and periods, special events, and calendar items.**

Examples: French Revolution, World Series, Junior Prom, Sunday, Christmas Eve, Labor Day

5. **Capitalize the names of nationalities, races, and religions.**

Examples: Caucasian, Roman Catholic, Indian, Australian

6. **Capitalize the brand names of business products.**

Examples: Coca-Cola, Fritos

7. **Capitalize the names of ships, planes, monuments, awards, and any other particular places, things, or events.** Do not capitalize the names of school subjects, except the languages and course names followed by a number. The words senior, junior, sophomore, freshman are not capitalized when used to refer to a student.

Examples: Purple Heart, English, math, art, History III

8. **Capitalize the title of a person when it comes before a name.**

Examples: Dean Hopping, Dr. Smith, General Santos, President Lincoln

9. **Capitalize a word showing family relationship when used with a person's name but not when preceded by a possessive** (unless it is a part of the name).

> Examples: Uncle Elson, Cousin Michael, my cousin Rob, your mother, Pat's brother, Aunt Margaret

10. **Capitalize the first word and all subsequent important words in titles of books, periodicals, poems, stories, articles, documents, movies, paintings and other works of art, etc.**

> Examples: Treaty of Rome, *The New York Times*, *A Tale of Two Cities*, *Computers for Dummies*

11. **Capitalize words referring to a deity.**

> Examples: Lord, Buddha, God, Allah, Jesus, the Almighty

Basic Spelling Patterns

Spelling Pattern # 1: *Doubling the Final Consonant*
Numerous errors in spelling are caused by not knowing when to double the final consonant. You may be relieved to know that if you follow the generalizations stated in this **Study Guide**, you will eliminate many mistakes in spelling from your written work. No longer will you wonder whether to double the *r* in transfer when writing *transferring*, or the *l* in control when writing *controlled*. In this study about doubling, remember to pronounce the words of more than one syllable. Accent plays an important role in determining whether or not the final consonant is doubled.

Generalization #1: Commit this generalization to memory: *In a word of one syllable ending in a single consonant preceded by a single vowel, you double the final consonant before adding a suffix or ending which begins with a vowel or the suffix, y.* For example, *beg* has one syllable and ends in a consonant *g* which is preceded by the vowel *e*. Look again at the word *beg*. It ends in a single consonant *g* preceded by a single vowel *e*. Therefore, if you add the suffix *-ing*, you double the consonant *g*. Therefore *beg* becomes *begging*.

Examples: Add the suffixes indicated to the following words.

sit	+	ing
club	+	ing
plan	+	ing
skim	+	ed
skim	+	ing
skim	+	er
scrub	+	ing
hop	+	ing
hop	+	ed
swim	+	ing
swim	+	er
clam	+	y
skin	+	er
skin	+	ing
skin	+	y

Generalization #2 Commit this important rule to memory and then practice with the words that follow: *For words with **more than one syllable,** accented on the **last** syllable and ending in a single consonant preceded by a single vowel, you should double the final consonant before adding a suffix beginning with a vowel.*

Examples: Add the suffixes indicated to the words listed below.

equip	+	ing
equip	+	ed
control	+	ing
control	+	ed
control	+	able
occur	+	ed
occur	+	ing
occur	+	ence
compel	+	ing
compel	+	ed
compel	+	able
compel	+	ent

rebel + ing
rebel + ed
rebel + ion

Generalization #3: If the accent in a word does not fall on the last syllable, or if the word ends in a single consonant which is not preceded by a single vowel, then you do not double the final consonant before adding a suffix beginning with a vowel.

Look at the word *suffer* and say it to yourself. Although it ends in a single consonant preceded by a single vowel, it does not have the accent on the last syllable. Therefore, if you add the suffix *-ed* to *suffer*, you spell it, *suffered*.

Examples: Add the suffixes indicated to the words listed below.

differ + ed
differ + ing
differ + ence
conceal + ed
conceal + ing
conceal + able
adapt + ed
design + ed
design + ing
design + able
gallop + ed
gallop + ing

Generalization #4: Commit this to memory: *If the accent of the root word (like **prefer, refer, confer,** and **defer**) falls back on another syllable when the suffix -ence is added, then you **do not** double the final consonant.* Look at what happens when you add the suffix *-ence* to *prefer, defer, confer,* and *refer*. Say these words to yourself: *preference, reference, deference,* and *conference*. The accent in the last four nouns falls on the first syllable. Look again at the spelling of these words: *preference, reference, deference,* and *conference*.

There is only one *r* because the accent in these words falls on the first syllable.

Spelling Pattern # 2: *Final e*

Similar to the problem of whether to double the final consonant, the problem of whether to drop the final *e* of a word when adding a suffix is often perplexing. Do you keep the *e* in *write* when you add *-ing*? Do you keep the *e* in *desire* when you add *-ing* or *-ous*? There are definite generalizations concerning the dropping of the final *e* which will help to eliminate many spelling errors in this category. Study each one carefully as well as the spelling of the words in this **Study Guide**, and you will find your correct spelling average is higher than ever before.

Generalization #5: Whenever you add a suffix (or ending), beginning with a vowel to a word that ends with a silent *e*, you usually drop that *e* before adding the suffix. For example, if you add *-ing* to the word *write*, you drop the *e* before adding *-ing*.

Mathematics Section of the Entrance Test

I. Fractions

As man (and woman) developed the science of Mathematics, a way was needed to indicate or express *parts* of whole things, such as half of a bushel of wheat, three out of four pieces of one pie, etc. So *two* new number systems were developed to express these quantities. The first number system to express *parts* was called the common fraction number system. The second kind of number system to express *parts* of things was named the decimal fraction system, commonly just called the decimal system.

You were taught to add, subtract, multiply and divide common and decimal fractions by the end of fourth grade. This was a lot of math for a 9-year-old to master, but most students get through it with at least a general understanding. However, your elementary teachers continued to review these two number systems and the four calculations with them for the next four years.

Generally, by the end of first year algebra, you had been taught how to add, subtract, multiply and divide a number system called *integers*. This was the number system of positive and negative numbers. You were not only taught to add and subtract in this new number system, but you were also taught how to multiply and divide integers. You were taught to solve for first one unknown, commonly expressed as *x*, and then to solve for two unknowns. You were then taught to solve both linear and quadric equations. This involved addition, subtraction, multiplication and division processes. By the way, the rules for multiplying and dividing fractions in algebra are the same rules as those you learned in the fourth grade for common fractions.

In fact, something to keep in mind as you review math is that your training in mathematics has been very sequential, and for a very good reason. Math is very sequential. You cannot succeed with multiplication and division calculations, if you cannot both add and subtract. The mastery of each number system (whole numbers, common fractions, decimal fractions, percentages, algebra, etc.) is dependent on how well you mastered the proceeding number system. You cannot be successful with operations of decimals if you cannot do the same operations (add, subtract, etc.) with common fractions.

We will assume that you have mastered the four calculations with whole numbers. If you have not, get a friend or a tutor to drill you on the multiplication tables, and division facts.

We would like to start your review of mathematics with the number system introduced to you in the fourth grade, the common fraction system. The common fraction system can express parts of a "whole" thing as $\frac{1}{2}$, $\frac{3}{4}$, $\frac{5}{8}$, etc. The bottom part of the common fraction expression is named the *denominator* and indicates how many parts a whole thing is divided into. The top part of the common fraction is called the *numerator*, and indicates how many of these parts are being counted. Therefore, $\frac{1}{2}$ says that the original thing (a cake, a pie, a bushel of wheat, etc.), is divided into two parts, and just one (1) of these original pieces is being counted.

> Your elementary and high school math teachers might want to talk about the *size* of the parts, but for the sake of simplifying our discussion, we are going to talk about the *number* of parts of a whole thing. After all, elementary and high schoolteachers have had their chance with you. Now it is our turn to explain fractions. We guarantee that a review of math will help you on the entrance test, if it has been a few years since you computed common and decimal fractions, or completed first year algebra. Now, back to the discussion of common fractions:

An expression stated as $\frac{3}{4}$ says that the whole thing, whatever it may be, is divided into four parts and you are working with three of those four parts.

A fraction is a portion or piece of a whole that indicates division of that whole into equal units or parts. For example, if you divide an apple into four equal parts, each part is considered to be $\frac{1}{4}$ of the apple. Each section is a fraction of the apple. Fractions are made up of a numerator and a denominator. The top number of the fraction is the numerator and the bottom number is the denominator.

For example: In the fraction $\frac{2}{3}$, 2 is the numerator and 3 is the denominator.

Remember the following rule:

☞ *The Numerator is the Number on the Top of the Fraction and the Denominator is the Number on the Bottom of the Fraction.*

A. The Denominator of a Fraction

The denominator of a fraction tells you the number of equal parts into which the whole has been divided. For example, if you divide something into 4 equal parts, each part would be expressed as a fraction that has the denominator of 4. That is, each part would be equal to $\frac{1}{4}$ If you divide something into eight equal parts, the denominator is 8, and each part would be equal to $\frac{1}{8}$.

If you sliced two pizzas, one into 8 slices and the other into 4 slices, you will notice that the pizza that is divided into $\frac{1}{8}$'s has smaller portions than the pizza divided into $\frac{1}{4}$'s. The reason is that the fraction $\frac{1}{8}$ is less than $\frac{1}{4}$. Even though $\frac{1}{8}$ has a larger denominator (8) than $\frac{1}{4}$ (4), it is a smaller fraction. This is an important concept to understand. That is, the bigger the number in the denominator, the smaller the fraction or pieces of the whole.

To clarify, consider these examples:

$\frac{1}{2}$ is greater than $\frac{1}{4}$.

$\frac{1}{8}$ is greater than $\frac{1}{16}$.

$\frac{1}{9}$ is greater than $\frac{1}{10}$.

Remember the following rule:

☞ **The Bigger the Number in the Denominator, the Smaller the Pieces (or Fractions) of the Whole.**

B. The Numerator of a Fraction

The numerator tells you how many of the equal parts you have. For example, the numerator 3 in the fraction $\frac{3}{4}$ tells you that you have three equal parts that are each worth $\frac{1}{4}$.

The numerator 2 in the fraction $\frac{2}{5}$ tells you that you have 2 equal parts that are each worth $\frac{1}{5}$.

C. Fractions that are Equal To, More Than, or Less Than One

The rules below tell you how to decide if a fraction is equal to one (a whole thing), more than one, or less than one.

☞ **If the Numerator and Denominator Are Equal to Each Other, the Fraction is Equal to One.**

Examples: $\frac{5}{5} = 1$, $\frac{10}{10} = 1$

☞ **If the Numerator is Greater Than the Denominator, the Fraction is Equal to or More Than One.**

Examples: $\frac{3}{2} > 1$, $\frac{5}{4} > 1$, $\frac{8}{3} > 1$

☞ **If the Numerator is Less Than the Denominator, the Fraction is Equal to Less Than One. (The symbol < means less than one or points to the smaller quantity.)**

Examples: $\frac{1}{3} < 1$, $\frac{2}{5} < 1$, $\frac{1}{20} < 1$

D. Mixed Numbers and Improper Fractions

Fractions that are equal to more than one may be written in two ways: as mixed numbers or as improper fractions. Mixed numbers consist of a whole number and a fraction written together.

Examples: $2\frac{1}{2}$, $3\frac{2}{3}$, $4\frac{4}{5}$

Improper fractions are fractions that have a numerator greater than the denominator. Mixed numbers can be changed to improper fractions. For example, $1\frac{1}{2}$ can be changed to $\frac{3}{2}$. The following routine tells you how to change a mixed number to an improper fraction.

• Changing a Mixed Number to an Improper Fraction

To change a mixed number to an improper fraction follow these steps:

1. Multiply the denominator of the fraction by the whole number. That is, if you have the fraction of $2\frac{3}{5}$, you would multiply 2 x 5, which equals 10.

2. Then, add the numerator of the fraction (3) to the answer you got when you multiplied the denominator by the whole number in the above step (10). With the example above, this means that you would add 3 to 10, and get the answer of 13.

3. The answer that you got in the above step (13) becomes the new numerator of the new single fraction. The denominator in the original mixed fraction (which is 5 in this example) stays the same, because the whole things were each divided into 5 pieces.

4. The mixed number $2\frac{3}{5}$ becomes the improper fraction $\frac{13}{5}$.

Improper fractions can also be changed to mixed numbers.
For example, the fraction $\frac{5}{3}$ can be changed to $1\frac{2}{3}$.
Often, when you are working the mathematics for a given
problem, you will need to work with improper fractions.
However, if you get a final answer that is an improper
fraction, convert it to a mixed number. For example, it
is better to say: "I have $1\frac{2}{3}$ apples." than to say: "I have $\frac{5}{3}$
apples." Look at the following rule, which tells you how
to change an improper fraction to a mixed number.

- *Changing an Improper Fraction to a Mixed Number*

To change an improper fraction to a mixed number, follow these
steps:

1. Divide the top number (numerator) by the bottom number
    (denominator). If you use the example of $\frac{7}{3}$, this means you
    would divide 7 by 3:

$$\begin{array}{r} 2 \\ 3\overline{)7} \\ -\ 6 \\ \hline 1 \end{array}$$

2. The number that you get when you divide the numerator by
    the denominator becomes the whole number of the mixed
    number. In the above example, (2) becomes the whole
    number.

3. The remainder (1 in the example above) becomes the
    numerator of the fraction that goes with the whole number
    to make it a mixed number. Using the above example, your
    answer would look like this so far: $2\frac{1}{?}$.

4. The original denominator of the fraction of the mixed
    number (which is 3 in this case) becomes the denominator
    of the fraction of Equivalent or Equal Fractions.

5. The result of this process produces $2\frac{1}{3}$.

- *Changing Fractions with Different Denominators to Equivalent or Equal Fractions*

When you are working problems with fractions, it is sometimes necessary to change a fraction to a more understandable but equivalent fraction. For example, it is better to express $\frac{3}{6}$ as $\frac{1}{2}$ or $\frac{2}{6}$ as $\frac{1}{3}$. You can make a new fraction that has the same value by either multiplying or dividing both the numerator and the denominator <u>by the same number</u>.

$\frac{3}{4}$ can be changed to $\frac{6}{8}$ by multiplying both the numerator and the denominator by 2.

$$\frac{3 \times 2 = 6}{4 \times 2 = 8}$$

$\frac{6}{9}$ can be changed to $\frac{2}{3}$ by dividing both the numerator and the denominator by 3.

$$\frac{6 \div 3 = 2}{9 \div 3 = 3}$$

It is important to remember that you can change the numerator and the denominator of a fraction and still keep the same value so long as you follow the following rule:

> ☞ ***When Changing a Fraction, You Must Do the Same Thing (Multiply or Divide by the Same Number) to the Numerator and to the Denominator in Order to Keep the Same Value.***

To determine that both fractions have equal value, multiply the opposite numerators and denominators. For example, if $\frac{2}{3} = \frac{4}{6}$, then the product of 2 x 6 will equal the product of 3 x 4.

$$2 \times 6 = 12 \text{ and } 3 \times 4 = 12$$

E. Simplifying or Reducing Fractions

It is often easier to work with fractions that have been simplified, or reduced to the lowest terms. This means that the numerator and the denominator are the smallest numbers that can still represent the fraction or piece of the whole. For example, $\frac{4}{10}$ can be reduced to $\frac{2}{5}$ and $\frac{4}{8}$ can be reduced to $\frac{1}{2}$. It is important to know how to reduce (or simplify) a fraction.

- ***Whenever possible, when taking the entrance test, reduce fractions to the lowest terms.***

- ***To Reduce a Fraction to its Lowest Terms***

  1. Study both the numerator and denominator and determine the *largest number* that can go evenly into both the numerator and the denominator. Suppose you are asked to reduce the fraction $\frac{8}{16}$. The largest number that will go into both the numerator (8) and the denominator (16) is 8.

  2. Divide both the numerator and the denominator by the number that you determined will go evenly into both of them. Using the example above, this means you would do the following:

$$\frac{8 \div 8 = 1}{16 \div 8 = 2}$$

Now stop and think. If you have 8 out of the 16 parts into which you divided something, you have $\frac{1}{2}$ of it. We are still expressing the same amount, but just in a different fashion.

F. Addition of Fractions

Fractions can be added whether the denominators are like (same) or unlike.

Steps to add Fractions with <u>Like</u> Denominators

1. Add the numerators. For example, to add $\frac{2}{7} + \frac{3}{7}$, add the numerators $2 + 3 = 5$.

2. Place the new numerator over the like denominator, which remains the same.

3. Reduce to lowest terms, when possible.

4. Change any improper fraction to a mixed number.

Steps to add Fractions with <u>Unlike</u> Denominators

1. Find a common denominator. The easiest way to find a common denominator is to multiply all the denominators of the expression. For example, to add $\frac{1}{3} + \frac{2}{5}$, find a common denominator by multiplying both of the denominators 3 x 5 which equals 15.

2. Change the unlike fractions to like fractions, by dividing the common denominator of 15 by the denominator of each fraction.

$$15 \div 3 = 5 \quad \text{and} \quad 15 \div 5 = 3.$$

3. Take each new quotient and multiply it by the numerator of each fraction. Thus,

$$\frac{1 \times \underline{5} = \underline{5}}{3 \times 5 = 15} \quad \text{and} \quad \frac{2 \times \underline{3} = \underline{6}}{5 \times 3 = 15}$$

4. Add the fraction and reduce.

$$\frac{5}{15} + \frac{6}{15} = \frac{11}{15}$$

G. Subtraction of Fractions

Fractions can be subtracted whose denominators are the same or unlike.

- ### Subtraction of Fractions with _Like_ Denominators

    1. To subtract fractions with like denominators simply subtract the numerators. If you need to subtract $\frac{3}{8}$ from $\frac{7}{8}$, simply subtract 3 from 7, which equals 4.

    2. Place the new numerator over the like denominator that remains the same. Place the new numerator 4 over 8.

    3. Reduce to lowest terms.
       Reduce $\frac{4}{8}$ to $\frac{1}{2}$.

$$\frac{7}{8} - \frac{3}{8} = \frac{4}{8} \ or \ \frac{1}{2}$$

- ### Subtraction of Fractions with _Unlike_ Denominators

In your career, you may never need to subtract unlike fractions or fractions with a mixed number. However, both will be presented here briefly in case you want to review the steps.

    1. Find a common denominator. To subtract $\frac{3}{5}$ from $\frac{5}{6}$, find the common denominator of 30 (6 x 5).

    2. Change the unlike fractions to like fractions. (Refer to previous page to review changing unlike fractions to like fractions if you need help.)

    3. Subtract the new numerators and place your answer over the common denominator, reducing to lowest terms.

Example: 25 - 18 = 7, the numerator. Place 7 over 30.

This yields $\frac{7}{30}$.

$$\frac{5}{6} - \frac{3}{5} = \frac{25}{30} - \frac{18}{30} = \frac{7}{30}.$$

- *Subtraction of Mixed Numbers*

Subtract the fractions by changing the mixed number to an improper fraction. For example, to subtract $\frac{3}{6}$ from $2\frac{1}{8}$, you must change the mixed number (2) to an improper fraction.

1. Change the mixed number to an improper fraction. To subtract $\frac{3}{6}$ from 2, you must change $2\frac{1}{8}$ to $\frac{17}{8}$.

2. Find a common denominator. For the denominators 8 and 6, the common denominator is 48 (6 x 8).

3. Change the *unlike* fractions to *like* fractions.

$$\frac{17}{8} \quad \text{becomes} \quad \frac{102}{48}$$

$$\frac{3}{6} \quad \text{becomes} \quad \frac{24}{48}$$

4. Subtract the new numerators and place your answer over the common denominator, then reduce the fraction to its lowest terms, when possible.

102 - 24 = 78, the new numerator. $\frac{78}{48} = \frac{13}{8} = 1\frac{5}{8}$.

H. Multiplication of Fractions

Multiplying fractions is easy. All that you have to do is multiply the numerators times each other, and the denominators times each other. For example, if you want to multiply $\frac{3}{4}$ x $\frac{2}{3}$, you would multiply 3 x 2, to get the new numerator, and 4 x 3, to get the new denominator. This would yield a result of $\frac{6}{12}$.

☞ *To Multiply Fractions, Multiply the Numerators to get the New Numerator, and Multiply the Denominators to get the New Denominator.*

This method of multiplying fractions is sometimes considered to be the "long form" or long method. There is also a "shortcut" method for multiplying fractions, called *cancellation*. Using cancellation, you simplify the numbers before you multiply. Look at the example below:

$$\frac{1 \times 8}{4 \times 15}$$

Cancellation can be used because the denominator of the first fraction (4) and the numerator of the second fraction (8) can both be divided by 4. So, if you work the problem, it looks like this:

$$\frac{1 \times 8}{4 \times 15} = \frac{1 \times \overset{2}{\cancel{8}}}{\underset{1}{\cancel{4}} \times 15}$$

Once you have canceled all the numbers that you can, you then multiply the new numerators and the new denominators to get your answer.

$$\frac{1 \times 2}{1 \times 15} = \frac{2}{15}$$

- *Multiplying a Fraction by a Mixed Number*

Whenever you have to multiply a mixed number, you should always convert it to an improper fraction before you work the problem. Remember the rule:

☞ **When you Multiply a Fraction that contains a Mixed Number, change the Mixed Number to an Improper Fraction before you Multiply the Expression.**

I. Division of Fractions

Dividing a fraction by another fraction is necessary when you calculate some formulas during college. Follow these steps:

1. Invert the fraction *(flip)* by which you are dividing. This means that $\frac{5}{9}$ becomes $\frac{9}{5}$ below.

$$\frac{4}{5} \div \frac{5}{9} = \frac{4}{5} \times \frac{9}{5}$$

2. Multiply your fractions to get your answer. If you use the example above, your problem now looks like this:

$$\frac{4}{5} \times \frac{9}{5} = \frac{36}{25} = 1\frac{11}{25}$$

3. Reduce your answer to lowest terms and then convert it to a mixed number if it is an improper *(top heavy)* fraction.

- **Dividing a Fraction by a Mixed Number**

Whenever you have to divide a mixed number, you should always convert the mixed number to an improper fraction before you work your problem.

☞ **To Divide a Fraction that involves a Mixed Number, change the Mixed Number to an Improper Fraction.**

J. Vocabulary Review

Denominator - the bottom part of a fraction
the 6 in the fraction $\frac{2}{6}$.

Numerator - the top part of a fraction
the 2 in the fraction $\frac{2}{6}$.

Simple fraction - a fraction that is not top heavy
$\frac{2}{3}$ is a simple fraction.

$\frac{3}{2}$ is not a simple fraction. *(It is an improper fraction.)*

Improper fraction - a fraction that is top heavy, such as $\frac{3}{2}$

Mixed number - a fraction combined with a whole number

$4\frac{2}{3}$ is such a fraction.

4 is a whole number and $\frac{2}{3}$ is a common fraction.
Put these together and you have the mixed fraction: $4\frac{2}{3}$.

II. Decimals

With today's emphasis on the metric system, you will often be confronted with units of measure expressed in a decimal format. A decimal indicates the "tenths" of a number. A decimal's value is determined by its position to the right of a decimal point. In other words:

0.2 is read as 2 tenths because the number 2 is one position to the right of the decimal point.

0.03 is read as 3 hundredths because the number 3 is two positions to the right of the decimal point.

0.004 is read as 4 thousandths because the number 4 is three positions to the right of the decimal point.

The following may help you understand a decimal's position.

Whole numbers	
Ten thousands	10,000
Thousands	1,000
Hundreds	100
Tens	10
Ones	1
Decimal point	.
Tenths	.1
Hundredths	.01
Thousandths	.001
Ten thousandths	.0001
Decimal numbers	

When reading a decimal, it is important to remember the following rule:

☞ *Numbers to the Right of the Decimal Point have a Value Less Than 1 and Numbers to the Left of the Decimal Point have a Value Greater Than 1.*

To read a decimal fraction, follow these steps:

1. Read the whole numbers to the left of the decimal point.
2. Read the decimal point as "and" or "point".
3. Read the decimal number to the right of the decimal point.

Example: 6 .   13   = 6.13

            6   and   13 hundredths

A. Addition of Decimals

1. Place the decimals to be added in a vertical column with the decimal points directly under one another. If you want to add 0.6, 3.12 and 7, you would place the numbers like this:

$$
\begin{array}{r}
0.60 \\
3.12 \\
+\ 7.00 \\
\hline
10.72
\end{array}
$$

2. Place the decimal in the answer directly under aligned decimal points. Add zeros to balance the columns if necessary. Add the decimals in the same manner as whole numbers are added.

B. Subtraction of Decimals

1. Place the decimals to be subtracted in a vertical column with the decimal points directly under one another. If you want to subtract 4.1 from 6.2, you would place the numbers like this:

$$
\begin{array}{r}
6.2 \\
-\ 4.1 \\
\hline
\end{array}
$$

2. Subtract the decimals in the same manner as whole numbers are subtracted.

$$
\begin{array}{r}
6.2 \\
- 4.1 \\
\hline
2.1
\end{array}
$$

3. Place the decimal point in the answer directly under the aligned decimal points. Add zeros to balance the columns as necessary, but not between a number and the decimal.

Example: 7.02 - 3.0086

$$
\begin{array}{r}
7.0200 \\
- 3.0086 \\
\hline
4.0114
\end{array}
$$

C. Multiplication of Decimals

Multiplication of decimals is done using the same method as is used for multiplying whole numbers. The major concern is placement of the decimal point in the answer.

Steps in Multiplying Decimals

1. Place the decimals to be multiplied in the same position as whole numbers would be placed. If you want to multiply 6.3 by 7.6, then place the numbers like this:

$$
\begin{array}{r}
6.3 \\
\times 7.6 \\
\hline
\end{array}
$$

2. Multiply the decimal numbers and write down the answer:

$$
\begin{array}{r}
6.3 \\
\times 7.6 \\
\hline
378 \\
441 \\
\hline
4788
\end{array}
$$

3. Count off the number of decimal places to the right of the decimal in the two numbers being multiplied and count off the total number of places in the answer. For example:

47.88 two places, count off right to left

This would then read, forty-seven and eighty-eight hundredths.

D. Multiplication by 10, 100, or 1000

Multiplying by 10, 100 or 1000 is a fast and easy way to calculate problems. Simply move the decimal point the same number of places to the right, as there are zeros in the multiplier.

Examples: In the case of 0.712 x 10, there is one zero in the multiplier of ten. Move the decimal one place to the right and you get an answer of 7.12. For 0.09 x 1000, there are three zeros in the multiplier of 1000. Move the decimal three places to the right for an answer of 90. (Add zeros, if necessary, when moving the decimal to the right beyond the last number.)

E. Division of Decimals

Division of decimals is done using the same method as you use for division of whole numbers. The special concern is movement and placement of the decimal point in the **divisor** (the quantity by which another quantity is divided), the **dividend** (a quantity to be divided) and the **quotient** (the quantity resulting from division of one quantity by another).

There will be few instances where you will divide decimals to perform calculations. When you divide decimals, the most important thing is placement of the decimal in the quotient. Review this helpful rule.

☞ *Divide a Decimal by a Whole Number, Place the Decimal Point in the Quotient Directly Above the Decimal Point in the Dividend.*

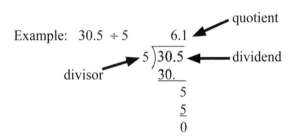

Example: 30.5 ÷ 5

quotient

dividend

divisor

$$\begin{array}{r} 6.1 \\ 5\overline{)30.5} \\ \underline{30.} \\ 5 \\ \underline{5} \\ 0 \end{array}$$

Steps to Divide a Decimal

1. Change the decimal number in the divisor to a whole number. If you want to divide 0.48 by 1.2 you would make 1.2 a whole number, 12, by moving the decimal point 1 place to the right.

$$1.2\overline{)0.48}$$

2. Move the decimal point in the dividend (0.48) the same number of places (1) that you moved the decimal point in the divisor. Divide 4.8 by 12.

$$12.\overline{)04.8}$$

3. Place the decimal point in the quotient directly above the decimal point in the dividend.

$$12.\overline{)04.8}$$

4. Divide the equation as if it were a whole number.

$$\begin{array}{r} .4 \\ 12.\overline{)04.8} \\ \underline{4.8} \\ 0 \end{array}$$

F. Division by 10, 100, 1000

Dividing by 10, 100, or 1000 is fast and easy. Just move the decimal point, to the left, the same number of places as there are zeros in the divisor.

Example: $0.3 \div 100$.

Move the decimal two places to the left for an answer of 0.003.

G. Changing Fractions to Decimals

Some fractions may divide evenly when converted into decimals. For example, the fraction $\frac{1}{4}$ converts into 0.25 and $\frac{1}{2}$ converts into 0.50. If a numerator does not divide evenly into the denominator, then work the division to three places.

Example: With the fraction $\frac{3}{8}$, the 3 (numerator) becomes the dividend and the 8 (denominator) becomes the divisor. Thus,

$$
\begin{array}{r}
0.375 \\
8 \overline{)3.000} \\
\underline{2.4} \\
.60 \\
\underline{.56} \\
.040 \\
\underline{.040} \\
.000
\end{array}
$$

To convert a fraction to a decimal, divide the numerator by the denominator, following these steps:

1. Rewrite the fraction in the division format as shown above; reduce.

    $\frac{3}{8}$ becomes $8 \overline{)03.00}$

2. Place a decimal point after the whole number in the dividend.

3. Add zeros as needed.

4. Place the decimal point in the quotient directly above the decimal point in the dividend.

5. Divide.

H. Changing Decimals to Common Fractions

When changing decimals to common fractions, the decimal number expressed becomes the numerator of the fractions. For example, 0.75 = $\frac{75}{?}$. The number of decimal places to the right of the decimal will tell you what the denominator is.

Example: 1 place   = a denominator of 10
2 places = a denominator of 100
3 places = a denominator of 1000

Therefore, 0.75 is expressed as $\frac{75}{100}$.

To change a decimal to a fraction, follow these steps:

1. The decimal number becomes the numerator.
2. The number of places to the right of the decimal point determines the denominator's value.
3. Write the decimal fraction and reduce.

Example: With 0.5, the number 5 becomes the numerator. There is one place to the right of the decimal, which equals a denominator of 10. The fraction becomes $\frac{5}{10} = \frac{1}{2}$.

I. Rounding Off Decimals

Most decimals are "rounded off" to the hundredth place to ensure accuracy of calculations.

III. Percentages, Ratios and Proportions

The use of percentages is common to many disciplines and may be frequently encountered in your chosen profession.

This section will focus on the basic mathematical skills necessary to calculate percentage problems.

A. Percentages

A percentage:

1. Refers to the number of units of something compared to the whole.
2. Is always a division of 100.
3. Is expressed as the "hundredth part."
4. Is written with the symbol %, which means "of one hundred."
5. Is a fraction where the denominator is 100.
6. Is a decimal by taking the unit to the hundredth part.

The percent symbol can be found with the following:

1. A whole number: 20%
2. A fraction number: $\frac{1}{2}$ %
3. A mixed number: $2C\frac{1}{2}$ %
4. A decimal number: 20.5%

B. Fractions and Percents

Sometimes it will be necessary for you to express a percent as a common fraction, or a common fraction as a percent to make calculations easier.

- *Changing a Percent to a Fraction*
  1. Drop the % symbol.   20% to 20
  2. Divide the number by 100. $20 \div 100 = \frac{1}{5}$
  3. Reduce the fraction to its lowest terms.
  4. Change to a mixed number if necessary.

- ### *Changing a Fraction to a Percent*

  1. Multiply the fraction by 100. For $\frac{1}{2}$, multiply $\frac{1}{2} \times \frac{100}{1} = \frac{100}{2}$
  2. Reduce if necessary. $100/2 = \frac{50}{1} = 50$
  3. Change any improper fraction to a mixed number.
  4. Add the % symbol. 50%

C. Decimals and Percents

Sometimes it will be necessary for you to express a percent as a decimal or a decimal as a percent to make calculations easier.

Changing a Percent to a Decimal

  1. Drop the % symbol. When you drop a % symbol from a whole number, a decimal point takes the place of the symbol. For example, when you drop the % symbol from 68.1%, the decimal point replaces the % symbol.
  2. Divide by 100 by moving the decimal point two places to the left. $68.1 = 0.681$
  3. Add zeros as needed.

- ### *Changing a Decimal to a Percent*

  1. Multiply by 100 by moving the decimal point two places to the right. For 3.19 you would move the decimal point two places to the right, so $3.190 = 319.0$.
  2. Add zeros as needed.
  3. Add the % symbol. $319.0 = 319\%$

D. Ratio and Proportion

A ratio is used to express a relationship between two units or quantities by division. A slash (/) or colon (:) is used to indicate division, and both are read as "is to" or "per." For the ratio of "1 is to 2," you can write 1:2 or 1/2. The numerator is always to the left of the colon or slash and the denominator is always to the right of the colon or slash.

A proportion states that two ratios are equal. A proportion can be written as a common fraction form in which the numerator and denominator of one fraction have the same relationship as the numerator and denominator of another fraction. The equal symbol (=) is read as "as." For example:

$$\frac{1}{3} = \frac{2}{6} \qquad \text{1 is to 3 as 2 is to 6.}$$

A proportion can also be written in a colon format in which the ratio to the left of the double colon is equal to the ratio to the right of the double colon. The double colon (::) is read as "as." For example:

$$1:3 :: 2:6 \qquad \text{1 is to 3 as 2 is to 6.}$$

- *Verifying that two ratios in a proportion are equal*

For a fraction, multiply the numerator of each ratio by its opposite denominator. The sum of the products will be equal.

Example: $\frac{1}{3} : \frac{2}{6}$

$$2 \times 3 = 1 \times 6$$
$$6 = 6$$

E. Solving for x.

Frequently in calculation problems, it is necessary to find an unknown quantity. In a proportion problem, the unknown quantity is identified as x. Read the following word problem and solve for x.

Example: 75 milligrams of Demerol, a painkiller, is prescribed for a patient following surgery. The medication is available as a liquid solution, with each milliliter of solution containing 100 milligrams of Demerol. To administer the prescribed dose of 75 milligrams, _____ milliliter(s) would be given.

To Solve for x using a Fraction Format, follow these Steps:

1. Write down what is available or what you have in a fraction format. For this example you should write:

$$\frac{100 \text{ mg}}{1 \text{ ml}}$$

2. Complete the proportion by writing down what you desire in a fraction format, making sure that the numerators are like units and the denominators are like units:

$$\frac{100 \text{ mg}}{1 \text{ ml}} \qquad \frac{75 \text{ mg}}{x \text{ ml}}$$

3. Cross multiply the numerator of each ratio by its opposite denominator. By doing this, you should get the following proportion:

$$100 \text{ mg} (x \text{ ml}) = 75 \text{ mg} (1 \text{ ml})$$
$$100 x = 75$$

4. Solve for x by dividing both sides of the equation by the number before x. In this case, the number before x is 100, so divide both sides of the equation by 100:

$$100 x = 75$$
$$x = 3/4 \text{ ml}$$

IV. Algebraic Expressions

Often it is necessary to work with quantities that have a numerical value, which is unknown. For example, we may know that Tom's salary is twice as much as Joe's salary. If we let the value of Tom's salary be called t and the value of Joe's salary be j, then t and j are numbers, which are unknown. However, we know the value of t must be twice the value of j, or $t = 2j$.

These examples, t and $2j$, are algebraic expressions. An *algebraic expression* may involve letters in addition to numbers and symbols; however, in an algebraic expression, a letter always stands for a number. Therefore, you can multiply, divide, add, subtract, and perform other mathematical operations on a letter. Thus, x^2 would mean x times x. Some examples of algebraic expressions are:

$$2x + y, \quad y^2 + 9y, \quad z\text{-}2ab, \quad c + d + 4 \quad \text{and } 2x+2y(6x\text{-}4y + z)$$

☞ *When Letters or Numbers are written together without any Sign or Symbol between them, you should assume that Multiplication should be used between those digits.*

Thus $6xy$ means 6 times x times y. $6xy$ is called a term. An algebraic expression can have several different terms which are separated by + or - signs. The expression $5z + 2 + 4x^2$ has three terms, $5z$, 2, and $4x^2$.

Terms are often called *monomials* (mono=one). If an expression has more than one term, it is called a *polynomial*, (poly=many).

The letters in an algebraic expression are called *variables* or *unknowns*.

When a variable is multiplied by a number, the number is called the *coefficient* of the variable. So in the expression $5x^2 + 2yz$, the coefficient of x^2 is 5, and the coefficient of yz is 2.

An *equation* is a condition in arithmetic or algebra where the numbers (1, 2, 3, etc.) or expressions (2x, $y + y$, etc.) on one side of an equal sign (=) are said to be equal to the numbers or expressions on the other side.

There are four (4) *axioms* (truths) of algebra by which you solve equations:

- **Addition axiom**
  If you add the same number or expression to each side of an equation, the equation remains equal.

- **Subtraction axiom**
  If you subtract the same number or expression from each side of an equation, the equation remains equal.

- **Multiplication axiom**
  If you multiply each side of an equation by the same number or expression, the equation remains equal.

- **Division axiom**
  If each side of an equation is divided by the same number or expression, the equation remains equal.

Let's work with these four axioms (truths) to solve some equations. If you master these four axioms, you can solve almost any equation needed in college, and certainly do better on the Entrance Test.

Some ground rules for solving equations:

1. Dividing or multiplying any number by zero yields a zero. Therefore, this is not helpful in solving equations.

2. What we do to one side of an equation, we must do to the other side, so that equation can remain "equal."

3. Our goal is to get all numbers to one side of the equal sign and the letters (representing the "unknown") to the

other side of the equation. When we have accomplished this, the equation should be solved.

4. Use the multiplication and/or division axioms to get rid of fractions and get an equation down to one line.

5. Use the addition and subtraction axioms to get the unknown on one side of the equation and the numbers to the other side.

A. Addition Axiom

☞ *If you Add the same Number or Expression to each Side of an Equation, the Equation remains True or Equal.*

A practice problem: $x - 15 = 30$

Our goal here is to end with the unknown (here represented by an x) on one side of the equation and the numbers on the other side. There are no fractions in this equation, so we turn to the addition and subtraction axioms to remove the number (here a 15) from the left side of the equation containing the unknown.

The equation requests that 15 be subtracted from the x. The opposite operation is addition. Remember that opposite operations cancel each other out, so to speak. We will use the addition axiom and add 15 to each side of the equation. Remember, what you do to one side of the equation, you must do to the other side of the equation.

The equation will now look like this:

$$x - 15 + 15 = 30 + 15$$
$$x = 45$$

Check the answer by substituting the value for x (which was determined to be 45 in this case) into the original equation. The equation now balances, and so we have solved the equation correctly.

$$45 - 15 = 30$$
$$30 = 30$$

Let's solve another equation: $x - 14 = 21$

We want to collect the numbers to one side of the equation and the unknown, the x, to the right of the equal sign. The expression, $x - 14$, implies subtraction; therefore, we use the opposite process, which is the addition axiom. We will add 14 to each side and cancel out the -14.

$$x-14 + 14 = 21 + 14$$
$$x = 35$$

Check the answer by substitution:

$$35 - 14 = 21$$
$$21 = 21$$

Now, solve the following equations for practice. The solutions are given below.

$$\text{a. } w - 4 = 8$$

$$\text{b. } m - 12 = 14$$

$$\text{c. } y - 9 = 21$$

Solutions:

a.
$$w - 4 = 8 \qquad \text{Check: } 12 - 4 = 8$$
$$w - 4 + 4 = 8 + 4 \qquad 8 = 8$$
$$w = 12$$

b.
$$m - 12 = 14 \qquad \text{Check: } 26 - 12 = 14$$
$$m - 12 + 12 = 14 + 12 \qquad 14 = 14$$
$$m = 26$$

c.
$$y - 9 = 21 \qquad \text{Check: } 30 - 9 = 21$$
$$y - 9 + 9 = 21 + 9 \qquad 21 = 21$$
$$y = 30$$

B. Subtraction Axiom

Our equation for practice: $3 + x = 12$

The equation requests that 3 be added to the x. The opposite operation is subtraction. Remember that opposite operations cancel each other out. We will use the subtraction axiom and subtract 3 from each side of the equation. Remember, what you do to one side of the equation, you must do to the other side of the equation. The equation will now look like this:

$$3 - 3 + x = 12 - 3$$

Then we do the calculation implied (do the subtraction).

$$3 - 3 \text{ (equals 0)} + x = 9$$
$$x = 9$$

Now we have x = 9, which is the answer. Check your answer by substituting the value established for x (which is 9) into the equation and do the calculation.

$$3 + x \ = 12, \text{ for } x = 9;$$
$$3 + 9 \ = 12$$
$$12 \ = 12$$

One side of the equation equals the other side, so we have a true equation and 9 was the value for x.

Let's solve another problem.

$$4 + y \ = 16$$

Okay. We want to get rid of the 4 on the left side of the equation so that we will have only the unknown on the left side. We will subtract the 4.

$$4 - 4 + y \ = 16 - 4$$
$$y \ = 12$$

Check the answer by substituting the value for y (which is 12) into the original equation.

$$4 + 12 = 16$$
$$16 = 16$$

The equation is balanced, so 12 is the correct value for y.

Now, solve the following equations for practice. The solutions are given below.

    a. $5 + g = 20$

    b. $21 + w = 45$

    c. $3 + s = 19$

Solutions:

a.
$$5 + g = 20$$
$$5 - 5 + g = 20 - 5$$
$$g = 15$$
Check: $5 + 15 = 20$
$$20 = 20$$

b.
$$21 + w = 45$$
$$21 - 21 + w = 45 - 21$$
$$w = 24$$
Check: $21 + 24 = 45$
$$45 = 45$$

c.
$$3 + s = 19$$
$$3 - 3 + s = 19 - 3$$
$$s = 16$$
Check: $3 + 16 = 19$
$$19 = 19$$

C. Multiplication Axiom

If you multiply each side of the equation by the same number or expression, the equation remains true and equal.

Solve the following equation:

$$\tfrac{x}{3} = 12$$

A fraction represents the division process; therefore, to leave the x by itself on the left of the equation, use the opposite of division, that is multiplication. Multiply each side of the equation by the denominator.

$$\tfrac{x}{3} \times \tfrac{3}{1} = \tfrac{12}{1} \times \tfrac{3}{1} \; or$$
$$\tfrac{x}{3} \times 3 = 12 \times 3$$
$$x = 36$$

Check this by replacing the variable x with 36:

$$\tfrac{36}{3} = 12$$
$$12 = 12$$

Let's try some practice problems:

a. $\tfrac{x}{4} = 5$

b. $\tfrac{x}{3} = 3$

c. $\tfrac{x}{2} = 50$

Solutions: a. $x = 20$

b. $x = 9$

c. $x = 100$

D. Division Axiom

If you divide each side of an equation by the same number or expression, the equation remains equal.

Our problem is $3x = 12$.

This equation reads, "3 times x [an unknown] is equal to 12." This equation then involves multiplication. The opposite of multiplication is division. We will then need to divide both sides of the equation to remove the 3 from the left side of the equation, and thereby leave the letters on one side and the numbers to the other side of the equal sign.

$$3x = 12$$
$$\frac{3x}{3} = \frac{12}{3}$$
$$x = 4$$

Check by replacing the variable x with the number 4:

$$3 \times 4 = 12$$
$$12 = 12$$

Let's try another one:

$$9x = 27$$

We will divide both sides by 9 to leave the x to the left side of the equation.

$$9x = 27$$
$$\frac{9x}{9} = \frac{27}{9}$$
$$x = 3$$

Solve the following equations for practice. The solutions follow.

a. $5s = 20$

b. $2w = 16$

c. $4y = 28$

Solutions:

a. $5s = 20$

$$\frac{5s}{5} = \frac{20}{5}$$

$$s = 4$$

Check: 5 times 4 = 20

20 = 20

b. $2w = 16$

$$\frac{2w}{2} = \frac{16}{2}$$

$$w = 8$$

Check: 2 times 4 = 8

8 = 8

c. $4y = 28$

$$\frac{4y}{4} = \frac{28}{4}$$

$$y = 7$$

Check: 4 times 7 = 28

28 = 28

E. Negative and Positive Integers

1. Multiplication Rules

- A negative number times a negative number equals a positive number.

$$-3 \times -4 = +12$$

A negative 3 times a negative 4 equals a positive 12.

$$-5 \times -6 = +30$$

A negative 5 times a negative 6 equals a positive 30.

- A positive number times a positive number equals a positive number.

$$+9 \times +11 = +99$$

A positive 9 times a positive 11 equals a positive 99.

$$+7 \times +8 = +56$$

A positive 7 times a positive 8 equals a positive 56.

- A negative number times a positive number equals a negative number.

$$-2 \times +4 = -8$$

A negative 2 times a positive 4 equals a negative 8.

$$+6 \times -5 = -30$$

A positive 6 times a negative 5 equals a negative 30.

2. Division Rules

- A negative number divided by a negative number equals a positive number.

$$-25 / -5 = +5$$

A negative 25 divided by a negative 5 equals a positive 5.

$$-8 / -2 = +4$$

A negative 8 divided by a negative 2 equals a positive 4.

- A positive number divided by a positive number equals a positive number.

$$+18 \ / \ +9 \ = \ +2$$

A positive 18 divided by a positive 9 equals a positive 2.

$$+24 \ / \ +6 \ = \ +4$$

A positive 24 divided by a positive 6 equals a positive 4.

- A negative number divided by a positive number equals a negative number.

$$-14 \ / \ +7 \ = \ -2$$

A negative 14 divided by a positive 7 equals a negative 2.

$$-9 \ / \ +9 \ = \ -1$$

A negative 9 divided by a positive 9 equals a negative 1.

- A positive number divided by a negative number equals a negative number.

$$+24 \ / \ -3 \ = \ -8$$

A positive 24 divided by a negative 3 equals a negative 8.

$$+36 \ / \ -9 \ = \ -4$$

A positive 36 divided by a negative 9 equals a negative 4.

3. Addition Rules

- A positive number added to a positive number yields a positive number.

$$+10 \ +15 \ = \ +25$$

A positive 10 plus a positive 15 equals a positive 25.

$$+6 \ +7 \ = \ +13$$

A positive 6 and a positive 7 equals a positive 13.

- When a positive number is added to a negative number, find the difference of the two numbers and give the sign of the larger.

$$-10 +6 = -4$$

A negative 10 and a positive 6 yields a negative 4.

$$+10 -7 = +3$$

A positive 10 and a negative 7 yields a positive 3.

4. Subtraction Rules

- When you subtract one negative or positive number from another, first change the sign of the second number then follow the rules for addition.

Example:
$$\begin{array}{r} -14 \\ - \ \ -9 \\ \hline \end{array}$$

To subtract a -9 from a -14, the sign of the bottom number is changed to a positive one. The rule for addition then says find the difference, which is a 5. Next, the sign of the larger number is assigned to the 5, which is a negative sign. The answer is a -5. The main difference between addition and subtraction of integers is that, in subtraction, the bottom number is changed to the opposite one. The rules of addition are followed. Simple!

Example:
$$\begin{array}{r} -15 \\ - \ +8 \\ \hline \end{array}$$

The +8 is changed to -8 and the rules of addition are followed. Since both numbers are now negative, the terms are combined and the common sign is given. The answer is -23.

Example:
$$\begin{array}{r} -24 \\ - \ +16 \\ \hline \end{array}$$

The +16 is changed to a -16 and the rules of addition are followed. Since both numbers are now negative, the terms are combined and the common sign is given. The answer is -40.

Example:
$$\begin{array}{r} +22 \\ - \ +12 \\ \hline \end{array}$$

The +12 is changed to a -12 and the rules of addition are followed. Since the two numbers now have different signs, the difference is established as 10. The 10 is given a positive sign because the +22 is larger than the -12. The answer is +10.

Example: -14
                 - -20

The -20 is changed to +20 and the rules of addition are followed. Since the two numbers now have different signs, the difference is established as 6. The 6 is given a positive sign because the +20 was the larger of the two numbers. The answer is +6.

F. Simplifying Algebraic Expressions

It will save time when you are working problems if you can change a complicated expression into a simpler one.

Rules for simplifying expressions that do not contain parentheses:

1. Perform any multiplication or division before performing addition or subtraction. Thus, the expression $6x + \frac{y}{x}$ means add 6 times x to the quotient of y divided by x. Notice that this is not the same as $\frac{6x+y}{x}$.

2. The order in which you multiply numbers and letters in a term does not matter. So $6xy$ is the same as $6yx$.

3. The order in which you add terms does not matter.

   Example: $6x + 2y - x = 6x - x + 2y$

   Example: $4+2=6$ *as is* $2+4=6$

4. If there are roots or powers in any term, you may be able to simplify the term by using the laws of exponents. For example, $5xy\,(3x^2y) = 15x^3y^2$.

5. Combine like (similar) terms. Like terms are terms which have exactly the same letters raised to the same powers. So x, $-2x$, $3x$ are like terms. For example,

$6x - 2x + x + y$ is equal to $5x + y$. In combining like terms, you simply add or subtract the coefficients of the like terms, and the result is the coefficient of that term in the simplified expression. In the example above, the coefficients of x were +6, -2, and +1. Since 6-2+1 = 5, the coefficient of x in the simplified expression is 5.

G. Simplifying Expressions that have Parentheses

First, perform the operations inside the parentheses. So $\frac{(6x+y)}{x}$ means divide the sum of $6x$ and y by x. You'll notice that this is different from the equation: $6x + \frac{y}{x}$.

The main rule for getting rid of parentheses is the distributive law, which is expressed as: $a(b+c) = ab+ac$. In other words, if any monomial is followed by an expression contained in parentheses, then each term of the expression is multiplied by the monomial.

Example: $2x(y+3) = 2x(y) + 2x(3) = 2xy + 6x$
$x(x-1) = x(x) + x(-1) = x^2 - x$

☞ *If an Expression has more than one Set of Parentheses,*
get rid of the Inner Parentheses first and then work out
through the rest of the Parentheses.

Examples: $2x - (x + 6 (x - 3)) + y$ =
$2x - (x + 6(x) + 6(-3)) + y$ =
$2x - (x + 6x -18) + y$ =
$2x - (7x -18) + y$ =
$2x + (-1)(7x) + (-1)(-18) + y$ =
$2x - 7x + 18 +y$ = $-5x + y +18$

H. Adding and Subtracting Algebraic Expressions

Since algebraic expressions are treated like numbers, they can be added and subtracted.

☞ *The only Algebraic Terms which can be Combined are Like Terms.*

Example: $(3x + 4y - xy) + 2(3x - 2y)$ $=$
$3x + 4y - yx + 6x - 4y$ $= 9x - yx$

Example: $(3a + 4) - 2(4a - 3(a + 4))$ $=$
$(3a + 4) - 2(4a - 3a - 12)$ $=$
$3a + 4 - 8a + 6a + 24 = a + 28$

I. Multiplying Algebraic Expressions

When you multiply two expressions, you multiply each term of the first expression by each term of the second expression.

Example: $(b - 4)(b + a)$ $= b(b + a) - 4(b + a)$
$= b^2 + ab - 4b - 4a$

If you need to multiply more than two expressions, multiply the first two expressions, then multiply the result by the third expression, and so on until you have used each factor. Since algebraic expressions can be multiplied, they can be squared, cubed, or raised to other powers. *The order in which you multiply algebraic expressions does not matter.*

J. Equations

An equation is a statement that says two algebraic expressions are equal. The following are all examples of equations:

$x + 2 = 3, \ 4 + 2 = 6, \ 3x^2 + 2x - 6 = 0, \ x^2 + y^2 = z^2$ and $A = 2W$.

We will refer to the algebraic expressions on each side of the *equal* sign as the left side and the right side of the equation.

Thus, in the equation $2x + 4 = 6y + x$, the $2x + 4$ is the left side and the $6y + x$ is the right side.

If we assign a specific number to each variable or unknown in an algebraic expression, that algebraic expression will be equal to a number. This is called *evaluating the expression.* We can evaluate whether the algebraic equation is truly equal by substituting numbers for the unknowns and then completing whatever addition, subtraction, multiplication or division is indicated. Remember the correct order for doing these calculations. Maybe this memory trick will help: **My Dear Aunt Sally.** This stands for **M**ultiplication, **D**ivision, **A**ddition and **S**ubtraction. Do your operations in this order.

<u>**Order of Calculations**</u>
My   = Multiplication
Dear   = Division
Aunt   = Addition
Sally = Subtraction

For example, if you evaluate:

$$2x + 4y + 3 \text{ for } x = -1 \text{ and } y = 2,$$
the expression is equal to $2(-1) + 4(2) + 3 = -2 + 8 + 3 = 9$.

If we evaluate each side of an equation and the number obtained is the same for each side of the equation, then the specific values assigned to the unknowns are called a *solution* of the equation. Another way of saying this is that the *choices* for the unknowns *satisfy* the equation.

Consider the equation $2x + 3 = 9$.

If $x = 3$, then the left side of the equation becomes $2(3) + 3 = 6 + 3 = 9$, so both sides equal 9, and $x = 3$ is a solution of $2x + 3 = 9$.

If $x = 4$, then the left side is $2(4) + 3 = 11$. Since 11 is not equal to 9, $x = 4$ is not a solution of $2x + 3 = 9$.

K. Review of Equivalence in Algebraic Expressions

One algebraic expression is equivalent to another algebraic expression, if each has exactly the same solution. The basic idea in solving equations is to transform a given equation into an equivalent equation whose solutions are obvious.

Using the four axioms for equations will allow you to solve a linear equation for one unknown in a number of ways. The most common type of equation is the linear equation with only one unknown.

Examples: $6z = 4z - 3$

$3 + a = 2a - 4$

$3b + 2b = b - 4b$

These are all examples of linear equations with only one unknown.

1. Group all the terms that involve the unknown on one side of the equation and all the terms that are purely numerical on the other side of the equation. This is called *isolating the unknown*.

2. Combine the terms on each side.

3. Divide each side by the coefficient of the unknown.

Example: Solve $6x + 2 = 3$ for x.

1. Using the two rules for solving equations, subtract 2 from each side of the equation.
   Then $6x + 2 - 2 = 3-2$ or $6x = 3-2$.

2. $6x = 1$.

3. Divide each side by 6. Therefore, $x = \frac{1}{6}$.

You should always check your answer in the original equation.

Since $6 \left(\frac{1}{6} \right) + 2 = 1 + 2 = 3$, then $x = \frac{1}{6}$ is a solution.

If an equation involves fractions, multiply through by a common denominator and then solve. Check your answer to make sure you did not multiply or divide by zero.

Example: Solve $\frac{3}{a} = 9$ for a.

Multiply each side by a, the result is $3 = 9a$.

$\frac{3}{a} \times \frac{a}{1} = \frac{9}{1} \times \frac{a}{1}$, then $3 = 9a$.

Divide each side by 9,

$\frac{3}{9} = \frac{9a}{9}$, and you obtain $\frac{3}{9} = a$, or $a = \frac{1}{3}$.

Academic Learning Style Section

The Learning Style Inventory of the entrance test will evaluate
which learning style best describes how you learn. While your
learning style may be a blend of several approaches, you will, like
most students, have very distinctive preferences. You may have a
strong visual orientation, or be strongly auditory in your approach
to learning. You may be adept at orally expressing yourself, while
others may be much more comfortable with written expression.
You may be a person for whom "seeing is believing"; if so, you are
probably at a learning disadvantage in a setting of oral directions and
lectures.

When you are asked to master information in a manner which does
not correspond with your personal learning mode, or to study under
conditions which interfere with learning, or to demonstrate learning
in a manner which does not allow for your individual learning
strengths, artificial stress is created, your motivation is reduced, and
your performance is depressed.

When the teaching/learning environment attends to your learning
style preferences and strengths, your learning will be enhanced.
Your achievement may go up, and your frustration may come down.
It is important to identify which learning style works best for you.

The entrance test not only identifies your learning style, but it also
identifies the group learning style of your class as you enter school.
With the information generated by your diagnostic report from the
entrance test, your instructor can compare your individual style
against the learning style of the entire class. Thus, the instructor can
shape the learning environment that will benefit both you and other
members of the class.

A. The Auditory Learner

If you are identified as an auditory learner, you will profit most
from hearing the spoken word. You may have noticed that you often
vocalize while reading; that is, you move both your lips and throat
muscles as you read, particularly when you strive to understand new
material. You may feel that if you do not "mouth" the words as you
read them, then you are not really reading, and that you will not

101

remember or understand what you have read. Since you best understand and remember words or facts by hearing, lectures for you will be particularly helpful in achieving your academic potential in school.

Learning Hints: If this learning style describes you, then you will benefit from the following approaches to study:

1. *Listen to audio tapes*
2. *Utilize rote, oral practice*
3. *Listen to lectures*
4. *Participate in small groups or class discussions*
5. *Use a tape recorder to record lectures for further review*
6. *Review material, aloud, with other students*
7. *Converse with the instructor*

Any interaction activity between you and another person will provide the sound that is so important to your learning style.

B. The Visual Learner

If you understand and remember printed words or facts by seeing them, lectures for you can be particularly difficult. However, if you learn how to take good notes, or are able to borrow class notes from someone who takes good notes, you can effectively learn.

Learning Hints: If this learning style best describes you, then you will benefit from the following approaches to study:

1. *Read material in textbooks*
2. *Concentrate on the instructor's use of the chalkboard*
3. *Utilize teacher- and student-made charts*
4. *Watch movies*
5. *Use video tapes*
6. *Read a variety of books on the subject*
7. *Get pamphlets on the topic*
8. *Complete worksheets*
9. *Study workbooks to identify emphases on content*
10. *Tape record every lecture in order to have an additional opportunity to correct and develop adequate notes*

11. Ask for written course objectives and study the content outline

12. Develop vocabulary lists so that you can visualize the words and definitions

If this approach to learning applies to you, write down words and ideas that are given to you, orally, in order to learn by seeing them on paper. Given some time alone with written material, you will probably learn more than in the normal classroom environment.

C. The Social Learner

If you like to study with at least one other person and can not get as much accomplished when studying alone, you would be described as a social learner. You value another's opinion and preferences. For you, group interaction increases learning and later recognition of facts. Class observation will quickly reveal how important socializing is for you.

Learning Hints: You need to do important learning with someone else. However, the stimulation of the study group may be more important to you at certain times in the learning process than at others.

D. The Solitary Learner

If you like to study alone and actually think best and remember more when you study alone, this learning style describes you. Because you master information alone and form appraisals and make decisions about the information alone, you may often place more value on your own opinions, rather than the ideas of others. An instructor has little trouble keeping you from over-socializing during class.

Learning Hints: If this learning style describes you, then you may benefit from the following approaches to study:

1. Complete important learning, alone

2. Go to the library or an unused classroom or other such place to study

3. *Avoid group work, as it may cause irritability; group work is distracting*
4. *Remember, some great thinkers have been solitary learners*

E. The Orally Dependent Learner

If you speak fluently, comfortably, and seem able to say what you mean, this learning style may describe you. After talking to your instructor about your work, the instructor may find that you know more than paper/pencil tests have shown. You are probably not shy about giving reports or talking to the instructor or classmates; however, writing your thoughts down on paper may be difficult. Organizing and putting thoughts on paper may be a slow and tedious task. As a result, written work (notes from a lecture, reports, themes, care plans, etc.) may appear carelessly done or incomplete.

Learning Hints: If this learning style describes you, then you may benefit from the following approaches to study:

1. *Make oral reports instead of written ones, whenever you can*
2. *Seek to take oral tests and make oral reports, when possible*
3. *Seek to be evaluated by what you can explain, orally, not by written means*
4. *Investigate whether you can tape your reports for the instructor*
5. *Ask for a minimum of written work, but guarantee good quality*

If your individual test scores are lower than you expected, meet with your instructor and ask to take your next test, orally. You and the instructor may see a real difference in your performance.

F. The Writing Dependent Learner

Do you seek to handle, touch, and work with what is to be learned?
Do you feel non-threatened when asked to write essays, and write
essay tests, to show what you have learned? Do you feel less
comfortable, perhaps even stupid, when asked to give oral answers?
Are your thoughts better organized by you on paper than when asked
to orally give answers?

If you learn best by experience and a combination of stimuli, this
learning style may best describe you. If the manipulation of material,
along with sight and sound, makes a big difference as to how you
learn, this approach to learning describes you.

Learning Hints: If this learning style describes you, then you may
benefit from the following approaches to study:

1. *Seek activities that relate to the assignment for re-
   enforcement*
2. *Take careful notes during a lecture, including notes on
   slides, overheads, pictures, etc.*
3. *Involve yourself in physical activities, such as
   drawing, writing, etc. that require written involvement*
4. *Concentrate on perfecting your written reports*
5. *Keep notebooks and journals for credit, where possible*
6. *Seek to take written tests for evaluation of what you
   know*
7. *Try to have your academic evaluations in a one-to-one
   conference*
8. *Take copious notes during classroom or laboratory
   instruction*
9. *Write out procedures, rather than explain them orally*

Stress Level Profile Section of the Entrance Test

This section of the entrance test produces a self-perceived, stress profile for five important areas in personal coping: Family Life, Social Life, Money/Time Commitments, Academic Stress, and Stress in the Workplace. High scores on this profile will indicate areas of personal stress, which may cause difficulties for students as they progress through college. As a living, functioning human being, you will naturally experience stress. It is helpful for you, however, to occasionally identify those areas, which are causing a present and particular stress. The Entrance Test seeks to help you do this.

Instructors or academic counselors are provided insight into what kind of stressors may be affecting your progress in school if you are performing at a level less than expected, based upon your mastery of reading, math and other academic processing skills. An academic counselor can identify with you, areas of possible stress and work with you to reduce such stress. This information would also help the instructor when developing problem-solving situations. An instructor could purposely choose a high stress area represented by the whole class, incorporate that stress area into a problem-solving situation, illicit student responses, and work to develop alternatives and options to relieve group stress.

These scores are not part of the entrance criteria for applicants and are not part of the *Composite Score* generated for each applicant.

Remember, the *Composite Score* (made up of your reading and math scores) is the score used as part of the admission criteria for new students. You cannot study in order to change your *Stress Level Profile Score*, and it would not be helpful to your education if you did so. Therefore, simply trust the purpose of this subtest or inventory of the Entrance Test and answer the questions, openly and truthfully.

Practice Test A: Reading Comprehension

Directions: Read the following paragraphs and answer the questions that accompany the paragraphs. Circle the letter of the answer, which you believe most accurately satisfies the requirements of each question. At the end of this reading test is the answer key.

A

Grass, the most stepped-on organism on Earth, creates more energy than an atomic bomb—just 700 acres of grass gathers from sunlight in one day, as much energy as that of the standard atomic bomb or 20,000 tons of TNT. Grass is more valuable than gold and as vital to us as air and sunshine. As a tool against floods, grass is 10,000 times more effective than all the dams built by man.

  1. Based on paragraph **A**, which statement is true?

  A. Grass is more vital to us than air and sunshine.
  B. Only an atomic bomb creates more energy than grass.
  C. A standard atomic bomb is equal to 20,000 tons of TNT.
  D. Electric power dams are more powerful than grass against flooding.

B

Grasses cover one fifth of the land surface of the globe. There are 6,000 species of grass and more individual grass plants than any other kind of vegetation.

  2. Which is an inference that can be drawn from paragraph **B**?

  A. Grasses cover 25% of the land surface.
  B. There are more grass species than any other living thing.
  C. There are more grass plants than other flowering plants.
  D. There are 6,000 grass plants, more than any other kind of plant.

107

Grasses are simple in structure, consisting of one stem and one leaf on each joint. Few people know that grasses have flowers. Since they are wind-pollinated, their flowers need no color or fragrance to attract insects.

3. Identify the purpose of paragraph **C**.

   A. Describe the physical characteristics of grass.
   B. Reveal that grasses are little understood by most people.
   C. Reveal that grasses do not need insects in their life cycle.
   D. Emphasize that grasses need no color or scent to pollinate.

D

Grasses are well equipped for the eternal fight for survival. They are tough, adaptable, productive, quick spreading, and are found everywhere in polar zones and in deserts, on mountaintops and under water. They produce pollen in huge amounts—up to 50 million pollen grains per plant. Grass pollen, which has been found as high as 4,000 feet in the air, can cover vast distances. It has traveled by air from South America to Louisiana, from Virginia to southern California.

4. Which is a statement of the main idea for paragraph **D**?

   A. Grass pollen can cover vast distances.
   B. Grasses are quick spreading and are found everywhere.
   C. Grasses are given what is needed to survive as a species.
   D. The immense number of pollen grains per plant is the most important survival fact.

E

Grass seeds attach themselves to the fur of animals and to the clothes of man. In this way they have followed the trade routes from the Atlantic to the Pacific, from the North to the South. The slave trade brought three grasses, including Bermuda grass, from Africa to the United States because these types were used as bedding for the slaves.

5. An inference that can be drawn from paragraph **E**:

A. The slave trade brought grasses to the United States.
B. Bermuda grass came from Africa to the United States.
C. Both humans and animals have helped grasses spread.
D. Grass seeds followed the trade routes from the Atlantic to the Pacific.

F

Grass makes the nutrients of the soil available to livestock, and so to us. In the spring, the grasses draw large quantities of nourishment from the soil, work it over, and store it in their seeds. As the year wears on, the seeds become a storehouse of high-quality food, while the leaves and stems gradually become less nutritious. When the seeds scatter, the better part of the valuable food is lost to livestock.

6. The main idea of paragraph **F**:

A. Humans receive nutrients of the soil through animals.
B. Grass makes the nutrients of the soil available to livestock.
C. Grass seeds are the valuable part of a plant for both livestock and humans.
D. Seeds become a storehouse of food, and both leaves and stems become poorer eating.

7. Based upon paragraphs **B-F**, which is a statement of central theme?

A. Grass seeds carry nutrients from the soil to humans.
B. Grasses are well equipped for the eternal fight for survival.
C. Grasses are simple in structure and need no color or fragrance to attract insects.
D. Grasses are prevalent throughout the world, have tenacity for survival and are an important source of nutrients for both animals and humans.

G

Early in history, man realized that grasses offered a way to obtain high-quality food for himself. All he had to do was to trick the grasses into providing him with the food they store for their own reproduction. When he began cultivating grasses with an eye to eating the seeds himself, the result was the grains from which bread has been made for years. Wheat, corn, oats, rye, and barley are grasses, cultivated from wild and now extinct types, as are rice, bamboo, and sugar cane.

8. The main idea of paragraph **G**:

A. Man cultivated grasses and ate the seeds.
B. Grasses offered man a way to get food for himself.
C. Man learned to trick the grasses into providing food.
D. Wheat, corn, oats, rye, and barley are grasses raised by man.

H

These cultivated grasses are the basic foods of man. The Mediterranean culture was based on wheat, the Indo-Chinese on rice, the original American culture on corn.

9. An inference drawn from paragraph **H**:

   A. Three basic grasses feed most of the world.

   B. Northern Europe sought corn as a food group.

   C. The original American culture ate bread similar to the Chinese.

   D. Indo-Chinese ate bread from the same grasses as Mediterranean peoples.

I

Wheat, the constant companion of Western man for 6,000 years, was introduced into North America by the colonists at Jamestown and Plymouth. Rice, for 4,000 years the staple food of half the world's population, first came to America in 1694 when it was planted in South Carolina. Corn originated on this continent long before Leif Ericson arrived. It was first given to white settlers at Jamestown. Sugar cane, the greatest vegetable storehouse of energy, was cultivated from a wild saccharine grass in India. It came to the United States from Santo Domingo in 1741.

10. The main purpose of paragraph **I**:

   A. Explain the origins of some major grasses.

   B. Explain how corn came from America to Europe.

   C. Provide important historical dates in American history.

   D. Describe how grasses originated in Europe and many other countries.

11. The central theme of paragraphs **G-I**:

   A. Cultivated grasses are the basic foods of man.

   B. Wheat has been the constant companion of Western man.

   C. Grasses are a source of food for mankind throughout the world.

   D. Early in history, man knew that grasses offered food for himself.

J

In manufacturing food, grasses capture energy from the sun and nourishment from the soil. Both are necessary to us.

K

The converted energy of the sun supplies the human machinery with its fuel. When we lift a little finger, drive a car, or build a house, we use energy from the sun, which has been stored by plants. We get it by way of meat, milk, or other products from grazing animals.

12. A conclusion drawn from paragraphs **J & K**:

A. Energy from the sun can be converted into usable fuel.
B. Manufacturing energy from milk and meat is essential for animals.
C. Climbing stairs correlates to both the weight of grass and calories.
D. It is important that grasses either capture energy from the sun or nourishment from the soil.

L

One pound of pasture grass has enough calories to keep a man walking for an hour and a half, climbing stairs for two minutes, sawing wood for half an hour, or washing dishes for three hours. Cereal grains provide about four times as much energy as pasture grass.

13. The main idea of paragraph **L**:

A. Cereal grains and pasture grasses provide energy for humans.
B. Energy to saw wood for half an hour comes from cereal grains.
C. Climbing stairs correlates with sawing wood for half an hour.
D. Cereal grains provide four times as much energy as pasture grass.

M

Grasses also supply the human machinery with spare parts, in the form of protein. They reach deep into the soil, sometimes as far as 20 feet, to draw out nitrogen and minerals. These, they convert into protein—the "stuff of life" contained in all living cells. Protein continuously offsets wear and tear in the body.

14. Which statement reveals the purpose for paragraph **M**?

    A. Proteins are the spare parts of the human body.
    B. Protein is made from nitrogen and other minerals.
    C. Grasses supply important protein for the human body.
    D. Nitrogen can be found by plants as far as 20 feet in the earth.

N

Today, the cattle industry in the United States, living off the grass of the land, is a $6 billion business, exceeding in value even the steel and automobile industries. The grazing meat animals, which include sheep and lambs as well as beef and dairy cattle, of the United States produce $12 billion a year in meat and other animal products—seven percent of our gross national production. Conversion of grassland crops into meat produces some 18 billion pounds of dressed beef and veal each year—to the value of over $5 billion. Without grass and hay there would be no milk, butter, cheese, or ice cream, and producing such dairy products puts another $4.5 billion in the pockets of our farmers.

15. The main idea of paragraph **N**:

    A. The grazing meat animal industry and its by-products depend on grass.
    B. Grazing meat animals of the United States produce $12 billion a year in meat and other animal products.
    C. Without grass and hay there would be no milk, butter, cheese, or ice cream.
    D. Conversion of grassland crops into meat produces some 18 billion pounds of dressed beef and veal each year.

O

Hay production itself "ain't hay" at all— nearly $9 billion worth
of this grass crop is produced, annually, which is more than that of
any other crop except corn and wheat. Cultivated grass crops—the
cereals and sugar cane—add another $9 billion to our income, more
than half of it from corn alone.

16. Which statement is supported by paragraph **O**?

    A. More hay is produced each year than corn and sugar.
    B. "Ain't hay" refers to the wealth realized from wheat
        production.
    C. A considerable income is realized from the grass crop
        annually.
    D. Less than $4.5 billion is realized from the growing of
        corn annually.

P

But the simple, uncultivated grasses, the Jones of the flowering
plants, are worth their weight in gold in still other ways. Each year,
floods cost the American taxpayer $250 million in damage to crops,
equipment, and other property, plus at least another $400 million
in lost production. Grass is the cheapest and most effective means
of holding rainfall where it hits the ground. In this way it controls
floods and, at the same time, protects the soil from being washed or
blown away.

17. A point made in paragraph **P** about flood control:

    A. Grass is less effective in flood control than dams.
    B. Grass is the cheapest means of flood control.
    C. The grass crop in Europe is hurt more each year than in
        the U.S.
    D. More money is lost in damage to crops than in lost
        production.

Q

Grass roots are so fine and extend so far that the roots of a single plant, dug up and placed end to end, would be several miles long. These roots hold the soil crumbs in place with a powerful grip. And they eagerly lap up every drop of water that comes within their reach and keep it in the soil. That's why springs in grassland areas are clear and provide good drinking water—and why dirty water comes from grassless soils, not only unfit for drinking, but carrying off valuable soil as well. Experiments have shown that grassland holds 1,000 times more soil and almost 300 times more water than fields in which a cultivated crop is grown.

18. Which factor in paragraph **Q** supports the topic of soil control?

   A. Plant roots hold the soil crumbs in place with a powerful grip.
   B. Springs in grassland areas are clear and provide good drinking water.
   C. Grasslands hold 300 times more water than fields of a cultivated crop.
   D. Grass roots when dug up and placed end to end, would be several miles long.

R

Grasses not only protect land from water and wind; they actually build up land. Cord grasses thrive in the soft mud along the coast, covered by the tide. They break the oncoming waves and catch bits of rocks that are washed in, protecting the shore and building up the floor until it becomes marsh meadow and eventually dry land. Then the cord grasses die out and leave the land ready for cultivation. Much of the tidewater land of Virginia was built that way, and so were the meadowlands on the tidal estuaries in the Gulf of St. Lawrence and Chesapeake and San Francisco Bays.

19. The main idea of paragraph **R**:

A. Cord grasses protect land from water and wind.
B. Much of the tidal estuaries in Virginia were built by grasses.
C. Cord grasses die out and leave the land ready for cultivation.
D. Cord grasses thrive in the soft mud along the coast, covered by the tide.

S

Grass, "the handkerchief of the Lord," plays its part in our lives whether we notice it or not. If you are one of the 20 million homeowners who sport a lawn, you may curse grass as something that continuously calls for watering and mowing. But if you are one of the 55 million American motorists, you might bless the grass that protects the banks of highways and makes driving safer. If you are one of the two and a half million golfers, you are pleased with grass anyway. But you may not be aware that 750,000 acres of the soft green carpet covers 6,000 golf courses. On baseball and football fields, in parks, picnic grounds, schools, and colleges, grass helps us to relax and enjoy life. We often take our first tottering steps on it, and it closes tightly over our graves.

T

When Edison experimented with his electric bulbs he used a grass—a carbonized bamboo stem—as his first light-providing element, and bamboo fibers were used in lamps as late as 1910. When you tip your Bangkok or Leghorn hat, it is grass that is conveying your greeting. During some periods of fashion the Easter parade saw more grass than hair on ladies' heads, not only in the hats themselves but also in their trimmings.

U

If you buy perfumes, toilet soap, or aromatic oils with the fragrance of violets, chances are that the scent is from the Oriental citronella grass. Grasses are made into mats in China, paper in South Africa, brooms in Mexico, ropes by the American Indians, and thatched roofs everywhere. The uses of bamboo, biggest and strongest of the grasses, include fishing rods, canes and switches, mats, screens, baskets, farm implements, water mains, houses and bridges. Recently bamboo has been used as raw material for cellulose and rayon—the first rayon production from bamboo has started in Travancore, India. It is used in the paper industry in India, Southeast Asia, and France. Due to its fast growth, bamboo pulp yields three times as much paper a year an acre as slash pine.

20. Identify the central, unifying theme of paragraphs **S-U**:

   A. Gifts from the grasses
   B. The handkerchief of the Lord
   C. Use of bamboo used in many ways
   D. Edison's experiment with electric bulbs

1. A is a poor choice. It states that grass is as vital to us *as* air and sunshine, not "more than."
    B is a weak answer because the paragraph states "grass ... creates more energy than an atomic bomb."
    C is the best answer because the paragraph states "... as much energy as a standard atomic bomb or 20,000 tons of TNT."
    D declares just the opposite, that dams are *not* as powerful as grass in restraining floods.

    Type of Question: Inference

2. A is a flawed choice because "one fifth" equals 20%, not 25%.
    B is not a correct inference from the paragraph because grasses were only compared with other plants. No other living species was named.
    C is a valid inference because the paragraph states that "more individual grass plants than any other kind ..." *Kind* is the key word here and "kind" could refer to other plants. Based on common logic, the phrase would read, "than other kinds of plants."
    D is a flawed choice because the paragraph states that there are *only* 6,000 species of grass plants, and that there are more *individual* grass plants than all other plants.

    Type of Question: Inference

3. **A is the best answer because the primary information given
    in the paragraph is the physical characteristics of grass.**
    B lists just one detail among many others presented.
    C is just one detail among many others presented.
    D lists just two details presented among others which were not
    included in option B.

    Type of Question: Purpose

4. A is only one detail and not a broad enough statement to include
    the other details listed in the paragraph.
    B is only one detail and is not broad enough to include the other
    given details.
    **C is the best answer because the paragraph develops this
    concept with supporting details.**
    D is only one survival reason of grasses.

    Type of Question: Main Idea

5. A is only a concretely stated detail, not a conclusion or an
    inference drawn from the paragraph.
    B is a true statement, but it is only a clearly stated detail of the
    paragraph, not a conclusion or an inference drawn from the
    paragraph.
    **C is the best answer because it includes the two ideas
    presented for the spreading of grass plants.**
    D is a true statement, but is only one concretely stated detail
    of the paragraph, not a conclusion or inference drawn from the
    paragraph.

    Type of Question: Inference

6. A is a true statement, but only a detail. The statement lacks emphasis on how plants reap the nutrients of the soil and then pass them on to the animals.

B is not a good choice for a statement of main idea because the statement neglects to mention the importance of animals passing nutrients of the soil to humans.

C is the main idea because the details and focus of the entire paragraph develop a theme of the importance of the process by which seeds bring nutrients to both animals and humanity.

D is a true statement, but not a statement broad enough to include how important it is that nutrients of the soil reach humans through plants or by human consumption of animals who have eaten the plants.

Type of Question: Main Idea

7. A includes the importance of grass as a source of nutrients for humans, but neglects the importance of grass to animals. Also, B does not include the many other aspects of grass developed in the five paragraphs.

B includes the topic of grass survival characteristics, but neglects the importance of grass to animals. Also, not included in this answer are the many other aspects of grass developed in the five paragraphs.

C includes the important topic of plant structure and the part played by color and fragrance in plant reproduction, but neglects the importance of grass to animals and humans as a source of nutrients from the soil. Also, not included in this answer are the many other aspects of grass developed in the five paragraphs.

D is a statement of central theme because it includes the four facts that support the statement. Therefore, D is the broadest and *best* answer of the ones offered as options.

Type of Question: Central Theme

8. A neglects to mention that grasses are a source of energy.
    B is the best statement of main idea because it emphasizes that man consumes grasses as a means for gathering energy.
    C is only a fact that grows out of man's discovery that grass can provide energy for him. This is a supporting fact for the statement made as option A.
    D contains examples of grasses, but the statement does not give a reason for man's raising grasses.

    Type of Question: Main Idea

9. **A includes both the concept of world cultures and that they are fed by three basic grasses.**
    B is not a true statement because the paragraph says that Northern European cultures would have shared wheat, not corn, as a common grass.
    C is not a true statement based on the paragraph, which states that the original American culture ate corn, not the rice of the Chinese.
    D is not a true statement based on the paragraph, which declares that Indo-Chinese ate rice and the Mediterranean peoples ate wheat.

    Type of Question: Inference

10. **A best summarizes the many details of this paragraph.**
    B does not include the other grasses that were given equal importance in the paragraph.
    C is too general a statement and does not focus on the *nature* and significance of the historical dates.
    D presents a focus opposite of the one for the paragraph.
    The paragraph develops the idea of grasses first appearing in America, not that they originated in Europe.

    Type of Question: Main Idea

11. A is too limited a focus for central theme. It is just a statement of detail.

B is too limited a focus for central theme. It is just a statement of detail.

C is a summary of the emphasis developed in these paragraphs, which is that grass is a source of food.

D is too limited a focus for central theme. It is just a statement of detail.

Type of Question: Central Theme

12. **A is a true conclusion drawn from both paragraphs, which stress how grasses convert energy from the sun and capture nutrients from the soil. These benefits are then passed on to humans.**

B is not a conclusion because in these paragraphs, milk and meat are only said to be byproducts from animals, not to be essential for animals.

C is a formula indirectly stated in paragraph L, not J or K.

D is not a good conclusion drawn from these paragraphs because the focus of the paragraphs is not on how important it is for the plants to capture the energy of the sun, but rather how this energy is passed on to meet the needs of humanity.

Type of Question: Predicting Outcomes

13. **A is the main idea of paragraph L because it summarizes an idea supported by the paragraph details.**

B is a true statement but just an idea. It is not broad enough to be a main idea.

C is not the main idea because, although it states a fact, it is only a detail from the paragraph.

D is a true statement, but only a specific detail from the paragraph.

Type of Question: Main Idea

14. A is a true statement, but only a detail of the paragraph.
    B is a true statement, but only a detail of the paragraph.
    C states the purpose of paragraph M because it states the broad point or purpose developed by the paragraph.
    D is a true statement, but only a detail of the paragraph.

    Type of Question: Purpose

15. **A is the main idea of paragraph N, as it is a broad statement that develops from the details of the paragraph.**
    B is a detail from the paragraph and does not include the other details presented in the paragraph.
    C is a true statement, but not one on which the paragraph develops. It does not address the meat byproducts.
    D is a true statement, but does not include dairy products and other presented details.

    Type of Question: Main Idea

16. A is false. More corn is raised than hay.
    B is false. "Ain't hay" refers to the wealth realized from the production of hay.
    C is true. More than $9 billion as mentioned in the paragraph.
    D is false. More than $4.5 billion is realized.

    Type of Question: Predicting Outcomes

17. A is a false statement. Grass is effective in flood control, but no comparison is made with dams in this paragraph.
    B is true.
    C is a comparison not made or inferred in this paragraph.
    D is false. More money is lost in lack of production than in actual property.

    Type of Question: Inference

18. **A directly supports the topic of soil control.**
B does not directly support soil control. It just presents the detail about good drinking water.
C does not clearly support soil control, but rather, the contrast of grasslands versus cultivated fields.
D does not directly support soil control, just the length of roots.

Type of Question: Inference

19. **A is the general idea supported and developed by the paragraph details.**
B is false, based on this paragraph, which states that much of the tidal *meadowlands* were created on the tidal estuaries in the Gulf of St. Lawrence, Chesapeake and San Francisco Bays. Much of the tidewater *land,* not *estuaries,* was built by the grasses in Virginia.
C is a detail, but not broad enough to be the idea around which this paragraph is built.
D is a true statement, but not general enough of an idea to be supported by the other details in the paragraph.

Type of Question: Main Idea

20. **A is the best statement of central theme because each paragraph develops gifts derived from grasses.**
B is just one example of a gift derived from grasses.
C is just one example of a gift derived from grasses.
D is just one example of a gift derived from grasses.

Type of Question: Central Theme

Diagnostic Chart for Practice Test A
Reading Comprehension

Indicate how many questions you answered correctly in each category.

Category	Total Possible	Tally Those Answered Correctly
Main Idea	7	
Inference	6	
Function and Significance		
Central Theme	3	
Purpose of Author	2	
Predicting Outcomes	2	
Total Possible	20	

Multiply 5 times the total questions you have correct.
This yields your **final score** for the practice test.

5 x _____ = _____ your final score.

If you earned less than 60 as a final score, study carefully what this study guide teaches about the Reading Comprehension score, page 8. Re-read the *35 Testtaking Strategies* Section, pages 10-21, and then take Practice Test B.

Practice Test B: Reading Comprehension

Directions: Read the following article and answer the questions that accompany the paragraphs. Circle the letter of the answer that, you believe most accurately satisfies the requirements of each question. At the end of this reading test is the answer key.

A

Equipped with enormous eyes, oversized eardrums and silent wings, he is a superbly engineered nocturnal hunter. He is also one of the most beneficial birds in the air around us. My car broke down in the gloom of a Virginia swamp one night a few years ago. I took out my red warning flashlight and waited for help to arrive. Then, remembering that most night creatures are practically insensitive to red light, I played the flashlight through the deep forest. In the reduced mist I saw a wonder world of hopping, crawling, running life. Then, suddenly, an instant after my light had flicked past a rabbit, I felt an eerie draft of air—and a great horned owl had seized the unsuspecting animal! I had not heard a sound as the owl went into its power dive. With grim precision, it had captured prey I could not have seen without my light.

1.   Which is a statement of main idea for paragraph A?

A.   Rabbits are the prey of the owl.
B.   Most night creatures are practically insensitive to red light.
C.   A great horned owl can accurately power dive in the dark.
D.   Human eyes cannot see in the dark as well as some animals do.

B

Owls are rightly known as "lords of the night." Their whole structure is designed around the fact that they must live successfully in the dark, and to this end they have been endowed with some of the most marvelous animal engineering known. With eyesight 100 times as acute as human sight, they can detect an image in the faintest glimmer of light, avoid tree branches and other obstacles and capture the most rapid of darting prey. (At least one kind of owl can capture prey when the light is the equivalent of that thrown by an ordinary candle burning 2,582 feet away!) Their hearing is so acute that they can pinpoint a sound in total darkness. Their powerful claws are set in such a way as to clinch automatically on prey they may not be able to see.

2. The best statement of main idea for paragraph **B**:

A. Owls see in the dark.
B. Owls are adapted to survive in the dark.
C. The sight of an owl is 100 times as acute as human sight.
D. The hearing of an owl is so acute that it can pinpoint a sound in total darkness.

C

A wealth of legend has gathered around the owl, and the bird is every bit as amazing as the folklore it has inspired. It is true that owls often inhabit abandoned houses and dark church belfries; for, outrageously hunted by man, they have found refuge there. They have been known to glow with phosphorescence as they swoop through the gloom because the rotting wood of their nest holes may be coated with luminescent fungi, which may have rubbed off on their feathers. And the wise old owl is heavy with age; one captive specimen lived for 68 years, a record for birds.

3. Which best states the main idea of paragraph **C**?

A. The owl is heavy with age.
B. The owl is an amazing creature.
C. Owls do sometimes glow with phosphorescence.
D. Owls often inhabit abandoned houses and dark church belfries.

D

Owls are, actually, among the most successful creatures in feathers. Roughly 135 species (18 of them in this country) have colonized all parts of the globe except the frozen Antarctic. Related only distantly to hawks and eagles (their real relatives are the whippoorwills), owls sometimes have wingspans nearly as great as a man's height; sometimes they are as small as sparrows. But we humans, prisoners of the daylight, rarely see owls. And since they do not undertake seasonal migrations, we never see huge congregations of them.

4. Identify an inference that can be derived from paragraph **D**.

A. Owls do not undertake seasonal migrations.
B. Owls sometimes have wingspans nearly as great as a man's height.
C. Owls are similar in appearance and habits to the whippoorwill.
D. Owls can successfully hunt for food on six of the seven continents.

E

The screech owl, divided by scientists into 15 races that vary slightly in color and size, is probably the most widespread American owl. Second is probably the barn owl, which has thrived by taking up quarters in human habitations. The largest American owls, the great gray, the great horned and the barred, generally hunt in woods and are rarely seen.

5. Which statement is true based upon paragraph **E**?

 A. The barred owl is similar in color and size to the screech owl.
 B. The great horned owl is seen more rarely than the barred owl.
 C. Americans see the screech owl more often than the barn owl.
 D. Americans see the great horned owl more often than the barn owl.

6. Which is a true statement based on paragraphs **D & E**?

 A. All owls vary slightly from each other in color and size.
 B. Human prisoners rarely see the great horned and the barred owls.
 C. Screech owls can have a wingspan nearly as great as a man's height.
 D. Owls come in a variety of species and are found throughout most of the world.

F

During the day, when their specialized gifts for hunting are of little value, most owls doze in their roosts or sun themselves on tree branches. Lethargic, they sometimes become open sport for crows and jays, which mob them unmercifully. But so expert is the owl's concealment that he is rarely found.

7. Which is an inference drawn from paragraph **F**?

 A. Crows and jays mob owls unmercifully.
 B. The owl probably does not hunt during the day.
 C. The owl is rarely found due to its expert concealment.
 D. "Lethargic" implies that the owl is slow of movement and alertness.

G

His subdued coloration resembles sunlight splattering against the bark of a tree, and he can sit so immobile that one ornithologist, after watching an owl for 15 minutes, was convinced that the bird had ceased to breathe. Closer inspection revealed that when the owl inhaled, it compensated for this motion by pressing its feathers more tightly against its body. When it exhaled, it puffed out its feathers. Result: no apparent motion.

8. Identify the main idea of paragraph **G**.

A. The owl is able to disguise its breathing.
B. One ornithologist was convinced that an owl had held its breath for 15 minutes.
C. Coloration of an owl can resemble sunlight splattering against the bark of a tree.
D. The owl presses its feathers more tightly against its body when inhaling and puffs out its feathers when exhaling.

9. Which would be a statement of theme for paragraphs **F** & **G**?

A. Daytime seclusion
B. Subdued coloration
C. Ornithologists are scientists.
D. Open sport for crows and jays

H

For its silent hunting, the owl's body is completely covered with feathers so fine and so soft that they act as mufflers of sound. (Even the base of the owl's immense beak is hidden under a mass of down.) The flight feathers have fuzzy edges, unlike those in other birds; with the result that almost all whir from striking the air is eliminated.

10. The main idea of paragraph **H**:

A. The owl's flight feathers have fuzzy edges.
B. The owl's body is covered with fine feathers.
C. The owl's feathers muffle the sound of its flight through the air.
D. The base of the owl's immense beak is hidden under a mass of down.

I

Owls frequently tangle with prey much larger than themselves, such as cats, porcupines and turkeys. Even the tiny pygmy owl of the Pacific states, a broth of a bird little larger than a bluebird, will take on a gopher. How can they do it? Each leg has a thick tendon running down it and around a sort of pulley (what in our foot would be the heel), then branches to four needle-sharp talons. When the owl hits its prey, the legs draw up—automatically, from the impact—and the tendon clenches the toes, driving in the talons. The grip is so tenacious that sometimes the only way a person grasped by a stubborn owl can be freed is by cutting the bird's tendons.

11. Which is a statement of main idea for paragraph **I**?

A. The tiny pygmy owl of the Pacific states takes on gophers.
B. Each leg of the owl has a thick tendon that runs down it and around a sort of pulley.
C. The grip of the owl is so tenacious that sometimes to be freed, the owl's tendons must be cut.
D. Owls can hunt prey much larger than themselves because of the ability to clench their toes, driving in their talons.

J

Whereas human eyes have both cone cells (which help us to discriminate colors) and rod cells (for light-gathering), the owl's eye is packed tight with rod cells only. These contain a remarkable chemical known as "visual purple," which converts even a glimmer of light into a chemical signal, giving the bird an actual sight impression when a human being would see only the presence of light.

12. An inference that can be drawn from paragraph **J**:

A. Visual purple is a chemical found in the eye of the owl.
B. Visual purple converts even a glimmer of light into a chemical signal.
C. A sight impression gives more information than detecting the presence of light.
D. Human eyes have both cone cells and rod cells. The owl's eye is packed tight with rod cells only.

K

The owl's eye is considerably larger than the human eye and does not rotate in its socket. Each eyeball is fixed, like a headlight on a car. So, to see in different directions, the owl is endowed with an extraordinary ability to rotate its whole head.

L

One day I observed a large owl perched on a tree stub in my woods. I suddenly realized that I had made two complete circles of the bird, and yet its head always faced me. An owl can't, of course, swivel its head continuously in one direction. When the neck has revolved as far as it can go—about three quarters of a circle— it whips around to start rotating again. But the action is so rapid that it appears to be one fluid motion.

13. The best statement of main idea for paragraphs **K** & **L**:

A. The eyeball of the owl is fixed and so the owl rotates its whole head.
B. An owl's eye does not rotate, so its head must rotate in complete circles.
C. The head of an owl rotates so quickly that it appears to be one fluid motion.
D. The owl's eye does not rotate in its socket, but its head does rotate three quarters of a circle.

14. Identify the purpose of paragraphs **J - L**.

A. Describe the owl's complex eye parts.
B. Explain the owl's extraordinary ability to rotate its whole head to see well.
C. Develop the importance of the owl's ability to concentrate completely on its prey.
D. Emphasize the visual and muscular skills of the owl that help it survive and prosper.

M

For a long time ornithologists could not explain how owls capture prey when there is no light at all. Finally, a graduate student at Cornell University, Roger Payne, proved how they do it. Payne sealed all the openings in a long shed so that it was completely light tight, spread dried leaves on the floor and then gave a barn owl freedom of the shed. When he turned off the lights and released a live mouse, he heard the mouse move in the dried leaves, then felt a draft of air as the owl left its perch. Immediately he snapped on the lights. The owl had the mouse in its talons.

15.   Which is the purpose of paragraph **M**?

    A. Describe an experiment conducted at Cornell University.
    B. Emphasize the importance of the mouse being alive and well.
    C. Identify who conducted the experiment with owls' night vision.
    D. Introduce how a graduate student controlled the environment of an experiment with an owl.

N

Payne ran experiments to see if the owl was relying on its acute sense of smell, or if it was being helped by invisible heat waves, as rattlesnakes are. All results were negative. Final confirmation that the owl found its prey solely by acute hearing came when Payne plugged one of the bird's ears. Result: The owl went way wide of its mark.

    16. Identify an inference that can be drawn from paragraph **N**.

    A. All results of the experiments were negative.
    B. Additional experiments were needed to establish a valid result.
    C. The owl missed its target when the experiment was conducted in complete darkness.
    D. An experiment was conducted to determine whether the owl was being helped by invisible heat waves.

O

The owl's amazing hearing power comes from the design of its ears. The owl's face is ringed by stiff, curved feathers that collect and bounce sound waves into its eardrums -- the largest in the avian world. (The ear openings in some species, too, are so large that they entirely cover the sides of the head.) Beyond this, an owl's head is wide, setting the ears far apart, which means that a sound wave will arrive later at one ear than another—an infinitesimal time lapse, but sufficient to give a clue to the direction of a sound.

17. Decide which is a true statement, based upon paragraph
    O.

A. The ear openings of owls are so large that they entirely cover the sides of the head.
B. Direction of a sound is determined by a sound wave arriving later at one ear than another.
C. The owl's amazing hearing power comes from its ring of soft, curved feathers around its face.
D. The width of the owl's head is more important for sound detection than the size of the ears or the kind of face feathers.

P

To attract their mates, owls must use sound. They have a tremendous variety of calls, and probably no species duplicates another. Their calls are a bedlam of mournful night cries, wails and shrieks. The barred owl can be identified by its maniacal laugh; the great horned by its panther scream and the screech owl by its eerie tremolo. Some of the calls resemble hisses, groans, saw filing, and snores. Burrowing owl young sound exactly like a rattlesnake's buzz.

18. The main idea of paragraph **P** would be which of these four?

A. Owls have a tremendous variety of calls.
B. Owls must use sound to attract their mates.
C. Probably few species duplicate another's calls.
D. Each species can be identified by its night call.

Q

An owl in defense of its nest can be a ventriloquist. When Lewis W. Walker, a wildlife photographer, discovered a nest one day, his ears were besieged by sounds of angry bobcats. When that failed to scare him off, the mother would dive from her nest into high grass and make the anguished cry of a small animal in distress. Finally, when nothing else worked, she ripped him with her talons.

19. The best statement of purpose for paragraph **Q** is which?

   A. Owls can imitate bobcats and wounded rabbits.
   B. Introduce a famous wildlife photographer, Lewis W. Walker
   C. Owls will imitate different animals to scare off predators from their nests.
   D. The description of how determined a mother owl can become to protect her nest

R

Studies of owl food habits reveal that owls feed almost exclusively on rodents and other harmful small animals, which could overwhelm our crops and forests. Owls are, in fact, among the most beneficial of all birds, rivaling even hawks as controllers of the rodent population. One authority states that in a single night a barn owl may capture as much small prey as a dozen cats. A British study revealed that in one area owls take 23,980 rodents each year per square mile. Nevertheless, only 14 of our 50 states protect all species.

20. Identify a conclusion that can be drawn from paragraph **R**.

A. Owls help to control the rodent population.
B. Only 14 of 50 states protect all species of owls.
C. Owls can take 23,980 rodents each year per square mile.
D. In a single night, a barn owl may capture as much small prey as a dozen cats.

S

Once common, owls are today being allowed to disappear from the landscape. They are being shot, their habitats are being destroyed by bulldozers and the "landscaping" we now give our woods by removing dead timber decreases their nesting sites. Wouldn't we be well advised to give more respectful protection to these lords of the night?

21. Which is the best statement of main idea for paragraph **S**?

A. Owls need our protection if they are to survive.
B. Removing dead timber decreased owl-nesting sites.
C. Owls are being allowed to disappear from the landscape.
D. Owl habitats are being destroyed by road crews and homebuilders.

Rationales for Practice Test B

(Correct responses highlighted in **BOLD**.)

1. A is a correct inference drawn from the paragraph, but not broad enough to summarize the other details given in the paragraph.
    B is a paragraph detail, but not general enough around which to build the whole paragraph.
    C is only a detail, and does not include a comparison with human eyesight. It is not general enough to summarize the details presented in the paragraph.
    D is a true statement and accurately summarizes the details given in the paragraph.

    Type of Question: Main Idea

2. A is false. The paragraph does not say that owls truly see in the dark. The paragraph explains that they need very little light to see, but they do need at least one candle at 2,582 feet.
    B is a true statement of main idea because the statement summarizes a number of examples of how the owl is adapted to survive during the food gathering process in the near dark environment.
    C is a true statement, but just one example of how an owl is adapted for the dark.
    D is a true statement, but just one example of how an owl is adapted for the dark.

    Type of Question: Main Idea

3. A is a true statement, but only a detail. It is not general enough to be the main or general idea of the paragraph.
    B is a statement general enough to summarize the details of paragraph C.
    C is a true statement, but only a detail. It is not general enough to be the main or general idea of the paragraph.
    D is a true statement, but only a detail. It is not general enough to be the main or general idea of the paragraph.

    Type of Question: Main Idea

4. A is directly stated in the paragraph, not implied or inferred. Therefore, this statement is not an inference "derived from the paragraph." Concentrate on the direction words of the question, in this case "an inference that can be derived." The question did not ask for a true detail from the paragraph.
B is directly stated in the paragraph, not implied or inferred. Therefore, this statement is not an inference "derived from the paragraph." Concentrate on the direction words of the question, in this case "an inference that can be derived." The question did not ask for a true detail from the paragraph.
C is not a true statement because, although the paragraph states that the owl is distantly related to the whippoorwill, it does not suggest any common physical characteristics between the two kinds of birds.
D is an inference that can be drawn from paragraph D.

Type of Question: Inference

5. A is a poor answer choice because the paragraph does not state or imply this at all.
B is not a true statement because the paragraph says that both are rarely seen by Americans and does not differentiate between the rarity of the two.
C is true based on the paragraph that states that the screech owl is the most widespread of American owls and lives close to humans. The barn owl takes up quarters in human habitations, both would be widely seen out of the American owl species.
D is an untrue statement, as the paragraph infers just the opposite.

Type of Question: Inference

6. A is a false statement based on the paragraph and on good testtaking skills, which would suggest that statements containing an absolute, such as *always*, are usually false.

B is not true. The paragraph states that humans are "prisoners of daylight", not inmates in a correctional facility. The paragraph also says that the great horned and the barred owls hunt in the woods and are, therefore, rarely seen.

C is a false statement based upon the paragraph, which states that *some* owls may have such wingspans, but the paragraph does not say which kind of owl has such a great wingspan.

D is a true statement based on the paragraph which states that there are 135 species of owls and that they are found everywhere in the world except "the frozen Antarctic."

Type of Question: Predicting Outcomes

7. A is practically a word for word statement from the paragraph, not an inference.

B is an inference that can be drawn from the paragraph. The paragraph says their specialized gifts are of little value to them during the day, and that they "doze" in their nests. It can be inferred, then, that they are not actively hunting.

C is not an inference, but clearly stated in the paragraph.

D is not an inference. The accuracy of this statement depends upon a dictionary understanding of a vocabulary word, not a meaning that can be inferred, accurately, from the context. Therefore answer D is a definition statement, not an "inference drawn from paragraph F."

Type of Question: Inference

8. **A is the best statement of main idea for this paragraph. The entire paragraph develops this idea. This statement summarized the details of the paragraph, and is, therefore, a general statement of the main idea of the paragraph.**

B is a true statement, but only one detail or example used to develop the main idea of the paragraph. This detail is not general enough to summarize the paragraph.

C is a simple statement of detail from the paragraph, not the general idea developed by the paragraph.

D is the opposite of the idea developed by this paragraph. At best, this would be a simple statement of detail, not the general concept around which the entire paragraph was developed.

Type of Question: Main Idea

9. **A would be a general concept developed by the two paragraphs.**

   B is just one detail given in the two paragraphs.

   C is a conclusion drawn from one paragraph, but does not summarize the general concept tying the two paragraphs together.

   D is just one detail given in the two paragraphs.

   Type of Question: Central Theme

10. A is a statement but does not explain or infer why the feathers are fuzzy.

    B is a true statement, but it does not give a reason for the use of the feathers.

    C is a true statement broad enough to encompass the details that are presented.

    D is just a detail from the paragraph and not broad enough to summarize the focus of the paragraph detail.

    Type of Question: Main Idea

11. A is a true statement of detail from the paragraph, but not complete or general enough to summarize the many details of the paragraph.

    B is a true detail from the paragraph, but it does not imply that this is an asset to the hunting ability of the owl.

    C is a true statement based upon the paragraph, but it is just an example of the owl's ability, without stressing this ability as a hunting advantage.

D is a general statement developed by the details of the paragraph. Therefore, of the available choices, this is the best statement of "main idea."

Type of Question: Main Idea

12. A is a true detail from the paragraph, but not a conclusion drawn from details. It is simply a restatement of a detail or given fact.
B is a true detail from the paragraph, but not a conclusion drawn from details. It is simply a restatement of a detail or given fact.
C is a true inference from the paragraph. "Presence of light" does not mean an object is detected, only that light, itself, is perceived. "A sight impression" implies that an object is detected. Therefore, the sight impression would give more information.
D contains true statements and details from the paragraph; however, neither requires the reader to draw a conclusion or make an inference.

Type of Question: Inference

13. A contains only details from paragraph K and the second clause of this answer is false.
B contains the main idea of the first paragraphs but the second statement is not true.
C implies that the head completely rotates, which is not true, based on the paragraph. Also, there is no reference to the main idea of the first paragraph about the eyes not rotating, which causes the owl to rotate his head.
D contains the main ideas of each paragraph, and summarizes the point made in each. Therefore, it is the best statement of main idea for both paragraphs.

Type of Question: Predicting Outcomes

14. A is only one part of the purpose for the three paragraphs. It neglects the discussion of muscular neck motion.

B is just one idea developed in the three paragraphs. It is a very narrow statement of one developed concept, rather than a definition of focus for the three paragraphs.

C is only partially developed in paragraph L, but it is not broad enough to speak to the purpose of all three paragraphs.

D is a general conceptual statement that covers the many details given about the owl's visual and motor abilities.

Type of Question: Purpose

15. A is too vague to be a good statement of purpose. This answer simply states that an experiment was conducted.

    B was a factor of the experiment, but the complete darkness, silence, etc., while important, are not included or implied in the statement.

    C is too limited to be the general purpose of the paragraph. This statement does not give any reason for the experiment.

    D contains information given in the paragraph that primarily describes "how" the experiment was conducted.

    Type of Question: Purpose

16. A is a stated detail, not an inference.

    B is an inference that can be drawn because the paragraph does explain other experiments conducted to achieve a scientific outcome.

    C is false. The owl missed its target when one of its ears was plugged.

    D is a stated detail, not an inference.

    Type of Question: Inference

17. A is false. This statement is written like an absolute. Only some species have such large ear openings, according to the paragraph.
B is a true statement.
C is false. The ring of face feathers is "stiff."
D is a false statement according to the paragraph.

Type of Question: Inference

18. **A best states the main idea. The entire paragraph lists or describes the many different kinds of owl calls.**
B is a given fact, but it does not summarize the many details of the paragraph that list the many kinds of calls.
C is false. The paragraph states: "probably no species duplicates another." Also, the fact is not general enough to summarize all the details and examples given in the paragraph.
D may be a true statement based on the paragraph, but it is not general enough to summarize all the other details given in the paragraph.

Type of Question: Main Idea

19. A contains facts that are only examples supporting a greater purpose.
B is not the best choice. Walker is identified in the paragraph, but his introduction is too narrow to be the purpose of the paragraph.
C is a general statement of a purpose achieved by the paragraph.
D is not the main idea, although it is a valid inference.

Type of Question: Purpose

20. **A is supported by the facts and examples in the paragraph.**
    B is a true statement, but just a literal restatement of a fact in the paragraph.
    C is a true statement, but just a literal restatement of a fact in the paragraph.
    D is a true statement, but just a literal restatement of a fact in the paragraph.

    Type of Question: Inference

21. **A is a conceptual statement supported by the details of the paragraph.**
    B is a true statement, but the statement is not broad enough to summarize the many facts of the paragraph, which a main idea statement would do.
    C is a true statement, but just one detail. It does not support the plea of needed human protection.
    D is a conclusion or inference that can be made, but the statement is not broad enough to summarize all the facts in the paragraph.

    Type of Question: Main Idea

Diagnostic Chart for Practice Test B
Reading Comprehension

Indicate how many questions you answered correctly in each category.

Category	Total Possible	Tally Those Answered Correctly
Main Idea	8	
Inference	7	
Function and Significance		
Central Theme	1	
Purpose of Author	3	
Predicting Outcomes	2	
Total Possible	21	

Multiply 5 times the total questions you have correct.
This yields your **final score** for the practice test.

5 x _____ = _____ your final score.

If you earned less than 65 as a final score, study carefully what this study guide teaches about Reading Comprehension. Re-read the 35 Testtaking Strategies.

Practice Test A
Mathematics

The Entrance Test *will give you one (1) minute per question to complete this section. Time yourself, but attempt all the problems. The problems begin with basic addition and subtraction of whole numbers and proceed through basic algebra. When you can, reduce fractions to the lowest terms. Work quickly, but carefully. Write your answers directly into this book.*

1.   371
    + 614

   A. 886
   B. 986
   C. 985
   D. 885

2. 4,257
   + 9,368

   A. 13,615
   B. 13,625
   C. 12,615
   D. 12,625

3. 12,817
   + 6,955

   A. 18,772
   B. 18,762
   C. 19,762
   D. 19,772

4. 7,538
   - 2,417

   A. 4,021
   B. 5,021
   C. 4,121
   D. 5,121

5.   735
    - 587

   A. 158
   B. 148
   C. 248
   D. 258

6. 8,015
   - 2,707

   A. 5,308
   B. 5,318
   C. 6,308
   D. 6,318

7.   523
    x 63

   A. 31,949
   B. 32,949
   C. 32,849
   D. 31,849

8.   623
  x   7

A. 4,241
B. 4,341
C. 4,361
D. 4,261

9.   703
  x 26

A. 17,268
B. 17,278
C. 18,278
D. 18,268

10. 6)936

A. 156
B. 156 r3
C. 153
D. 153 r3

11. 7)507

A. 71 r5
B. 68 r5
C. 72
D. 72 r3

12. 56)14,448

A. 367
B. 267
C. 358
D. 258

Decimal Operations

13. Express $\frac{68}{1000}$ as a decimal.

A. 6.8
B. 0.068
C. 0.68
D. 0.0068

14. .23 + 1.5 + .002 =

A. 1.75
B. 1.732
C. 1.352
D. 1.372

15. .17 x .23 =

A. .0391
B. .391
C. 391
D. 3.91

16. $\frac{.7}{.04}$ is equal to

A. .0175
B. .175
C. 1.75
D. 17.5

17. Express the hundredths place in .8951.

A. 8
B. 9
C. 5
D. 1

18. $0.72 - 0.57 =$

   A. 2.5
   B. .25
   C. .15
   D. 1.5

19. Round off 3.346 to the nearest tenth.

   A. 3.35
   B. 3.3
   C. 3.34
   D. 3.4

20. Which is the equivalent decimal number for three hundred ten thousandths?

   A. 0.031
   B. 0.310
   C. 3.1
   D. 0.0031

Fraction Operations

21. $1\frac{1}{3} + 2 + \frac{3}{4} =$
   A. $4\frac{1}{12}$
   B. $5\frac{1}{12}$
   C. $4\frac{2}{3}$
   D. $4\frac{1}{6}$

22. $2\frac{1}{6} - 1\frac{1}{8} =$

   A. $1\frac{1}{24}$
   B. $1\frac{1}{12}$
   C. $\frac{7}{8}$
   D. $\frac{1}{3}$

23. $2\frac{1}{2} \times 3\frac{1}{3} \times 1\frac{1}{5} =$

   A. $6\frac{1}{6}$
   B. $6\frac{1}{30}$
   C. $6\frac{1}{5}$
   D. 10

24. $\frac{1}{4} \div \frac{3}{2} =$

   A. $\frac{1}{6}$
   B. $\frac{3}{8}$
   C. $\frac{1}{3}$
   D. $1\frac{1}{8}$

25. Which of the following is correct?

   A. $\frac{1}{3} = \frac{2}{5}$
   B. $\frac{1}{4} = \frac{9}{12}$
   C. $\frac{2}{3} = \frac{8}{12}$
   D. $\frac{3}{5} = \frac{15}{40}$

26. Solve for N in the following: $\frac{N}{3} = \frac{6}{9}$

A. $N = 1$
B. $N = 3$
C. $N = 2$
D. $N = 4$

27. Reduce $\frac{13}{78}$ to lowest terms.

A. $\frac{2}{7}$

B. $\frac{1}{6}$

C. $\frac{8}{5}$

D. $\frac{1}{4}$

28. Express $\frac{27}{7}$ as a mixed fraction.

A. $3\frac{5}{7}$

B. $3\frac{6}{7}$

C. $4\frac{1}{7}$

D. 4

Percent Operations

29. Express two hundredths as a percentage.

A. 20%
B. .2%
C. .02%
D. 2%

30. 60% of 180 =

A. 150
B. 388
C. 108
D. 120

31. 7 is what percent of 28?

A. 20
B. 25
C. 75
D. 40

32. 9 is what percent of 27?

A. 25%
B. 40 %
C. 33 %
D. 20 %

33. Two tenths of fifty equals:

A. 10
B. 100
C. 20
D. 25

34. .3% of 60 =

A. 20
B. 1.8
C. 18
D. .18

35. The ratio of 2 to 5 = (?)%

A. 10
B. 40
C. 4
D. .1

36. $\frac{3}{16}$ = (?) % × $\frac{3}{4}$

A. 20
B. 25
C. 15
D 10

Number System Conversions

37. Express $\frac{3}{8}$ as a decimal.

A. 0.24
B. 0.025
C. 0.375
D. 0.32

38. Express 0.18 as a percentage.

A. 18%
B. 1.8%
C. 0.18%
D. .0018%

39. Express $\frac{25}{5}$ as a percentage.

A. 500%
B. 50%
C. 5%
D. .05%

40. Express $\frac{4}{5}$ as a percentage.

A. 2%
B. .08%
C. 80%
D. 8%

41. $\frac{5.5}{20\%}$ = ?

A. 1.1
B. 2.75
C. 27.5
D. .11

42. Express 0.012 as a percentage.

A. 0.12 %
B. 12 %
C. 1.2 %
D. 120 %

43. Express the ratio of 12:30 as a percentage.

A. 2.5 %
B. 250 %
C. .25 %
D. 40 %

44. Express $\frac{12}{36}$ as a percentage.

A. 33.3 %
B. .333 %
C. 3 %
D. .3 %

Numbers System Conversions

45. Express 37.5% as a common fraction.

A. $\frac{4}{9}$

B. $\frac{5}{18}$

C. $\frac{3}{11}$

D. $\frac{3}{8}$

46. Express 420% as a decimal.

A. .042
B. 42
C. .420
D. 4.2

47. Solve for x:
    50 is 20% of x.

A. x= 200
B. x= 150
C. x= 250
D. x= 300

48. $7\frac{2}{5}$ % of x is equal to 74.
    Solve for x.

A. x= 50
B. x= 1000
C. x= 100
D. x= 500

49. Express 25% as a reduced common fraction.

A. $\frac{25}{100}$

B. $\frac{4}{16}$

C. $\frac{1}{4}$

D. $\frac{10}{40}$

50. Express 30% as a decimal.

A. 3000
B. .003
C. 3.0
D. 0.3

51. 4 is 25% of x.
    Solve for x.

A. x = 16
B. x = 24
C. x = 12
D. x = 36

52. 48% of x = 60.
    Solve for x.

A. 175
B. 230
C. 125
D. 120

Algebraic Equations

53. $6a + 3a - 4a =$

A. $13a$
B. $-5a$
C. $5a$
D. $9a$

54. $(x^2 + 3x)-(x^2 + 2x + 3) =$

A. $x - 3$
B. $2x^2 + 5x + 3$
C. $5x + 3$
D. $x + 3$

55. $2y + 5 = 27$.
    Solve for y.

A. $y = 12$
B. $y = 11$
C. $y = 16$
D. $y = 8$

56. $2(x + 1) = 3x - 1$.
    Solve for x.

A. $5x = 3$
B. $x = 8$
C. $x = 2$
D. $x = 3$

57. $6bx^2 - 3bx^2 =$

A. $3bx^2$
B. $-3bx^2$
C. $9bx^2$
D. $-9bx^2$

58. $6(t + 3) + 8 - 5(t + 2) =$

A. $2t + 36$
B. $t + 16$
C. $t + 36$
D. $t + 13$

59. $3x - 4 = 8$. Solve for x.

A. $x = 2$
B. $x = 3$
C. $x = 4$
D. $x = 5$

60. $5m + 8 = 3(m + 4)$.
    Solve for m.

A. $m = -2$
B. $m = 4$
C. $m = 3$
D. $m = 2$

Rationales and Answers for Practice Test A
Mathematics

Circle the problem number in this answer key when you have incorrectly solved a math problem.

The order of math problems in this test is by skill difficulty, just as they are on the Entrance Test. *Therefore, problem #1 is more basic to your success with math than problem #60. However, mastery of all these skills is very important if you are to manipulate formulas in college.*

Go back to the problems that you missed and try to analyze where your solutions became incorrect. Next, turn to Practice Test B and complete that practice test.

Question Number	Correct Answer	Skill Evaluated
1	C	Carrying through zero in addition of whole numbers
2	B	Carrying in addition of whole numbers
3	D	Basic number facts in addition of whole numbers
4	D	Basic number facts in subtraction of whole numbers
5	B	Borrowing in subtraction of whole numbers
6	A	Borrowing through zero in whole numbers
7	B	Double-digit multiplication of whole numbers
8	C	Single-digit multiplication of whole numbers
9	C	Multiplication of whole numbers involving carrying through zero
10	A	Basic short division operations with whole numbers
11	D	Short division of whole numbers involving zeros
12	D	Long division of whole numbers

Question Number	Correct Answer	Skill Evaluated
13	B	Translating a common fraction into a decimal
14	B	Placing the decimal point in addition
15	A	Placing the decimal point in multiplication
16	D	Placing the decimal point in division
17	B	"Place value" of digits in decimals
18	C	Placing the decimal point in subtracting
19	B	Placing the decimal point when multiplying whole numbers by decimals
20	B	Placing a decimal point in the division of a decimal by a whole number
21	A	Addition of common fractions and mixed fractions and whole numbers
22	A	Subtraction of mixed fractions
23	D	Multiplication of common fractions, mixed fractions & whole numbers
24	A	Division of common fractions
25	C	Finding equality of fractions
26	C	Solving for an unknown with fractions
27	B	Reduction of fractions
28	B	Converting a common fraction to a mixed fraction
29	D	Translating a word phrase into percentage
30	C	Calculating the percentage of a whole number
31	B	Finding the percentage of one number and another
32	C	Finding the percentage of one number and another
33	A	Determining the percentage of whole number
34	D	Determining the fractional percentage of number

Question Number	Correct Answer	Skill Evaluated
35	B	Determining the percentage of a ratio statement
36	B	Percent of fraction and another fraction
37	C	Converting common fraction to decimal fraction
38	A	Converting decimal fraction to percentage
39	A	Converting a common fraction to percentage
40	C	Converting a common fraction to percentage
41	C	Dividing a decimal fraction by percentage
42	C	Converting decimal fractions to percentages
43	D	Converting a ratio to percentage
44	A	Converting a common fraction to percentage
45	D	Converting a percentage to a common fraction
46	D	Converting a percentage to a decimal
47	C	Finding a number when a percentage of it is known
48	B	Finding a number when a percentage of it is known
49	C	Converting a percentage to a common fraction
50	D	Converting a percentage to a decimal
51	A	Finding a number when a percentage of it is known
52	C	Finding a number when a percentage of it is known
53	C	Collecting similar terms (algebraic addition)
54	A	Removing parentheses, collecting similar terms (algebraic subtraction)
55	B	Solving for one unknown (involving algebraic addition and subtraction and division axioms)

Question Number	Correct Answer	Skill Evaluated
56	D	Solving for one unknown (removal of parenthesis through multiplication and utilization of algebraic addition, subtraction and division axioms)
57	A	Collecting similar terms having exponents
58	B	Removal of parentheses through multiplication followed by collecting similar terms
59	C	Solving for unknown (subtraction, division axioms)
60	D	Solving for one unknown through parentheses removal and followed by the use of addition and subtraction and division axioms

Practice Test B
Mathematics

The Entrance Test *will give you one minute per question to complete this section. Time yourself, but attempt all the problems. The problems begin with basic addition and subtraction of whole numbers and proceed through basic algebra. When you can, reduce fractions to the lowest terms. Work quickly, but carefully. Write your answers directly into this book.*

1. 481
    + 316

    A. 797
    B. 795
    C. 897
    D. 895

2. 5,654
    + 5,728

    A. 11,482
    B. 11,382
    C. 12,482
    D. 12,382

3. 8,721
    + 1,893

    A. 10,614
    B. 10,624
    C. 9,614
    D. 9,624

4. 8,674
    - 5,213

    A. 3,351
    B. 3,451
    C. 3,461
    D. 3,361

5. 826
    - 458

    A. 368
    B. 364
    C. 388
    D. 384

6. 7,081
    - 4,690

    A. 2,311
    B. 2,411
    C. 2,491
    D. 2,391

7. 472
    x 26

    A. 13,272
    B. 12,272
    C. 13,372
    D. 12,372

8. 582
    x 6

    A. 3,582
    B. 3,682
    C. 3,592
    D. 3,492

9. 507
    x 62

    A. 32,534
    B. 31,534
    C. 32,434
    D. 31,434

10. 6)810

    A. 135
    B. 136
    C. 135 r2
    D. 136 r2

11. 5)605

    A. 121
    B. 221
    C. 120
    D. 220

12. 26)1,322

    A. 51
    B. 50
    C. 50 r22
    D. 51 r22

Decimal Operations

13. Express $\frac{56}{100}$ as a decimal.

    A. 5.6
    B. 0.56
    C. 0.056
    D. 0.0056

14. .3 + .02 + .76 =

    A. 1.56
    B. 1.08
    C. .108
    D. .156

15. .3 x .12 =

    A. .0036
    B. 3.6
    C. .36
    D. .036

16. Solve $\frac{.4}{.02}$

    A. 2
    B. 20
    C. .02
    D. .002

17. Express the thousandths
    place in 0.1245.

    A. 1
    B. 4
    C. 2
    D. 5

18. $0.67 - 0.123 =$

A. .547
B .447
C. .543
D. .443

19. Round 3.163 to the nearest tenth.

A. 3.17
B. 3.1
C. 3.2
D. 3.16

20. Which is the equivalent decimal number for twenty-eight hundredths?

A. 2.8
B. .028
C. 2800
D. 0.28

Fraction Operations

21. $3 + \frac{3}{2} + \frac{3}{4} =$

A. $5\frac{1}{4}$
B. $5\frac{3}{4}$
C. $4\frac{3}{4}$
D. $6\frac{1}{4}$

22. $6\frac{7}{8} - 2\frac{3}{8} =$

A. $3\frac{3}{8}$
B. $3\frac{1}{2}$
C. $4\frac{3}{8}$
D. $4\frac{1}{2}$

23. $2\frac{1}{3} \times 5\frac{1}{4} =$

A. $12\frac{3}{4}$
B. $10\frac{1}{12}$
C. $12\frac{1}{4}$
D. $10\frac{2}{12}$

24. $\frac{3}{7} \div \frac{8}{5} =$

A. $\frac{1}{36}$
B. $\frac{8}{35}$
C. $\frac{15}{56}$
D. $\frac{9}{56}$

25. Which of the following is correct?

A. $\frac{5}{3} = \frac{15}{6}$
B. $\frac{1}{3} = \frac{4}{12}$
C. $\frac{1}{6} = \frac{2}{9}$
D. $\frac{5}{2} = \frac{15}{3}$

26. Find N for the following:

$\frac{N}{3} = \frac{3}{9}$

A. $N = 3$
B. $N = 2$
C. $N = 9$
D. $N = 1$

27. Reduce $\frac{45}{75}$ to lowest terms.

A. $\frac{2}{3}$

B. $\frac{3}{5}$

C. $\frac{7}{3}$

D. $\frac{5}{3}$

28. Express $\frac{9}{4}$ as a mixed fraction.

A. $3\frac{3}{4}$

B. $2\frac{1}{4}$

C. $2\frac{3}{4}$

D. $3\frac{1}{4}$

Percent Operations

29. Express twenty-eight hundredths as a percentage.

A. .028 %
B. 280 %
C. 2.8 %
D. 28 %

30. 25 % of 120 =

A. 40
B. 175
C. 200
D. 30

31. 5 = (?)% of 50

A. 10
B. 25
C. 20
D. 5

32. 6 is what percent of 24?

A. 20 %
B. 25 %
C. 75 %
D. 80 %

33. One fourth of thirty six is:

A. 9
B. .9
C. 90
D. .09

34. 1.4 % of 28 =

A. .2
B. 3.92
C. .392
D. 20

35. Ratio of 5 to 25 = (?)%

A. 40
B. 60
C. 80
D. 20

36. $\frac{1}{8} = (?)\% \times \frac{5}{8}$

A. 20
B. 40
C. 25
D. 12.5

Number System Conversions

37. Express $\frac{4}{20}$ as a decimal.

A. .2
B. .02
C. .8
D. .08

38. Express 0.7 as a percentage.

A. .007 %
B. .7 %
C. 7 %
D. 70 %

39. Express $\frac{21}{7}$ as a percentage.

A. 30 %
B. 300 %
C. 3 %
D. 0.03 %

40. Express $\frac{1}{8}$ as a percentage.

A. .125 %
B. 1.25 %
C. 12.5 %
D. .0125 %

41. $\frac{150}{40\%} =$

A. 30
B. 0.6
C. 375
D. .3

42. Express 2.57 as a percentage.

A. 257 %
B. 25.7 %
C. 2.52 %
D. .0257 %

43. Express the ratio of 2:25 as a percentage.

A. .8 %
B. .125 %
C. 12.5 %
D. 8 %

44. Express $\frac{2}{3}$ as a percentage.

A. 6 %
B. .066 %
C. .66 %
D. 66.6 %

Numbers System Conversions

45. Express 12% as a reduced common fraction.

A. $\frac{6}{25}$

B. $\frac{9}{50}$

C. $\frac{3}{25}$

D. $\frac{6}{16}$

46. Express 12% as a decimal.

A. .12
B. 12
C. 1200
D. .0012

47. 75 is 50% of (?)

A. 300
B. 150
C. 225
D. 37.5

48. $4\frac{1}{4}$ % of (?) = 8.5.

A. 80
B. 100
C. 200
D. 50

49. Express 12.5% as a reduced common fraction.

A. $\frac{1}{8}$

B. $\frac{2}{16}$

C. $\frac{12.5}{100}$

D. $\frac{25}{100}$

50. Express 23% as a decimal.

A. 0.023
B. 2.3
C. 23
D. .23

51. 12 is 6% of (?)

A. 2
B. 6
C. 200
D. 120

52. $\frac{2}{3}$ % of (?) = 33.3.

A. 5000
B. 400
C. 600
D. 1000

Algebraic Equations

53. $-6a + 5a + 2a =$

A. a
B. $13a$
C. $-13a$
D. $7a$

54. $(x^2 + 3x-2) - (x^2 - 2x - 5)=$

A. $5x + 7$
B. $x^2 + 5x$
C. $x - 7$
D. $5x + 3$

55. $2y + 5 = 25.$ Solve for y.

A. $y = 2$
B. $y = 15$
C. $y = 10$
D. $y = 5$

56. $6(x + 1) = 12(x - 3).$
Solve *for x.*

A. $x = 2$
B. $x = 3$
C. $x = 5$
D. $x = 7$

57. $2ax^2 - 5ax^2 =$

A. $8ax^2$
B. $- 8ax^2$
C. $- 3ax^2$
D. $3ax^2$

58. $6(r + 1) - 2 + 2(r - 5) =$

A. $8r - 6$
B. $8r + 14$
C. $4r - 6$
D. $4r + 14$

59. $2x - 5 = 15.$

A. $x = 8$
B. $x = 10$
C. $x = 9$
D. $x = 4$

60. $2(m+1) + 3 = (m-2)5.$
Solve for m.

A. $m = -2$
B. $m = 3$
C. $m = 2$
D. $m = 5$

Rationales and Answers for Practice Test B Mathematics

Circle the problem number in this answer key when you have incorrectly solved a math problem. Go back to the problems that you missed and try to analyze where your solutions became incorrect.

Question Number	Correct Answer	Skill Evaluated
1	A	Carrying through zero in addition of whole numbers
2	B	Carrying in addition of whole numbers
3	A	Addition of whole numbers
4	C	Subtraction of whole numbers
5	A	Borrowing in subtraction of whole numbers
6	D	Borrowing through zero in whole numbers
7	B	Double-digit multiplication of whole numbers
8	D	Single-digit multiplication of whole numbers
9	D	Multiplication of whole numbers, carrying zero
10	A	Basic short division operations with whole numbers
11	A	Short division of whole numbers involving zeros
12	C	Long division of whole numbers
13	B	Translating a common fraction into a decimal
14	B	Placing the decimal point in addition
15	D	Placing the decimal point in multiplication
16	B	Placing the decimal point in division
17	B	"Place value" of digits in decimals
18	A	Placing the decimal point in subtracting
19	C	Placing the decimal point when multiplying whole numbers by decimals
22	D	Subtraction of mixed fractions

Question Number	Correct Answer	Skill Evaluated
20	D	Placing a decimal point in the division of a decimal by a whole number
21	A	Addition of common fractions and mixed fractions and whole numbers
23	C	Multiplication of common fractions and mixed fractions and whole numbers
24	C	Division of common fractions by common fractions
25	B	Finding equality of fractions
26	D	Solving for an unknown when dealing with fractions
27	B	Reduction of fractions
28	B	Converting a common fraction to a mixed fraction
29	D	Translating a word phrase into a percentage
30	D	Calculating the percentage of a whole number
31	A	Finding what percentage of one number and another number is
32	B	Finding what percent of one number and another number is
33	A	Determining the percentage of a whole number
34	C	Determining the fractional percentage of a number
35	D	Determining the percentage of a ratio statement
36	A	Finding what is the percentage of a fractional number and another fractional number
37	A	Converting a common fraction to a decimal fraction
38	D	Converting a decimal fraction to a percentage

Question Number	Correct Answer	Skill Evaluated
39	B	Converting a common fraction to a percentage
40	C	Converting a common fraction to a percentage
41	C	Dividing a decimal fraction by a percentage
42	A	Converting decimal fractions to percentages
43	D	Converting a ratio to a percentage
44	D	Converting a common fraction to a percentage
45	C	Converting a percentage to a common fraction
46	A	Converting a percentage to a decimal
47	B	Finding a number when a percentage of it is known
48	C	Finding a number when a percentage of it is known
49	A	Converting a percentage to a common fraction
50	D	Converting a percentage to a decimal
51	C	Finding a number when a percentage of it is known
52	A	Finding a number when a percentage of it is known
53	A	Collecting similar terms with different signs (algebraic addition)
54	D	Removing parentheses and collecting similar terms (algebraic subtraction)
55	C	Solving for one unknown (involving algebraic addition and subtraction and division axioms)
56	D	Solving for one unknown (involving removal of parentheses through multiplication and then utilization of algebraic addition and subtraction and division axioms)

Question Number	Correct Answer	Skill Evaluated
57	C	Collecting similar terms having exponents
58	A	Removal of parenthesis through multiplication followed by collecting similar terms
59	B	Solving for one unknown through subtraction and division axioms
60	D	Solving for one unknown through parenthesis removal and followed by the use of addition and subtraction and division axioms

NOTES

NOTES

NOTES

NOTES